faites la fête comme Gaston Lenôtre

Du même auteur :

FAITES VOTRE PATISSERIE
COMME LENOTRE

FAITES VOS GLACES
ET VOTRE CONFISERIE
COMME LENOTRE

faites la fête comme Gaston Lenôtre

par
Gaston Lenôtre

avec
la collaboration de sa fille

Sylvie Gille-Naves

photos Pierre Ginet

flammarion

Imprimé en France
ISBN 2-08-200096-6

Cher lecteur, chère lectrice,

« Encore un livre de cuisine ! », direz-vous peut-être, « pourquoi ? ». Tout simplement parce qu'il ne s'agit pas d'un livre de cuisine comme les autres. Il vous suffira de feuilleter la table des matières pour voir que ce livre ne suit pas le schéma habituel, qu'il est sélectif dans les recettes présentées mais comprend beaucoup de rubriques que l'on ne trouve nulle part ailleurs.
En vous révélant certains secrets de la cuisine traiteur, j'ai voulu écrire pour vous un guide de la fête .
Entendons-nous bien sur ce qu'il faut comprendre par là. Pour recevoir 7 où 8 personnes, vous n'avez pas besoin de guide : il vous suffit de sélectionner de bonnes recettes, de servir vos convives sur une table joliment mise, d'accompagner les mets de vins judicieusement sélectionnés, et le tour est joué.
Il en va tout autrement pour une grande fête, plus précisément pour une fête qui ne peut pas entrer dans le cadre des repas traditionnels. Les occasions d'inviter beaucoup de monde sont fréquentes et infiniment diverses. Mais, qu'il s'agisse d'un cocktail, d'un barbecue, d'un buffet, d'une cérémonie, qu'il s'agisse d'une fête que vous donnez pour vos enfants ou d'un dîner où les invités sont trop nombreux pour s'asseoir autour d'une table ; que ce soit une réunion d'apparat ou une réunion tout a fait détendue, les mêmes problèmes se posent : vous voulez faire honneur à 10, 20, 30 personnes, et vous voulez également profiter au maximum de leur compagnie.
Vous pouvez, certes, avoir recours au traiteur ; mais ce n'est pas toujours possible. Et, le serait-ce, n'êtes-vous pas tentés d'organiser entièrement, par vos propres moyens, la fête la plus appropriée aux goûts de vos amis ?
Tel est le « pourquoi » de ce livre. Tout d'abord, vous éclairer sur les problèmes du décor, de l'échelonnement de la préparation et de l'intendance. Ensuite, vous donner des recettes variées de plats réalisables pour au moins 10 personnes, des menus, des conseils, des idées qui apporteront une note personnelle et originale à vos réceptions.
Plus encore que pour mes livres précédents, ma fille Sylvie a été un auxiliaire indispensable car elle m'a permis de comprendre les difficultés que rencontre une maîtresse de maison. C'est elle qui a choisi les menus, vérifié que chaque recette pouvait être réalisée dans sa cuisine et adapté nos plats aux possibilités de chacun. En collaboration avec le chef de la cuisine froide de Plaisir, Marcel Derrien, elle a également mis au point des décors réalisables à la maison.

Vous verrez que chaque chapitre comporte une partie de recettes de base et de plats terminés ; lorsque plusieurs présentations sont possibles, les diverses formules sont présentées et illustrées. Comme dans mes livres précédents, j'ai profité des photos en couleur et en noir et blanc pour mieux vous montrer une présentation, vous faire comprendre un coup de main, un stade précis de la préparation, une progression dans le décor d'un plat. Les illustrations sont donc à la fois un plaisir et une aide et elles vous permettront de voir comment vous pouvez faire de vos réceptions un régal pour les yeux aussi bien que pour le palais.
Naturellement, les recettes touchent à tous les types de fêtes et correspondent à des propositions de menus qui tiennent compte du cadre, de l'occasion et des circonstances. Mais ce ne sont que des propositions car, grâce aux conseils que vous prodigue ce livre, vous pourrez laisser libre cours à votre imagination et varier vos menus au gré de votre fantaisie.
Il n'existait aucun ouvrage sur ce sujet.
Voici donc des techniques, des astuces, des idées, en un mot « un guide » qui vous aidera à bien recevoir vos amis et à profiter pleinement de leur présence.
Voici comment vous pouvez faire la fête comme Gaston Lenôtre.

CHAPITRE I

CONSEILS POUR ORGANISER UNE FÊTE ET LA RÉUSSIR

TYPES DE FÊTES

- Symboles selon les circonstances
- Apéritif, cocktail et cocktail prolongé
- Buffet-repas
- Plateaux-repas

QUANTITÉS À PRÉVOIR ET ORGANISATION

- Quantités à prévoir
- Organisation à long terme
- Préparation

RÉALISATION

- Comment tirer le meilleur parti de votre cuisine
- Comment cuisiner en plein air

MATÉRIEL DE BASE

- Choix des couteaux
- Choix du matériel électrique
- Matériel photographié
- Matériel non photographié
- Matériel pour le barbecue

PROPOSITIONS DE MENUS

- Buffet-apéritif pour 24 personnes (18 à 19 h)
- Cocktail classique pour 24 personnes (18 à 20 h)
- Cocktail exotique pour 24 personnes (20 à 24 h)
- Buffet-repas campagnard pour 20 personnes
- Buffet-repas campagnard pour 25 personnes
- Buffet-repas pour 24 personnes (12 h 30 à 14 h 30)
- Buffet-dîner pour 24 personnes (20 h à 23 h)
- Buffet-repas de cérémonie pour 24 personnes
- Buffet classique pour 45 à 50 personnes
- Buffet de gala pour 48 à 50 personnes
- Compte à rebours pour la préparation du menu de gala
- Buffet-dîner juniors (10 à 15 ans) pour 24 personnes
- Buffet-dîner juniors (15 à 20 ans) pour 24 personnes
- Buffet-rencontre juniors-parents pour 24 personnes
- Barbecue par temps idéal pour 24 personnes
- Barbecue par temps incertain pour 24 personnes
- Fête improvisée
- Goûter pour 24 enfants
- Plateaux-repas froids (d'Alsace, d'Auvergne, de Bretagne ; exotique, méditerranéen, montagnard, nordique, normand).

Ce chapitre ne se compose pas de recettes à proprement parler et pourtant il vous sera bien utile. Quand on reçoit 20 à 30 amis, il est difficile d'organiser son travail et de prévoir des quantités exactes de boisson et de nourriture. Si vous ne voulez pas manger la même chose pendant une semaine ou chercher à 10 h du soir du pain, du jambon ou du champagne et si vous voulez, vous aussi, profiter de la fête, il faut penser à l'avance à votre stratégie et, d'abord, composer le menu.

TYPES DE FÊTES

SYMBOLES SELON LES CIRCONSTANCES

Pour vous aider, nous avons choisi de petits symboles que vous trouverez en tête de recette, ou en tête de chapitre lorsque toutes les recettes conviennent à un même type de fête.

Petites pièces ou pièces de buffet, pour un apéritif ou un cocktail. Elles sont légères et on peut les manger avec les doigts.

Pièces individuelles un peu plus importantes pour cocktails prolongés ou pour buffets-repas. Elles ne nécessitent généralement pas l'utilisation d'assiettes.

Plats de tous ordres convenant aux repas où il n'est pas prévu de faire asseoir les invités. Ces plats, qui peuvent être très substantiels, sont le plus souvent prédécoupés ; ils sont généralement servis avec assiette et couvert.

Plats substantiels non prédécoupés et que l'on ne peut pas manger debout.

Plats devant être cuits au barbecue ou convenant particulièrement bien à une réception dans un jardin.

En ce qui concerne les fêtes pour jeunes, nous avons considéré que votre jugement était probablement mieux informé que le nôtre sur les goûts de vos enfants et de leurs amis, et nous vous avons laissé carte blanche (en dehors de quelques propositions de menu, voir p. 32).

APÉRITIF, COCKTAIL ET COCKTAIL PROLONGÉ

Pour un apéritif ou un cocktail, le buffet devra être d'autant plus abondant que le laps de temps prévu sur les invitations (18 à 19 h, 18 à 20 h,...) sera long, car les arrivées risquent de s'échelonner et la réception de se prolonger plus longtemps que prévu. Rien ne serait plus désagréable pour vous que de n'avoir plus rien à offrir aux derniers arrivants, qui ne seront pas forcément les moins attendus.
Donc prévoyez largement, surtout que vous ne courez pas de grands risques car presque toutes les boissons et la plupart des amuse-gueule ou des petites pièces que l'on offre dans ce type de réception peuvent aisément être utilisés par la suite, et même souvent être conservés pour une autre occasion.
Vous trouverez dans la deuxième partie de ce chapitre quelques indications sur les menus à prévoir, où nous avons surtout cherché à vous donner des ordres de grandeur, car c'est à vous de savoir qui seront vos invités, combien seront effectivement présents et combien désireront prolonger leur soirée avec vous.

POUR UN REPAS, VOUS AVEZ LE CHOIX ENTRE DEUX FORMULES : LE BUFFET-REPAS OU LES PLATEAUX-REPAS.

BUFFET-REPAS

Si vous désirez recevoir 20 à 30 personnes ensemble et leur offrir un « vrai » repas, choisissez cette formule qui laisse aux maîtres de maison une grande liberté de conception.
Elle permet en effet d'accueillir un grand nombre de convives, de faire la mise en place en grande partie à l'avance et de voir tous les invités plus ou moins longuement en évitant tout problème de préséance puisque les invités se placent eux-mêmes.
Selon les cas, le buffet-repas peut être plus ou moins fastueux ; on peut l'envisager pour une très grande fête, un mariage par exemple, aussi bien que pour une réunion très décontractée comme une soirée entre jeunes. La formule se prête aux déjeuners comme aux dîners, à la réception en ville comme au barbecue. Seuls le décor et le menu diffèrent.
Si vous n'envisagez pas de faire asseoir les invités ou si vous pensez qu'il leur serait difficile d'utiliser à la fois un couteau et une fourchette, choisissez les plats précédés du troisième symbole. En feuilletant le livre, vous pourrez voir que certains ne nécessitent même pas l'utilisation d'une fourchette puisqu'ils peuvent être mangés simplement avec des piques en bois. Vous verrez également que nous ne limitons pas votre choix à un menu de pique-nique car ce symbole s'applique à des plats aussi prestigieux que le chaud-froid de poulardes à la française ou le canard Montmorency, pour ne prendre que deux exemples.
Lorsqu'il est possible de faire asseoir confortablement les invités, ou bien lorsque la fête est totalement sans façons et que l'on peut laisser chacun s'installer à sa guise, le quatrième symbole s'applique ; les plats qu'il

désigne conviendront donc aux buffets campagnards, aux buffets-juniors ou aux fêtes organisées dans un jardin, aussi bien qu'aux réceptions où les invités peuvent se répartir autour de petites tables.

PLATEAUX-REPAS

Je vous recommande cette formule de repas froid pour servir en un temps record un grand nombre d'invités arrivant tous en même temps ou de manière échelonnée, surtout s'ils sont affamés et susceptibles de ne rien laisser pour les retardataires ! Je pense, par exemple, aux sorties de jeunes qui finissent souvent tard, aux rallyes dont les participants n'arrivent pas toujours au but à l'heure prévue, à certaines réceptions champêtres où il n'est pas toujours possible d'organiser un buffet central.
Dans des cas de ce genre la distribution du plateau-repas simplifie l'organisation tout en permettant à chaque participant d'avoir une nourriture variée et équilibrée.
Ce sont les plateaux télévision ou plateaux avion qui conviennent le mieux car ils sont munis de plusieurs compartiments en creux pouvant recevoir tous les plats, de l'entrée jusqu'au dessert. Des serviettes en papier, verres, couverts et assiettes complètent le plateau ; pour une fête vraiment décontractée, n'hésitez pas à utiliser de la vaisselle en plastique ou en carton.
Comme pour les buffets-repas, composez le menu en fonction de la place dont vous disposez pour faire asseoir les convives mais limitez-vous aux plats froids qui permettent une mise en place à l'avance.
Si vous avez une maison fraîche, une cave, un jardin ou une terrasse, préparez tous les plateaux une heure à l'avance et entreposez-les, couverts de serviettes, dans un endroit frais.
Si vous n'avez ni cave, ni jardin, ni terrasse ombragée et s'il fait chaud, découpez les terrines, les viandes et le pain, faites les coquilles de beurre, dressez en ramequins desserts ou salades, etc. et laissez le tout au frais le plus longtemps possible. Empilez les plateaux non garnis sur une table avec, à côté, les couverts, les verres et les assiettes ; vous garnirez un quart des plateaux juste avant l'arrivée des premiers invités, le reste au fur et à mesure.
Il est préférable de servir la boisson au moment où chacun prend son plateau et de prévoir 50 % de boissons en plus, en réserve au frais.

QUANTITÉS À PRÉVOIR ET ORGANISATION

Tout dépend, bien sûr, du nombre de plats que vous servirez, de l'appétit de vos convives, de la durée et de l'importance que vous voulez donner à votre réception.

QUANTITÉS À PRÉVOIR

A la différence des repas plus classiques, les buffets comportent souvent

une grande variété de plats, aussi les présente-t-on en portions plus petites (que nous appelons les portions en buffet).
La diversité créant la tentation, nous avons constaté que le poids total consommé dans un buffet était au moins de 20 % supérieur à celui consommé à un repas classique, pour le même nombre de convives. Il faut que vous en teniez compte en calculant les quantités à préparer.
Les recettes sont prévues pour un poids de nourriture, ou pour un nombre de portions en buffet ou pour un nombre de personnes. Choisissez selon la longueur du menu et le type de réception que vous organisez : les « portions en buffet » s'appliquent à une réception courte ou à un menu très long alors que les quantités indiquées « par personne » prévoient un repas plus proche du dîner classique.

ORGANISATION À LONG TERME

Pour chaque recette, nous vous indiquons les possibilités de congélation. Si vous recevez beaucoup, profitez des périodes de calme pour préparer des bases, des terrines et même certains plats, et ayez toujours un congélateur bien garni. Cela vous sera précieux aussi si vous aimez organiser des fêtes à l'improviste.
Si vous manquez de place dans le réfrigérateur pour rafraîchir les boissons, congelez des bouteilles d'eau ou de jus de fruits aux 3/4 pleines. Vous les sortirez le matin de la réception, elles seront encore fraîches le soir.

PRÉPARATION

Pour une fête bien organisée, composez le menu huit à dix jours à l'avance en vous référant aux symboles des recettes ou en vous inspirant des menus proposés à la fin de ce chapitre ; détaillez ensuite les quantités à prévoir en séparant ce que vous voulez faire vous-même de ce que vous commanderez à l'extérieur.
Selon le menu choisi et le nombre de personnes qui participent à sa réalisation, votre emploi du temps s'établira tout naturellement ; nous vous donnons un exemple précis de « compte à rebours » pour le menu de gala, l'un des plus compliqués, à la page 32.
De façon plus générale, voici comment vous pouvez organiser la semaine qui précède la réception.

Jour J moins 8 : préparation des terrines et des fonds ;
cuisson du foie gras, champignons marinés ;

7 : passage des commandes,

Jour J moins 6 : achat des boissons, des condiments et conserves,

5 : achat des accessoires et ustensibles de table,
préparation de certaines marinades ;

Jour J moins 4 : cuisson des pains, préparation de bases telles que pâtes, garnitures, etc. ;

Jour J moins 3 : achat des fruits ou de certains légumes qu'il faudra laisser mûrir (les avocats, par exemple), des fromages à affiner ; cuisson des volailles au bouillon, décor en sucre coulé ;

Jour J moins 2 : achat et cuisson de poissons ; préparation de légumes et crudités, de certains sandwiches ;

Jour J moins 1 : finitions de certains canapés, de certaines salades ; décors et nappages en gelée ; découpages de crustacés, poissons ou viandes ; mise en papillotes pour la cuisine en plein air ; installation du buffet ;

Jour J : finitions fragiles ou volumineuses comme la corbeille de crudités ; finition des canapés et sandwiches ; reconstitution de grosses pièces ; décor des plats, etc., et, au dernier moment, mixage de salades délicates et réchauffage de petites pièces ou de plats chauds.

RÉALISATION

COMMENT TIRER LE MEILLEUR PARTI DE VOTRE CUISINE

Recevoir un grand nombre de personnes nécessite de la place. Voici les points qui me semblent les plus importants pour organiser le travail dans la cuisine.

Les plans de travail

Si vous avez de grands plans de travail recouverts de lamifié ou de stratifié, pas de difficulté, ni pour la place, ni pour l'hygiène ; par contre, si vous avez une table en bois, recouvrez-la d'une toile cirée. Au besoin, improvisez une table avec deux tréteaux et une porte de placard recouverte d'une grande nappe de plastique ; la hauteur idéale du plan de travail, pour ne pas se fatiguer le dos, étant de 90 cm, installez des cales sous les pieds pour les rehausser s'ils sont trop bas.
Le temps de préparation d'un grand nombre de recettes sera sérieusement écourté si vous possédez un bon robot ménager, à condition toutefois qu'il soit branché sur le plan de travail pendant toute la durée des préparatifs de la fête. Ceci vaut d'ailleurs pour la majeure partie du matériel. Vous gagnerez du temps si vous avez tout à portée de la main.

La cuisinière

En ce qui concerne la cuisson, je dois vous dire que j'ai un penchant pour les cuisinières mixtes munies d'un four électrique à thermostat ; les cuissons sont plus régulières et le réglage de la température est plus précis que dans un four à gaz. Sur ce plan, la technique a fait de grands progrès. Vous trouverez page 20 un tableau de correspondance entre la température et le thermostat.
Dans tous les cas, n'oubliez pas de sortir les plaques avant de faire chauffer le four.

Comme il s'agit ici de gagner du temps et de se simplifier la tâche, je vous rappelle en quelques lignes les plus récentes améliorations concernant les fours autonettoyants à pyrolise ou à catalyse, qui ont l'avantage de ne pas s'encrasser.
Avec la pyrolise, on brûle les graisses en faisant chauffer le four pendant environ 1 h à 500° ; il n'est pas nécessaire de le faire après chaque cuisson mais seulement après celles qui éclaboussent les parois. Le four à catalyse, par contre, est autodégraissant parce que ses parois émaillées détruisent les graisses pendant la cuisson ; en principe, donc, il n'est pas nécessaire de le laver. A la longue, cependant, il s'encrasse, surtout si l'on cuit beaucoup de plats qui éclaboussent (dans ce cas, il vaut mieux le protéger avec du papier d'aluminium).
Le four à ventilation est une innovation d'un autre type qui se rapproche des techniques à la disposition des professionnels. Une turbine crée une circulation d'air chaud rapide et régulière qui permet de faire cuire et dorer les aliments à plus basses températures que dans un four traditionnel : le préchauffage est très court, 5 mn environ, et les fonds de tartes et quiches sont mieux cuits grâce à la ventilation.
Mais, quelle que soit la cuisinière dont vous disposez, elle peut se révéler trop petite le jour de la réception. Si vous disposez d'une cheminée, prévoyez un bon feu : un certain nombre de plats pourront y cuire comme sur un barbecue.

Le réfrigérateur

En prévision de la fête, pensez à dégivrer le réfrigérateur afin d'obtenir plus de froid ; préparez ensuite des glaçons pendant plusieurs jours si vous pouvez les stocker dans un congélateur ou dans des récipients isothermiques.
Faites-vous découper des planchettes de contreplaqué aux dimensions du réfrigérateur (p. 136) pour superposer au mieux toutes les petites pièces, sans oublier toutefois qu'il faut toujours laisser un minimum de ventilation. Pour recouvrir ces planchettes, les préparations qui y sont placées ou les récipients, le film plastique présente beaucoup d'avantages : il est transparent, on peut donc voir immédiatement ce qu'il enveloppe ; il est étirable et se rétracte sur lui-même contre de nombreux matériaux (porcelaine, verre ou matière plastique), assurant ainsi l'étanchéité ; il permet d'éviter les odeurs dans le réfrigérateur, le dessèchement des aliments, la formation d'une croûte sur les crèmes. Il est très bon marché et se présente sous la forme de petits rouleaux maniables et faciles à découper. Mais attention ! Je le recommande seulement pour conserver les aliments (à température ambiante ou au réfrigérateur). Ne l'utilisez jamais pour la cuisson.
Même si votre réfrigérateur a une grande capacité et un débit de glaçons important, il vous paraîtra peut-être insuffisant le jour de la réception ; il pourrait être utile d'utiliser une glacière portative ou d'en improviser une, dans un grand bac par exemple. Il est toujours possible de commander des pains de glace chez un poissonnier, un charcutier ou un traiteur.
Il est également très utile de prévoir une pièce fraîche réservée à la

conservation à court terme et qui pourra être n'importe quelle pièce de la maison où il n'y a pas trop de passage. L'hiver, vous y couperez le chauffage et entrouvririez la fenêtre, en prenant soin d'éviter les courants d'air ; l'été, vous choisirez de préférence une pièce orientée au nord, la protégerez du soleil et organiserez une bonne ventilation. Prévoyez des surfaces stables où vous pourrez déposer les plats fragiles jusqu'au moment de les présenter sur le buffet.

Le congélateur

Vous constaterez son utilité tout au long du livre pour conserver des préparations de base ou des plats finis, avant cuisson ou après. N'oubliez pas qu'un congélateur 4 étoiles est indispensable pour faire descendre rapidement la température à cœur du produit à moins 18° . Si vous voulez congeler des plats finis, refroidissez-les toujours dans un bain froid dès que la cuisson est terminée pour pouvoir les placer au congélateur le plus tôt possible.
On peut généralement conserver les aliments congelés pendant 3 mois au moins. Nous n'indiquons le temps de conservation que lorsqu'il est plus court. Le congélateur peut aussi servir à stocker des glaçons pour la préparation des bains froids, composés d'eau et de glaçons, indispensables pour accélérer le refroidissement après cuisson des plats à conserver.

COMMENT CUISINER EN PLEIN AIR

Si vous n'avez pas encore de barbecue, achetez de préférence une rôtissoire verticale munie d'une lèchefrite pour recueillir le jus de cuisson. Une double grille réversible permet de retourner les pièces sans les abîmer. Le meilleur foyer est en fonte émaillée et il est préférable qu'il soit d'assez grande capacité. Un moteur à piles est utile pour entraîner les broches pendant les cuissons longues. Une petite étagère au-dessus du foyer vous permettra de mettre plats et assiettes au chaud.
Le foyer de cuisson doit être placé à 4 ou 5 m du buffet, dans un endroit dégagé et en tenant compte du sens du vent ; pour les accessoires de cuisson une desserte est indispensable ; il vous faudra une planche à découper munie d'une rigole si vous faites cuire de grosses pièces.
Pour la cuisson, le feu ne doit plus produire de flammes, mais seulement des braises incandescentes. Allumez-le à l'avance avec des brindilles sèches puis du petit bois : bûchettes fendues de bouleau, chêne ou hêtre, sarments de vigne ; évitez les résineux qui sont nocifs. Si vous êtes pressé, utilisez du charbon de bois et des bâtonnets instantanés : le feu s'allumera plus vite, mais les braises dureront moins longtemps. Si possible, n'utilisez pas d'alcool à brûler car il est très dangereux, surtout pour les enfants qui aiment tourner autour du feu. Et ne versez jamais d'alcool sur un feu déjà allumé : vous risqueriez une explosion.
Juste avant la cuisson, vous pouvez jeter sur les braises quelques herbes de Provence ou du fenouil (pour les poissons).

MATÉRIEL DE BASE

Je précise dans chaque cas, si besoin est, quel type de matériel utiliser mais, de façon générale, pour réaliser les recettes présentées ici, vous aurez besoin de bons couteaux et de quelques appareils électriques.

CHOIX DES COUTEAUX

Les chefs ont toujours une panoplie très variée d'excellents couteaux qu'ils marquent jalousement de leur signe distinctif et promènent partout avec eux comme le mécanicien promène sa boîte à outils.
Voici les 6 couteaux de base que je vous conseille d'avoir toujours à portée de la main dans votre cuisine.
1 — Le couteau d'office à lame en biseau : c'est le petit couteau de cuisine idéal pour éplucher, peler, gratter les légumes et les fruits, couper un morceau de fromage ou de saucisson, étaler du beurre sur une tartine ; c'est le petit couteau indispensable que l'on doit avoir en double ou triple exemplaire.
2 — Le couteau chef : on le sort en même temps que la planche à découper pour les grosses pièces de viande, les poissons ou crustacés. La lame doit mesurer au moins 20 cm. C'est lui aussi que l'on utilise pour ciseler le persil, la ciboulette, les oignons, etc., car on a le manche bien en main et son poids est une aide pour les découpes rapides.
3 — Le couteau-scie : de préférence très long et bien dentelé, il sert à couper les pains, brioches, tartes, etc. On ne doit pas l'aiguiser.
4 — Le couteau filet de sole : comme son nom l'indique, on l'utilise pour lever les filets de poisson car sa lame flexible suit bien les arêtes et son extrémité pointue est très précise. Il vous sera utile pour beaucoup d'autres travaux : pour ciseler et tailler des légumes, pour faire les découpages délicats. Sa taille moyenne en fait un allié précieux.
5 — L'épluche-légumes ou « économe », bien connu de toutes les ménagères.
6 — Le couteau à jambon, enfin, avec sa lame alvéolée de 25 cm de long, indispensable pour tous les amateurs de jambon à l'os et de saumon fumé ou mariné. Il sert aussi beaucoup en pâtisserie pour trancher génoises ou pains de mie en longues bandes dans l'épaisseur. On ne doit pas l'aiguiser.

Néanmoins, quand on parle de couteaux, il faut penser au fusil à affûter, accessoire indispensable, ce qui m'amène à vous parler des qualités d'un bon couteau,

« car le meilleur des couteaux reste celui qui coupe ».

N'hésitez pas à acheter des couteaux de prix. Ils dureront dix fois plus longtemps, pourront être affûtés un grand nombre de fois et vous rendront de meilleurs services.
La matière première la plus commode en cuisine est l'acier chromé inoxydable. Mais il faut que cet acier ait subi un traitement thermique suffisant et qu'il ait été travaillé à partir d'une barre d'acier épaisse. La lame

doit être fixée par des rivets en laiton à l'intérieur du manche et celui-ci doit pouvoir être bien tenu en main.
Tout ceci explique le prix élevé des couteaux.
Ne mettez pas vos couteaux de cuisine dans le lave-vaisselle, surtout lorsque les manches sont en bois. Un bon cuisinier lave ses couteaux sous le robinet d'eau chaude, rapidement, sans jamais les laisser tremper.

CHOIX DU MATÉRIEL ÉLECTRIQUE

Bien qu'il soit rarement indispensable pour réaliser une recette, le matériel électrique permet de gagner beaucoup de temps. Les appareils dont vous aurez besoin le plus souvent sont les suivants :
— un bol mélangeur ou pétrisseur composé d'un bol ouvert et de pales, fouets ou crochets pour fouetter ou pétrir. A défaut de bol mélangeur, un fouet électrique est très commode et d'une grande maniabilité mais sa puissance est limitée et il ne peut pas servir à pétrir ;
— un mixer, c'est-à-dire un appareil électrique muni de couteaux que l'on utilise pour broyer, hacher, homogénéiser ;
— un robot compact (quelquefois appelé food processor ou préparateur culinaire) : il est composé d'un bol plastique fermé et de couteaux et sert à hacher, broyer, pétrir et émincer.

MATÉRIEL PHOTOGRAPHIÉ

1 Bol mixer
2 Cercle à entremets
3 Ciseaux
4 Corne plastifiée
5 Couteau chef
6 Couteau épluche-légumes
7 Couteau-scie
8 Couteau à jambon
9 Couteau d'office
10 Crochet pour pâtes dures
11 Cul-de-poule
12 Douille unie de ∅ 1,5 cm
13 Douille unie de ∅ 0,3 cm
14 Douille cannelée
15 Douille décor
16 Écumoire
17 Emporte-pièce uni
18 Fouet en acier inoxydable
19 Grille pâtissière
20 Moules métalliques fantaisie
21 Moule à cake ou à quatre-quarts
22 Palette en acier inoxydable
23 Pinceau plat
24 Planches
25 Poche plastifiée
26 Râpe à carottes
27 Râpe à macédoine
28 Robot compact
29 Robot avec bol mélangeur
30 Saumonière
31 Spatule en plastique souple
32 Thermomètre à sucre
33 Verre gradué
34 Zesteur-canneleur

MATÉRIEL NON PHOTOGRAPHIÉ

Balance
Balance diététique
Cercle à tarte
Chauffe-plats
Chinois
Coupe-œufs
Égouttoir à légumes
Film plastique
Minuteur
Moule à génoise
Papier siliconé
Planchettes
Raclette à fromage
Rouleau à pâtisserie
Sauteuse
Sonde thermomètre pour terrines
+
Tout le matériel habituel de la cuisine

MATÉRIEL POUR LE BARBECUE

Brochettes
Couverts à long manche avec poignée en bois
Gants isolants
Gril en fonte
Papier d'aluminium
Pinces
Soufflet

Nous remercions les maisons KENWOOD et MORA pour le matériel qu'elles nous ont aimablement prêté.

1
29
28
10
27
30
26
11
21
19
31
25
23
4
22
20
15
14
12
13
24
2
17
33
3
32
18
7
8
5
9
6
34

AIDE-MESURES

UNE CUILLERÉE À SOUPE RASE CONTIENT :

beurre pommade	:	10 g
cacao en poudre	:	5 g
concentré de tomate	:	10 g
farine ou fécule	:	7 g
huile, vinaigre, liquides	:	1/8 dl
mayonnaise	:	10 g
œuf entier	:	1/3
blanc d'œuf	:	1/2
jaune d'œuf	:	1
sel fin	:	15 g
sucre semoule	:	10 g

UNE CUILLERÉE À SOUPE BOMBÉE CONTIENT :

fines herbes hachées	:	3 g

UNE CUILLERÉE À CAFÉ RASE CONTIENT :

poivre	:	1,5 g
sel fin	:	4 g
sucre semoule	:	3 g

UN QUART DE LITRE CORRESPOND À :

huile	:	225 g
lait	:	250 g
œufs moyens	:	5
blancs d'œufs	:	8

QUELQUES POIDS :

1 œuf moyen pèse entre	:	45 et 55 g
1 oignon moyen pèse entre	:	40 et 60 g
1 échalote moyenne pèse	:	15 g
1 gousse d'ail moyenne pèse	:	8 g

CORRESPONDANCE TEMPÉRATURES/THERMOSTATS DES FOURS :

130° : thermostat 3	200° : thermostat 6	250° : thermostat 9/10
150° : thermostat 4	220° : thermostat 7	
170° : thermostat 5	240° : thermostat 8	

PROPOSITIONS DE MENUS

BUFFET-APÉRITIF POUR 24 PERSONNES
18 h à 19 h

BUFFET
250 g d'olives noires
250 g d'olives farcies
250 g d'amandes ou noisettes salées
48 mini-pains briochés au jambon, p. 169
48 sandwiches à la Duxelles de champignons, p. 155
60 cubes d'omelette aux olives et aux épinards, p. 188
1 pamplemousse hérisson, p. 56
1,4 kg de bœuf tartare, p. 219
50 crackers salés

BOISSONS (+ 30 % EN RÉSERVE)
6 litres de Kir Lenôtre, p. 83
4 bouteilles de champagne
2 bouteilles de whisky
2 litres de jus de fruits frais
4 magnums de Perrier
2 magnums d'eau minérale
100 cubes de glace

Conseil : tous les éléments de ce menu sont faciles à transporter et il n'y a pas de réchauffage. Il peut donc être retenu pour une « fête surprise » ou un apéritif en plein air.

COCKTAIL CLASSIQUE POUR 24 PERSONNES
18 h à 20 h

BUFFET FROID
1 pain boule de seigle au beurre de roquefort (24 pièces), p. 164
1 brioche surprise au crabe (42 pièces), p. 167
48 mini-pains briochés à la mousse de foie gras, p. 170
48 canapés tomates et œufs, p. 152
48 canapés au jambon de Parme, p. 137
Soit 9 petites pièces froides par personne

BUFFET CHAUD
48 pruneaux et ananas au bacon, p. 185
24 feuilletés pissaladière, p. 177
24 palmiers au fromage, p. 180
Soit 4 petites pièces chaudes par personne

DESSERT
48 petits fours frais assortis
48 tartelettes petits fours
Soit 4 pièces sucrées par personne

3 litres de glaces et sorbets

2,5 litres de café

BOISSONS (+ 30 % EN RÉSERVE)
10 bouteilles de champagne
2 bouteilles de whisky
2 litres de jus d'orange frais pressé
2 litres de pamplemousse frais pressé
4 magnums de Perrier
4 magnums d'eau minérale
100 cubes de glace

COCKTAIL EXOTIQUE POUR 24 PERSONNES
20 h à 24 h

BUFFET FROID
1 pain de seigle fromage blanc et noix (48 pièces), p. 166
1 brioche surprise au crabe (42 pièces), p. 167
48 canapés aux cœurs de palmier, p. 142
36 canapés au fromage de chèvre, p. 149
48 sandwiches avocat et cresson, p. 154
Soit plus de 10 petites pièces froides par personne

PIÈCE DE BUFFET
1 pastèque multicolore hérisson garnie de 120 brochettes, p. 58 :
— 40 têtes de champignons marinés piquées sur des cubes d'omelette aux olives, p. 372 et p. 188
— 40 cerises au vinaigre piquées sur des cubes de jambon d'York, p. 49
— 40 cubes de terrine de canard au poivre vert piqués sur des croûtons grillés, p. 256
Soit 5 piques garnis par personne

BUFFET CHAUD
32 croque-madame à l'ananas, p. 192
30 bananes au bacon, p. 185
45 barquettes aux épinards, p. 176
Soit plus de 4 petites pièces chaudes par personne

SALADES
10 portions de salade indienne, p. 382
16 portions de taboulé au crabe, p. 390

DESSERTS
1 corbeille de fruits de 4 kg comprenant des fruits exotiques, p. 64
25 crêpes roulées à la crème pâtissière et aux raisins, p. 402
25 crêpes roulées à la marmelade d'orange, p. 402

2,5 litres de café

BOISSONS (+ 30 % EN RÉSERVE)
4 litres de punch brésilien, p. 83
12 bouteilles de vin blanc sec et léger
4 litres de citronnade à la menthe, p. 90
2 litres de jus d'orange frais pressé
5 bouteilles d'eau minérale
100 cubes de glace

BUFFET-REPAS CAMPAGNARD POUR 20 PERSONNES

Photo page 24

BUFFET FROID
60 pièces de céleri au roquefort, p. 185
3 kg de fromage de tête persillé, p. 243

BUFFET CHAUD
48 rôties à la tapenade, p. 194
1 pizza feuilletée coupée en 24 portions, p. 213

PLATS DE VIANDE
20 portions de gigot présenté en baron d'agneau, p. 313
avec sauces d'accompagnement
20 portions de gâteau de poulet, p. 333

PLAT DE LÉGUMES
Éventails de courgettes, p. 359

(Voir suite p. 26)

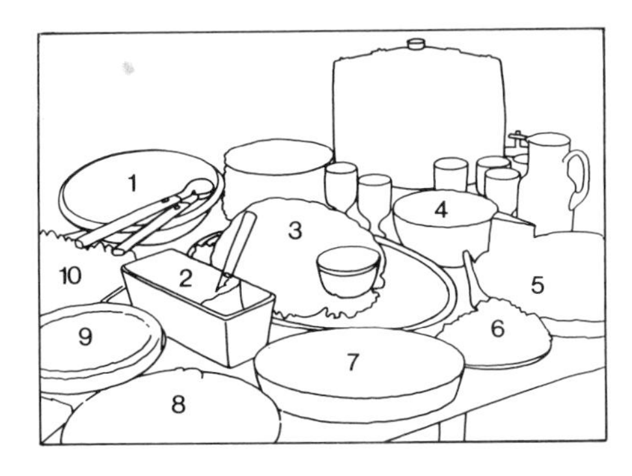

Buffet-repas campagnard (photo p. 24)

1. *Salade multicolore à la langue*
2. *Fromage de tête persillé*
3. *Gigot présenté en baron d'agneau*
4. *Taboulé au crabe et aux crevettes*
5. *Plateau de fromages*
6. *Céleri au roquefort*
7. *Gâteau de poulet*
8. *Éventails de courgettes*
9. *Flan parisien*
10. *Tarte feuilletée aux fruits rouges*

PLATS EN SALADE
20 portions de salade multicolore à la langue, p. 383
16 portions de taboulé au crabe et aux crevettes, p. 390

Plateau de fromages de 2 kg, p. 394
Pain de campagne découpé en 1/2 tranches

DESSERTS
24 portions de flan parisien avec sauce à la vanille, p. 403
15 portions de tarte feuilletée aux fruits rouges, p. 408

2 litres de café

BOISSONS (+ 30 % EN RÉSERVE)
3 litres de sangria, p. 86
10 litres de vin rouge
1 bouteille de whisky
2 litres de citronnade à la menthe, p. 90
2 litres de jus d'orange frais pressé
1 magnum de Perrier
4 bouteilles d'eau minérale
80 cubes de glace

BUFFET-REPAS CAMPAGNARD POUR 25 PERSONNES

AMUSE-GUEULE
250 g d'amandes salées
250 g de noisettes salées

PETITES PIÈCES FROIDES
300 g d'allumettes au fromage, p. 175
250 g de palmiers au fromage, p. 180

CHARCUTERIE
500 g de saucisson de ménage pur porc, ou de rosette du Haut-Vivarais
500 g de bébés Jésus de Lyon
500 g de saucisson sec au poivre comme à la ferme, ou de saucisse sèche d'Auvergne
1 kg d'andouille
Soit 100 g de charcuterie par personne

TERRINES
1 kg de terrine de canard à la pistache, p. 256
1 kg de mousse de foies de volaille, p. 251
1 kg de terrine de légumes, p. 260
accompagnement : 1 kg de sauce fraîche à la tomate, p. 118
Soit 120 g de terrine par personne

PLAT DE VIANDE
2 dindes en gelée, p. 339

SALADES
10 portions de salade de riz colonial, p. 388
15 portions de salade verte, p. 369
On peut remplacer les salades par une corbeille de crudités de 2 kg, p. 60, accompagnée de 250 g de sauce tomate Napoléon, p. 119 et de 250 g de sauce fromage blanc-fines herbes, p. 123

Plateau de fromages de 2 kg, p. 394
500 g de beurre des Charentes demi-sel en motte
2,5 kg de pain de campagne en tranches
250 g de moutarde de Dijon
500 g de petits oignons blancs au vinaigre
500 g de cornichons et cerises au vinaigre

DESSERTS
30 choux garnis de crème au chocolat, p. 420 et p. 399
60 rosaces aux amandes, p. 412
3 litres de sorbets aux fruits rouges

2,5 litres de café

BOISSONS (+ 30 % EN RÉSERVE)
8 litres de Kir Lenôtre au bourgogne blanc aligoté, p. 83
1 tonneau de beaujolais de 15 litres ou 10 litres de beaujolais et 5 litres de cidre fermier
2 litres de jus de fruits
4 litres d'eau minérale
100 cubes de glace

BUFFET-REPAS POUR 24 PERSONNES
12 h 30 à 14 h 30

PIÈCE DE BUFFET
Demi-pastèque hérisson (60 brochettes), p. 57

BUFFET FROID
1 pain boule de seigle à la Duxelles de champignons (48 pièces), p. 164
1 brioche surprise au thon et aux anchois, p. 167
48 sandwiches au jambon d'York, p. 156
30 canapés au beurre de noix, p. 139
48 canapés aux radis, p. 152
Soit 9 petites pièces froides par personne

PLAT DE VIANDE
2 langues de bœuf écarlates en cubes avec leur accompagnement, p. 316

Plateau de fromages de 2 kg (prédécoupés), p. 393
Pain de mie Louis XV garni de cubes, p. 73

DESSERTS
24 parts de gâteau moelleux au chocolat, p. 407
sauce à la vanille, p. 405
3 litres de sorbets assortis

2,5 litres de café

BOISSONS (+ 30 % EN RÉSERVE)
2 litres de whisky sour, p. 88
6 bouteilles de champagne
12 bouteilles de bordeaux rouge
2 litres de cocktail au jus de tomate, p. 91
2 litres de jus de pamplemousse frais pressé
4 litres d'eau minérale
100 cubes de glace

BUFFET-DÎNER POUR 24 PERSONNES
20 h à 23 h

BUFFET FROID
Plateau de fruits de mer, p. 292
ou corbeille de crudités (selon la saison), p. 60
48 sandwiches à la salade verte, p. 157
48 mini-pains au chaud-froid, p. 168
30 canapés au saumon fumé, p. 138
48 canapés mosaïque, p. 144
48 champignons farcis sauce cressonnette, p. 186
Soit 9 petites pièces froides par personne

BUFFET CHAUD
48 croque-monsieur, p. 191
48 ananas et pruneaux au bacon, p.185
48 saucisses cocktail
Soit 6 petites pièces chaudes par personne

PLAT DE VIANDE
Chaud-froid de poulardes à la française, p. 330

Plateau de fromages de 2 kg, p. 394
30 coquilles de beurre, p. 70
48 petits pains individuels

DESSERTS

Pyramide de gâteaux moelleux au chocolat, p. 418
1 kg de tartelettes petits-fours

2,5 litres de café

BOISSONS (+ 30 % EN RÉSERVE)

8 bouteilles de vin blanc sec
4 bouteilles de vin rouge
2 bouteilles de whisky
4 litres de jus de fruits frais pressés
4 magnums de Perrier
4 litres d'eau minérale
100 cubes de glace

BUFFET-REPAS DE CÉRÉMONIE POUR 24 PERSONNES

BUFFET FROID

48 mini-pains à la mousse de foie gras, p. 170
48 canapés au saumon, p. 138
Soit 4 petites pièces froides par personne

BUFFET CHAUD

48 mini-boudins blancs comme à la ferme, p. 222
24 sacristains au fromage, p. 181
24 saucisses feuilletées, p. 184
Soit 4 petites pièces chaudes par personne

SOUPE

3 litres de gaspacho à la tomate fraîche, p. 228

PLAT LÉGER

24 croustades d'œufs mollets à la ratatouille, p. 210

PLAT DE VIANDE

24 cassolettes de poule au pot en gelée, p. 327

OU PLAT DE POISSON

24 portions de goujonnettes de soles, p. 273

PLAT EN SALADE

24 portions de salade multicolore à la langue, p. 383

Plateau de fromages de 2 kg, p. 394
48 petits pains individuels
Beurre

DESSERTS

Croquembouche pour 25 personnes, p. 419
3 litres de sorbet

2,5 litres de café

BOISSONS (+ 30 % EN RÉSERVE)
4 litres de Kir Lenôtre, p. 83
10 bouteilles de bordeaux
1 bouteille de whisky
4 litres de jus de fruits frais pressés
1 magnum de Perrier
5 litres d'eau minérale
100 cubes de glace

BUFFET CLASSIQUE POUR 45 À 50 PERSONNES

Photo page 40

PIÈCES DE BUFFET
2 pamplemousses hérisson (120 piques), p. 56

BUFFET FROID
24 mini-pains à la mousse de foie gras, p. 170 } en présentation
48 sandwiches au roquefort, p. 157 } étagée
24 mini-pains au gruyère, p. 169
1 kg de champignons marinés présentés sur piques, p. 372

BUFFET CHAUD
60 saucisses feuilletées, p. 184
60 pruneaux et bananes au bacon, p. 185

PLATS LÉGERS
24 croustades de saumon aux œufs brouillés, p. 210
24 croustades d'œufs brouillés aux pointes d'asperges, p. 208

PLAT DE VIANDE
Jambon reconstitué façon Virginie, p. 319

Plateau de fromages de 3 kg (prédécoupés) avec décor de pains, p. 393

DESSERTS
Pièce montée feu d'artifice, p. 415
3 litres de glace
3 litres de sorbet
1 kg de petits fours secs

5 litres de café

BOISSONS (+ 30 % EN RÉSERVE)
3 litres de cocktails variés, chap. III
ou 10 bouteilles de champagne
25 bouteilles de bourgogne (blanc ou rouge)
2 litres de cocktail de jus de tomate, p. 91
3 litres de jus de fruits frais pressés
8 litres d'eau minérale
200 cubes de glace

BUFFET DE GALA POUR 48 À 50 PERSONNES

PIÈCES DE BUFFET
2 hérissons garnis de 60 piques chacun, p. 48

BUFFET FROID
48 canapés au saumon fumé, p. 138
48 canapés aux pointes d'asperges, p. 145
48 canapés au caviar, p. 151
96 canapés au jambon cru, p. 137

BUFFET CHAUD
50 pruneaux au bacon, p. 185
60 feuilletés pissaladière, p. 177
40 feuilletés au roquefort, p. 178

PLAT DE CRUSTACÉS
2 langoustes à la parisienne, p. 283

TERRINE
2 terrines de foie gras au naturel accompagnées de toasts de pain de mie, p. 237

PLAT DE VIANDE
2 chaud-froid de canard Montmorency, p. 334

SALADE LÉGÈRE
50 portions de salade verte, p. 370

Plateau de fromages de 3 kg, p. 394
50 coquilles de beurre, p. 70
60 petits pains individuels

DESSERTS
2 pièces montées confiseur composées de 2 gâteaux de ∅ 20 cm et de 2 gâteaux de ∅ 26 cm, décorés, p. 415
1 kg de fruits déguisés
1 kg de petits fours frais

5 litres de café

BOISSONS (+ 30 % EN RÉSERVE)
12 bouteilles de champagne rosé
12 bouteilles de grand cru de bordeaux ou bourgogne
2 bouteilles de whisky
+ alcools et digestifs
8 litres de jus de fruits frais
4 magnums de Perrier
8 litres d'eau minérale
200 cubes de glace

COMPTE À REBOURS
POUR LA PRÉPARATION DU MENU DE GALA

En supposant que vous ayez préparé à l'avance le condiment à la tomate, les fonds de cuisson, le foie gras au naturel, la mayonnaise, le court-bouillon et la garniture pour les feuilletés pissaladière, voici comment vous pouvez étaler votre travail sur 5 jours (y compris celui de la fête) :

jour J moins 4	jour J moins 3	jour J moins 2	jour J moins 1	jour J
feuilletage (30 mn) préparation des gâteaux (2 h)	préparation et cuisson du pain (1 h 30 mn) gelées diverses (30 mn) cuisson des œufs durs (30 mn) préparation et commencement de montage du décor en sucre coulé (2 h)	pruneaux au bacon (sans pomme) (25 mn) macédoine de légumes (20 mn) cuisson des canards (1 h) sauce aux cerises sans la gélatine (30 mn) lavage et épluchage des salades et des légumes (1 h 30 mn) préparation d'une crème ou sauce pour fourrer ou accompagner la pièce montée (1 h)	préparation des piques garnis (50 mn) canapés au caviar (30 mn) canapés au saumon (30 mn) canapés au jambon cru (45 mn) feuilletés pissaladière (30 mn) garniture au roquefort (5 mn) cuisson des langoustes (40 mn) tomates macédoine (50 mn) sauce tomate Napoléon (5 mn) finition du canard Montmorency (1 h) coquilles de beurre (15 mn) installation du buffet (2 h)	finition des hérissons (10 mn) canapés aux pointes d'asperges (30 mn) feuilletés au roquefort (25 mn) découpe des médaillons et finition des langoustes (2 h 20 mn) œufs garnis et nappés (20 mn) préparation du plateau de fromages (15 mn) décoration des gâteaux et finition de la pièce montée (1 h) découpe et présentation du foie gras (20 mn) assaisonnement de la salade (15 mn)
2 h 30 mn	4 h 30 mn	4 h 45 mn	8 h	5 h 35 mn

BUFFETS JUNIORS

Voici quelques suggestions qui tiennent compte de l'âge, des goûts des jeunes et des circonstances ; elles tiennent compte aussi de la difficulté des recettes pour que les jeunes puissent au moins participer à l'organisation de leur fête ou, qui sait ? s'en charger entièrement eux-mêmes...

BUFFET-DÎNER JUNIORS
10 À 15 ANS
POUR 24 PERSONNES

BUFFET D'ACCUEIL
350 g de pop-corn
350 g de chips
2 litres de jus de fruits frais pressés
4 bouteilles de boissons gazeuses

REPAS

PIÈCES DE BUFFET
2 pamplemousses hérisson (p. 56) garnis,
l'un de 60 piques de crudités, p. 50
l'autre de 60 piques de charcuterie, p. 49

BUFFET FROID
60 cubes d'omelette aux olives et au gruyère râpé, p. 188

PLAT DE VIANDE
6 poulets rôtis, p. 325

PLAT DE LÉGUMES
24 portions de gratin à la dauphinoise, p. 362

DESSERTS
1,6 kg de crème au chocolat servie en ramequins, p. 399
48 biscuits à la cuiller

BOISSONS (+ 30 % EN RÉSERVE)
3 litres de lait
3 litres de jus de pomme
3 litres d'eau minérale
100 cubes de glace

BUFFET-DÎNER JUNIORS
15 À 20 ANS
POUR 24 PERSONNES

PIÈCE DE BUFFET
Pain de campagne garni de 48 sandwiches au jambon blanc, p. 163

PLAT LÉGER
Fondue au fromage pour 24 personnes, p. 200

PLAT EN SALADE
Salade de cervelas (15 portions), p. 378

SALADE LÉGÈRE
Salade verte (15 portions), p. 369

DESSERTS
Corbeille de fruits de 4 kg, p. 64
48 crêpes roulées à la confiture, p. 402

BOISSONS (+30 % EN RÉSERVE)
Vin blanc
Cocktail de jus de fruits
Jus de fruits frais
Boissons gazeuses
Eau minérale
100 cubes de glace
Pour les boissons, comptez 24 bouteilles. La répartition variera évidemment selon l'âge des participants.

BUFFET-RENCONTRE JUNIORS-PARENTS POUR 24 PERSONNES

PIÈCE DE BUFFET
Chou rouge hérisson garni de 60 piques, p. 53

BUFFET CHAUD
32 croque-monsieur, p. 191

PLAT LÉGER
24 crêpes au boudin et aux pommes, p. 199

PLAT DE VIANDE
Gigot de 4 kg présenté en baron d'agneau, p. 313

PLAT DE LÉGUMES
24 portions de gratin normand, p. 363

SALADE LÉGÈRE
24 portions de salade verte, p. 369

1 roue de brie
Pain de campagne de 2 kg
1 petite motte de beurre

DESSERTS
4 quatre-quarts, p. 405
2 jattes de crème pâtissière, p. 421

2 litres de café

BOISSONS (+ 30 % EN RÉSERVE)
Rosé de Provence
Crémant de Loire
Cidre fermier
Jus de fruits frais pressés
Boissons gazeuses
Eau minérale
100 cubes de glace
Comptez 24 bouteilles en tout. La répartition variera évidemment selon l'âge des juniors.

BARBECUE PAR TEMPS IDÉAL POUR 24 PERSONNES

BUFFET D'ACCUEIL
48 rôties à la tapenade, p. 194
2,5 litres de sangrita, p. 87
2 litres de citronnade à la menthe, p. 90

REPAS

TERRINES
2,5 kg de terrine de lapin aux foies de volaille, p. 248
1,5 kg de rillettes, p. 246

PLAT DE VIANDE
12 brochettes de cœur de bœuf, p. 307
12 brochettes normandes, p. 309

OU PLAT DE POISSON
24 petits maquereaux grillés, p. 299 et p. 300

PLAT DE LÉGUMES
24 pommes de terre dans la braise, p. 353 et p. 364
accompagnées de 300 g de sauce fromage blanc-fines herbes, p. 123

PLAT EN SALADE
24 portions de salade verte, p. 369

Plateau de fromages de 2 kg, p. 394
1 pain de campagne de 2 kg
1 petite motte de beurre

DESSERTS
Corbeille de fruits de saison de 3 kg, p. 64
3 litres de sorbet

2,5 litres de café

BOISSONS (+30 % EN RÉSERVE)
10 bouteilles de blanc de blanc ou de vin rouge
6 bouteilles de cidre
2 litres de jus de fruits
4 bouteilles d'eau minérale
1 pain de glace en bac et 200 cubes de glace

BARBECUE PAR TEMPS INCERTAIN POUR 24 PERSONNES

BUFFET D'ACCUEIL

3 oranges hérisson, p. 54
ou 80 pièces de céleri au roquefort, p. 185
3 litres de Kir au sancerre, p. 83
2 litres de cocktail au jus de tomate, p. 91

REPAS

PIÈCE DE BUFFET
Corbeille de crudités de 4 kg, p. 60
accompagnée d'un bol d'ailloli, p. 112

PÂTÉ
2,5 kg de pâté de campagne au foie de porc, p. 245

PLAT DE VIANDE
24 côtelettes de porc en papillotes, p. 304 et p. 305

PLAT DE LÉGUMES
24 portions de ratatouille froide, p. 363

2 kg de fromage blanc avec un choix d'accompagnements :
- oignons hachés, ciboulette hachée et rondelles de citron
- sucre, confiture et crème fouettée

1 pain de campagne de 2 kg

DESSERT
48 crêpes roulées à la crème pâtissière, p. 402

2,5 litres de café

BOISSONS (+30 % EN RÉSERVE)
12 bouteilles de rosé de Provence
4 litres de jus de fruits frais pressés
4 litre d'eau minérale
200 cubes de glace

Conseil : si le temps incertain tournait à la pluie, ce « barbecue » pourrait devenir une petite fête sous abri. Si cet abri n'a pas de cheminée, passez les côtelettes en papillotes 20 mn dans un four à 200° (th. 6).

FÊTE IMPROVISÉE

Ce menu suppose des placards et un congélateur bien garnis et un temps de préparation réduit au minimum. Toutes les recettes sont dans le livre mais, pour une fois, nous renonçons aux produits frais et suggérons des conserves. Une fois n'est pas coutume.

PIÈCE DE BUFFET

1 hérisson couvert de piques garnis à raison de 4 piques par personne, p. 48.

Si vous n'avez pas de support décoratif, utilisez de grosses pommes de terre, une corbeille retournée ou même des boîtes à œufs vides lestées ou une passoire posée sur une boîte de conserve pleine et camouflez ce support en le recouvrant de papier gaufré ou métallisé.

BUFFET FROID

3 sandwiches ou canapés par personne : mini-pains briochés décongelés, rôties ou biscottes garnis de rillettes, de mousse de foie, de fromage, etc. Sans oublier un joli décor.

1 plat léger aux œufs brouillés (avec pointes d'asperges en boîte ou épinards congelés, etc.) présenté en cassolettes si vous n'avez pas de croustades.

PLAT DE VIANDE

Entrecôtes au four (congelées) à raison de 150 g par personne, p. 303
ou bien 3 tranches de filet de bœuf à l'italienne par personne, p. 220

PLAT DE LÉGUMES

Jardinière de légumes en boîte réchauffée dans un fond blanc
ou bien ratatouille (p. 363) congelée réchauffée dans une cocotte
ou bien moussaka de haricots verts (p. 361) faite avec des légumes en boîte

PLAT EN SALADE

Salade de riz coloniale, p. 388
ou salade de riz créole, p. 388

Plateau de fromages présentés prédécoupés
Pain coupé en tranches fines ou biscottes ou crackers

DESSERT

Gâteau au fromage blanc congelé réchauffé et gratiné au four (p. 404)
ou glaces

Café

BOISSONS

Apéritifs, vins, jus de fruits, eaux minérales

Conseils : servez une boisson légère avec des amuse-gueule pendant que vous improvisez le buffet. Suivant l'humeur générale, utilisez votre plus belle nappe damassée et la vaisselle des grandes occasions ou bien, au contraire, limitez-vous à des accessoires à jeter. Dans un cas comme dans l'autre, harmonisez les couleurs et pensez au confort de vos convives qui seront probablement ravis de mettre la main à la pâte et admiratifs devant votre ingéniosité.

GOÛTER
POUR 24 ENFANTS

12 mini-pains au gruyère, p. 169
12 mini-pains au jambon, p. 169
24 sandwiches tomates et œufs, p. 159
15 brioches } piqués sur un pain de campagne
15 croissants }
60 rosaces aux amandes, p. 412
24 parts de flan auvergnat, p. 403
4 litres de chocolat chaud ou froid
2 litres de jus d'orange frais pressé
2 litres de limonade au sirop d'orgeat, p. 91

500 g de bonbons
ou de décors en sucre moulé en forme de sucettes, p. 416

PLATEAUX-REPAS FROIDS
Les quantités sont indiquées par plateau

PLATEAU D'ALSACE
2 tranches de terrine d'anguille de 80 g, p. 258
20 g de sauce cressonnette, p. 116
1 œuf garni en dents de loup, p. 190
120 g de salade de l'Est, p. 381
80 g de carré de l'Est
3 coquilles de beurre, p. 70
2 tranches de pain de campagne
1 part de tarte feuilletée aux mirabelles, p. 408
1/4 de litre de riesling

PLATEAU D'AUVERGNE
2 dl de soupe glacée aux haricots blancs, p. 228
150 g de daube de joue de bœuf en gelée, p. 313
100 g de salade au roquefort, p. 389
80 g de fourme d'Ambert
3 coquilles de beurre, p. 70
2 tranches de pain de campagne
1 part de flan auvergnat, p. 403
1/4 de litre de côte-du-rhône

PLATEAU DE BRETAGNE
120 g de terrine de légumes, p. 260
20 g de sauce fraîche à la tomate, p. 118
2 tranches de 70 g de gigot de pré-salé
120 g de salade aux filets de harengs, p. 382
80 g de saint-paulin
3 coquilles de beurre demi-sel, p. 70
2 tranches de pain complet
1 part de flan breton, p. 403
1/4 de litre de gros plant nantais

PLATEAU EXOTIQUE
2 dl de soupe à l'avocat, p. 225
Quart de poulet rôti, p. 325
120 g de salade indienne, p. 382
80 g de fromage de chèvre
3 coquilles de beurre, p. 70
2 tranches de pain de seigle (p. 432) ou de pain au cumin
1 part de gâteau moelleux au chocolat, p. 407
1/4 de litre de sangria à l'eau gazeuse, p. 86

PLATEAU MÉDITERRANÉEN
2 dl de gaspacho à la tomate fraîche, p. 228
80 g de salade de Trévise ou de roquette, p. 370
2 tranches de 70 g de terrine de canard à l'orange, p. 256
80 g de banon de Provence
3 coquilles de beurre, p. 70
3 gressins
4 rosaces aux amandes avec du miel, p. 412
1/4 de litre de rosé de Provence ou de rosé du Var

(Voir suite p. 42)

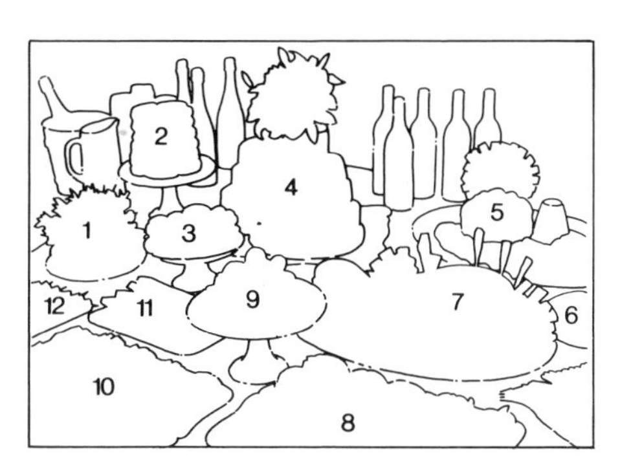

Buffet classique (menu p. 30, photo p. 40)

1. *Pamplemousse hérisson*
2. *Mini-pains briochés*
3. *Petits fours secs*
4. *Pièce montée feu d'artifice*
5. *Plateau de fromages présentés en hérisson*
6. *Champignons marinés*
7. *Jambon reconstitué façon Virginie*
8. *Croustades au saumon*
9. *Saucisses feuilletées*
10. *Croustades d'œufs brouillés aux pointes d'asperges*
11. *Sandwiches au roquefort*
12. *Pruneaux au bacon*

CHAMPAGNE
CHAMPAGNE
CHAMPAGNE
Faites
la fête
avec
Ga

Lenôtre

PLATEAU MONTAGNARD
1 tomate macédoine, p. 188
2 tranches fines de 60 g de jambon de pays
1 tranche de 60 g de pâté de campagne, p. 245
120 g de salade de lentilles aux lardons, p. 384
80 g de reblochon
3 coquilles de beurre, p. 70
2 tranches de pain aux noix et aux raisins
1 part de tarte feuilletée aux myrtilles, p. 408
1/4 de litre de vin d'Apremont

PLATEAU NORDIQUE
Cocktail nordique, p. 277
2 tranches de 70 g de fromage de tête persillé, p. 243
80 g de salade aux quatre couleurs, p. 377
80 g de gouda de Hollande
3 coquilles de beurre, p. 70
2 tranches de pain noir ou 2 blinis
1 part de gâteau au fromage blanc nappé de sauce à la vanille, p. 404
1 cannette de bière

PLATEAU NORMAND
1 tranche de 100 g de terrine de mousse de foies de volaille, p. 251
70 g de betteraves rouges en vinaigrette
140 g de chaud-froid de canard Montmorency, p. 334
120 g de mousseline de légumes en ramequin, p. 355
80 g de camembert
3 coquilles de beurre, p. 70
2 petits pains
1 part de tarte feuilletée aux cerises, p. 408
1/4 de litre de cidre fermier

Chapitre II

INSTALLATION DU BUFFET
ET
DÉCORS

ORGANISATION DU BUFFET

- Buffet d'accueil ou apéritif
- Installation du buffet
- Matériel pour le service

PIÈCES DE BUFFET

- Présentation en hérisson : piques garnis
- Ananas hérisson
- Chou-fleur hérisson
- Chou rouge hérisson
- Orange hérisson
- Pains hérisson
- Pamplemousse hérisson
- Demi-pastèque hérisson
- Pastèque multicolore
- Corbeille de crudités
- Corbeille de fruits

- Importance de la couleur
- Ananas en présentoir
- Citrons, oranges et pamplemousses en décor
- Coques de ruban
- Coquilles de beurre
- Feuilletage en décor
- Fleurs en tomate
- Légumes en décor
- Pain en décor : pain de mie Louis XV
- Œuf dur coupé en dents de loup
- Conseils sur les décors en gelée
- Conseils sur l'utilisation de la poche à douille et des cornets à décor

ORGANISATION DU BUFFET

BUFFET D'ACCUEIL OU APÉRITIF

Sur une table près de l'entrée, disposez un assortiment de bouteilles :
- whisky, gin, pastis, vermouth, porto, etc. ;
- jus de fruits, jus de légumes ;
- boissons pétillantes et sucrées, tonic et bitter ;
- eaux minérales (plate et gazeuse).

On peut servir un punch d'accueil plutôt que cet assortiment, mais il ne faut pas oublier que certains invités peuvent préférer un apéritif classique et que d'autres ne boivent pas d'alcool.
Placez sur le buffet 2 ou 3 soucoupes contenant des rondelles de citron, un seau à glaçons et, suivant les cas, ouvre-boîte, décapsuleur, tire-bouchon et presse-fruits.
A plusieurs endroits dans la pièce ou dans le jardin, répartissez 4 ou 5 raviers garnis de petits amuse-gueule, à raison de 50 g au total par personne et choisis dans la sélection suivante :
biscuits salés, amandes, noisettes, cacahuètes, pistaches, cubes de crème de gruyère, chips, olives vertes et noires (farcies ou non), condiments au vinaigre tels que cerises ou pickles.
Vous pouvez présenter certains de ces amuse-gueule en petits hérissons (p. 48).
Pour le confort de vos invités, n'oubliez pas les cendriers et quelques serviettes.

Buffet d'accueil

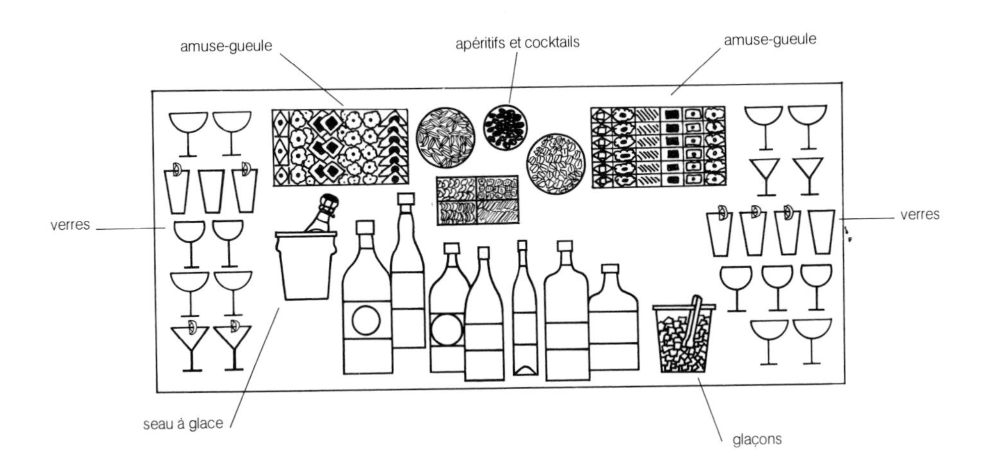

INSTALLATION DU BUFFET

La table servant à installer le buffet sera de préférence en longueur. Si vous ne disposez pas de rallonges suffisantes, je vous conseille de démonter une porte et de la poser sur deux petites tables ou sur deux tréteaux. Vous la recouvrirez d'un molleton et d'une grande nappe ou, à défaut, d'une

Composition d'un buffet en longueur

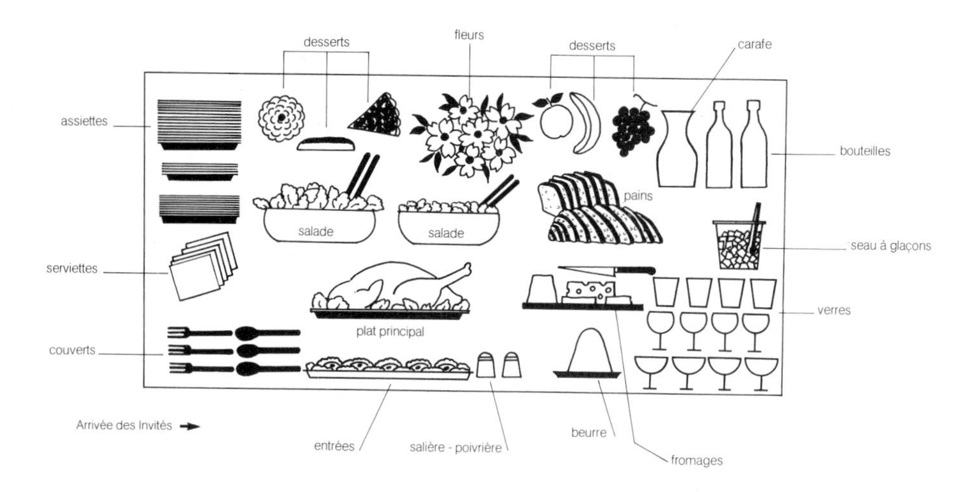

couverture et d'un drap. La nappe ou le drap doivent être bien repassés pour qu'il ne reste pas de traces de pliures ; placez-les de telle manière qu'ils touchent le sol dans la partie visible du buffet et laissent l'arrière bien dégagé.

Le buffet ainsi réalisé peut être placé contre un mur au cas où les invités se servent eux-mêmes. Si vous avez la possibilité d'être aidé, il faut prévoir un espace d'au moins 60 cm de profondeur derrière le buffet pour qu'une personne puisse circuler facilement. Cet espace peut d'ailleurs être utile même si vous n'avez pas d'aide, car il permet un rangement sous le buffet pour les plats vides, les bouteilles, les bacs à glace et les réserves diverses.

Organisez toujours le buffet pour faciliter le service. Du côté où arriveront les invités, mettez les assiettes en piles pas trop hautes, les couverts rangés par catégorie (fourchettes ensemble, couteaux ensemble, etc.), les serviettes ; disposez ensuite les plats avec les condiments, assaisonnements et sauces d'accompagnement appropriés. Si vous avez une belle pièce de buffet, mettez-la en valeur. Présentez les pièces individuelles sur des plateaux de petite taille que vous pourrez renouveler souvent. Répartissez quelques petites salières.

A l'extrémité du buffet opposée aux assiettes, mettez les verres (prévoyez deux tailles) avec, derrière eux, le seau à glaçons et les bouteilles débouchées.

Il va de soi que, pour une réception où aucune vaisselle n'est nécessaire, vous placerez les verres du côté où arrivent les invités et disposerez piques en bois et petites serviettes à proximité de chaque plat.

Des cendriers, des dessous de verres et d'autres serviettes doivent être répartis dans toute la pièce, sur quelques petites tables dessertes.

Il est prudent de toujours prévoir plus de vaisselle qu'il n'est absolument nécessaire ; comptez en général 30 % en plus, davantage pour les verres, surtout si vous servez plusieurs types de boissons.

Si vous préparez une décoration florale, n'oubliez pas qu'elle ne sera vue que sous certains angles ; prévoyez-la de dimensions raisonnables pour

qu'elle n'encombre pas et choisissez des couleurs en harmonie avec la nappe, la vaisselle..., et les plats servis (voir p. 67).
Les conseils sont les mêmes pour la disposition d'un buffet en plein air qui doit être installé, au moins en partie, à l'ombre. Vous pouvez remplacer une partie de la vaisselle par des accessoires à jeter après usage. N'oubliez pas que tous les plats doivent être recouverts jusqu'à la dernière minute à cause de la poussière et des insectes.
Prévoyez beaucoup plus de glace que pour un buffet à l'intérieur afin de rafraîchir les bouteilles dans des seaux ou des bacs. S'il n'y a pas de point d'eau à proximité, gardez un seau d'eau non loin du barbecue : vous pourriez en avoir besoin si des étincelles sautaient du foyer.
Servez-vous des décors naturels, branches d'arbres, fruits, fleurs des champs, épis de blé, poupées de maïs, etc., selon la saison.

Buffet rond

Dans une grande pièce de réception, vous pouvez envisager d'installer le buffet sur une table ronde, sous le lustre le cas échéant, avec une décoration florale centrale agréable à voir de tous côtés.
Il faudra dans ce cas donner plus d'importance au buffet d'accueil, qui peut être installé sur une desserte, et y placer toutes les boissons et tous les verres.
Prévoyez 2 piles d'assiettes et 2 de couverts, 1 de chaque côté, et répartissez les plats pour que les invités puissent se servir facilement en tournant autour de la table.
Il est préférable de ne pas présenter tous les plats en même temps et d'attendre que les invités aient terminé les plats salés pour débarrasser et servir le fromage et le dessert. Si vous avez une pièce montée, enlevez les fleurs et mettez-la au centre de la table.

Composition d'un buffet rond

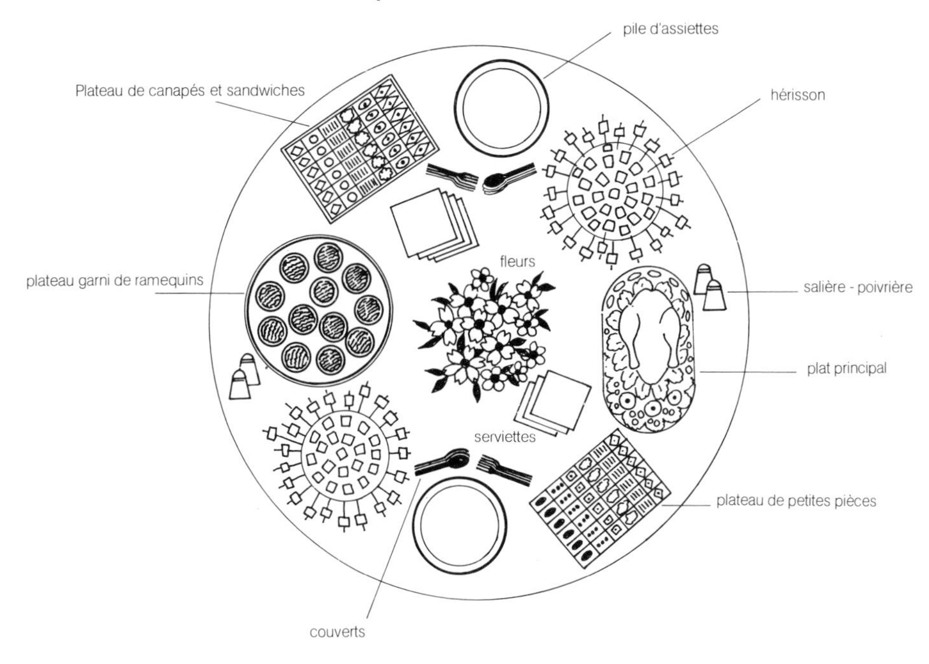

MATÉRIEL POUR LE SERVICE

Lorsque les invités sont nombreux, on est généralement obligé d'utiliser des plats et des plateaux différents les uns des autres. Pour donner une unité au buffet, je vous conseille de les recouvrir du même papier métallisé ou de papier de couleur. Vous pouvez d'ailleurs présenter des mets sur des planches de contreplaqué rondes ou rectangulaires que vous recouvrez également de papier. Mais attention ! si le papier que vous choisissez n'est pas un papier alimentaire, recouvrez-le d'un film plastique transparent ou de dentelle.
Il est impossible de donner des règles générales car la vaisselle dont vous aurez besoin dépendra évidemment du menu servi ; voici néanmoins deux exemples qui vous donneront un ordre de grandeur :

pour un buffet-dîner de 25 personnes, disposez sur le buffet
- 40 assiettes plates et 40 assiettes à dessert
- 60 fourchettes et 30 petits couteaux
- des couverts de service pour chaque plat et 2 couteaux à fromage
- 60 verres à champagne ou à vin et 30 verres à whisky
- 1 seau à champagne et 2 brocs
- 2 corbeilles à pain
- 60 serviettes en papier

pour un buffet-campagnard de 25 personnes, disposez
- 60 petites assiettes
- 40 petites fourchettes et 40 petits couteaux
- 40 verres à champagne ou à vin et 20 verres à whisky
- 1 seau à champagne et 1 broc
- 2 corbeilles à pain
- 60 serviettes en papier

A cela, il faut évidemment ajouter des salières, éventuellement un moutardier, etc., et des cendriers.

PIÈCES DE BUFFET

PRÉSENTATION EN HÉRISSON 🍸

On peut obtenir un effet décoratif certain en présentant de petites pièces froides sur des piques de bois enfoncés dans un gros légume ou dans un fruit, exactement comme des épingles dans une pelote. Selon l'importance du support et le nombre de piques, cette formule du hérisson permet de répartir crudités, charcuterie, etc., sur plusieurs tables dessertes comme on répartit les friandises salées ; ou bien elle peut constituer une des pièces maîtresses du buffet.

Les piques garnis

On a trop souvent tendance à ne penser qu'aux saucisses cocktail ou aux petits oignons au vinaigre. En fait les piques garnis peuvent être extrêmement variés et jouer un rôle important par leur couleur aussi bien que par leur saveur.
On peut mettre sur un pique 1, 2 ou 3 éléments ; il est préférable, pour un même hérisson, de composer des piques d'importance comparable si l'on veut donner à l'ensemble une certaine unité.
Tenez compte de la grosseur et de la couleur du support. Lorsque celui-ci est volumineux et coloré — une pastèque partiellement découpée, par exemple — il vaut mieux choisir des éléments aux couleurs douces : chou-fleur, gruyère, jambon blanc, etc. Sur un fond sombre ou neutre ou sur un petit support, au contraire, n'hésitez pas à jouer avec la couleur (voir p. 67).
En dehors des recettes détaillées que nous vous donnons dans ce chapitre, composez vos piques en vous inspirant du tableau ci-après .
Pour gagner du temps, disposez à l'avance sur des assiettes séparées tous les éléments nécessaires, coupés à la taille et dans la forme requise, et piquez-les « à la chaîne » assez serrés. Ne placez les piques sur le support que lorsqu'ils sont tous prêts. Les piques garnis peuvent d'ailleurs être conservés 24 h au réfrigérateur sur des assiettes ou des planchettes, couverts d'un torchon blanc humide.
Pour le service, vous pouvez placer à côté du hérisson quelques bols de sauce convenant aux divers éléments.

Premier élément	Découpe	2e élément (pour découpe, voir colonne de gauche)	Pain (cubes)	Condiment	Sauce d'accompagnement
Poissons :					
anchois	roulade	concombre	—	câpre	—
crevette	entière	tomate cerise	—	triangle de citron	ailloli
rollmops	lanière roulée	céleri	—	—	crème fouettée
saumon fumé	roulade	—	brioché	triangle de citron	—
saumon mariné	roulade	—	mie (beurré)	aneth (feuille)	mayonnaise à la moutarde brune
Charcuterie :					
chorizo	rondelle	gruyère	mie (beurré)	—	—
fromage de tête	cube	radis	—	oignon au vinaigre	—
jambon blanc	cube	ananas	—	—	sauce tomate Napoléon
jambon cru	roulade	figue ou pruneau	—	—	—
pâté de campagne	cube	pruneau	—	cornichon	—
saucisson fin	rondelle	—	seigle	cerise au vinaigre	—
saucisson large	roulade	—	seigle	cornichon	—
terrine de canard	cube	fenouil	—	oignon au vinaigre	fraîche à la tomate
terrine de gibier	cube	betterave	mie	—	cressonnette
terrine de lapin	cube	anchois	—	—	—
Œufs :					
omelette aux olives	cube	olive noire	—	—	fraîche à la tomate

Premier élément	Découpe	2e élément (pour découpe, voir colonne de gauche)	Pain (cubes)	Condiment	Sauce d'accompagnement
Crudités :					
betterave rouge	dé	endive	–	–	rémoulade
carotte nouvelle	lamelle	olive verte	–	–	cressonnette
céleri	dé	comté	–	champ. mariné	moutarde
champignon mariné	tête	jambon blanc	mie	–	–
chou-fleur	bouquet	1/4 de filet d'anchois	–	–	fromage blanc-fines herbes
cœur de palmier	tronçon	saumon mariné	–	–	mayonnaise à la moutarde brune
concombre	dé	saumon fumé	–	triangle de citron	légère
endive	tronçon	gouda	–	raisin sec (gonflé)	–
fenouil	triangle	crevette	–	triangle de citron	–
oignons nouveaux	entier	mimolette	–	câpre	fromage blanc-fines herbes
poivron	triangle	saucisson	seigle (beurré)	–	–
radis rose	entier ou coupé en fleur	terrine	seigle	–	–
radis noir	dé	rollmops	mie (beurré et salé)	–	–
tomate cerise	entière	chorizo	–	pickles	–
Fruits :					
ananas	dé	terrine de canard à l'orange	–	–	–
figue fraîche	quartier (poivré)	terrine de canard	–	–	–
melon	dé	jambon cru	–	–	–
olive	dénoyautées	poivron	–	–	–
pastèque	cube	saucisson	brioché	–	–
pruneau	entier (dénoyauté)	fromage de tête	–	–	–
raisin	entier	terrine de gibier	brioché (grillé)	–	–
raisin sec (toujours gonflé)	entier	champignon mariné	mie	–	–
Fromages :					
à pâte dure	cube	charcuterie ou crudité	–	cornichon ou oignon au vinaigre	moutarde

Conseils

Les piques garnis salés sont classiques, mais n'oubliez pas la possibilité de piques garnis sucrés. Vous pouvez utiliser des cubes de gâteau type biscuit, génoise ou quatre-quarts, des petits choux, des petits fours, des cubes d'omelette sucrée ou même des formes en sucre coulé.
Pensez à accompagner le hérisson sucré d'une jatte de sauce appropriée. Ne mélangez jamais salé et sucré sur le même hérisson.

Chou-fleur hérisson (recette p. 52)
Concombre farci (recette p. 187)

ANANAS HÉRISSON

Choisissez l'ananas pour la beauté de son plumet.

PRÉPARATION : 30 MN

CUISSON : QUELQUES MINUTES

INGRÉDIENTS POUR 60 PIQUES :

1 ANANAS
100 G DE TOMME DE SAVOIE
150 G DE JAMBON DE MONTAGNE
(5 TRANCHES FINES)
4 OU 5 CORNICHONS
100 G DE COMTÉ DE 1 CM D'ÉPAISSEUR
20 PETITS OIGNONS BLANCS AU VINAIGRE
100 G DE MIMOLETTE DE 1 CM D'ÉPAISSEUR
1 CHOU-FLEUR

MATÉRIEL :

RAMEQUIN DE SERVICE
60 PIQUES EN BOIS
PLANCHE
COUTEAU BIEN AIGUISÉ
PAPIER D'ALUMINIUM

Lavez le chou-fleur, faites blanchir 20 beaux bouquets, voir page 348.
Faites égoutter les oignons blancs et les cornichons.
Coupez la tomme, le comté et la mimolette en 20 cubes chacun. Coupez les cornichons pour obtenir 20 belles rondelles.
Coupez le jambon de montagne en 20 bandes. Roulez chaque bande sur une rondelle de cornichon. Placez immédiatement sur des piques les roulades de jambon et les cubes de tomme de Savoie.
Garnissez 20 autres piques en piquant un oignon blanc sur un cube de comté et les 20 derniers en piquant un cube de mimolette sur un bouquet de chou-fleur.
Posez l'ananas debout dans le ramequin recouvert de papier d'aluminium. Disposez les piques sur l'ananas en les alternant.

Conservation : les piques garnis, 24 h au réfrigérateur, recouverts d'un linge humide.

CHOU-FLEUR HÉRISSON

Photo page 51

PRÉPARATION : 30 MN

INGRÉDIENTS POUR 60 PIQUES :

1 CHOU-FLEUR BIEN BLANC

180 G DE JAMBON D'YORK DE 1 CM D'ÉPAISSEUR
200 G DE COMTÉ
140 G DE CHORIZO
20 OLIVES FARCIES AU POIVRON
20 CUBES D'OMELETTE AUX OLIVES (P. 188)
SEL, POIVRE

MATÉRIEL :

ASSIETTE DE SERVICE
60 PIQUES EN BOIS
PLANCHE
COUTEAU BIEN AIGUISÉ

Coupez le jambon en 20 dés, le comté en 40. Salez et poivrez le comté.
Coupez le chorizo en 20 rondelles.
Garnissez 20 piques en piquant un dé de comté sur un dé de jambon, 20 autres en piquant un dé de comté sur une olive et les 20 dernières en piquant une rondelle de chorizo sur un cube d'omelette aux olives.
Coupez la base du chou-fleur, lavez-le et donnez-lui une présentation nette. Posez-le sur l'assiette de service.
Dressez les piques sur le chou-fleur en les alternant.

Conservation : les piques garnis, 24 h au réfrigérateur, recouverts d'un linge humide.

CHOU ROUGE HÉRISSON

PRÉPARATION : 30 MN

INGRÉDIENTS POUR 60 PIQUES :

1 CHOU ROUGE, ROND DE PRÉFÉRENCE
140 G DE MORTADELLE EN 20 TRANCHES FINES
4 OU 5 CORNICHONS
20 OLIVES FARCIES AUX ANCHOIS
20 CUBES D'OMELETTE AUX OLIVES (P. 188)
180 G DE JAMBON D'YORK DE 1 CM D'ÉPAISSEUR
20 PETITS OIGNONS BLANCS AU VINAIGRE

MATÉRIEL :

ASSIETTE DE SERVICE
60 PIQUES EN BOIS
PLANCHE
COUTEAU BIEN AIGUISÉ

Faites égoutter les cornichons et les oignons blancs. Coupez les cornichons pour obtenir 20 belles rondelles.
Coupez le jambon en 20 dés.
Roulez les tranches de mortadelle et maintenez-les par des piques.
Garnissez 20 piques en piquant une rondelle de cornichon sur une roulade de mortadelle. Garnissez 20 autres piques en piquant une olive sur un cube d'omelette.
Garnissez les 20 derniers piques en piquant un oignon blanc sur un dé de jambon.
Lavez le chou rouge, coupez la base. Posez-le sur l'assiette et disposez les piques sur le chou en les alternant.

Conservation : les piques garnis, 24 h au réfrigérateur, recouverts d'un linge humide.

Conseil : si vous avez un chou rouge ovale, dressez-le sur un ramequin.

ORANGE HÉRISSON

PRÉPARATION : 10 MN

INGRÉDIENTS POUR 30 PIQUES :

1 GROSSE ORANGE BIEN RÉGULIÈRE
1 CARRÉ DE L'EST
1 CUILLERÉE À SOUPE DE GRAINES DE CUMIN
1 CUILLERÉE À SOUPE DE CURCUMA OU DE CURRY
1 CUILLERÉE À SOUPE DE PAPRIKA
1 CUILLERÉE À SOUPE DE POIVRE GRIS MOULU
1 CUILLERÉE À SOUPE DE RAISINS DE CORINTHE

MATÉRIEL :

1 RAVIER
30 PIQUES EN BOIS
PLANCHE
5 ASSIETTES

Décroûtez le fromage et coupez-le en 30 cubes réguliers.
Préparez les aromates dans 5 assiettes séparées en les étalant bien pour qu'ils recouvrent le fond.
Roulez 6 cubes de fromage dans la première assiette, piquez-les ; roulez 6 autres cubes dans la seconde, piquez-les ; et ainsi de suite.
Lavez et séchez l'orange. Posez-la sur le ravier en vérifiant qu'elle est bien stable. Couvrez-la de piques garnis en les alternant.

Conservation : les piques garnis, 24 h au réfrigérateur, recouverts d'un film plastique.

PAINS HÉRISSON

Photo ci-contre

PRÉPARATION : 1 H 30

INGRÉDIENTS POUR 80 À 100 PIQUES :

1 GROS PAIN DE CAMPAGNE ROND DE 2 KG
1 BOULE DE SEIGLE DE 800 G
750 G DE CHARCUTERIE ET CONDIMENTS
PETITE MOTTE DE BEURRE

DÉCOR :

100 G DE BEURRE POMMADE
200 G DE CHAPELURE

MATÉRIEL :

GRANDE PLANCHE
OU PLATEAU
PAPIER MÉTALLISÉ OR
80 À 100 PIQUES EN BOIS
PLANCHE
COUTEAU BIEN AIGUISÉ
COUTEAU-SCIE

POUR LE BUFFET :

COUTEAU À BEURRE

Pains hérisson (recette ci-dessus)

Préparez 80 à 100 piques garnis de charcuterie et de condiments en vous inspirant du tableau, pages 49 et 50.
Recouvrez la grande planche de papier métallisé puis étalez dessus une fine pellicule de beurre. Saupoudrez généreusement de chapelure.
Ouvrez et évidez le pain de campagne, p. 160. Coupez la mie en tranches de 2 cm d'épaisseur, puis en cubes.
Mettez le pain évidé sur la grande planche ; posez le couvercle en biais à l'intérieur et garnissez de cubes de pain en vrac. Décorez le couvercle de piques garnis.
Devant le pain évidé, sur la planche, posez le pain de seigle entier et couvrez-le de piques garnis.
Complétez en dressant une petite motte de beurre accompagnée d'un couteau.

Conservation : les pains coupés, 24 h à température ambiante, enveloppés dans un linge ou un film plastique ; les piques garnis, 24 h au réfrigérateur, recouverts d'un linge humide.

Conseil : vous pouvez vous inspirer de ce décor pour présenter un plateau de fromages.

PAMPLEMOUSSE HÉRISSON

Photo page 40

PRÉPARATION : 1 H

CUISSON : QUELQUES MINUTES

INGRÉDIENTS POUR 60 PIQUES :

1 PAMPLEMOUSSE, TRÈS GROS
1 CHOU-FLEUR
1 CONCOMBRE
10 CAROTTES
1/2 CÉLERI EN BRANCHES
20 RADIS
1 FENOUIL

ACCOMPAGNEMENT : SAUCE FROMAGE BLANC-FINES HERBES (P. 123)

MATÉRIEL :

ASSIETTE DE SERVICE
60 PIQUES EN BOIS
CASSEROLE
PLANCHE
COUTEAU BIEN AIGUISÉ
CUILLER PARISIENNE (FACULTATIF)

POUR LE BUFFET :

BOL DE SERVICE

Lavez le chou-fleur, faites blanchir vingt beaux bouquets.
Épluchez le concombre et coupez-le en petits cubes ou en boules.
Préparez le céleri, coupez 20 beaux tronçons.
Épluchez les carottes, fendez-les en 4, puis coupez-les en lamelles épaisses taillées en biais pour qu'elles ressemblent à de petites feuilles.
Coupez la queue des radis, nettoyez-les ; avec le couteau, pratiquez

4 entailles verticales autour de la partie rose pour former des pétales de fleurs.
Séparez les feuilles du fenouil et coupez-les en petites tranches triangulaires ou rectangulaires d'environ 2 cm de côté.
Garnissez 20 piques en piquant un morceau de concombre sur un bouquet de chou-fleur.
Garnissez 20 autres piques en piquant une feuille de carotte puis un morceau de céleri.
Garnissez les 20 derniers piques en piquant un radis rose sur un morceau de fenouil.
Posez le pamplemousse bien d'aplomb sur l'assiette de service et recouvrez-le des piques en les alternant.
Servez accompagné d'un bol de sauce fromage blanc-fines herbes.

Conservation : les piques garnis, 24 h au réfrigérateur, recouverts d'un linge humide.

DEMI-PASTÈQUE HÉRISSON

PRÉPARATION : 35 MN

INGRÉDIENTS POUR 60 PIQUES :

1 PASTÈQUE
180 G DE JAMBON DE PARME (5 TRANCHES FINES)
20 TÊTES DE CHAMPIGNONS MARINÉES (P. 372)
20 CUBES D'OMELETTE AUX OLIVES (P. 188)
20 CERISES AU VINAIGRE
180 G DE JAMBON D'YORK DE 1 CM D'ÉPAISSEUR

MATÉRIEL :

ASSIETTE DE SERVICE
60 PIQUES EN BOIS
PLANCHE
COUTEAU BIEN AIGUISÉ

Faites égoutter les cerises et les champignons.
Coupez le jambon d'York en 20 cubes.
Évidez en partie la pastèque en laissant au moins 2 cm de chair à l'intérieur de l'écorce. Utilisez la chair évidée pour faire 20 cubes.
Coupez le jambon de Parme en 20 bandes. Garnissez 20 piques en piquant une bande de jambon enroulée autour d'un cube de pastèque.
Garnissez 20 autres piques en piquant une tête de champignon sur un cube d'omelette et les 20 derniers en piquant une cerise sur un cube de jambon.
Posez la demi-pastèque retournée à plat sur l'assiette et disposez les piques en les alternant.

Conservation : les piques garnis, 24 h au réfrigérateur, recouverts d'un linge humide.

Conseil : si la peau de la pastèque est très dure, préparez les trous pour les piques avec une fine brochette de métal.

PASTÈQUE MULTICOLORE

Photo ci-contre

C'est un grand décor sur lequel vous disposerez 120 piques garnis, salés ou sucrés.

PRÉPARATION : 1 H 30

INGRÉDIENTS :

1 PASTÈQUE DE 4 KG BIEN OVALE
120 PIQUES GARNIS DE COULEUR CLAIRE

DÉCOR :

1 PAMPLEMOUSSE
COQUES DE RUBAN (P. 69)

MATÉRIEL :

PLAT DE SERVICE ROND DE ∅ 40 CM
BOL OU RAMEQUIN DE SERVICE
120 PIQUES EN BOIS
PLANCHE
COUTEAU BIEN AIGUISÉ
FINE BROCHETTE DE MÉTAL
MÈTRE DE COUTURIÈRE
ÉLASTIQUE
CRAYON

Préparez 120 piques garnis en vous inspirant du tableau des pages 49-50. La découpe de la pastèque est un peu délicate, mais le résultat en vaut la peine.

Imaginez que la pastèque est une planète avec deux pôles et un équateur. Commencez par dessiner des cercles autour des pôles, à au moins 10 cm de la pointe, en coiffant d'un bol une extrémité, puis l'autre. Il n'y aura pas de découpe à l'intérieur de ces cercles pour que l'édifice reste solide.

Avec le mètre, mesurez l'équateur imaginaire ; divisez par 10 le chiffre obtenu. Passez un élastique autour de la pastèque pour représenter l'équateur ; utilisez-le comme guide pour marquer au crayon les 10 points à intervalles réguliers tout autour de la pastèque puis enlevez-le

Tracez 10 traits allant d'un pôle à l'autre et passant par les points marqués sur l'équateur, comme si vous traciez les lignes de longitude de la planète. Vous délimitez ainsi 10 bandes ; numérotez-les de 1 à 10. Vous allez faire des découpes dans une bande sur deux.

Dans chaque bande à numéro pair, faites une petite croix au crayon sur chaque cercle polaire pour indiquer le milieu entre 2 lignes. Ceci va vous permettre de dessiner des losanges réguliers dans ces bandes à numéros pairs : partez d'une croix, tracez un trait vers un des points marqués sur l'équateur, continuez vers la deuxième croix, remontez vers l'autre point marqué sur l'équateur puis, finalement, vers la croix d'où vous êtes parti. Avec un couteau chef, découpez les 5 losanges, sans aller tout à fait jusqu'au centre de la pastèque pour laisser de la chair au milieu. Quand la découpe est terminée, il vous reste, d'une part une pastèque partiellement évidée avec 5 colonnes de peau séparées par de profondes alvéoles,

Pastèque multicolore (recette ci-dessus)

d'autre part 5 tranches détachées en forme de losange. Ces colonnes et ces tranches vont servir de supports aux piques.
Posez le bol ou le ramequin de service sur le plat rond et installez la pastèque verticalement dedans.
Sur chaque support, il y aura 4 rangées de 3 piques. Dessinez d'abord les rangées, de préférence en forme de grandes virgules, puis perforez des trous pour les piques avec la brochette métallique.
Quand les 120 trous sont prêts, disposez les 5 tranches détachées comme des arches reliant la pastèque au plat, avec une extrémité dans une alvéole et l'autre sur le plat.
Passez la brochette métallique à travers le pamplemousse et fixez-le au sommet de la pastèque. Décorez le dessus de coques de ruban.
Finissez en disposant les piques garnis dans les trous que vous avez préparés.

Conservation : la pastèque découpée mais non dressée, 12 h à température ambiante, couverte d'un linge légèrement humide ; les piques garnis, 24 h au réfrigérateur, couverts d'un linge humide.

CORBEILLE DE CRUDITÉS

Photo page 63

Cette corbeille se fait toute l'année mais l'hiver, comme les crudités sont plus rares, il faut compenser par des légumes cuits. Comptez en moyenne 200 g de légumes et 30 g de sauce d'accompagnement par personne.
Tous les légumes peuvent être préparés à l'avance, mais la corbeille doit être composée le jour même.

PRÉPARATION : 2 H 30 ENVIRON (1er JOUR) + 30 MN (2e JOUR)

INGRÉDIENTS POUR 20 PERSONNES :

5 ÉLÉMENTS DE BASE (2 KG) :

10 PETITES TOMATES (OLIVETTES L'ÉTÉ)
400 G DE CAROTTES EN BÂTONNETS
OU DE PETITES CAROTTES NOUVELLES ENTIÈRES
400 G DE BOUQUETS DE CHOU-FLEUR BLANCHIS
(PRIS SUR LE CHOU-FLEUR DU DÉCOR)
400 G D'OLIVES VERTES ET NOIRES
10 PETITS ŒUFS DURS
+ 5 LÉGUMES DE SAISON (2 KG)

DÉCOR* :

1 SALADE VERTE

---

* Le décor n'est pas destiné à être consommé dans l'immédiat. Il aide seulement à l'esthétique et à la commodité de la présentation.

1 CHOU ROUGE
OU 3 SALADES DE COULEURS DIFFÉRENTES
2 CHOUX VERTS FRISÉS
1 CHOU-FLEUR
1 CÉLERI EN BRANCHES
1 JOLIE BOTTE DE RADIS
OU DE CAROTTES NOUVELLES
BOUQUET DE PERSIL
FEUILLAGES DÉCORATIFS

ACCOMPAGNEMENT :

300 G DE SAUCE FROMAGE BLANC-FINES HERBES (P. 123)
300 G DE SAUCE À L'AVOCAT (P. 113)
OU DE SAUCE FRAÎCHE À LA TOMATE (P. 118)

MATÉRIEL :

GRANDE CORBEILLE
DÔME DE POLYSTYRÈNE,
OU MOUSSE, OU FRISONS,
OU BOÎTES A ŒUFS À ALVÉOLES
PIQUES EN BOIS
BROCHETTES DE MÉTAL
PAPIER D'ALUMINIUM
LINGES HUMIDES
VAPORISATEUR (FACULTATIF)

Choisissez de préférence une grande corbeille peu profonde mesurant au moins 50 cm de long ou 40 cm de diamètre, avec ou sans anse.
Garnissez le fond d'un dôme de mousse ou de frisons, ou bien de polystyrène ou même de boîtes à œufs retournées. Recouvrez de dôme de feuillages ou de papier d'aluminium.

Premier jour

Préparez d'abord tous les éléments du décor.
Coupez la queue des choux verts et détachez délicatement les feuilles à la base. Lavez-les sans les déchirer : les plus creuses vont servir de bols pour présenter les légumes et les plus grandes feront simplement partie du décor.
Lavez le chou rouge ou les salades de couleurs différentes sans les effeuiller.
Effeuillez et lavez la salade verte.
Laissez les radis ou les carottes en botte, n'enlevez pas les fanes ; lavez-les bien sous l'eau courante.
Réservez pour la corbeille quelques bouquets détachés de la base du chou-fleur (400 g). Parez le reste et laissez-le entier pour le décor.
Lavez le céleri en branches mais laissez-le entier. Lavez le bouquet de persil.
Mettez les légumes du décor au frais pendant la préparation des éléments qui composent la corbeille.
Complétez les 5 éléments de base par 2 kg de légumes de saison (voir tableau page 62).
Préparez tous les légumes en suivant les conseils donnés au chapitre XII.
Garnissez de légumes les bols en feuilles de chou, couvrez-les de linges blancs humides et conservez-les au réfrigérateur ou dans un endroit très frais.
Écalez les œufs durs et mettez-les dans un grand bol d'eau salée.

Deuxième jour

La corbeille peut être dressée le matin pour le soir.
Garnissez le pourtour de votre grande corbeille de feuilles de salade verte.

Au milieu, dressez le pied de céleri accompagné du chou-fleur et du chou rouge ou des salades entières que vous disposez en faisant contraster les couleurs. Fixez le tout solidement sur le dôme à l'aide des brochettes.
Attachez éventuellement sur l'anse la botte de carottes ou de radis ; s'il n'y a pas d'anse, attendez que la corbeille soit complète pour placer la botte là où sa couleur ressortira le mieux.
A l'aide de piques en bois, fixez œufs et tomates sur les feuilles de salade verte, en les alternant.
Répartissez harmonieusement grandes feuilles de chou vert vides et feuilles de chou garnies, les premières ne devant pas cacher les secondes. Soulignez les taches de couleur en les entourant de branches de persil. Quand la corbeille est finie, vaporisez ou aspergez un peu d'eau, recouvrez de papier ou de linges humides et placez dans un endroit frais.
Présentez la corbeille de crudités accompagnée de deux bols de sauce.

Conservation : les légumes préparés et disposés dans les feuilles de chou, 24 h au réfrigérateur, recouverts de linges humides.

CRUDITÉS DE SAISON
POUR FAIRE UNE BELLE CORBEILLE TOUTE L'ANNÉE

	Printemps	Été	Automne	Hiver
Artichauts petits violets	oui	—	—	—
Asperges	oui	—	—	—
Carottes nouvelles	oui	—	—	—
Carottes	—	oui	oui	oui
Céleri en branches	oui	oui	oui	oui
Céleri-rave	—	—	oui	oui
Champignons de Paris	oui	oui	oui	oui
Chou-fleur	oui	oui	oui	oui
Choux brocolis	—	—	oui	oui
Concombre	oui	oui	oui	—
Endives	—	—	—	oui
Fenouil	oui	—	—	oui
Fèves	oui	—	—	—
Haricots verts	—	oui	oui	—
Maïs en épis	—	—	oui	—
Melon	—	oui	oui	—
Navets nouveaux	oui	—	—	—
Oignons nouveaux	oui	oui	—	—
Poivron vert/rouge	—	oui	oui	—
Radis noirs	—	—	oui	oui
Radis roses	oui	oui	oui	oui
Tomates	oui	oui	oui	—
Tomates olivettes	—	oui	—	—
Tomates cerises	—	oui	oui	—
Salades vertes	oui	oui	oui	oui

Corbeille de crudités (recette p. 60)

Nous nous sommes limités aux saisons où ces légumes poussent normalement en France. Il est bien certain que l'assortiment peut être plus vaste grâce aux importations et primeurs.

Quelle que soit la saison, vous aurez toujours à votre disposition :
fonds d'artichauts (en boîte)
cœurs de palmier (en boîte)
cornichons au vinaigre
maïs en épis (en boîte)
œufs de poule
œufs de caille
oignons au vinaigre
olives noires/vertes
Pour tous conseils concernant la préparation de chaque légume, voir les généralités sur les légumes au chapitre XII.

CORBEILLE DE FRUITS

Photo ci-contre

Quand les fruits rouges ne sont pas de saison, faites une corbeille originale en ajoutant des fruits exotiques.

PRÉPARATION : 1 H

INGRÉDIENTS POUR 20 PERSONNES :

4 KG DE FRUITS DONT :
1 ANANAS
3 BANANES
3 ORANGES
2 POIRES
3 POMMES ROUGES
FRUITS DE SAISON (5 SORTES)

DÉCOR :

FEUILLAGES (D'ARBRES FRUITIERS DE PRÉFÉRENCE)

MATÉRIEL :

1 CORBEILLE RONDE OU OVALE
PAILLE OU FRISONS
PAPIER DE SOIE

Faites un coussin de paille ou de frisons dans la corbeille, recouvrez-le de papier de soie.
Évidez l'ananas (p. 68). Coupez la chair en cubes. Mélangez-la avec une quantité égale de fruits rouges ou bien avec de la pulpe de litchis ou des demi-kumquats macérés dans du rhum pendant 30 mn. Garnissez l'ananas de mélange, replacez le plumet, posez dans la corbeille.
Suivant les cas, lavez les fruits ou bien essuyez-les pour les faire briller. Intercalez fruits et feuillages sur le fond de la corbeille en gardant les fruits

Corbeille de fruits (recette ci-dessus)

les plus colorés pour l'extérieur. Placez en dernier les fruits les plus fragiles dans des nids de feuillage.
Près de la corbeille, sur le buffet, disposez fourchettes, couteaux, petites assiettes, serviettes en papier et, éventuellement, casse-noix.

Conservation : sans l'ananas, 2 jours au frais, entourée de linges humides ; l'ananas garni, 24 h au réfrigérateur, enveloppé dans un film plastique.

CONSEILS POUR RÉALISER UNE BELLE CORBEILLE DE FRUITS À CHAQUE SAISON

	Printemps	Été	Automne	Hiver
Abricots	—	oui	—	—
Ananas	oui	oui	oui	oui
Bananes	oui	oui	oui	oui
Brugnons	—	oui	oui	—
Cerises	oui	oui	—	—
Clémentines/ Mandarines	—	—	oui	oui
Figues fraîches	—	oui	oui	—
Fraises	oui	oui	oui	—
Fraises de bois	oui	oui	—	—
Framboises	—	oui	oui	—
Groseilles	—	oui	—	—
Marrons (grillés)	—	—	oui	oui
Melons	—	oui	oui	—
Noix	oui	oui	oui	oui
Nectarines	—	oui	oui	—
Oranges	oui	oui	oui	oui
Pêches	—	oui	oui	—
Poires	oui	oui	oui	oui
Pommes	oui	oui	oui	oui
Prunes	—	oui	oui	—
Raisin	—	oui	oui	oui
Tangerines	—	—	—	oui

Fruits exotiques de complément :

dattes fraîches
goyaves
kakis
kiwis
kumquats
mangoustans
mangues
nèfles du Japon
papayes
pistaches

DÉCOR DES PLATS

IMPORTANCE DE LA COULEUR

N'oubliez jamais l'importance du rôle joué par la couleur pour créer une atmosphère et mettre en appétit. Ceci vaut évidemment pour l'ensemble du buffet aussi bien que pour chaque plat.

Éléments naturels de décor*

Bleu	Violet	Rose	Brun	Noir
Aubergine	Chou rouge	Crevette	Jambon sec	Truffe
Mûre	Aubergine	Saumon	Caramel	Olive
	Betterave	Mayonnaise tomatée	Aubergine	Caviar
	Myrtille	Jambon	Raisin sec	Pruneau
	Violette	Foie gras	Chapelure	Poivre
	Cassis		Café	Vanille
	Figue		Gelée brune	Raisin de Smyrne
	Raisin		Chocolat	
	Navet		Amande	
			Lentille	
			Noisette	
			Anchois	
			Cumin	

Blanc	Jaune	Orange	Rouge	Vert
Œuf	Œuf	Abricot	Tomate	Poireau
Poireau	Mayonnaise	Orange	Piment	Épinard
Barde de lard	Citron	Paprika	Poivron	Salade
Graisse	Ananas	Carotte	Cerise	Persil
Navet	Curry	Gelée	Fraise	Laurier
Radis	Beurre	Potiron	Radis	Poivron
Béchamel	Moutarde	Melon	Pomme	Cerfeuil
Endive	Pomme paille	Poivron	Groseille	Cresson
Champignon	Pamplemousse	Piment	Mûre	Concombre
Riz	Poivron	Champignon	Framboise	Avocat
Céleri	Safran	Corail de st-jacques		Pistache
Amande	Curcuma	Moules		Estragon
		Corail d'oursin		Cornichon
				Olive
				Haricot vert
				Petits pois
				Asperge
				Raisin

* En majeure partie extrait du *GRAND LIVRE DES MÉTIERS DE BOUCHE* (ERTI-LECERF) et reproduit grâce à la courtoisie des éditeurs.

Les couleurs chaudes sont le rouge, l'orange et le jaune. Le vert a également son rôle à jouer, surtout comme complément du rouge, mais il est préférable de l'utiliser par touches plutôt que par grandes masses.
Pour atténuer la violence des couleurs chaudes, pensez au noir et au brun qui, en petites quantités, donnent une impression de confort. Ils sont particulièrement recommandés pour contraster avec le jaune.
Si vous avez du gris (que ce soit la couleur des murs, des tentures, de la nappe ou de la vaisselle), égayez-le avec du bleu, du vert olive ou du jaune.
Mais ne placez jamais de bleu près d'un plat de viande rouge si vous ne voulez pas couper l'appétit de vos invités.
Le rose gagnera au contact d'un gris, d'un bleu ou d'un crème.
Le blanc va avec tout, mais il ressortira mieux si vous le soulignez d'une tache de couleur.
On peut obtenir un effet intéressant en dressant un décor à couleur dominante. Pour cela, le plus simple est de choisir des accessoires de la couleur dominante (la nappe peut-être, mais certainement la décoration florale, les serviettes, les bougies, etc.) et de composer un menu où les plats participeront à l'harmonie, sans pour autant sacrifier à la qualité du menu, évidemment. Pour des noces d'or, par exemple, choisissez des accessoires dorés, recouvrez les assiettes de service de papier métallisé or, mettez au besoin une pointe de safran ou de curry dans le riz, etc. Si vous voulez du brun, servez du pain bis, présentez les fromages sur de la chapelure, faites une pièce montée au chocolat... Rappelez-vous cependant que couleur dominante ne veut pas dire couleur uniforme et qu'il faudra jouer non seulement sur toutes les nuances du thème choisi mais aussi sur les couleurs complémentaires et contrastantes.

Le tableau de la page 67 pourra vous aider à composer votre menu et à décorer les plats.

ANANAS EN PRÉSENTOIR

Choisissez un ananas avec un beau plumet. Lavez-le et séchez-le.
Si vous voulez un présentoir vertical, égalisez d'abord la base pour que l'ananas tienne bien. Coupez le quart supérieur du fruit portant le plumet. Réservez-le.
Enfoncez un couteau-scie dans la chair à 1 cm de l'écorce, sans aller tout à fait jusqu'au fond pour ne pas percer celui-ci. Détachez la chair tout autour.
Enfoncez ensuite le couteau horizontalement juste au-dessus de la base pour ouvrir une boutonnière de la largeur de la lame. Par un mouvement en arc de cercle de la lame, détachez la chair, ôtez-la.
Après avoir rempli l'ananas de la préparation choisie, remettez le plumet dessus, comme un chapeau.
Si vous voulez un présentoir horizontal, couchez l'ananas sur le côté et coupez le tiers supérieur. Évidez ensuite l'ananas à l'aide d'un couteau à lame courte bien aiguisée et d'une cuiller. N'oubliez pas de récupérer la

chair du tiers supérieur dont vous pourrez éventuellement utiliser l'écorce comme couvercle.

Conservation : 24 h au réfrigérateur, enveloppé dans un film plastique.

Utilisation : pour présenter des dés d'ananas ou des fruits exotiques dans une corbeille de fruits ; avec le jambon reconstitué façon Virginie.

CITRONS, ORANGES ET PAMPLEMOUSSES EN DÉCOR

Cannelage

Avec un canneleur, ou la pointe du couteau d'office, enlevez des languettes d'écorce à intervalles réguliers, du sommet du fruit à la base.
Le citron cannelé est généralement coupé en fines rondelles puis en demi-rondelles pour le décor des plats et des boissons. L'orange ou le pamplemousse cannelés, coupés en fines rondelles, peuvent faire partie d'une salade ou la décorer.
(Photo du bar en chaud-froid.)

Découpe en dents de loup

Otez les deux bouts du fruit pour qu'il ait deux bases stables. Avec la pointe du couteau d'office, au milieu entre ces bases, dessinez une ligne en dents de scie de 2 cm de hauteur.
Coupez en enfonçant le couteau dans chaque trait jusqu'au centre du fruit. Il est préférable d'utiliser un couteau étroit et pointu.
Le demi-citron en dents de loup peut servir de décor ; il peut également accompagner du poisson ou des coquillages.
(Photo de la langouste à la parisienne.)

Citron en corbeille

Choisissez un citron à peau lisse et souple et cannelez-le en laissant des languettes attachées à la base. Écartez les languettes, coupez le citron en 2 et ôtez la partie supérieure que vous utiliserez comme un citron cannelé. Fixez l'extrémité de chaque languette dans la base de la languette suivante pour former une série de boucles autour du citron.
Le citron en corbeille sert de base à la fleur en tomate.
(Photo du bar en chaud-froid.)

COQUES DE RUBAN

Photo page 165

Pour obtenir de belles coques, il vous faudra 1,8 m de ruban de satin ou de taffetas de 4 cm de large environ.
Coupez un morceau de carton de 15 cm de long et enroulez le ruban autour. Otez le carton en tenant toutes les épaisseurs de ruban bien à plat.

A égale distance des deux extrémités, faites 2 encoches en V l'une en face de l'autre. Passez dans ces encoches un cordonnet ou une ficelle fine d'environ 15 cm de long et nouez solidement. En tirant latéralement sur les boucles de ruban, donnez du volume au nœud.
Pour décorer un chapeau de pain ou une tête de brioche, faites 2 fentes au centre ; glissez dans ces fentes les bouts du cordonnet ou de la ficelle et faites un nœud en dessous.
Pour décorer un fruit ou un plat, fixez les coques avec une brochette.

COQUILLES DE BEURRE

Pour obtenir des coquilles régulières, il est préférable d'utiliser un pain de beurre de forme cylindrique.
Sortez le beurre du réfrigérateur un peu à l'avance : il ne faut pas qu'il soit trop mou car il aurait perdu tout ressort et ne s'enroulerait plus sur lui-même quand vous le découperiez ; s'il était trop dur, par contre, il aurait tendance à se casser.
Préparez un petit bain froid.
Prenez un couteau gratte-beurre et humectez-le. En le tenant horizontalement, posez le côté coupant sur le beurre à une extrémité du cylindre, puis ramenez-le vers vous d'un mouvement régulier, tout en maintenant le beurre en place de l'autre main. La lamelle cannelée ainsi découpée doit s'enrouler sur elle-même et ressembler à une coquille d'escargot.
Mettez cette première coquille dans le bain froid, humectez à nouveau le couteau et recommencez autant de fois qu'il est nécessaire.
Selon le plat que le beurre doit décorer et accompagner, disposez les coquilles en couronne sur le pourtour ou en dôme, au centre ou à une extrémité. Il vaut mieux les placer avec l'ouverture au-dessus pour que leur forme soit plus visible et qu'elles soient plus faciles à prendre.
Si vous voulez accentuer la fraîcheur de ce décor de beurre, placez une toute petite feuille de persil sur chaque coquille.
Le décor peut être dressé à l'avance s'il est possible de mettre le plat au réfrigérateur. Sinon, laissez les coquilles dans le bain froid et placez-les au dernier moment.

N'oubliez pas de mettre à la disposition de vos invités quelques petits couteaux ou quelques piques en bois.

FEUILLETAGE EN DÉCOR

Grâce à sa légèreté et à sa maniabilité, sans parler de sa saveur, la pâte feuilletée (p. 174) se prête à de nombreux décors de plats, qu'ils soient salés ou sucrés.

Donnez 2 tours supplémentaires à la pâte pour qu'elle soit à 5 tours et laissez-la reposer au réfrigérateur. Étalez-la ensuite à 2 mm d'épaisseur et piquez toute la surface avec une fourchette.
Il existe de nombreux emporte-pièce fantaisie qui vous permettront d'obtenir des formes variées. Prenez la précaution de toujours commencer à couper à partir du bord pour ne pas gâcher de pâte.
Si vous n'avez pas d'emporte-pièce en forme de fleuron pour réaliser ce décor classique, vous pouvez le faire avec un emporte-pièce rond. Commencez par tailler un rond dans le bas, à gauche, de l'abaisse de feuilletage. Ne le détachez pas. Posez l'emporte-pièce sur le bas du rond, en partie sur la pâte et en partie sur le plan de travail, pour évider ce rond et en faire un croissant de lune bien large. Otez l'intérieur, détachez le croissant. Taillez le deuxième fleuron au-dessus de la découpe précédente en ne posant qu'une partie de l'emporte-pièce sur la pâte (l'extérieur du premier croissant sera l'intérieur du deuxième).
Avec un emporte-pièce de 8 cm de diamètre (cannelé de préférence), il vous faudra 250 g de feuilletage pour tailler 24 fleurons.
Au fur et à mesure, posez les croissants de feuilletage, à l'envers sur la plaque du four légèrement humide ; mettez-les au réfrigérateur pendant 15 mn.
Dorez-les avec un œuf entier battu, un jaune d'œuf ou un peu de lait, puis faites-les cuire pendant 10 mn au four à 200° (th. 6). Surveillez la coloration en fin de cuisson.
Vous pouvez conserver les décors en feuilletage pendant 6 jours dans une boîte, dans un endroit sec.

Utilisation : décor de plats chauds de poisson ou de coquilles Saint-Jacques. Présentation de pâtés ou terrines, décor de gâteaux, etc.

FLEURS EN TOMATE

Pour décorer des poissons ou volailles en chaud-froid, je vous conseille de faire une fleur en tomate (voir photo du bar, p. 269).
Il vous faudra un citron en corbeille (p. 69), 2 tomates bien rondes et bien rouges, 1 grosse cuillerée à soupe de beurre et 20 à 30 mn de votre temps.
Ne découpez pas les tomates en rondelles, mais découpez des rondelles sur la surface des tomates (pour faire des pétales de fleur il vous faut des rondelles où la chair soit contenue à l'intérieur d'une coupelle de peau).
Posez-les sur le plan de travail, côté peau en dessous, et aplatissez-les au maximum en ôtant une partie de la chair à l'aide d'une lame de couteau passée dessus, bien à plat.
Travaillez le beurre à la fourchette jusqu'à ce qu'il ait une consistance ressemblant à de la pâte à modeler.
Mettez le beurre sur le citron en corbeille ; il va servir tout à la fois de socle et de ciment pour la fleur.

Roulez légèrement un pétale, placez-le au centre du beurre pour figurer le cœur de la fleur. Fixez les autres pétales autour verticalement, la peau tournée vers l'extérieur.
La seule difficulté consiste à donner au beurre exactement la bonne consistance car les pétales ne tiennent pas lorsqu'il est trop mou. Si cela vous arrive, aplatissez le beurre dans un film plastique et mettez-le au réfrigérateur pendant 10 à 15 mn ; travaillez-le à nouveau et réalisez le décor.

LÉGUMES EN DÉCOR

Pour chaque recette, nous expliquons la façon dont les légumes doivent être coupés pour obtenir un plat dont la présentation soit aussi agréable que le goût.
Nous nous sommes efforcés d'éviter les termes de métier, mais cela pourrait intéresser certains d'entre vous de connaître les équivalents professionnels des mots que nous avons choisis : de petits dés sont une brunoise, les dés plus gros sont la découpe en mirepoix ; les bâtonnets fins s'appellent une julienne et les lanières de feuilles sont désignées sous le nom de chiffonnade.
Les légumes tournés et ciselés n'entrent pas vraiment dans le cadre de ce livre et je n'y fais allusion ici que pour vous permettre de créer vos propres présentations si vous disposez de beaucoup de temps et voulez ajouter à certains plats une touche personnelle :
— La cuiller parisienne, que nous vous conseillons d'utiliser pour tailler des concombres ou des betteraves rouges, existe en plusieurs tailles et en 2 formes (ronde et ovale). Si vous servez du melon, vous pouvez obtenir une présentation très originale (et faciliter la dégustation) en remplissant de boules de pulpe des demi-melons évidés. Dans le cadre de la fête, cependant, il ne faut pas oublier que ce type de découpe augmente considérablement le temps de préparation.
— Le cannelage, expliqué pour les agrumes page 69, peut également s'appliquer à certains légumes que l'on n'épluche pas. Vous pouvez, par exemple, canneler les têtes de champignons avant de les mettre à mariner.
En dehors de ces techniques de découpe, les légumes peuvent être utilisés en décor de plat, tout comme on utilise un bouquet de persil ou quelques feuilles de laitue. Le chou-fleur se prête particulièrement bien à cet usage car un bouquet de chou-fleur, grâce à sa teinte délicate, peut permettre d'équilibrer l'ensemble des couleurs d'un plat. Si vous décidez d'utiliser ainsi des légumes, il vaut mieux les blanchir.
Enfin, les légumes peuvent servir de matière première végétale permettant de créer de véritables petits tableaux sous un nappage en gelée (voir le bar en chaud-froid, page 269). Il est important, dans ce cas, d'utiliser des lamelles très fines ou des peaux de légumes comme la tomate ou

l'aubergine que vous sélectionnez uniquement pour leur couleur. S'il s'agit d'un légume fibreux et dur à l'état cru (une feuille de poireau, par exemple), il est préférable de le blanchir avant de le découper pour le décor ; sinon, ce n'est pas nécessaire et, si l'on conseille souvent de blanchir l'estragon, c'est seulement pour préserver sa couleur.

PAIN EN DÉCOR : PAIN DE MIE LOUIS XV

C'est la plus jolie façon de présenter des cubes de pain de mie.
Prenez un pain de mie rectangulaire entier, non décroûté.
Coupez le dessus pour faire le chapeau.
Pour détacher la mie sur les côtés, enfoncez un couteau-scie verticalement dans le pain et coupez tout autour le long de la croûte en vous aidant d'une règle pour aller droit (photo).

Découpage en s'aidant d'une règle afin de détacher la mie.

Découpage de la mie à la base.

Pour détacher la mie du fond, enfoncez ensuite le couteau horizontalement à 1 cm au-dessus de la croûte du fond, à droite du pain, sans perforer la croûte de l'autre côté ; coupez jusqu'au milieu du pain, le plus droit possible.
Tournez le pain et faites la même chose dans l'autre moitié (photo).
Sortez alors la mie, coupez-la en 4 longues bandes dans l'épaisseur, puis en cubes en coupant dans la longueur et dans la largeur.
Regarnissez le pain de cubes de mie, pêle-mêle.
Disposez le chapeau comme un couvercle ouvert en le fixant avec des piques en bois ou comme un couvercle fermé, décoré de coques de ruban, voir page 69.
Le pain de mie Louis XV peut être conservé pendant 24 h à température ambiante, enveloppé dans un film plastique.

ŒUF DUR COUPÉ EN DENTS DE LOUP

Écalez l'œuf en suivant les conseils de la page 105 puis, sans entamer le jaune, coupez les deux bouts pour que l'œuf ait deux bases planes. Avec la pointe du couteau d'office, coupez au milieu entre ces deux bases en formant des dents de scie d'une hauteur de 2 cm environ. Les deux moitiés du blanc vont se séparer facilement de la boule de jaune que vous enlevez. Le blanc découpé est très fragile. Il faut donc le garnir sans attendre.

Utilisation : chaque fois que l'on veut présenter les demi-œufs durs garnis, soit en petites pièces froides, soit autour d'un plat.

CONSEIL SUR LES DÉCORS EN GELÉE

En dehors du nappage, la gelée peut être utilisée en décor de plat, pour entourer une terrine, une viande ou un poisson froids, par exemple. Laissez d'abord la gelée durcir au réfrigérateur dans un récipient peu profond, carré ou rectangulaire.
Vous pouvez la présenter en chiffonnade, découpée ou en cordon.
Quel que soit l'instrument que vous utilisez pour couper la gelée, passez-le sous l'eau très chaude avant chaque découpe.

Chiffonnade
Hachez la gelée grossièrement avec un couteau et dressez-la à la cuiller autour du plat ou au centre d'une couronne.

Découpage
Il peut se faire au couteau ou avec de petits emporte-pièce fantaisie dans une couche de gelée ne dépassant pas 1 cm d'épaisseur.
Vous pourrez ainsi obtenir des dents de loup, des cubes, des étoiles, des cœurs, etc., que vous disposerez en décor.

Cordon
Coupez la gelée en cubes. Remplissez la poche munie d'une douille de ∅ 1 cm et dressez un cordon autour de la pièce à décorer.

CONSEILS SUR L'UTILISATION DE LA POCHE À DOUILLE ET DES CORNETS À DÉCOR

Il est préférable d'avoir une grande poche à douille pour ne pas avoir à la remplir trop souvent au cours du travail, d'autant plus qu'on ne doit jamais garnir une poche à douille à plus des 2/3.

Il est préférable également d'utiliser une poche plastifiée car elle se nettoie beaucoup mieux. Quand vous l'avez rincée, mettez-la à sécher ouverte (en l'enfilant sur le goulot d'une bouteille, par exemple) pour qu'il ne reste pas d'humidité à l'intérieur et qu'elle soit bien aérée.
Avant de remplir la poche, retournez le haut pour faire un grand revers, mettez la douille choisie et bouchez-la du doigt ou placez une pince à linge juste au-dessus pour empêcher la préparation de sortir.
Dès que la poche est assez garnie, tordez le haut pour que la préparation soit bien tassée.
Poussez toujours la préparation en partant du haut pour obtenir une pression égale et un flot régulier. Dirigez la poche d'une main en tenant le bas par en dessous et faites sortir la préparation en exerçant un mouvement de torsion régulier sur le haut (voir la photo du nappage).
Chaque type de douille correspond à une utilisation précise :
— douille plate et dentelée : pour couvrir une assez large surface avec une crème assez liquide ;
— douille décor (pointue et étroite) : pour dresser des filets ;
— douilles lisses de diamètres divers : pour dresser des pâtes en boules ou en boudins, pour garnir un chou ou un demi-œuf dur d'une préparation un peu épaisse, pour dresser un cordon de gelée ;
— douilles rondes cannelées : pour les décors en crème fouettée ou en crème Chantilly et pour les rosaces aux amandes.
Vous pouvez également utiliser la poche sans douille, pour couvrir un plat de gelée en chiffonnade, par exemple.

Chaque fois que la préparation est assez liquide ou que la quantité à traiter est peu importante, le cornet à décor remplace avantageusement la poche à douille. On l'utilisera de préférence, par exemple, pour dresser des filets de crème, du beurre pommade, de la mayonnaise en décor de canapés, ou pour le décor des gâteaux à la glace royale (voir p. 410).
Pour préparer 2 cornets à décor, il vous faut un carré de papier (sulfurisé, siliconé, à décalque ou simplement blanc) de 20 × 20 cm. Coupez le papier en diagonale pour obtenir 2 triangles rectangles.
Posez un triangle sur le plan de travail. Maintenez d'un doigt le milieu du côté opposé à l'angle droit : ce sera la pointe du cornet. De l'autre main, roulez le cornet.
Le haut évasé n'est pas net car les angles dépassent. Repliez-les vers l'intérieur pour consolider le cornet.
Remplissez le cornet aux 2/3 de la préparation choisie et fermez-le, coupez la pointe avec des ciseaux (ou avec un couteau d'office), juste assez pour permettre le passage d'un filet. En tenant le haut du cornet des deux mains, poussez la préparation vers la pointe. Au fur et à mesure que la préparation sort, repliez le haut du cornet.
Un cornet à décor ne peut être utilisé qu'une fois.

CHAPITRE III

BOISSONS

PRÉPARATION ET PRÉSENTATION DES BOISSONS

- Comment piler la glace
- Comment givrer le bord des verres
- Comment décorer un verre
- Comment mélanger les cocktails

BOISSONS ALCOOLISÉES

- Américano
- Bloody Mary
- Cocktail champagne-framboise
- Dry Martini
- Kir Lenôtre
- Punch brésilien
- Punch daïquiri
- Punch planteur
- Punch tahitien
- Sangria
- Sangrita
- Whisky sour

BOISSONS NON ALCOOLISÉES

- Citronnade à la menthe
- Cocktail au jus de tomate
- Limonade au sirop d'orgeat

LES VINS

- Classification de quelques vins
- Alliance des vins et des mets
- Température recommandée pour la dégustation des vins
- Conservation du vin

LA BIÈRE ET LE CIDRE

PRÉPARATION ET PRÉSENTATION DES BOISSONS

COMMENT PILER LA GLACE

Si vous n'avez pas de broyeur à glace, placez des cubes de glace dans un torchon blanc replié, sur le plan de travail, et écrasez-les avec le rouleau à pâtisserie.
Il est préférable d'utiliser la glace pilée immédiatement.

COMMENT GIVRER LE BORD DES VERRES

Préparez du sucre semoule dans une assiette creuse.
Dans une autre assiette creuse, fouettez légèrement des blancs d'œufs avec une fourchette, juste assez pour les briser.
Posez le verre à l'envers dans le blanc d'œuf, égouttez-le légèrement puis placez-le dans le sucre semoule.
Il faut compter 2 blancs d'œufs et 100 g de sucre semoule pour givrer 12 verres.
Le givrage peut être fait plusieurs heures à l'avance. Recouvrez les verres givrés d'un papier blanc en attendant de les utiliser.

Variante : on peut remplacer le blanc d'œuf par du jus de citron.

COMMENT DÉCORER UN VERRE

Selon les boissons que vous allez servir, préparez des citrons (jaunes ou verts), des oranges ou des pamplemousses cannelés (p.69).
Coupez les fruits en tranches fines.
Dans chaque tranche, faites une fente allant jusqu'au centre pour pouvoir la faire tenir à cheval sur le rebord du verre.
Les tranches de fruits cannelés peuvent être préparés à l'avance, mais il vaut mieux disposer le décor au dernier moment.

COMMENT MÉLANGER LES COCKTAILS

Dans les recettes qui suivent, nous vous conseillons de faire le mélange dans un saladier ou dans le broc de service, en remuant vigoureusement la préparation avec une cuiller à long manche.

Si vous préférez utiliser un shaker, divisez les ingrédients indiqués pour la recette afin de pouvoir la réaliser en plusieurs fois, et n'oubliez pas qu'un shaker ne doit jamais être rempli à plus des 2/3.
Les cocktails à base de champagne ne se mélangent pas à l'avance et le champagne doit être ajouté dans chaque verre au fur et à mesure du service.

BOISSONS ALCOOLISÉES

AMÉRICANO

L'américano, étant une boisson alcoolisée mais rafraîchissante, se sert dans de grands verres.

PRÉPARATION : 8 MN

TEMPS DE REFROIDISSEMENT : 1 H MINIMUM

INGRÉDIENTS POUR 10 VERRES :

1/2 LITRE DE CAMPARI (BITTER)
1/2 LITRE DE VERMOUTH ROUGE (DOUX)
1 LITRE D'EAU GAZEUSE
1 CITRON NON TRAITÉ
20 GLAÇONS

MATÉRIEL :

BROC DE 3 LITRES
1 CUILLER À LONG MANCHE
CANNELEUR

POUR LE BUFFET :

10 VERRES DE 3,3 DL

Lavez et essuyez le citron et pelez-le entièrement en biais avec un canneleur en faisant de longues lamelles.
Dans le broc, versez le Campari et le vermouth. Ajoutez 10 glaçons et le zeste de citron. Remuez bien avec la cuiller. Mettez au réfrigérateur pendant au moins 1 h.
Au moment de servir, ajoutez doucement l'eau gazeuse et les 10 glaçons restants.
Servez dans les grands verres en faisant glisser dans chaque verre, à l'aide de la cuiller, 1 zeste de citron et 1 glaçon.
S'il s'agit d'une réception où tous les invités arrivent de façon échelonnée, ne mettez pas l'eau gazeuse et les glaçons dans le broc mais servez-les directement dans les verres au fur et à mesure des arrivées.

Conservation : 48 h au réfrigérateur, dans le broc couvert.

Conseil : si vous préférez, vous pouvez remplacer le citron par une orange. Dans ce cas, découpez l'orange en fines rondelles, sans l'éplucher.

BLOODY MARY

Baptisée du nom de la fille aînée d'Henry VIII, Marie la Sanguinaire, cette boisson « rouge » est considérée par beaucoup d'amateurs comme un véritable reconstituant.

PRÉPARATION : 20 MN

TEMPS DE REFROIDISSEMENT : 2 H MINIMUM

INGRÉDIENTS POUR 12 VERRES :

8 DL DE VODKA
8 DL DE JUS DE TOMATE
3 CITRONS VERTS NON TRAITÉS
TABASCO OU WORCESTERSHIRE SAUCE
1 CUILLERÉE À CAFÉ DE SEL DE CÉLERI
SEL ET POIVRE
20 À 35 GLAÇONS

MATÉRIEL :

1 BROC DE 3 LITRES
1 PRESSE-CITRON

POUR LE BUFFET :

12 VERRES DE 2,5 DL

DÉCOR :

2 CITRONS VERTS

Pressez 3 citrons.
Dans le broc, mettez la vodka, le jus de tomate et le jus de citron.
Ajoutez 2 ou 3 traits de tabasco ou bien 3 ou 4 traits de worcestershire sauce (ou même un peu des deux), le sel de céleri, un peu de poivre moulu et 1 petite pincée de sel. Mélangez vigoureusement. Goûtez et rectifiez au besoin l'assaisonnement.
Mettez au réfrigérateur pendant au moins 2 h.
Refroidissez les verres à l'avance en y mettant 1 ou 2 glaçons.
Au moment de servir, jetez les glaçons, décorez les verres de rondelles de citron.
Servez le Bloody Mary très frais dans les verres glacés.

Conservation : 12 h au réfrigérateur, dans le broc couvert.

Conseil : si vous voulez un Bloody Mary moins fort, ajoutez un glaçon dans chaque verre en servant.

COCKTAIL CHAMPAGNE-FRAMBOISE

Ce cocktail se sert généralement à l'apéritif mais pas exclusivement car il est excellent avec une tarte aux fruits rouges.

PRÉPARATION : 5 MN

INGRÉDIENTS POUR 12 VERRES :

2 BOUTEILLES DE CHAMPAGNE BRUT
1 DL DE LIQUEUR DE FRAMBOISE
1/2 DL DE COGNAC

MATÉRIEL :

12 VERRES DE 1,5 DL

Faites rafraîchir le champagne à une température d'environ 8°.
Dans chaque verre, versez 1 cuillerée 1/2 à café de liqueur de framboise, 1 trait de cognac et complétez en versant doucement le champagne (environ 12 cl).
Mélangez en faisant tourner délicatement le verre sur lui-même.

Conseil : bien qu'il soit nécessaire de ne verser le champagne qu'au moment de servir, vous pouvez préparer à l'avance les verres contenant le mélange liqueur de framboise/cognac.

DRY MARTINI

PRÉPARATION : 10 MN

TEMPS DE REFROIDISSEMENT : 1 H

INGRÉDIENTS POUR 12 VERRES :

9 DL DE GIN
3 DL DE VERMOUTH BLANC SEC (NOILLY)
2 CITRONS VERTS NON TRAITÉS
9 TRAITS D'ANGOSTURA
3 TRAITS DE TABASCO
12 PETITS OIGNONS BLANCS AU VINAIGRE
GLAÇONS

MATÉRIEL :

1 GRAND BROC
1 CUILLER À COCKTAIL
12 PIQUES EN BOIS

POUR LE BUFFET :

12 VERRES DE 1,5 DL

Givrez les verres en utilisant du jus de citron (p. 79) à la place du blanc d'œuf.
Dans le broc, mettez le gin, le vermouth, l'angostura et le tabasco. Ajoutez les citrons verts coupés en 4, en les pressant légèrement pour qu'il en sorte un peu de jus. Remuez vigoureusement avec une cuiller à cocktail.

Mettez au réfrigérateur pendant au moins 1 h.
Égouttez les petits oignons blancs, épongez-les et enfilez-en un sur chaque pique.
Au moment de servir, enlevez les morceaux de citron, ajoutez dans le broc une dizaine de glaçons. Remuez à nouveau vigoureusement.
Servez dans les verres givrés en ajoutant un petit oignon blanc.

Conservation : 24 h au réfrigérateur, dans le broc couvert.

Conseil : si vous voulez vraiment servir le Dry Martini dans les règles de l'art, choisissez des verres relativement épais, humectez-les et placez-les au réfrigérateur jusqu'à l'heure de la réception pour qu'ils soient très froids.

KIR LENÔTRE

Il se prend toujours comme apéritif.

PRÉPARATION : 5 MN.

INGRÉDIENTS POUR 12 VERRES :

2 BOUTEILLES DE CHAMPAGNE BRUT
OU 2 BOUTEILLES DE VIN BLANC SEC
1 DL DE CRÈME DE CASSIS À 16 OU 20°
1/2 DL D'EAU-DE-VIE DE FRAMBOISE

MATÉRIEL :

12 VERRES DE 1,5 DL

Dans chaque verre, versez 1 cuillerée 1/2 à café de crème de cassis et 1 trait d'eau-de-vie de framboise. Ceci peut être fait à l'avance. Au moment de servir, ajoutez environ 12 cl de champagne ou de vin blanc rafraîchi à une température de 8°.
Ce cocktail n'attend pas.

Variante : vous pouvez remplacer le champagne ou le vin blanc sec par du vin rouge. Votre cocktail prend alors le nom de communard.

PUNCH BRÉSILIEN

Photo page 89

Comme ce punch est assez doux, vous pouvez en servir 2 dl par verre.

PRÉPARATION : 20 MN

TEMPS DE MACÉRATION : 6 H

INGRÉDIENTS POUR 10 VERRES (2 LITRES) :

4,5 DL DE RHUM BLANC
1 ANANAS DE 1,8 KG MINIMUM
3 DL DE LAIT DE COCO
3 DL DE SIROP DE SUCRE DE CANNE

MATÉRIEL :

COUPE EN VERRE DE 3 LITRES
CENTRIFUGEUSE
OU MIXER ET PASSOIRE FINE
PLANCHE

POUR LE BUFFET :

10 VERRES DE 2,5 DL
10 PETITES CUILLERS
LOUCHE

Évidez l'ananas.
Passez la moitié de la pulpe à la centrifugeuse ou mixez-la puis passez-la à travers une passoire fine. Vous devez obtenir 4 dl de jus.
Coupez l'autre moitié de la pulpe en cubes et mettez cubes et jus d'ananas dans la coupe.
Ajoutez le sirop de sucre de canne, le lait de coco et le rhum blanc.
Mélangez bien puis mettez au réfrigérateur pendant au moins 6 h.
Servez à l'aide d'une louche dans des verres givrés garnis chacun d'une petite cuiller.

Conservation : 48 h au réfrigérateur, dans la coupe couverte.

PUNCH DAÏQUIRI

Photo page 89

Ce punch est assez acide. Servez-en seulement une petite quantité pour que seuls les amateurs en reprennent.

PRÉPARATION : 10 MN

TEMPS DE MACÉRATION : 6 H

INGRÉDIENTS POUR 10 VERRES :

5 DL DE RHUM BLANC
2 DL DE SIROP DE SUCRE DE CANNE
3 DL DE JUS DE CITRON
2 CITRONS NON TRAITÉS
GLAÇONS

MATÉRIEL :

SALADIER OU BROC DE 2 LITRES
ROBOT COMPACT (FACULTATIF)
PLANCHE

POUR LE BUFFET :

10 VERRES DE 2,5 DL
LOUCHE

Dans le saladier ou le broc, mélangez le jus de citron, le sirop de sucre de canne et le rhum.
Lavez et séchez les citrons puis coupez-les en 20 tranches très fines ; éliminez les bouts.

Ajoutez les tranches de citron au punch et mettez au réfrigérateur pendant au moins 6 h.
Servez à la louche dans les verres givrés sur un glaçon ou sur de la glace pilée.

Conservation : 48 h au réfrigérateur, dans le récipient couvert.

Conseil : ce punch, qui se sert le plus souvent en apéritif, accompagne parfaitement le boudin noir.

PUNCH PLANTEUR

Photo page 89

PRÉPARATION : 10 MN

TEMPS DE MACÉRATION : 6 H

INGRÉDIENTS POUR 12 VERRES (2,4 LITRES) :

6 DL DE RHUM VIEUX
4 DL DE SIROP DE SUCRE DE CANNE
1 LITRE DE JUS D'ORANGE
4 ORANGES NON TRAITÉES
GLAÇONS

MATÉRIEL :

SALADIER OU BROC EN VERRE DE 4 LITRES
ROBOT COMPACT (FACULTATIF)

POUR LE BUFFET :

12 VERRES DE 2,5 DL
LOUCHE

Dans le saladier ou le broc, mélangez le jus d'orange, le sirop de sucre de canne et le rhum.
Lavez et séchez les oranges puis découpez-les en 24 rondelles fines.
Ajoutez-les au punch et laissez macérer au réfrigérateur pendant au moins 6 h.
Servez à la louche dans les verres givrés sur des cubes de glace ou de la glace pilée.

Conservation : 48 h au réfrigérateur, dans le récipient couvert.

PUNCH TAHITIEN

Photo page 89

Ce punch sucré est peu alcoolisé. N'hésitez pas à en servir 2 dl par personne.

PRÉPARATION : 30 MN

TEMPS DE MACÉRATION : 24 H

INGRÉDIENTS POUR 10 VERRES :

4 DL DE RHUM BLANC
1 LITRE DE SIROP DE SUCRE DE CANNE
1 PAMPLEMOUSSE
1 ORANGE
1/2 ANANAS (750 G ENVIRON)
1 CITRON

MATÉRIEL :

SALADIER OU BROC EN VERRE DE 4 LITRES
PLANCHE
COUTEAU D'OFFICE

POUR LE BUFFET :

10 VERRES ÉVASÉS DE 2,5 DL
10 PETITES CUILLERS
LOUCHE

Dans le saladier ou le broc, mélangez le rhum et le sirop de sucre de canne.
Pelez le pamplemousse à vif en ôtant toutes les petites peaux blanches, détachez les quartiers, ôtez le plus possible de peaux blanches. Coupez chaque quartier en 2.
Lavez l'ananas, ôtez l'écorce et pressez-la pour récupérer le maximum de jus. Otez le cœur fibreux ; coupez la chair en rondelles puis coupez chaque rondelle en 8 afin d'obtenir de fins triangles.
Lavez l'orange et le citron ; sans ôter la peau, coupez-les en tranches fines puis coupez chaque tranche en 8 quartiers, comme l'ananas.
Ajoutez tous les fruits au mélange rhum/sirop de canne et laissez macérer 24 h au réfrigérateur.
Servez à la louche le punch froid, sans glaçons, dans les verres givrés garnis chacun d'une petite cuiller.

Conservation : 48 h au réfrigérateur, dans le récipient couvert.

SANGRIA

Photo page 89

Ce punch bien connu et apprécié de tous n'est pas très fort ; vous pouvez en prévoir 2 dl par verre.

PRÉPARATION : 15 MN

TEMPS DE MACÉRATION : 24 H

INGRÉDIENTS POUR 15 VERRES :

1,5 LITRE DE VIN ROUGE DE BORDEAUX
1 DL DE GIN OU DE COGNAC
1 DL DE GRAND-MARNIER
2 CITRONS NON TRAITÉS
2 ORANGES NON TRAITÉES
QUELQUES FRUITS DE SAISON
80 G DE SUCRE SEMOULE

MATÉRIEL :

SALADIER
OU BROC DE 4 LITRES
ROBOT COMPACT
OU COUTEAU ET PLANCHE

POUR LE BUFFET :

15 VERRES ÉVASÉS DE 2,5 DL
15 PETITES CUILLERS
LOUCHE

Otez les bouts puis coupez les oranges et les citrons en 10 rondelles chacun ; coupez chaque rondelle en 2.
Faites-les macérer dans les alcools et le sucre pendant 24 h au réfrigérateur, dans un grand saladier ou un broc couvert.
Préparez les fruits de saison.
1 h avant de servir, ajoutez dans le saladier ou le broc le vin rafraîchi et les fruits de saison.
Servez frais.

Conservation : après macération, 24 h au réfrigérateur, sans les fruits de saison, dans le récipient couvert.

Conseil : pour une soirée entre jeunes ou pour accompagner un repas, on peut remplacer une partie du vin par de l'eau gazeuse.

SANGRITA

Photo page 89

Ce punch est très relevé ; 1 dl par verre suffit.

PRÉPARATION : 15 MN

TEMPS DE MACÉRATION : 6 H

INGRÉDIENTS POUR 16 VERRES :

8 DL DE TEQUILA
2 DL DE SIROP DE SUCRE DE CANNE
2 DL DE JUS D'ORANGE
100 G DE CONCENTRÉ DE TOMATE
2 OIGNONS
10 CITRONS VERTS NON TRAITÉS
2 PINCÉES DE SEL DE CÉLERI
2 POINTES DE COUTEAU DE POIVRE DE CAYENNE
GLAÇONS

MATÉRIEL :

BROC DE 2,5 LITRES
MIXER OU FOUET
PRESSE-FRUITS

POUR LE BUFFET :

16 VERRES DE 2 DL
LOUCHE

Hachez les oignons très finement.
Pressez les citrons verts pour obtenir 2 dl de jus.
Mélangez vigoureusement tous les ingrédients au fouet ou passez-les au mixer. Laissez macérer au réfrigérateur pendant 6 h dans le broc couvert.
Servez sur des glaçons ou de la glace grossièrement pilée.

Conservation : 48 h au réfrigérateur, dans le broc couvert.

Conseil : ne forcez pas trop sur le poivre de Cayenne car son arôme se développe au fil des heures.

WHISKY SOUR

En suivant cette recette, vous pouvez faire de nombreux cocktails « sour » en remplaçant le whisky par du gin, du cognac, du rhum, du vin blanc sec ou même du cidre sec.

PRÉPARATION : 20 MN

TEMPS DE REFROIDISSEMENT : 1 H MINIMUM

INGRÉDIENTS POUR 12 VERRES :

6 DL DE WHISKY (BOURBON, RYE OU SCOTCH)
6 CITRONS NON TRAITÉS
OU 4 CITRONS JAUNES + 2 CITRONS VERTS NON TRAITÉS
2 CUILLERÉES À SOUPE DE SIROP DE SUCRE (DE CANNE DE PRÉFÉRENCE)
6 TRAITS D'ANGOSTURA
1/2 LITRE DE PERRIER
12 GLAÇONS

MATÉRIEL :

BROC DE 3 LITRES
SALADIER
PASSOIRE FINE

POUR LE BUFFET :

12 VERRES DE 2,5 DL

DÉCOR :

1 CITRON OU 1 ORANGE CANNELÉS
12 CERISES AU MARASQUIN

Mettez l'eau de Perrier au réfrigérateur.
Concassez très grossièrement les glaçons et mettez-les dans un saladier.
Lavez et essuyez les citrons, coupez-les en 2. Pressez-les fortement au-dessus du saladier avant de les y mettre.
Dans le saladier, ajoutez le sirop de sucre, le whisky et l'angostura. Remuez très énergiquement pendant quelques instants.
Versez dans le broc à travers une passoire fine.
Mettez au réfrigérateur pendant au moins 1 h.
Givrez les verres. Coupez le citron ou l'orange cannelés en 12 rondelles. Décorez chaque verre d'une rondelle disposée à cheval sur le bord.
Au moment de servir, ajoutez dans le broc un demi-litre de Perrier. Mélangez légèrement en remuant doucement le broc.
Servez en ajoutant dans chaque verre une cerise au marasquin.

Conservation : 12 h au réfrigérateur, dans le broc couvert.

Punchs : 1. brésilien - 2. daïquiri - 3. planteur - 4. tahitien
5. Sangria - 6. Sangrita (recettes p. 83 à 87)

6
5
2
3
4
1

CITRONNADE À LA MENTHE

PRÉPARATION : 20 MN (10 MN AU ROBOT COMPACT)

TEMPS DE REFROIDISSEMENT : 2 H MINIMUM

INGRÉDIENTS POUR 20 VERRES :

8 CITRONS NON TRAITÉS
32 BELLES FEUILLES DE MENTHE FRAÎCHE
6 À 7 CUILLERÉES À SOUPE DE MIEL
OU DE SIROP DE SUCRE DE CANNE
2 CUILLERÉES À CAFÉ D'EAU DE FLEUR D'ORANGER

ACCOMPAGNEMENT :

EAU GAZEUSE
CITRONS
GLAÇONS

MATÉRIEL :

2 BROCS DE 3 LITRES
ROBOT COMPACT OU HACHOIR
OU MORTIER ET PILON
PRESSE-CITRON
ZESTEUR

POUR LE BUFFET :

20 VERRES DE 3,3 DL
SOUCOUPE DE SERVICE
SEAU À GLACE

Mettez 2 litres d'eau à rafraîchir au réfrigérateur.
Lavez et essuyez 4 citrons et prélevez le zeste. Réservez-le. Pressez les 8 citrons.
Hachez très finement le zeste de citron avec les feuilles de menthe. Pilez la purée ainsi obtenue dans le mortier, en ajoutant progressivement le miel ou le sirop de canne, puis le jus de citron, puis l'eau de fleur d'oranger.
L'opération au robot compact sera plus rapide mais le résultat sera moins finement parfumé.
Mettez dans un saladier et ajoutez les 2 litres d'eau fraîche en remuant.
Laissez reposer au réfrigérateur pendant au moins 2 h.
Passez dans le broc à travers une passoire fine garnie d'un papier absorbant. Remettez au réfrigérateur jusqu'au moment de servir.
Servez accompagné d'eau gazeuse, de fines rondelles de citron et de glaçons.

Conservation : 12 h au réfrigérateur, dans le broc couvert.

COCKTAIL AU JUS DE TOMATE

PRÉPARATION : 30 MN

TEMPS DE REFROIDISSEMENT : 1 H MINIMUM

INGRÉDIENTS POUR 12 VERRES :

1,5 LITRE DE JUS DE TOMATE TOUT PRÉPARÉ
300 G DE CONCOMBRE
4 CITRONS NON TRAITÉS
3 BRANCHES DE BASILIC
1 CUILLERÉE À SOUPE DE SAUCE DE SOJA
SEL DE CÉLERI
SEL, POIVRE

ACCOMPAGNEMENT :

25 À 30 PETITS OIGNONS AU VINAIGRE

MATÉRIEL :

BROC DE 3 LITRES
ROBOT COMPACT
OU RÂPE À LÉGUMES

POUR LE BUFFET :

12 VERRES DE 2,5 DL

Goûtez d'abord le jus de tomate pour savoir combien d'assaisonnement vous emploierez : certains jus de tomate sont déjà assaisonnés, au céleri par exemple, d'autres sont plus ou moins salés ou poivrés.
Épluchez le concombre ; râpez-le et mettez-le dans le broc. Assaisonnez de sel et de poivre, et saupoudrez de sel de céleri.
Lavez et essuyez les citrons. Cannelez et réservez 2 citrons.
Pressez les 2 autres et versez le jus sur le concombre. Ajoutez la sauce de soja puis le jus de tomate. Mélangez bien. Vérifiez l'assaisonnement. Laissez reposer pendant au moins 1 h au réfrigérateur.
Coupez les citrons cannelés en fines rondelles et posez-les à cheval sur le bord des verres.
Hachez finement le basilic et ajoutez-le dans le broc au moment de servir. Remuez bien et versez dans les verres décorés en ajoutant 2 ou 3 petits oignons au vinaigre.

Conservation : 12 h au réfrigérateur, dans le broc couvert.

LIMONADE AU SIROP D'ORGEAT

PRÉPARATION : 10 MN

TEMPS DE REFROIDISSEMENT : 1 H MINIMUM

INGRÉDIENTS POUR 10 VERRES :

1 LITRE DE SIROP D'ORGEAT
5 CITRONS NON TRAITÉS
1 CITRON VERT NON TRAITÉ (FACULTATIF)
1 LITRE D'EAU GAZEUSE
1 LITRE DE GLACE PILÉE

MATÉRIEL :

BROC DE 2 LITRES
PRESSE-CITRON

POUR LE BUFFET :

10 VERRES DE 3,3 DL
SEAU À GLACE

Mettez l'eau gazeuse ou 1 litre d'eau plate à rafraîchir au réfrigérateur. Pressez les 5 citrons. Dans le broc, mélangez le jus des citrons au sirop d'orgeat jusqu'à ce que la limonade soit bien homogène. Réservez au frais. Au moment de servir, ajoutez, si vous voulez, le jus du citron vert. Remplissez chaque verre de glace pilée jusqu'à 1/3 de la hauteur, versez la limonade au sirop d'orgeat et ajoutez eau gazeuse ou eau plate à volonté.

Conservation : 12 h dans une pièce fraîche, dans le broc couvert.

LES VINS

CLASSIFICATION DE QUELQUES VINS

Les meilleurs plats n'étant parfaitement appréciés que lorsqu'ils sont accompagnés d'un vin les mettant pleinement en valeur, nous avons jugé utile de suggérer certains vins qui accompagneront plus heureusement que d'autres les recettes de ce livre, en nous limitant aux vins que l'on peut trouver partout. Si vous habitez une région productrice, choisissez de préférence les vins du cru.

Vins rouges légers	Beaujolais, Bergerac, Bourgueuil, Bordeaux-Médoc, Cahors, Chinon, Corbières, Corse, Gamay de Touraine, Graves, Mâcon rouge, Margaux.
Vins rouges corsés, bien charpentés	Bourgogne, Côteaux-du-Languedoc, Côte-du-Rhône, Madiran, Pauillac, Pomerol, Saint-Émilion, Vaucluse.
Vins blancs légers et secs	Clairette du Languedoc, Gros Plant nantais, Mâcon blanc, Muscadet, Pouilly, Saumur, Savoie.
Vins blancs secs et fruités	Alsace, Anjou, Bourgogne aligoté, Pouilly-Fuissé, Sancerre.
Vins blancs liquoreux ou moelleux	Anjou liquoreux, Champagne entre 10 et 20 ans, Jurançon, Montbazillac, Sauternes-Barsac, Xérès.
Vins rosés	Arbois, Corse, Côtes-de-Provence, Costières du Gard, Mâcon rosé, Rosé du Var, Tavel, Anjou (rosé doux).
Vins pétillants	Champagne, Crémant de Loire, de Touraine, de Bourgogne.

Le champagne peut accompagner tout un repas de fête mais, si vous servez plusieurs vins, le but recherché est l'harmonie. Il faut accorder les boissons et les mets de telle manière que les saveurs se complètent et se rehaussent mutuellement. Les vins doivent toujours être présentés dans un ordre ascendant.

Présentez-les donc en respectant les règles suivantes :

un vin moins corsé	avant	un plus corsé
un vin blanc sec	avant	un vin liquoreux
un vin blanc sec	avant	un vin rouge
un vin rouge	avant	un vin blanc liquoreux
un vin simple	avant	un vin prestigieux
un vin jeune	avant	un vin plus vieux

(sauf si le vin plus jeune est d'un grand millésime ; respectez alors la règle précédente et servez le plus simple avant le meilleur).

Pour décider quel vin servir, vous pouvez vous laisser guider par quelques principes :

1) un vin blanc allège
2) un vin rosé est une solution d'été
3) un vin rouge « étoffe ».

Par conséquent :

— à plat fin, délicat : vin de même, plus ou moins sec et fruité, moelleux ;
— à plat relevé, corsé, épicé, de caractère marqué : vin rouge de grande sève ;
— à plat de saveur moyenne : vin léger, blanc, rouge ou rosé, selon la nature du mets, l'humeur et la saison.

Sans vouloir reprendre tous les plats du livre, voici quelques indications plus précises :

Les vins rouges légers et les vins rosés accompagnent :
Les plats légers, la charcuterie, les sandwiches, les plats en chaud-froid, viandes rouges grillées ou en brochettes, fondue bourguignonne, toutes les viandes blanches, les volailles rôties ou en bouillon, le canard en sauce.
Les légumes verts, les pommes de terre nouvelles, la ratatouille, la terrine de légumes et la corbeille de crudités.
Les fromages à pâtes fondues, à pâtes pressées non cuites, les bleus, les pâtes molles à croûte fleurie et les fromages frais.

Les vins rouges corsés, charpentés et généreux accompagnent :
Les viandes rouges (bœuf, viandes cuisinées, gigot), la dinde chaude et les terrines de gibier.
Le céleri, les champignons, les gratins.
Les fromages à pâte persillée, les pâtes molles à croûte fleurie ou à croûte lavée.

Les vins blancs secs et fruités, très parfumés accompagnent :
Les huîtres, les coquillages et tous les fruits de mer ainsi que les œufs de saumon ou le caviar, à moins que, dans ce dernier cas, vous ne préfériez la vodka ou l'aquavit.

Les crustacés et poissons servis froids, les soupes de coquillages, le saumon fumé et le saumon mariné à l'aneth, sauf si, là encore, vous préférez la vodka ou l'aquavit.
Les poissons grillés, les coquillages au beurre d'escargots, la terrine d'anguille.
Le boudin, blanc ou noir, les volailles rôties, les jambons, la dinde froide, le gâteau de poulet, la fondue au fromage.
Le chou-fleur, tous les plats contenant des épinards, les crudités.
Les fromages à pâte fondue, les pâtes pressées non cuites, les pâtes pressées cuites ou dures et les pâtes molles à croûte naturelle.

Les vins blancs moelleux ou liquoreux accompagnent :
Le foie gras (Champagne entre 10 et 20 ans d'âge, le Sauternes et le Xérès).
Les fromages à pâte persillée, le roquefort (Sauternes) et le munster (Gewurztraminer).
Les desserts sauf les glaces et sorbets, les gâteaux au chocolat et les pâtisseries parfumées à l'alcool (accompagnez ces dernières d'un petit verre du même alcool frais).

L'eau est le seul accompagnement des plats vinaigrés, des fromages à la crème, des agrumes, des glaces et sorbets.

TEMPÉRATURE RECOMMANDÉE POUR LA DÉGUSTATION DES VINS

Les vins blancs, rosés et liquoreux doivent être servis frais, à environ 7 ou 8°, ainsi que les vins pétillants comme le Champagne. Il ne faut surtout pas qu'ils soient glacés.
Il est préférable de les rafraîchir dans des seaux à glace ou dans le bas du réfrigérateur 4 h à l'avance. Ne mettez pas de glaçons dans le vin et ne mettez jamais celui-ci dans le freezer ni dans le congélateur car le premier le casserait et le second le briserait.
Par contre, la vodka et l'aquavit que nous avons mentionnées plus haut gagnent à être conservées à environ 0° car ce sont des boissons dites « huileuses ».
Les vins rouges se boivent chambrés, le Bourgogne à environ 16° et le Bordeaux à 18°. Une demi-journée à l'avance, mettez les bouteilles, debout, dans une pièce fraîche où règne une température de 16/18°.

CONSERVATION DU VIN

Si vous achetez le vin à l'avance, ne le gardez pas à la cuisine mais conservez-le dans une cave à température constante de 10/12°, aérée et avec un sol en terre battue. Si le sol de votre cave est en ciment, étalez un lit de sable et de gravier pour éviter les vibrations et maintenez une certaine humidité en arrosant régulièrement avec un arrosoir ; trop d'humidité ne nuira jamais au contenu de la bouteille. En fait, le degré d'hygrométrie idéal pour le vin se situe entre 50 et 60 %.

LA BIÈRE ET LE CIDRE

Selon les circonstances, vous pouvez remplacer le vin, au moins en partie, par de la bière ou du cidre, fort agréables à déguster avec certains plats. Le degré en alcool est généralement sensiblement moins élevé que celui du vin, ce qui fait de ces boissons un accompagnement idéal un jour de grosse chaleur ou pour une fête de jeunes.
En dehors des régions productrices, la bière se présente sous forme de bouteilles, de cannettes, ou même de boîtes, toujours pasteurisées. Mais il est possible de louer des fûts de 30 litres de bière à la pression, si vous voulez de la bière non pasteurisée.
Il vaut mieux servir une bière blonde et légère qui accompagne parfaitement coquillages et charcuteries, ainsi que toutes les préparations contenant de la farine de seigle ou du cumin.
Le cidre sec fermier a beaucoup de caractère, mais il ne bénéficie malheureusement pas d'une très large diffusion et se conserve assez mal. Le cidre pasteurisé, par contre, est en vente partout en France.
Le cidre est particulièrement agréable à boire avec le poisson, tous les plats à base de pommes et toutes les crêpes salées.
Laissez la bière et le cidre au réfrigérateur et sortez-les au fur et à mesure des besoins car leur température de dégustation se situe entre 6 et 8°. Ne les posez jamais dans un bac rempli de glaçons car le contact direct avec la glace les « casse » et leur fait perdre leur saveur.
Si vous décidez de servir de la bière ou du cidre, prévoyez toujours une certaine quantité de bouteilles de vin, autant que de bière ou de cidre, s'il s'agit d'une fête entre adultes.

CHAPITRE IV

GARNITURES, SAUCES ET FONDS DE CUISSON

BEURRES COMPOSÉS ET CRÈME FOUETTÉE

- Généralités ; beurre pommade
- Beurre mayonnaise
- Beurre moutarde
- Beurre de noix
- Beurre de roquefort
- Crème fouettée

GARNITURES

- Garniture au crabe ou aux crustacés
- Garniture à la Duxelles de champignons
- Garniture aux épinards
- Garniture à la macédoine de légumes
- Mousse de foie gras
- Œufs brouillés
- Œufs durs
- Œufs de caille durs
- Garniture à la ratatouille
- Tapenade Lenôtre
- Pulpe de tomates

SAUCES POUR LES SALADES

- Conseils pour bien choisir son huile
- Huile parfumée aux noisettes
- Huile parfumée aux noix
- Sauce à l'huile d'olive et au citron
- Vinaigrette

SAUCES ÉMULSIONNÉES FROIDES

- Mayonnaise
- Mayonnaise à la moutarde brune
- Ailloli
- Sauce à l'avocat
- Sauce façon béarnaise
- Sauce façon choron
- Sauce cressonnette
- Sauce façon gribiche
- Sauce rémoulade
- Sauce tartare
- Sauce fraîche à la tomate
- Sauce tomate Napoléon

SAUCES VELOUTÉES

- Conseils généraux ; le chaud-froid
- Le roux
- Sauce béchamel
- Sauce normande
- Sauce piquante

SAUCES DIVERSES

- Sauce fromage blanc-fines herbes
- Sauce légère
- Sauce moutarde
- Condiment à la tomate

FONDS DE CUISSON

- Conseils généraux
- Fond blanc et fond de volaille
- Fond brun
- Gelée claire (clarification, mise au point et nappage)
- Fumet de poisson

UTILISATION DES FEUILLES DE GÉLATINE

BEURRES COMPOSÉS ET CRÈME FOUETTÉE

GÉNÉRALITÉS SUR LES BEURRES COMPOSÉS

Les beurres composés sont faits à partir de beurre mélangé à divers ingrédients : aromates, fromage, condiments, mousse de foie ou mousse de poisson, mayonnaise, etc.
Ils sont principalement utilisés pour beurrer les pains.
Il faut toujours commencer par faire un beurre pommade.

Beurre pommade

Ce n'est pas simplement du beurre ramolli.
Sortez le beurre du réfrigérateur quelques heures à l'avance puis, avec une cuiller en bois, malaxez-le dans un bol jusqu'à ce qu'il ait la consistance d'une pommade.

Utilisation : tel quel, pour beurrer les pains, ou en beurre composé.

BEURRE MAYONNAISE

Il reste moelleux, ce qui facilite le beurrage des pains en grande quantité.

PRÉPARATION : 5 MN

INGRÉDIENTS POUR 300 G :

- 200 G DE BEURRE POMMADE
- 100 G DE MAYONNAISE (P. 111)
- 1 CUILLERÉE À SOUPE DE MOUTARDE
- 1/2 CUILLERÉE À CAFÉ DE SEL FIN
- 2 TOURS DU MOULIN À POIVRE

MATÉRIEL :

- SALADIER
- SPATULE SOUPLE

Mélangez tous les ingrédients à la spatule.

Conservation : 4 jours au réfrigérateur, dans un récipient fermé.

BEURRE MOUTARDE

PRÉPARATION : 5 MN

INGRÉDIENTS POUR 200 G :

190 G DE BEURRE POMMADE
1 CUILLERÉE À SOUPE RASE DE MOUTARDE
1 CUILLERÉE À CAFÉ DE SEL FIN
3 TOURS DU MOULIN À POIVRE

MATÉRIEL :

BOL
FOUET

Mélangez les ingrédients au fouet et utilisez le beurre moutarde immédiatement car il durcit vite.

Conservation : 2 jours au réfrigérateur, dans un récipient fermé. Avant utilisation, ramollissez la préparation dans un bain-marie tiède.

Conseil : si vous faites votre mise en place plusieurs jours à l'avance et que le goût de la moutarde ne vous paraît pas indispensable, remplacez le beurre moutarde par du beurre mayonnaise pour les canapés et sandwiches et par de la mousse de foie gras pour les grosses pièces reconstituées.

Utilisation : canapés et sandwiches à la viande froide ; grosses pièces de viande reconstituées.

BEURRE DE NOIX

Il accompagne parfaitement le pain de seigle, en particulier le pain de seigle aux raisins.

PRÉPARATION : 10 MN

INGRÉDIENTS POUR 350 G :

200 G DE BEURRE POMMADE
125 G DE CERNEAUX DE NOIX
40 G DE GRUYÈRE
2 CUILLERÉES 1/2 À CAFÉ DE MOUTARDE
1/2 CUILLERÉE À CAFÉ DE SEL
1 TOUR DU MOULIN À POIVRE

MATÉRIEL :

ROBOT COMPACT
OU MOULINETTE ÉLECTRIQUE
OU HACHOIR

Hachez finement les noix et le gruyère.
Dans un bol, mélangez-les aux autres ingrédients.

Conservation : 2 jours au réfrigérateur, dans un récipient fermé. Sortez à température ambiante quelques heures avant utilisation.

Conseil : si vous avez déjà du beurre moutarde, vous pouvez faire du beurre de noix en mélangant 100 g de cerneaux de noix et 30 g de gruyère à 150 g de beurre moutarde.

Utilisation : canapés et sandwiches.

BEURRE DE ROQUEFORT

C'est un bon accompagnement pour le pain de seigle et, surtout, pour le céleri.

PRÉPARATION : 10 MN

INGRÉDIENTS POUR 350 G :

170 G DE BEURRE POMMADE
120 G DE ROQUEFORT
40 G DE GRUYÈRE RÂPÉ
2 CUILLERÉES 1/2 À SOUPE DE FINES HERBES HACHÉES (ESTRAGON, PERSIL, CIBOULETTE)
1 CUILLERÉE À CAFÉ DE VIN BLANC
SEL, POIVRE (FACULTATIF)

MATÉRIEL :

ROBOT COMPACT
OU MOULINETTE ÉLECTRIQUE
OU HACHOIR

Broyez ou hachez le roquefort.
Mélangez les fromages au beurre ; incorporez le vin et, en dernier, les fines herbes.
Goûtez, rectifiez au besoin l'assaisonnement.
Si vous trouvez la garniture un peu trop forte, ajoutez du beurre pommade ; tout dépendra du roquefort que vous avez choisi.

Conservation : 2 jours au réfrigérateur, dans un récipient fermé.

Utilisation : canapés et sandwiches ; petites pièces au céleri.

CRÈME FOUETTÉE

PRÉPARATION : 10 MN

TEMPS DE REFROIDISSEMENT : 30 MN MINIMUM

INGRÉDIENTS POUR 250 G :

250 G DE CRÈME FLEURETTE
OU 200 G DE CRÈME ÉPAISSE ET
50 G DE GLAÇONS

MATÉRIEL :

ROBOT COMPACT
OU FOUET ÉLECTRIQUE
MIXER (FACULTATIF)

Il vaut mieux utiliser de la crème fleurette car elle est assez liquide et plus facile à fouetter. Si vous choisissez de la crème épaisse, ajoutez les glaçons pilés ou broyés au mixer.

Avant de fouetter la crème, mettez le bol qui la contient et le fouet au congélateur pendant 30 mn, ou au réfrigérateur pendant 1 h. Il n'y aura ainsi aucun risque de la voir tourner en beurre.
La crème fouettée ne se conserve pas telle quelle.

Utilisation : cocktails de poissons ; mousselines de légumes ; crêpes à la crème pâtissière, etc.

GARNITURES

GARNITURE AU CRABE OU AUX CRUSTACÉS

PRÉPARATION DONT CUISSON : 10 MN

INGRÉDIENTS POUR 300 G :

130 G DE CHAIR DE CRABE CUITE
OU DE CHAIR D'UN AUTRE CRUSTACÉ
130 G DE SAUCE TOMATE NAPOLÉON (P. 119)
1 CUILLERÉE À SOUPE DE CRÈME FRAÎCHE
3 FEUILLES DE GÉLATINE

MATÉRIEL :

PETITE CASSEROLE

Faites chauffer la cuillerée de crème. Hors du feu, ajoutez la gélatine rincée et égouttée. Laissez refroidir quelques minutes puis versez dans la sauce tomate Napoléon, en remuant.
Égouttez et émiettez la chair de crabe ou de crustacé. Ajoutez à la sauce et mélangez bien.

Conservation : 24 h au réfrigérateur, dans un récipient fermé.

Utilisation : en garniture de canapés et sandwiches, d'œufs durs ; cocktail de crabe ; champignons farcis.

GARNITURE À LA DUXELLES DE CHAMPIGNONS

La Duxelles de champignons s'utilise telle quelle dans certains plats. Pour la garniture, deux finitions sont possibles.

PRÉPARATION : 20 MN DONT 10 MN DE CUISSON

INGRÉDIENTS POUR 400 G :

320 G DE DUXELLES COMPOSÉE DE :
60 G D'ÉCHALOTES
400 G DE CHAMPIGNONS DE PARIS
OU DE QUEUES DE CHAMPIGNONS
2 CITRONS
50 G DE BEURRE
2 CUILLERÉES À CAFÉ DE PERSIL HACHÉ
SEL, POIVRE

MATÉRIEL :

PETITE CASSEROLE
DE ∅ 20 CM
AVEC COUVERCLE
BOL
PRESSE-FRUITS
SPATULE EN BOIS

FINITION PREMIÈRE FORMULE :

80 G DE MAYONNAISE (P. 111)

FINITION DEUXIÈME FORMULE :

80 G DE SAUCE BÉCHAMEL (P. 121)

Hachez finement l'échalote. Pressez les citrons dans le bol et préparez quelques zestes.
Lavez et égouttez les champignons, coupez-les en lamelles. Mélangez-les bien avec le jus de citron.
Faites fondre le beurre dans la casserole, faites revenir l'échalote puis ajoutez les champignons et les zestes, amenez à ébullition à couvert.
Enlevez alors le couvercle et laissez encore cuire pendant 10 mn environ pour assécher le mélange.
Faites refroidir rapidement et ajoutez le persil.

Finition

Hachez grossièrement la Duxelles.
Incorporez la mayonnaise pour une garniture froide (première formule) et la béchamel (deuxième formule) pour une garniture chaude.

Conservation : telle quelle, 3 jours au réfrigérateur, dans un récipient fermé ; après finition, 24 h au réfrigérateur, dans un récipient fermé.

Utilisation : canapés et sandwiches ; œufs en cocotte ; gratin de saint-jacques ; dans le gâteau de poulet.

GARNITURE AUX ÉPINARDS

Voir SUBRICS D'ÉPINARDS, p. 360.

GARNITURE À LA MACÉDOINE DE LÉGUMES

Voir MACÉDOINE DE LÉGUMES EN SALADE, p. 376.

MOUSSE DE FOIE GRAS

PRÉPARATION : 5 MN

INGRÉDIENTS POUR 300 G :

1 BOÎTE DE PARFAIT DE FOIE GRAS DE CANARD DE 150 G
150 G DE BEURRE POMMADE
1 CUILLERÉE À CAFÉ DE PORTO
1/2 CUILLERÉE À CAFÉ DE SEL
1 PINCÉE DE POIVRE

MATÉRIEL :

SPATULE SOUPLE
BOL

Dans un bol, travaillez le parfait de foie gras à la spatule souple. Il faut obtenir une masse homogène, sans grumeaux. Incorporez le beurre pommade de la même manière.
Salez et poivrez, ajoutez le porto en dernier.
Utiliser immédiatement de préférence.

Utilisation : mini-pains au foie gras ; viandes reconstituées ; foie gras en brioche.

ŒUFS BROUILLÉS

PRÉPARATION : 10 MN DONT 5 MN DE CUISSON

INGRÉDIENTS POUR 500 G :

8 ŒUFS
75 G DE BEURRE
3 CUILLERÉES À SOUPE DE CRÈME FLEURETTE
SEL
POIVRE DU MOULIN

MATÉRIEL :

SAUTEUSE OU POÊLE À REVÊTEMENT ANTIADHÉSIF
CUL-DE-POULE DE 1 LITRE
FOUET

Battez les œufs avec le sel et le poivre dans le cul-de-poule, sans les faire mousser.
Faites chauffer le beurre et tournez la sauteuse ou la poêle pour bien graisser toute la surface.
Faites cuire les œufs à feu très doux en remuant sans cesse avec le fouet et

en insistant sur le fond et les parois. N'hésitez pas à interrompre la cuisson pendant quelques secondes si les œufs commencent à attacher.
Dès que les œufs ont pris la consistance d'une purée, arrêtez la cuisson et liez avec la crème ; vous devez obtenir une pâte crémeuse.
La préparation peut attendre 30 mn dans un cul-de-poule couvert placé dans un bain-marie à 40°.

Conservation : 24 h au réfrigérateur, dans un récipient fermé. Vous pouvez réchauffer les œufs brouillés au bain-marie (60°), en fouettant.

Utilisation : en garniture de canapés ; en croustades ; dans des crêpes.

ŒUFS DURS

Pour obtenir un bon résultat, il est important de respecter les proportions et les temps de cuisson indiqués.

PRÉPARATION : 15 MN

CUISSON : 8 MN

INGRÉDIENTS POUR 12 ŒUFS DE 40/45 G :

1 DL DE VINAIGRE
90 G DE SEL

MATÉRIEL :

CASSEROLE DE 3 LITRES
CUL-DE-POULE DE 2 LITRES

Sortez les œufs du réfrigérateur 1 h à l'avance.
Dans la casserole, faites bouillir 2 litres d'eau, ajoutez le sel et le vinaigre.
Déposez les œufs dans l'eau bouillante en vous aidant d'une cuillère à soupe et retournez-les après 2 mn de cuisson.
La cuisson doit être menée à petits bouillons pendant 8 mn (10 mn pour des œufs de 60 g) ; une cuisson trop longue provoque un noircissement visible entre le jaune et le blanc.
Rafraîchissez les œufs rapidement dans un bain froid.
Pour les écaler, tapez les 2 bouts sur le plan de travail ; roulez les œufs sous la paume de la main. Commencez par écaler le bout rond, la coquille s'enlève toute seule.
Au fur et à mesure, mettez les œufs écalés dans un cul-de-poule rempli d'eau froide légèrement salée.

Conservation : dans la coquille, 3 jours au réfrigérateur ; écalés, 24 h dans l'eau froide salée.

Conseil : pour reconnaître un œuf dur, faites-le tourner sur lui-même sur une surface plane : il tourne très vite sans osciller. Un œuf cru est liquide et plus lourd et par conséquent moins stable.

Utilisation : canapés et sandwiches ; garnis ; avec le saumon ; en salade.

ŒUFS DE CAILLE DURS

PRÉPARATION : 20 MN

CUISSON : 4 MN

INGRÉDIENTS POUR 24 ŒUFS DE CAILLE :

1/2 DL DE VINAIGRE
40 G DE GROS SEL

MATÉRIEL :

CASSEROLE DE 2 LITRES
CUL-DE-POULE DE 2 LITRES

Sortez les œufs du réfrigérateur 1 h à l'avance.
Dans la casserole, faites bouillir 1 litre d'eau salée et vinaigrée.
Plongez les œufs délicatement dans l'eau bouillante et faites-les cuire à petits bouillons pendant 4 mn.
Rafraîchissez-les aussitôt en les mettant dans un bain froid.
Tapez les œufs dans les mains pour les écaler ; mettez-les au fur et à mesure dans le cul de poule rempli d'eau légèrement salée.

Conservation : 24 h au réfrigérateur, dans l'eau froide salée.

Utilisation : canapés ; avec le saumon ; dans le gâteau de poulet ; en salade.

GARNITURE À LA RATATOUILLE

Voir RATATOUILLE LENÔTRE, p. 363.

TAPENADE LENÔTRE

PRÉPARATION : 10 MN

INGRÉDIENTS POUR 300 G :

100 G D'OLIVES NOIRES DÉNOYAUTÉES
40 G DE FILETS D'ANCHOIS À L'HUILE
100 G DE THON AU NATUREL
1/2 CITRON (FACULTATIF)

1 CUILLERÉE À CAFÉ DE COGNAC
3 CUILLERÉES À SOUPE D'HUILE D'OLIVE
3 CUILLERÉES À SOUPE D'HUILE D'ARACHIDE
POIVRE

MATÉRIEL :
MIXER
OU MOULINETTE ÉLECTRIQUE
OU BIEN PILON ET MORTIER

Mélangez l'huile d'olive et l'huile d'arachide.
Broyez les ingrédients très finement (avec le pilon dans le mortier si vous aimez les méthodes traditionnelles) ; ajoutez petit à petit l'huile, puis le cognac.
Juste avant d'utiliser la tapenade, vous pouvez ajouter un filet de citron.

Conservation : sans le citron, 1 mois au réfrigérateur, dans un récipient fermé, la tapenade ayant été recouverte d'un peu d'huile d'olive.

Utilisation : œufs garnis ; rôties.

PULPE DE TOMATES

PRÉPARATION : 15 MN

INGRÉDIENTS POUR 1 KG :
1,4 KG DE TOMATES BIEN MÛRES ET TRÈS PARFUMÉES

MATÉRIEL :
CASSEROLE DE 2 LITRES

Pour émonder les tomates, plongez-les par 3 ou par 4 selon la taille dans une casserole d'eau bouillante. Sortez-les et pelez-les encore chaudes.
Coupez-les en 2. Pressez chaque demi-tomate légèrement entre les mains pour éliminer l'excédent d'eau de végétation et les pépins.
Laissez sous la forme de demi-tomates ou concassez grossièrement.
Salez légèrement.

Conservation : 3 jours au réfrigérateur, dans un récipient couvert, à condition d'avoir été bien égouttées et convenablement salées.

Congélation : broyez la pulpe au mixer et mettez-la à congeler dans des sacs plastique congélation. Avant utilisation, faites décongeler une nuit au réfrigérateur, ou pendant 2 h sous un filet d'eau.

Conseil : les tomates peuvent contenir plus d'eau quand la saison est pluvieuse ; dans ce cas, il faudra en prendre plus pour obtenir 1 kg de pulpe.

Utilisation : sauce fraîche à la tomate, sauce façon choron ; pizza feuilletée ; tourteaux ; moussaka de haricots verts.

SAUCES POUR LES SALADES

CONSEILS POUR BIEN CHOISIR SON HUILE

Toutes les huiles peuvent s'utiliser à froid. Certaines résistent mieux que les autres aux hautes températures.

Huiles végétales recommandées pour l'utilisation à chaud

Huile d'arachide : c'est la plus résistante (180 à 200°). Il est inutile de la chauffer à plus de 180°. C'est traditionnellement l'huile des fritures.

Huile d'olive : elle résiste également à 180/200°, mais elle est plus difficile d'emploi que l'huile d'arachide à cause de son arôme spécial qui convient surtout aux fritures de type méditerranéen.
L'huile d'olive « vierge extra » doit avoir été pressée une seule fois, à froid, pour porter ce label.

Huile de pépins de raisins : elle résiste à 170/180°. Elle monte très vite en température et ne fume pas, ce qui en fait l'huile idéale pour la fondue bourguignonne et le barbecue.

Huile de tournesol : elle résiste à 160°. Elle a l'avantage de diminuer les risques liés à une alimentation trop riche en corps gras d'origine animale. C'est l'huile de la cuisine légère.

Huiles végétales qu'il est préférable d'utiliser à froid

Huile de maïs et huile de soja : elles sont recommandées pour la mayonnaise car elles permettent une longue conservation.

Huile de colza.

Huile de noix.

Huile de noisettes.

HUILE PARFUMÉE AUX NOISETTES

PRÉPARATION : 5 MN

CUISSON : 5 MN

TEMPS DE MACÉRATION : 48 H

INGRÉDIENTS :

1 LITRE D'HUILE D'ARACHIDE
100 G DE NOISETTES DÉCORTIQUÉES ET PELÉES

MATÉRIEL :

MIXER

Grillez les noisettes au four, sans les laisser trop roussir.
Pulvérisez-les au mixer.
Ajoutez-les au litre d'huile dont vous aurez enlevé une petite partie, agitez.
Laissez macérer 48 h avant utilisation.

Conservation : 2 mois au réfrigérateur.

Utilisation : salades et plats en salades.

HUILE PARFUMÉE AUX NOIX

PRÉPARATION : 5 MN

TEMPS DE MACÉRATION : 48 H

INGRÉDIENTS :

1 LITRE D'HUILE D'ARACHIDE
100 G DE CERNEAUX DE NOIX FRAÎCHES OU SÈCHES

MATÉRIEL :

MIXER

Si vous utilisez des noix fraîches, commencez par ôter la peau. Pulvérisez les noix au mixer.
Videz un peu d'huile du litre ; ajoutez les noix et agitez.
Laissez macérer 48 h avant utilisation.

Conservation : 2 mois au réfrigérateur.

Utilisation : plats en salade contenant du céleri ou du fromage.

SAUCE À L'HUILE D'OLIVE ET AU CITRON

PRÉPARATION : 5 MN

INGRÉDIENTS POUR 60 G :

3 CUILLERÉES À SOUPE D'HUILE D'OLIVE
1 CITRON

1 CUILLERÉE À CAFÉ DE FINES HERBES HACHÉES (ESTRAGON ET CIBOULETTE OU BASILIC ET CERFEUIL)
1/2 CUILLERÉE À CAFÉ DE SEL FIN
POIVRE DU MOULIN

MATÉRIEL :
PRESSE-FRUITS

Pressez le citron ; versez le jus dans un saladier.
En remuant bien, ajoutez le sel, puis les fines herbes, puis l'huile d'olive et, en dernier, le poivre.

Conservation : 24 h au réfrigérateur, dans un récipient fermé, sans les fines herbes.

Conseil : vous pouvez remplacer le citron par un demi-citron vert.

VINAIGRETTE

PRÉPARATION : 5 MN

INGRÉDIENTS POUR 60 G :

3 CUILLERÉES À SOUPE D'HUILE
1 CUILLERÉE À SOUPE DE VINAIGRE DE VIN
OU 2 CUILLERÉES À SOUPE DE VINAIGRE DE CIDRE
1 CUILLERÉE À SOUPE DE MOUTARDE
OU 1 CUILLERÉE À CAFÉ DE FINES HERBES HACHÉES (CERFEUIL, ESTRAGON, CIBOULETTE)
1/2 CUILLERÉE À CAFÉ DE SEL FIN

En remuant bien, faites fondre le sel dans le vinaigre ; ajoutez la moutarde ou les fines herbes, ensuite l'huile et, en dernier, le poivre.

Conservation : 8 jours au réfrigérateur, dans un récipient fermé, sans fines herbes.

Conseil : choisissez l'huile en fonction de la salade que vous voulez assaisonner.
Vous pouvez remplacer le vinaigre de vin par du vinaigre de vin vieux ou de xérès.

SAUCES ÉMULSIONNÉES FROIDES

MAYONNAISE

Il est important de placer tous les ingrédients et les ustensiles à température ambiante 2 h avant de faire la mayonnaise. Des différences de température risqueraient de l'empêcher de prendre. Si vous utilisez de l'huile de soja ou de maïs, vous pourrez conserver la mayonnaise beaucoup plus longtemps au réfrigérateur.

PRÉPARATION : 15 MN

INGRÉDIENTS POUR 600 G :

4 JAUNES D'ŒUFS OU 4 ŒUFS ENTIERS
1/2 LITRE D'HUILE
1/2 CITRON
20 G DE MOUTARDE FORTE
2 CUILLERÉES À SOUPE DE VINAIGRE BLANC
1/2 CUILLERÉE À CAFÉ DE SEL FIN
1/2 CUILLERÉE À CAFÉ DE POIVRE MOULU

MATÉRIEL :

GRAND BOL
FOUET À MAIN
OU FOUET ÉLECTRIQUE
OU MIXER
PRESSE-FRUITS

Si vous utilisez un mixer, suivez le mode d'emploi et la recette qui s'y rapporte. Vous pourrez alors utiliser des œufs entiers et la mayonnaise sera plus légère. Sinon, utilisez de préférence un fouet électrique, plus commode qu'un fouet à main pour verser régulièrement l'huile en filet.
Fouettez les jaunes d'œufs, la moutarde, le poivre et le sel.
Laissez reposer le mélange 1 mn.
Versez l'huile en filet en fouettant sans arrêt ; dès que la mayonnaise épaissit, vous pouvez incorporer l'huile plus rapidement.
Quand toute l'huile est incorporée, ajoutez le jus du citron, toujours en fouettant. Faites bouillir le vinaigre et incorporez-le d'un seul coup.

Conservation : avec de l'huile de soja et de maïs, 2 semaines au réfrigérateur, dans un récipient fermé.

Utilisation : en garniture, en accompagnement, en assaisonnement de plats froids.

MAYONNAISE À LA MOUTARDE BRUNE

Il est important de placer tous les ingrédients et les ustensiles à température ambiante 2 h avant la préparation. Utilisez de l'huile de soja ou de maïs si vous voulez conserver la mayonnaise.

PRÉPARATION : 15 MN

INGRÉDIENTS POUR 600 G :

4 CUILLERÉES À SOUPE DE MOUTARDE BRUNE AUX QUATRE FRUITS (60 G)
4 JAUNES D'ŒUFS
1/2 LITRE D'HUILE
4 CUILLERÉES À SOUPE DE JUS DE CITRON
25 G D'ANETH FRAIS OU 10 G D'ANETH SÉCHÉ
1/2 CUILLERÉE À SOUPE DE SEL FIN

MATÉRIEL :

GRAND BOL
FOUET À MAIN
OU FOUET ÉLECTRIQUE

Procédez comme pour la mayonnaise mais en utilisant de la moutarde brune.
Quand la mayonnaise est terminée, ajoutez l'aneth haché.

Conservation : avec de l'huile de soja ou de maïs, 48 h au réfrigérateur, dans un récipient fermé.

Utilisation : saumon mariné à l'aneth, poissons fumés.

AILLOLI

IMPORTANT : 2 h avant la préparation, placez tous les ingrédients et les ustensibles à température ambiante.

PRÉPARATION : 20 MN

INGRÉDIENTS POUR 600 G :

8 À 10 GOUSSES D'AIL
3 JAUNES D'ŒUFS
OU 2 JAUNES D'ŒUFS ET 1 POMME DE TERRE
1 CUILLERÉE À CAFÉ DE SEL FIN
POIVRE DU MOULIN
1/2 LITRE D'HUILE D'OLIVE
1/2 CITRON

MATÉRIEL :

MORTIER ET PILON
OU MIXER
FOUET À MAIN
OU FOUET ÉLECTRIQUE

Épluchez l'ail et pilez-le dans le mortier. Salez, poivrez.
Si vous voulez un ailloli très consistant, faites cuire une petite pomme de terre en robe de chambre, épluchez-la et écrasez-la encore chaude avec l'ail.
Ajoutez les jaunes d'œufs, le sel et le jus de citron puis ajoutez l'huile en procédant comme pour une mayonnaise. Les experts montent l'ailloli avec le pilon ; si vous n'êtes pas expert, utilisez un fouet.

Conservation : quelques heures à température ambiante ou 24 h au frais.

Utilisation : dans la bulotade ; en accompagnement de poissons et crustacés froids, de viandes blanches froides et de légumes bouillis, de poissons au barbecue, de crudités.

SAUCE À L'AVOCAT

PRÉPARATION : 15 MN

INGRÉDIENTS POUR 450 G DE SAUCE :

1 GROS AVOCAT (150 G DE PULPE)
1 BRANCHE DE CRESSON
1 BRANCHE DE PERSIL
1 CITRON
10 G D'OIGNON
1 PINCÉE D'AIL EN POUDRE
1 SOUPÇON DE POIVRE DE CAYENNE
1 PINCÉE DE SEL ET POIVRE MÉLANGÉS
200 G DE MAYONNAISE À L'HUILE D'OLIVE ET AU CITRON (P. 111)

MATÉRIEL :

ROBOT COMPACT OU MIXER
PRESSE-FRUITS

Coupez l'avocat en deux, ôtez le noyau et récupérez la pulpe avec une cuiller en grattant bien l'intérieur de la peau. Vous devez en obtenir 150 g. Pressez le citron. Mixez le cresson, le persil et l'oignon avec l'assaisonnement (poudre d'ail, cayenne, sel, poivre), ajoutez le jus de citron puis la pulpe d'avocat. Quand le tout est bien homogène, mélangez à la mayonnaise.

Conservation : 12 h au réfrigérateur, dans un récipient fermé.

Utilisation : en accompagnement du gigot ; sandwich avocat-cresson.

SAUCE FAÇON BÉARNAISE

Il y a deux finitions possibles.

PRÉPARATION DONT CUISSON : 30 MN

INGRÉDIENTS POUR 800 G :

200 G DE RÉDUCTION AUX ÉCHALOTES
COMPOSÉE DE :
150 G D'ÉCHALOTES
2 CUILLERÉES À CAFÉ D'ESTRAGON HACHÉ
2 CUILLERÉES À CAFÉ DE CERFEUIL HACHÉ
6 CUILLERÉES À SOUPE DE VINAIGRE DE VIN
1,5 DL DE VIN BLANC SEC
1 CUILLERÉE À CAFÉ DE SEL FIN
2 CUILLERÉES À CAFÉ DE POIVRE BLANC
MIGNONNETTE

FINITION PREMIÈRE FORMULE :

600 G DE MAYONNAISE (P. 111)

FINITION DEUXIÈME FORMULE :

600 G DE CRÈME FLEURETTE FOUETTÉE
2 CUILLERÉES À CAFÉ DE SEL
1/3 DE CUILLERÉE À CAFÉ DE POIVRE

MATÉRIEL :

CASSEROLE DE 1 LITRE
FOUET À MAIN

Réduction aux échalotes
Dans la casserole, préparez la réduction aux échalotes : mélangez vinaigre, vin, sel et poivre puis ajoutez les échalotes émincées, l'estragon et le cerfeuil hachés finement. Laissez réduire 15 mn environ, sur feu doux. Quand l'appareil est presque sec, arrêtez la cuisson. Faites refroidir dans un bain froid.

Finition première formule : incorporez la mayonnaise.

Finition deuxième formule : mettez la réduction aux échalotes au réfrigérateur. Fouettez la crème fleurette avec le sel et poivre. Incorporez la crème fouettée à la réduction bien froide.

Conservation : la réduction aux échalotes, 5 jours au réfrigérateur dans un récipient fermé ; finition première formule, 5 jours au réfrigérateur, dans un récipient fermé à condition que la mayonnaise ait été faite à l'huile de soja ou de maïs ; deuxième formule, 24 h au réfrigérateur, dans un récipient fermé.

Utilisation : œuf béarnaise ; viande au barbecue ; fondue bourguignonne ; poissons. La réduction aux échalotes peut s'utiliser telle quelle : poissons au barbecue.

SAUCE FAÇON CHORON

Il y a deux finitions possibles.

PRÉPARATION : 10 MN

CUISSON : 10 MN

INGRÉDIENTS POUR 900 G :

300 G DE RÉDUCTION ÉCHALOTES-TOMATES COMPOSÉE DE :
200 G DE RÉDUCTION AUX ÉCHALOTES (P. 114)
200 G DE PULPE DE TOMATES
1 CUILLERÉE À SOUPE DE CONCENTRÉ DE TOMATE
1 CUILLERÉE À SOUPE DE PIMENT DOUX EN POUDRE
1 NOIX DE BEURRE

FINITION PREMIÈRE FORMULE :

600 G DE MAYONNAISE (P. 111)

FINITION DEUXIÈME FORMULE :

600 G DE CRÈME FLEURETTE FOUETTÉE
2 CUILLERÉES À CAFÉ DE SEL
1/3 DE CUILLERÉE À CAFÉ DE POIVRE

MATÉRIEL :

POÊLE
CASSEROLE DE 1 LITRE
FOUET À MAIN

Réduction échalotes-tomates
Concassez la pulpe de tomates et faites-la revenir au beurre dans une poêle pendant 10 mn, à feu très doux. Arrêtez-la cuisson quand tout le liquide s'est évaporé. Il reste alors environ 50 g de purée de tomates.
Ajoutez le concentré de tomate et le piment doux (pimentos d'Espagne). Mélangez à la réduction aux échalotes en remuant bien. Faites refroidir dans un bain froid.

Finition première formule : incorporez la mayonnaise.

Finition deuxième formule : mettez la réduction au réfrigérateur pendant 1 h. Fouettez la crème fleurette avec le sel et le poivre. Mélangez à la réduction bien froide.

Conservation : la réduction échalotes-tomates, 5 jours au réfrigérateur, dans un récipient fermé ; finition première formule, 5 jours au réfrigérateur, dans un récipient fermé, à condition que la mayonnaise soit à l'huile de soja ou de maïs ; finition deuxième formule, 24 h au réfrigérateur, dans un récipient fermé.

Utilisation : œufs garnis ; gigot ; fondue bourguignonne. La réduction échalotes-tomates peut s'utiliser telle quelle en garniture de croustades.

SAUCE CRESSONNETTE

On peut la faire l'hiver avec du cresson seulement mais, dès le printemps, je la préfère avec tout un assortiment de fines herbes.

PRÉPARATION DONT CUISSON : 20 MN

INGRÉDIENTS POUR 450 G :

1/2 BOTTE DE CRESSON
OU 20 G DE FEUILLES DE CRESSON
3 CUILLERÉES À SOUPE DE CIBOULETTE HACHÉE
3 CUILLERÉES À SOUPE DE CERFEUIL HACHÉ
3 CUILLERÉES À SOUPE D'ESTRAGON HACHÉ
400 G DE MAYONNAISE (P. 111)

MATÉRIEL :

CASSEROLE DE 2 LITRES
ROBOT COMPACT
OU MOULINETTE

Dans de l'eau bouillante salée, blanchissez feuilles de cresson et fines herbes pendant quelques secondes. Rafraîchissez-les à l'eau froide dans une passoire, exprimez bien toute l'eau. Passez à la moulinette ou au robot compact pour obtenir une purée bien lisse.
Ajoutez cette purée à la mayonnaise, mélangez bien. Rectifiez éventuellement l'assaisonnement.

Conservation : la purée d'herbes recouverte d'huile, 5 jours au réfrigérateur, dans un récipient fermé. Videz l'huile avant d'ajouter la mayonnaise. La sauce finie, 24 h au réfrigérateur dans un récipient fermé.

Utilisation : canapés et sandwiches ; œufs garnis, champignons farcis ; fondue bourguignonne ; terrine de poissons ; bar en chaud-froid ; pommes de terre au barbecue.

SAUCE FAÇON GRIBICHE

PRÉPARATION : 10 MN

INGRÉDIENTS POUR 300 G :

2 ŒUFS DURS
25 G DE CORNICHONS
1 ÉCHALOTE

2 CUILLERÉES À CAFÉ DE CÂPRES
2 CUILLERÉES À SOUPE DE FINES HERBES HACHÉES
200 G DE MAYONNAISE (P. 111)

MATÉRIEL :

MOULINETTE ÉLECTRIQUE

Hachez finement les cornichons et les échalotes.
Écrasez les œufs durs, blancs et jaunes mélangés (si vous utilisez des brisures d'œufs durs, il vous en faudra 5 cuillerées à soupe).
Mélangez cornichons, échalotes, œufs durs et fines herbes à la mayonnaise ; ajoutez les câpres.

Conservation : 12 h à température ambiante ou 24 h dans le bac à légumes du réfrigérateur, dans un récipient fermé. Dans ce dernier cas, laissez la sauce revenir à température ambiante avant de la tourner avec une cuiller.

Utilisation : fondue bourguignonne ; poireaux en gribiche ; salades.

SAUCE RÉMOULADE

Cette mayonnaise liquide très moutardée peut se faire selon deux méthodes.

PRÉPARATION : 5 MN

INGRÉDIENTS POUR 250 G :

PREMIÈRE MÉTHODE :

1 ŒUF ENTIER
1 CUILLERÉE À SOUPE DE MOUTARDE FORTE
2 CUILLERÉES À SOUPE DE VINAIGRE
2 DL D'HUILE D'ARACHIDE
SEL, POIVRE

DEUXIÈME MÉTHODE :

200 G DE MAYONNAISE FERME (P. 111)
15 G DE MOUTARDE DE DIJON
2 CUILLERÉES À SOUPE DE VINAIGRE BLANC OU DE VINAIGRE DE CIDRE
SEL, POIVRE

MATÉRIEL :

MIXER

Première méthode
Dans le mixer, mélangez l'œuf, la moutarde, le vinaigre, le sel et le poivre et la moitié de l'huile. Mettez le mixer en marche en ajoutant l'huile restante. En quelques secondes, la sauce est prête.

Deuxième méthode
Commencez par mélanger mayonnaise et moutarde puis ajoutez progressivement et en même temps le vinaigre et 4 cuillerées à soupe

d'eau. Si votre mayonnaise n'est pas très ferme diminuez la quantité d'eau. Rectifiez éventuellement l'assaisonnement.

Conservation : 5 jours au réfrigérateur, dans un récipient fermé (à condition que la mayonnaise soit à l'huile de soja ou de maïs pour la 2e méthode).

Utilisation : œuf bagatelle ; assaisonnement de salades.

SAUCE TARTARE

PRÉPARATION : 10 MN

INGRÉDIENTS POUR 500 G :

80 G DE CRÈME FRAÎCHE
60 G DE CORNICHONS
15 G DE PETITES CÂPRES
10 CUILLERÉES À SOUPE DE FINES HERBES
HACHÉES (CERFEUIL, CIBOULETTE, ESTRAGON) (30 G)
300 G DE MAYONNAISE (P. 111)

Hachez les cornichons puis mélangez tous les ingrédients.

Conservation : 12 h au réfrigérateur, dans un récipient fermé.

Conseil : pour pallier au manque de fines herbes, l'hiver, faites la sauce tartare en ajoutant câpres, crème fraîche et cornichons hachés à 300 g de sauce cressonnette (p. 116).

Utilisation : champignons farcis ; viandes au barbecue ; langue de bœuf écarlate ; fondue bourguignonne .

SAUCE FRAÎCHE À LA TOMATE

PRÉPARATION : 30 MN

INGRÉDIENTS POUR 600 G :

250 G DE PULPE DE TOMATES
1/2 OIGNON MOYEN

1/2 GOUSSE D'AIL
40 G DE MIE DE PAIN
1 DL DE FOND BLANC (P. 126)
1/2 DL D'HUILE D'OLIVE
1 CUILLERÉE À SOUPE DE VINAIGRE DE VIN
40 G DE MAYONNAISE (P. 111)
1/4 DE CUILLERÉE À CAFÉ DE SEL
1 TOUR DU MOULIN À POIVRE

MATÉRIEL :

ROBOT COMPACT OU MIXER

Faites tremper la mie de pain dans le vinaigre et l'huile mélangés.
Épluchez l'ail et l'oignon.
Passez au mixer ail, oignon et tomates puis ajoutez la mie de pain, l'huile, le vinaigre, la mayonnaise. Allongez avec le fond blanc ; assaisonnez.

Conservation : 24 h au réfrigérateur, dans un récipient fermé.

Utilisation : croustades ; terrine de légumes ; viandes au barbecue.

SAUCE TOMATE NAPOLÉON

Napoléon ayant un estomac très délicat, un cuisinier avait créé pour lui des sauces aigres-douces. Il serait dommage de ne pas en profiter...

PRÉPARATION : 5 MN

INGRÉDIENTS POUR 400 G :

4 CUILLERÉES À SOUPE DE CONDIMENT À LA TOMATE (P. 125)
1 CUILLERÉE À CAFÉ DE CONCENTRÉ DE TOMATE
1 CUILLERÉE À SOUPE DE FINES HERBES HACHÉES (ESTRAGON, CIBOULETTE, CERFEUIL)
1 CUILLERÉE À CAFÉ DE XÉRÈS OU DE COGNAC
3 GOUTTES DE TABASCO
OU 1 POINTE DE COUTEAU DE POIVRE DE CAYENNE
150 G DE MAYONNAISE (P. 111)

Dans un bol, mélangez tous les ingrédients sauf les fines herbes. Ne forcez pas sur le tabasco ou le poivre de Cayenne car leur arôme se développe pendant plusieurs heures.
Ajoutez les fines herbes au moment de l'utilisation.

Conservation : sans les fines herbes, 24 h au réfrigérateur, dans un récipient fermé.

Utilisation : brioche surprise ; fondue bourguignonne ; poissons et crustacés froids ; poulet au barbecue ; maïs au barbecue.

SAUCES VELOUTÉES

CONSEILS GÉNÉRAUX

L'adjonction d'un roux dans une sauce vous évitera bien des déboires pendant le réchauffage. Cette méthode de liaison classique doit cependant être utilisée modérément car, sans détruire l'arôme, elle affadit un peu les sauces ; son avantage est évidemment de donner à l'ensemble une onctuosité certaine. Rappelons que nous traitons ici de plats à réchauffer ; dans le cadre de la fête, on ne peut pas rester en permanence derrière ses fourneaux comme on le fait pour la préparation d'un dîner classique où un bon chef a d'autres moyens pour lier une sauce. Je déconseille le roux dans toute la nouvelle cuisine.

LE CHAUD-FROID

Vous ne trouverez pas de recette de sauce chaud-froid à ce chapitre car il en existe une trop grande variété et nous avons préféré en expliquer 2 au moment de leur utilisation (voir p. 329 et p. 336). On appelle chaud-froid une sauce basée sur une réduction de fond de viande ou de fumet de poisson additionnée d'un élément, qui peut colorer, et liée par un roux blond ou brun, avec ou sans feuille de gélatine.
Le chaud-froid est tiédi rapidement dans un bain froid, en vannant, jusqu'à ce qu'il acquière une consistance crémeuse et il est alors utilisé pour napper des viandes ou poissons qui seront servis froids.
Les plats nappés de chaud-froid peuvent être ensuite nappés de gelée.
Par extension, on désigne aussi sous le nom de plats en chaud-froid des mets nappés de gelée recouvrant un décor recherché. C'est le cas du bar en chaud-froid dont vous trouverez la recette page 266.

LE ROUX

PRÉPARATION : 5 MN DONT 3 MN DE CUISSON

INGRÉDIENTS POUR 60 G :

30 G DE BEURRE
30 G DE FARINE

MATÉRIEL :

PETITE CASSEROLE
SPATULE EN BOIS

Faites fondre le beurre dans la casserole jusqu'à grésillement, sans le laisser colorer pour un roux blond, en le laissant colorer pour un roux brun.
Ajoutez la farine en frottant sans cesse le fond de la casserole avec la

spatule pour empêcher le mélange d'attacher. Laissez cuire 3 mn ; le roux est alors prêt à être utilisé.
Tant que le roux est chaud, ajoutez-le à un liquide froid ; quand il est froid, ajoutez-le à un liquide chaud et mélangez rapidement. En procédant ainsi, vous n'aurez jamais de grumeaux.

Conservation : 3 à 4 jours au réfrigérateur, dans un récipient fermé.

SAUCE BÉCHAMEL

PRÉPARATION : 10 MN

CUISSON : 10 MN

INGRÉDIENTS POUR 500 G :

100 G DE ROUX BLOND
1/2 LITRE DE LAIT
SEL, POIVRE
PINCÉE DE MUSCADE

MATÉRIEL :

CASSEROLE DE 1 LITRE
FOUET OU SPATULE EN BOIS

Il est plus rapide de partir d'un roux froid.
Faites bouillir le lait avec l'assaisonnement, versez sur le roux en remuant vivement et reportez à ébullition. Faites cuire à frémissement 10 mn environ, en continuant de remuer.

Conservation : 24 h au réfrigérateur en ayant pris soin de beurrer la surface juste après la cuisson.

Utilisation : Duxelles de champignons ; croustades, etc.

SAUCE NORMANDE

PRÉPARATION DONT CUISSON : 15 MN

INGRÉDIENTS POUR 1 LITRE DE SAUCE :

10 G DE BEURRE
20 G D'ÉCHALOTE (1 GOUSSE)
QUEUES DE PERSIL
70 G DE CHAMPIGNONS
1 DL DE VIN BLANC
8 DL DE FUMET DE POISSON (P. 130)

50 G DE ROUX
2,5 DL DE CRÈME FRAÎCHE
10 G DE SEL FIN
1 PINCÉE DE POIVRE

MATÉRIEL :

CASSEROLE DE 2 LITRES
CUILLER EN BOIS
CHINOIS OU PASSOIRE FINE
FOUET

Dans la casserole faites suer l'échalote dans le beurre, ajoutez le persil, les champignons en lamelles, le vin blanc. Faites réduire le vin et ajoutez le fumet de poisson.
Reportez à ébullition et liez avec le roux froid en remuant au fouet ; laissez cuire 8 mn et passez le résultat. Crémez, ajoutez le sel et le poivre.
Comptez 1 dl de sauce par personne.

Conservation : sans la crème, 48 h au réfrigérateur, dans un récipient fermé.

Utilisation : nappage des mousselines de poisson et poissons pochés.

SAUCE PIQUANTE

Elle est faite à partir du bouillon de cuisson de la viande qu'elle accompagne ou à partir d'un fond.

PRÉPARATION : 15 MN

CUISSON : 30 MN

INGRÉDIENTS POUR ACCOMPAGNER 2 KG DE VIANDE :

1 LITRE DE BOUILLON DE CUISSON
80 G DE ROUX BLOND
80 G D'ÉCHALOTES
80 G DE CORNICHONS
40 G DE CÂPRES
100 G DE CONCENTRÉ DE TOMATE
20 G DE CERFEUIL
1 CUILLERÉE À SOUPE D'HUILE
1 DL DE VINAIGRE DE VIN
1 NOISETTE DE BEURRE
SEL, POIVRE
2 DL DE BOURGOGNE ROUGE

MATÉRIEL :

CASSEROLE DE 3 LITRES
PETITE CASSEROLE
SPATULE EN BOIS

Laissez refroidir le roux avant de l'utiliser. Dans la grande casserole, faites blondir les échalotes hachées en les remuant dans l'huile et le beurre mélangés. Ajoutez vin et vinaigre, faites réduire puis versez le bouillon et le

concentré de tomate. Amenez à ébullition, liez avec le roux selon la méthode habituelle. Faites réduire de moitié. Goûtez l'assaisonnement avant d'ajouter sel ou poivre.
Faites blanchir les cornichons coupés en rondelles et les câpres pendant 5 mn à l'eau bouillante.
Au moment de servir la sauce, ajoutez les cornichons, les câpres et le cerfeuil grossièrement haché.

Conservation : 24 h au réfrigérateur, dans un récipient fermé, sans le cerfeuil ; faites réchauffer à feu doux ou au bain-marie.

Utilisation : en accompagnement de langue de bœuf et de viandes froides.

SAUCES DIVERSES

SAUCE FROMAGE BLANC-FINES HERBES

Photo page 379

PRÉPARATION : 15 MN

INGRÉDIENTS POUR 800 G :

500 G DE FROMAGE BLANC LISSE
5 CUILLERÉES À SOUPE DE FINES HERBES HACHÉES (CERFEUIL, PERSIL, CIBOULETTE)
2,5 DL DE CRÈME FOUETTÉE
1 CUILLERÉE À SOUPE D'HUILE D'OLIVE
2 CUILLERÉES À SOUPE DE VINAIGRE OU DE JUS DE CITRON
1 CUILLERÉE À SOUPE DE SEL
1 CUILLERÉE À CAFÉ DE POIVRE

MATÉRIEL :

GRAND BOL ET FOUET
SPATULE SOUPLE

Mélangez d'abord tous les ingrédients sauf la crème.
Préparez la crème fouettée et incorporez-la au mélange délicatement avec une spatule souple.

Conservation : 24 h au réfrigérateur, dans un récipient fermé.

Conseil : si vous supprimez la crème fraîche et choisissez un fromage à faible pourcentage de matières grasses, vous aurez un assaisonnement délicieux et extrêmement léger.

Utilisation : en garniture ; en sauce d'accompagnement ; en assaisonnement.

SAUCE LÉGÈRE

PRÉPARATION : 10 MN

INGRÉDIENTS POUR 300 G :

5 POTS DE YAOURT (1,2 DL)
1 CITRON
3 CUILLERÉES À SOUPE DE FINES HERBES HACHÉES (PERSIL, CERFEUIL, ESTRAGON)
1 CUILLERÉE À CAFÉ DE SEL
1/4 DE CUILLERÉE À CAFÉ DE POIVRE

MATÉRIEL :

PRESSE-FRUITS
FOUET

Pressez le citron.
Fouettez les yaourts. Mélangez-les bien avec 5 cuillerées à café de jus de citron, les fines herbes et le sel. Poivrez.

Conservation : 24 h au réfrigérateur, dans un récipient fermé.

Utilisation : en accompagnement ou en assaisonnement de légumes crus, de salades et de plats en salade ; avec du poisson.

SAUCE MOUTARDE

Cette sauce s'utilise chaude.

PRÉPARATION DONT CUISSON : 10 MN

INGRÉDIENTS POUR 250 G :

5 CUILLERÉES À SOUPE DE MOUTARDE (50 G)
1/4 DE LITRE DE CRÈME FRAÎCHE
1 CUILLERÉE À CAFÉ DE FÉCULE
SEL ET POIVRE

MATÉRIEL :

PETITE CASSEROLE
FOUET

Mélangez tous les ingrédients dans la casserole hors du feu.
Portez à ébullition en fouettant sans arrêt ; laissez ensuite frémir à feu doux, pendant 5 mn, sans remuer.

Conservation : 48 h au réfrigérateur, dans un récipient fermé. Vous pouvez réchauffer la sauce dans une casserole, sans précautions préalables, en remuant.

Utilisation : croustades ; fondue bourguignonne ; viandes au barbecue.

CONDIMENT À LA TOMATE

Cette sauce remplace avantageusement le ketchup et se conserve très bien. Elle entre également dans la composition de nombreuses autres sauces.

PRÉPARATION : 5 MN

INGRÉDIENTS POUR 500 G :

140 G DE CONCENTRÉ DE TOMATE
70 G DE VINAIGRE DE VIN VIEUX
1 GOUTTE DE TABASCO
1/2 CUILLERÉE À CAFÉ DE SUCRE
1 CUILLERÉE À CAFÉ DE SEL
1/2 CUILLERÉE À CAFÉ DE POIVRE

MATÉRIEL :

MIXER

Passez au mixer à grande vitesse le concentré de tomate et le vinaigre ; ajoutez l'assaisonnement (sucre, sel, poivre et tabasco) puis 3,5 dl d'eau en filet pour faire mousser le mélange et l'émulsionner. Mixez pendant environ 2 mn.

Conservation : 15 jours au réfrigérateur, dans un récipient fermé.

Utilisation : sauces ; poulet au barbecue ; maïs au barbecue.

FONDS DE CUISSON

CONSEILS GÉNÉRAUX

Vous aurez besoin de fonds de cuisson pour beaucoup des recettes de ce livre.
Mais, de façon plus générale, leur intérêt est de renforcer le goût d'une viande, d'une sauce, d'une gelée ou même d'un potage. Je vous conseille d'en préparer plusieurs litres un jour d'hiver et de les conserver congelés par 1/2 litre ou sous forme de glaçons. La préparation est rapide et le temps passé à la cuisson est plus que compensé par la qualité des résultats.
En général, on ne sale pas un fond, ou on le sale très peu, car il est destiné à réduire avec d'autres ingrédients.
Le bouquet garni pour 1,5 litre de fond fini se compose toujours de la même manière :

— 1 feuille de laurier
— 3 branches de persil
— 1 branche de céleri
— 1 branche de thym.

Ficelez bien le bouquet pour le retirer facilement après cuisson.

Dans nos cuisines, pour obtenir un fond de qualité, nous le faisons cuire pendant environ 6 h s'il s'agit d'un fond de volaille et pendant 18 h s'il s'agit d'un fond de veau. Mais, si vous désirez avoir une base suffisante pour donner du goût, faites mijoter les ingrédients pendant au moins 3 h.
On passe généralement les fonds au chinois. Si vous n'en avez pas, chemisez l'intérieur d'une grande passoire avec une double épaisseur de papier absorbant et versez le fond dedans doucement.

FOND BLANC ET FOND DE VOLAILLE

PRÉPARATION : 15 MN

CUISSON : 3 H MINIMUM

INGRÉDIENTS POUR 1,5 LITRE :

1,5 KG D'OS DE BŒUF CONCASSÉS
OU CARCASSES ET ABATTIS DE 3 VOLAILLES
1 PIED DE VEAU
100 G D'OIGNONS
100 G DE CAROTTES
1 BLANC DE POIREAU (25 G)
1 BOUQUET GARNI
1 CUILLERÉE À CAFÉ DE POIVRE MOULU

MATÉRIEL :

COCOTTE DE 5 LITRES
CASSEROLE
CHINOIS

Si vous utilisez des os de bœuf, demandez au boucher de les casser ou cassez-les grossièrement avec un marteau.
Plongez les os et le pied de veau dans de l'eau froide salée ; amenez rapidement à ébullition et faites blanchir pendant 5 mn.
Lavez et épluchez les légumes, coupez-les en gros morceaux.
Mettez tous les ingrédients dans la cocotte ; couvrez avec 2,5 litres d'eau froide, portez à ébullition ; laissez cuire 3 h à frémissement, à couvert, en écumant régulièrement.
Passez au chinois. Laissez refroidir.
Clarifiez ou congelez avant clarification.

Congélation : versez le fond encore tiède dans des bacs à glaçons. Laissez refroidir puis faites prendre au congélateur. Quand les cubes sont durs, mettez-les dans des sacs plastique congélation. Étiquetez soigneusement. Utilisez au fur et à mesure de vos besoins.

Utilisation : soupes (sauf consommés) ; cuisson de légumes ; daube ; certaines sauces.

FOND BRUN

PRÉPARATION : 15 MN

CUISSON : 3 H 30 MINIMUM

INGRÉDIENTS POUR 1,5 LITRE :

1,5 KG D'OS DE VEAU
1 PIED DE VEAU
2 OIGNONS
1 BOUQUET GARNI
1 GOUSSE D'AIL
200 G DE TOMATES
100 G DE CAROTTES
1 NOIX DE BEURRE

MATÉRIEL :

PLAQUE À RÔTIR DU FOUR
SAUTEUSE
COCOTTE DE 5 LITRES
CHINOIS

Chauffez le four à 220° (th. 7).
Lavez et épluchez les légumes puis taillez-les grossièrement.
Faites colorer les os au four pendant 15 à 20 mn sur la plaque à rôtir en les retournant plusieurs fois. Égouttez-les.
Dans la sauteuse, faites cuire et assécher tous les légumes dans le beurre en remuant avec une spatule en bois à feu vif pendant 10 mn.
Mettez tous les ingrédients dans la cocotte avec 2,5 litres d'eau froide. Portez à ébullition puis laissez cuire 3 h à frémissement, à couvert, en écumant fréquemment.
Passez au chinois et laissez refroidir.
Clarifiez comme ci-après ou congelez comme le fond blanc.

Utilisation : chaud-froid de canard ; terrines.

GELÉE CLAIRE

(Clarification, mise au point et nappage)

La méthode est la même pour une gelée claire faite à partir d'un fond blanc ou d'un fond de volaille et pour une gelée foncée faite à partir d'un fond brun.

Vous pouvez également, en suivant cette recette, faire une gelée de poisson à partir d'un fumet de poisson, à condition de supprimer des ingrédients les 200 g de bœuf maigre et le porto.

1 — CLARIFICATION DU FOND

PRÉPARATION : 15 MN

CUISSON : 2 H

INGRÉDIENTS POUR 1,5 LITRE :

2 LITRES DE FOND BLANC
200 G DE BŒUF MAIGRE
80 G DE POIREAUX
80 G D'OIGNONS
80 G DE CAROTTES
60 G DE CÉLERI-RAVE (FACULTATIF)
1 BOUQUET GARNI
4 GLAÇONS
6 BLANCS D'ŒUFS (2 DL)
2 CLOUS DE GIROFLE
1 CUILLERÉE À SOUPE DE SEL
1 CUILLERÉE À CAFÉ DE POIVRE
2 DL DE VIN BLANC
2 DL DE PORTO

MATÉRIEL :

1 CASSEROLE DE 5 LITRES
1 CASSEROLE DE 3 LITRES
HACHOIR OU MOULINETTE
FOUET À MAIN
GRANDE PASSOIRE
GRAND SALADIER
OU CUL-DE-POULE
SPATULE
GRAND RÉCIPIENT
PAPIER ABSORBANT

Faites chauffer le fond dans la casserole de 3 litres.
Épluchez les légumes, puis hachez-les finement avec la viande. Mettez ce hachis dans la casserole de 5 litres avec le bouquet garni, l'assaisonnement, les blancs d'œufs et les glaçons.
Hors du feu, incorporez le fond bouillant par petites quantités en frottant bien le fond de la casserole avec une spatule pour empêcher le blanc d'œuf de coaguler.
Mettez à chauffer, amenez à frémissement en continuant à frotter le fond, puis laissez frémir pendant 2 h, à découvert, sans remuer.
Les blancs d'œufs remontent à la surface, entraînent les impuretés et les fixent dans une mousse qui recouvre bientôt le liquide. Après 1 h 50 de frémissement, pratiquez une ouverture dans cette mousse et introduisez délicatement vin et porto. Laissez frémir pendant encore 10 mn.
Sur le saladier ou le cul-de-poule, posez la passoire chemisée d'une double épaisseur de papier absorbant, versez le liquide doucement. Faites refroidir rapidement la gelée obtenue dans un bain froid.

Conservation : 3 jours au réfrigérateur dans un récipient couvert.

Utilisation : consommés ; sauces fines ; gelée.

Congélation : voir fond blanc.

2 — MISE AU POINT DE LA GELÉE

MATÉRIEL :

2 CASSEROLES
1 GRAND RÉCIPIENT
1 CUL-DE-POULE
1 PINCEAU OU 1 CUILLER

Pour des raisons d'hygiène, il ne faut jamais sortir du réfrigérateur plus de gelée qu'il n'est nécessaire. Calculez donc la quantité dont vous aurez besoin.
Je vous conseille de napper de gelée toutes vos préparations en même temps. Comme la gelée mise au point doit être utilisée immédiatement, disposez d'abord les pièces à napper, les petites sur une grille et les grosses sur les plats de service dont vous recouvrez le tour de papier d'aluminium pour les protéger. Mettez-les au réfrigérateur et laissez-les jusqu'à la dernière minute pour qu'elles soient bien froides et que la gelée prenne vite.
Préparez d'abord un bain froid dans le grand récipient avec de l'eau et des glaçons et posez dedans le cul-de-poule.
Portez rapidement la gelée à ébullition ; versez les 3/4 de la gelée bouillante dans le cul-de-poule, réservez le reste dans la casserole, hors du feu.
Pendant le refroidissement dans le cul-de-poule, vannez plusieurs fois avec une cuiller, sans faire de bulles.
Placez le pinceau ou la cuiller qui serviront au nappage dans une casserole pleine d'eau ; portez à ébullition, éteignez, laissez en attente.
Dès que vous sentez, en vannant, que la gelée tire sur la cuiller, sortez le cul-de-poule du bain froid, réchauffez-le 2 secondes et nappez rapidement les pièces avec le pinceau ou la cuiller chauds.

3 — NAPPAGE

Utilisez le pinceau (ou la cuiller) successivement pour vanner la gelée, car la masse doit rester à la même température, et pour napper les pièces.
Pendant le nappage, vous ne devez pas toucher les pièces mais passer au-dessus et laisser le filet de gelée s'étaler de lui-même.
Si vous avez beaucoup de préparations à napper, ajoutez, en cours de travail, la gelée chaude réservée dans la casserole, en vannant pour ramener la masse à bonne température.
Deux couches de gelée sont parfois nécessaires. Dans ce cas, mettez les pièces au réfrigérateur pendant 5 mn après le premier nappage. Si la masse de gelée a durci, recommencez la mise au point avant de passer la deuxième couche.

Conseil : utilisez un pinceau pour les petites pièces et une cuiller pour les grosses.

FUMET DE POISSON

Lorsque vous achetez des poissons en filets, demandez toujours les parures (arêtes, têtes et peaux blanches) pour préparer un fumet. N'utilisez pas les peaux noires. Les poissons dont les parures conviennent le mieux sont la sole, la barbue, la limande, le carrelet, le colin et le merlan.

PRÉPARATION : 25 MN

CUISSON : 20 MN

INGRÉDIENTS POUR 1 LITRE :

1 KG DE PARURES DE POISSON
2 ÉCHALOTES
1 CAROTTE
1 OIGNON
1 BOUQUET GARNI
1 PINCÉE DE SEL
10 GRAINS DE POIVRE CONCASSÉS
1 NOIX DE BEURRE
2 DL DE VIN BLANC SEC

MATÉRIEL :

CASSEROLE DE 4 LITRES
PETITE CASSEROLE
CHINOIS
ÉCUMOIRE
SPATULE

Épluchez et émincez les échalotes et la carotte. Épluchez l'oignon et coupez-le en rondelles.
Lavez plusieurs fois les parures de poisson sous l'eau froide ; débarrassez les têtes de leurs branchies.
Dans la grande casserole, faites suer les légumes pendant 5 mn dans le beurre très chaud. Ajoutez les parures, le bouquet garni. Versez environ 1,5 litre d'eau froide pour bien recouvrir. Faites cuire à frémissement pendant 20 mn au maximum. Écumez plusieurs fois en cours de cuisson.
Pendant la cuisson du fumet, faites réduire de moitié les 2 dl de vin blanc.
Lorsque les légumes sont tendres, ajoutez le vin réduit au fumet.
Filtrez le fumet refroidi à travers un chinois. Si vous voulez le conserver, accélérez le refroidissement en plaçant le fumet dans un bain froid.

Conservation : 48 h au réfrigérateur, dans un récipient fermé.

Congélation : dans des bacs à glaçons ; une fois qu'ils ont durci, mettez les glaçons de fumet dans un sac plastique spécial congélation.

Utilisation : cuisson des filets de sole, des goujonnettes de soles, des coquilles Saint-Jacques ; comme base de sauce accompagnant des poissons ; clarifié, en gelée de poisson.

UTILISATION DES FEUILLES DE GÉLATINE

La gélatine est un produit neutre que l'on n'utilise pas pour des plats servis et consommés immédiatement. Par contre, pour qu'un plat ou une sauce gardent une bonne tenue pendant quelques heures ou même une journée, il peut être nécessaire d'y incorporer de la gélatine.
Faites ramollir les feuilles de gélatine dans un bol d'eau froide pendant quelques minutes. Égouttez-les.
Pour les mélanger à une préparation encore chaude, de la gelée par exemple, incorporez-les simplement en remuant.
Pour les mélanger à une préparation froide, pour une garniture au crabe par exemple, faites-les d'abord fondre avec 1 cuillerée à soupe d'eau à 50° dans un petit cul-de-poule préalablement passé sous l'eau chaude.
Ajoutez ensuite 1 cuillerée à soupe de la préparation froide, en remuant bien, puis le reste en une fois.

Conseil : on peut acheter des feuilles de gélatine dans les pharmacies, les épiceries spécialisées et les grandes surfaces.
Ne les conservez pas trop longtemps dans un placard, surtout si celui-ci n'est pas parfaitement sec, car elles pourraient ne plus se dissoudre.

CHAPITRE V

CANAPÉS ET SANDWICHES

GÉNÉRALITÉS

- Les pains
- Matériel de base

CANAPÉS RECTANGULAIRES

- Méthode rapide et utilisation du matériel
- Canapés au jambon cru
- Canapés au jambon blanc
- Canapés au saumon fumé
- Canapés à la viande froide
- Canapés au beurre de noix
- Canapés au beurre de roquefort
- Canapés à la Duxelles de champignons
- Canapés au fromage blanc-fines herbes
- Canapés aux œufs brouillés
- Canapés aux cœurs de palmier
- Canapés mosaïque
- Canapés aux pointes d'asperges
- Canapés aux rollmops

CANAPÉS RONDS

- Méthode rapide
- Méthode classique
- Matériel de base
- Canapés aux anchois
- Canapés au chorizo
- Canapés au foie gras

- Canapés au fromage de chèvre
- Canapés mimosa
- Canapés aux œufs de caille
- Canapés aux œufs de poisson (caviar, œufs de saumon, œufs de lumps)
- Canapés aux radis
- Canapés tomates et œufs

SANDWICHES RECTANGULAIRES

- Méthode rapide et matériel
- Sandwiches avocat et cresson
- Sandwiches à la Duxelles de champignons
- Sandwiches au fromage blanc-fines herbes
- Sandwiches au jambon blanc
- Sandwiches au jambon cru ou au saucisson
- Sandwiches au roquefort
- Sandwiches à la salade verte
- Sandwiches au saumon fumé
- Sandwiches tomates et œufs
- Sandwiches à la viande froide

PAIN BOULE SURPRISE

- Conseils pour évider et trancher un pain boule
- Finition et présentation du pain boule surprise
- Matériel de base
- Sandwiches au jambon de Parme
- Sandwiches au jambon cru ou au saucisson
- Sandwiches au jambon blanc ou à la viande froide
- Sandwiches au beurre de noix ou au beurre de roquefort
- Sandwiches à la Duxelles de champignons
- Sandwiches au fromage blanc-fines herbes

BRIOCHES SURPRISE

- Conseils généraux
- Matériel de base
- Sandwiches au crabe
- Sandwiches au thon et aux anchois

MINI-PAINS BRIOCHÉS

- Mini-pains au chaud-froid
- Mini-pains au gruyère
- Mini-pains au jambon
- Mini-pains à la mousse de foie gras

GÉNÉRALITÉS

Les canapés et sandwiches sont indispensables pour les buffets à la française. Leur variété et leurs décors multiples permettent à chacun de donner libre cours à son goût et à son imagination.
Ils ne nécessitent pas un gros budget mais seulement du soin et de la patience. Peut-être pensez-vous qu'ils prennent très longtemps ? Détrompez-vous. Le secret est de bien s'organiser et de travailler « à la chaîne ».
Attendez d'avoir arrêté le menu de la réception pour décider quels canapés et sandwiches vous servirez car il arrivera souvent que vous puissiez utiliser des préparations qui figurent dans d'autres plats. Ceci s'applique bien entendu aux sauces, salades, viandes froides, etc. Mais c'est particulièrement vrai pour la gelée car vous gagnerez beaucoup de temps en faisant tous les nappages à la fois.
Restez sobre dans la décoration des canapés pour ne pas masquer le goût des produits que vous avez choisis. Mais présentez un assortiment coloré en disposant les canapés en rangées sur de petits plateaux pour obtenir des ensembles agréables à l'œil aussi bien qu'au palais (voir photo page 143).
Superposez les sandwiches pour les présenter en forme de pyramides ou de tours ou bien replacez-les dans des pains évidés.
Les canapés et sandwiches à la viande, au fromage, au poisson fumé ou à la Duxelles de champignons peuvent être faits la veille, ainsi que certains canapés nappés de gelée ; les canapés et sandwiches aux crudités doivent être faits le jour même mais on peut les conserver 12 h.

LES PAINS

Tous les pains, ou presque (pain de seigle, pain complet, pain de campagne, pain brioché et, évidemment, pain de mie), peuvent servir de support. Quel que soit le pain choisi, il faut attendre qu'il soit un peu rassis pour le couper sans difficulté. Achetez-le donc, ou faites-le (voir chapitre XVI), 48 h à l'avance et conservez-le enveloppé dans un linge. Si vous avez du pain au congélateur, il est inutile de le sortir 48 h à l'avance, il se coupera facilement après décongélation.
Nous avons constaté, en faisant des essais avec des pains de diverses provenances, que l'on ne pouvait se fier au poids. Un pain aéré et développé donnera, pour le même poids, deux fois plus de tranches qu'un pain tassé et mal levé. Tenez donc plutôt compte des dimensions.
Vous déciderez de l'épaisseur à donner aux bandes lorsque vous aurez choisi vos recettes car une garniture un peu humide demande un support plus épais qu'une garniture plus sèche.
Pour les canapés et pour les sandwiches rectangulaires, demandez au boulanger de décroûter le pain et de le trancher horizontalement en longues bandes de 6 mm ou de 1 cm d'épaisseur.
Un pain décroûté de 22 × 7,5 × 7,5 cm vous permettra de faire environ 21 sandwiches et 56 canapés s'il est coupé à 1 cm d'épaisseur ; coupé à 6 mm d'épaisseur, il donnera environ 30 sandwiches et 80 canapés.

MATÉRIEL DE BASE

1 grande planche à pain
1 long couteau bien aiguisé
1 palette de 25 cm
Quelques linges ou torchons fins, blancs et propres
Quelques planchettes.
Règle graduée.

Les planchettes vous serviront à préparer un quadrillage pour couper canapés et sandwiches ; couvertes d'un linge humide, elles vous serviront aussi à ranger les pièces au fur et à mesure pour les conserver. L'idéal est de faire découper dans du contreplaqué de 5 mm d'épaisseur quelques planchettes pouvant entrer facilement dans le réfrigérateur.

CANAPÉS RECTANGULAIRES

MÉTHODE RAPIDE ET UTILISATION DU MATÉRIEL

Préparez d'abord une planche quadrillée, elle vous servira à couper tous les canapés vite et de façon régulière. En suivant le modèle ci-dessous, tracez au crayon sur une planchette la forme d'une bande de pain puis les lignes de découpe. Prolongez ces lignes au-delà du cadre (comme sur le modèle) pour qu'elles soient visibles lorsque le cadre sera caché par une bande de pain.

Canapés

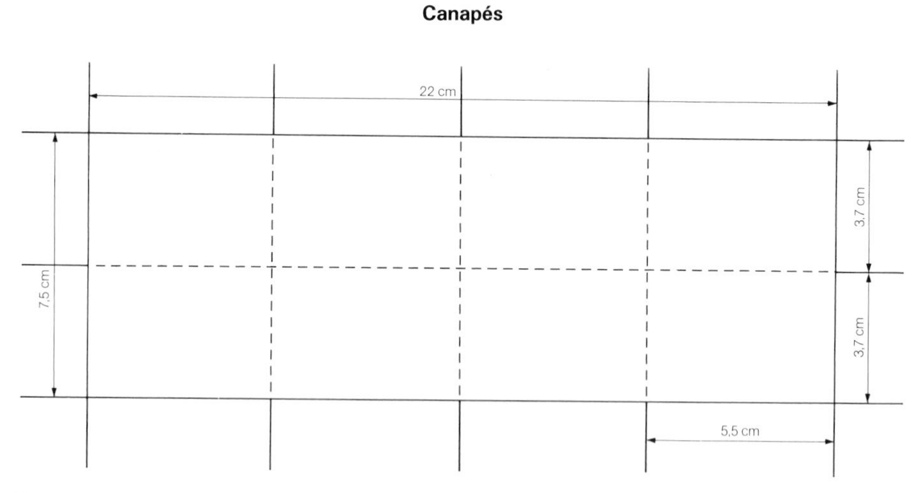

Posez les bandes de pain sur la planche à pain et garnissez-les toutes en même temps selon les explications données par la recette.
Avec la palette, transférez chaque bande sur la planche quadrillée, coupez les canapés. Pour obtenir un résultat bien net, utilisez un couteau dont la lame mesure au moins 25 cm.
Puis, toujours avec la palette et en un seul mouvement, transférez chaque bande de canapés sur une planchette recouverte d'un linge humide.

Rangez les bandes côte à côte sur la planchette sans perdre de place. Disposez le ou les décors en dernier sur tous les canapés à la fois et mettez au réfrigérateur. Si vous voulez superposer plusieurs planchettes dans le réfrigérateur, séparez-les en plaçant à chaque coin un gros bouchon ou un moule à tartelette assez haut pour protéger le décor.

CANAPÉS AU JAMBON CRU

Cette recette sert de modèle.

PRÉPARATION : 15 MN

TEMPS DE REFROIDISSEMENT : 1 H

INGRÉDIENTS POUR 24 CANAPÉS :

3 BANDES DE PAIN (22 × 7,5 CM) DE 6 MM D'ÉPAISSEUR
100 G DE JAMBON CRU PARÉ DE 2 MM D'ÉPAISSEUR
50 G DE BEURRE POMMADE

DÉCOR :

25 G DE BEURRE POMMADE

MATÉRIEL DE BASE P. 136
+
ROULEAU À PÂTISSERIE (FACULTATIF)
POCHE À DOUILLE CANNELÉE
CRAYON
FILM PLASTIQUE

Sur la planche à pain recouverte de film plastique, posez les 3 bandes de pain côte à côte pour connaître la surface totale à couvrir et marquez tout le tour au crayon. Retirez le pain.
Étalez le jambon directement sur la planche pour recouvrir toute la surface marquée et sans laisser d'endroits découverts. Au besoin, aplatissez le jambon au rouleau à pâtisserie.
Sur une planchette, beurrez les 3 bandes de pain en même temps. Retournez-les sur le jambon ; appuyez bien sur le pain puis mettez à durcir au réfrigérateur pendant 1 h, sur la planche à pain.
Coupez le jambon entre les bandes de pain et parez le tour.
Sur la planche quadrillée posez successivement, à l'aide de la palette, chaque bande (toujours avec le jambon en dessous) pour la tailler en 8 canapés.
Sur une planchette, recouverte d'un linge humide, retournez les bandes de canapés côte à côte et enlevez soigneusement le film plastique qui a pu adhérer au jambon.
Décor : à la poche à douille cannelée, dressez une petite rosace de beurre pommade au milieu de chaque canapé.

Conservation : 24 h au réfrigérateur, sur la planchette.

Conseil : les chutes de jambon pourront servir à compléter la garniture de sandwiches.

CANAPÉS AU JAMBON BLANC

PRÉPARATION : 15 MN

TEMPS DE REFROIDISSEMENT : 1 H

INGRÉDIENTS POUR 24 CANAPÉS :

3 BANDES DE PAIN (22 × 7,5 CM) DE 6 MM D'ÉPAISSEUR
160 G DE JAMBON BLANC DE 3 MM D'ÉPAISSEUR
50 G DE BEURRE MAYONNAISE (P. 99)

DÉCOR :

2 CORNICHONS

MATÉRIEL DE BASE P. 136
+
ROULEAU À PÂTISSERIE (FACULTATIF)
FILM PLASTIQUE
CRAYON

Sortez le beurre mayonnaise du réfrigérateur un peu à l'avance pour qu'il soit souple.
Procédez comme pour les canapés au jambon cru en remplaçant celui-ci par le jambon blanc et en tartinant le pain de beurre mayonnaise.
Décor : dressez 1 rondelle de cornichon au centre de chaque canapé.

Conservation : 24 h au réfrigérateur, sur la planchette.

CANAPÉS AU SAUMON FUMÉ

PRÉPARATION : 15 MN

TEMPS DE REFROIDISSEMENT : 1 H

INGRÉDIENTS POUR 24 CANAPÉS :

3 BANDES DE PAIN (22 × 7,5 CM) DE 6 MM D'ÉPAISSEUR
100 G DE SAUMON FUMÉ DE 2 À 3 MM D'ÉPAISSEUR
50 G DE BEURRE POMMADE

MATÉRIEL DE BASE P. 136
+
FILM PLASTIQUE
CRAYON

Procédez exactement comme pour les canapés au jambon cru en remplaçant celui-ci par le saumon fumé.
Avec le saumon, un décor serait superflu, mais placez à proximité du plat de canapés une soucoupe contenant quelques triangles de citron.

Conservation : 24 h au réfrigérateur, sur la planchette.

CANAPÉS À LA VIANDE FROIDE

PRÉPARATION : 15 MN

TEMPS DE REFROIDISSEMENT : 1 H

INGRÉDIENTS POUR 24 CANAPÉS :

3 BANDES DE PAIN (22 × 7,5 CM) DE 6 MM D'ÉPAISSEUR
160 G DE VIANDE FROIDE DE 3 MM D'ÉPAISSEUR
50 G DE BEURRE MOUTARDE (P. 99)

DÉCOR :

2 CORNICHONS

MATÉRIEL DE BASE P. 136
+
FILM PLASTIQUE
CRAYON

Faites le beurre moutarde au dernier moment pour qu'il soit bien souple.
Procédez comme pour les canapés au jambon cru en remplaçant celui-ci par la viande froide et en tartinant le pain de beurre moutarde.
Décor : dressez 1 rondelle de cornichon au centre de chaque canapé.

Conservation : 24 h au réfrigérateur, sur la planchette.

CANAPÉS AU BEURRE DE NOIX

Photo page 143

Cette recette sert de modèle.

PRÉPARATION : 15 MN

INGRÉDIENTS POUR 24 CANAPÉS :

3 BANDES DE PAIN (22 × 7,5 CM) DE 6 MM D'ÉPAISSEUR
90 G DE BEURRE DE NOIX (P. 100)

DÉCOR :

48 CERNEAUX DE NOIX
30 G DE BEURRE DE ROQUEFORT (P. 101)

MATÉRIEL DE BASE P. 136
+
POCHE À DOUILLE DÉCOR

Sur la planche à pain, posez les 3 bandes de pain côte à côte.
Étalez le beurre de noix sur toute la surface avec une palette.
Sur la planche quadrillée, posez successivement chaque bande pour la couper en 8 canapés.

Sur une planchette recouverte d'un linge humide, placez les bandes de canapés côte à côte.
Décor : sur chaque canapé, disposez 2 cerneaux de noix séparés par 2 petites rosaces de beurre de roquefort dressées à la poche à douille décor.

Conservation : 24 h au réfrigérateur, sur la planchette.

CANAPÉS AU BEURRE DE ROQUEFORT

PRÉPARATION : 15 MN

INGRÉDIENTS POUR 24 CANAPÉS :

3 BANDES DE PAIN (22 × 7,5 CM) DE 6 MM D'ÉPAISSEUR
90 G DE BEURRE DE ROQUEFORT (P. 101)
75 G DE CÉLERI EN BRANCHES

DÉCOR :

1 CUILLERÉE À CAFÉ DE PERSIL HACHÉ

MATÉRIEL DE BASE P. 136

Assouplissez le beurre de roquefort à la fourchette.
Hachez très finement le céleri en branches.
Procédez ensuite comme pour les canapés au beurre de noix en remplaçant celui-ci par le beurre de roquefort.
Répartissez le céleri haché sur les bandes de pain beurré avant de couper les canapés.
Décor : parsemez 1 pincée de persil haché sur chaque canapé.

Conservation : sans le décor, 24 h au réfrigérateur, sur la planchette.

CANAPÉS À LA DUXELLES DE CHAMPIGNONS

PRÉPARATION : 15 MN

INGRÉDIENTS POUR 24 CANAPÉS :

3 BANDES DE PAIN (22 × 7,5 CM) DE 1 CM D'ÉPAISSEUR
200 G DE DUXELLES DE CHAMPIGNONS À LA MAYONNAISE (P. 102)

MATÉRIEL DE BASE P. 136
+
CORNET À DÉCOR (P. 74)
PINCEAU (FACULTATIF)

DÉCOR :

24 PETITES TÊTES DE CHAMPIGNONS ÉTUVÉES (P. 347) OU MARINÉES (P. 372)
1 CUILLERÉE À SOUPE DE MAYONNAISE

FINITION (FACULTATIF) :

2 CUILLERÉES À SOUPE DE GELÉE CLAIRE

Procédez comme pour les canapés au beurre de noix en remplaçant celui-ci par la Duxelles.
Décor : disposez une tête de champignon au centre de chaque canapé et, au cornet à décor, dressez 4 points de mayonnaise.
Finition facultative : nappez de gelée claire.

Conservation : 24 h au réfrigérateur, sur la planchette.

CANAPÉS AU FROMAGE BLANC-FINES HERBES

PRÉPARATION : 15 MN

INGRÉDIENTS POUR 24 CANAPÉS :

MATÉRIEL DE BASE P. 136

3 BANDES DE PAIN (22 × 7,5 CM) DE 1 CM D'ÉPAISSEUR
210 G DE SAUCE FROMAGE BLANC-FINES HERBES (P. 123)

DÉCOR :

24 CERNEAUX DE NOIX

Procédez comme pour les canapés au beurre de noix en remplaçant celui-ci par la sauce fromage blanc-fines herbes.
Décor : disposez un cerneau de noix au centre de chaque canapé.

Conservation : 12 h au réfrigérateur, sur la planchette.

CANAPÉS AUX ŒUFS BROUILLÉS

PRÉPARATION : 15 MN

INGRÉDIENTS POUR 24 CANAPÉS :

MATÉRIEL DE BASE P. 136

3 BANDES DE PAIN (22 × 7,5 CM) DE 1 CM D'ÉPAISSEUR

4 ŒUFS BROUILLÉS (P. 104)
20 G DE POIVRON BLANCHI

DÉCOR :

1 CUILLERÉE À CAFÉ DE PERSIL HACHÉ

Coupez le poivron en dés puis mélangez-le aux œufs brouillés.
Procédez comme pour les canapés au beurre de noix en remplaçant celui-ci par le mélange.
Décor : parsemez 1 pincée de persil haché sur chaque canapé.

Conservation : 12 h au réfrigérateur, sur la planchette.

CANAPÉS AUX CŒURS DE PALMIER

Photo ci-contre

PRÉPARATION : 20 MN

INGRÉDIENTS POUR 24 CANAPÉS :

3 BANDES DE PAIN (22 × 7,5 CM) DE 1 CM D'ÉPAISSEUR
240 G DE CŒURS DE PALMIER
90 G DE SAUCE TOMATE NAPOLÉON (P. 119)

MATÉRIEL DE BASE P. 136
+
PINCEAU (FACULTATIF)

DÉCOR :

1 CUILLERÉE À CAFÉ DE PERSIL HACHÉ

FINITION (FACULTATIF) :

2 CUILLERÉES À SOUPE DE GELÉE CLAIRE

Choisissez les cœurs de palmier les plus tendres.
Découpez-les en tronçons de la taille des canapés.
Sur la planche à pain, posez les 3 bandes de pain côte à côte ; étalez la sauce sur toute la surface avec une palette.
Sur la planche quadrillée, taillez chaque bande en 8 canapés ; disposez les lamelles de cœurs de palmier sur les canapés.
Sur une planchette recouverte d'un linge humide, placez les bandes de canapés.
Décor : parsemez 1 pincée de persil haché sur chaque canapé.
Finition facultative : nappez de gelée claire.

Conservation : 12 h au réfrigérateur, sur la planchette.

Canapés (de haut en bas) : aux cœurs de palmier, aux anchois, mosaïque, aux œufs de saumon, aux pointes d'asperges, tomates et œufs, beurre de noix, au foie gras (recettes p. 139 à 152)

CANAPÉS MOSAÏQUE

Photo page 143

PRÉPARATION : 30 MN

TEMPS DE REFROIDISSEMENT : 1 H

INGRÉDIENTS POUR 24 CANAPÉS :

MATÉRIEL DE BASE P. 136

3 BANDES DE PAIN (22 × 7,5 CM) DE 1 CM D'ÉPAISSEUR

GARNITURE :

25 G DE POIVRON BLANCHI
50 G DE GRUYÈRE RÂPÉ
25 G DE CRÈME FRAÎCHE
1 CUILLERÉE À CAFÉ DE PERSIL HACHÉ
50 G DE BEURRE POMMADE
1 PINCÉE DE SEL
1 TOUR DU MOULIN À POIVRE

DÉCOR :

120 G DE JAMBON DE PARIS DE 3 MM D'ÉPAISSEUR
3 CORNICHONS

Coupez le poivron en petits dés puis mélangez tous les ingrédients de la garniture.
Posez les 3 bandes de pain côte à côte sur une planchette ; tartinez-les copieusement de garniture. Faites-les durcir au réfrigérateur pendant 1 h.
Coupez entre les 3 bandes pour les séparer. Posez-les successivement sur la planchette quadrillée pour les découper en 8 canapés chacune.
Sur une planchette recouverte d'un linge humide, mettez les bandes de canapés.
Décor : coupez le jambon en 12 rectangles puis coupez chaque rectangle diagonalement en 2 triangles.
Posez un triangle de jambon dans un angle de chaque canapé et dressez 1 rondelle de cornichon au centre.

Conservation : les canapés finis, 12 h au réfrigérateur, sur la planchette ; la garniture, 24 h au réfrigérateur, dans un récipient fermé : sortez-la 2 h avant utilisation et laissez-la revenir à température ambiante sans y toucher.

CANAPÉS AUX POINTES D'ASPERGES

Photo page 143

PRÉPARATION : 15 MN

INGRÉDIENTS POUR 24 CANAPÉS :

3 BANDES DE PAIN (22 X 7,5 CM) DE 1 CM D'ÉPAISSEUR
150 G DE POINTES DE PETITES ASPERGES VERTES
90 G DE MAYONNAISE (P.111)

MATÉRIEL DE BASE P. 136
+
PASSOIRE
POCHE À DOUILLE DÉCOR
PINCEAU (FACULTATIF)

DÉCOR :

40 G DE CONCENTRÉ DE TOMATE

FINITION (FACULTATIF) :

2 CUILLERÉES À SOUPE DE GELÉE CLAIRE

Faites égoutter les pointes d'asperges.
Sur la planche, posez les 3 bandes de pain côte à côte, étalez la mayonnaise sur toute leur surface.
Posez chaque bande sur la planche quadrillée et taillez-les en 8 canapés.
Coupez les tiges des asperges pour qu'elles correspondent à la dimension des canapés puis posez 2 ou 3 asperges sur chaque canapé.
Décor : 2 filets de concentré de tomate dressés à la poche à douille décor en travers des asperges.
Finition facultative : nappez de gelée claire.

Conservation : 12 h au réfrigérateur.

CANAPÉS AUX ROLLMOPS

PRÉPARATION : 15 MN

INGRÉDIENTS POUR 24 CANAPÉS :

3 BANDES DE PAIN (22 X 7,5 CM) DE 1 CM D'ÉPAISSEUR
200 G DE ROLLMOPS
50 G DE BEURRE POMMADE

MATÉRIEL DE BASE P. 136
+
PASSOIRE
FOUET
PINCEAU
PAPIER ABSORBANT

FINITION :

2 CUILLERÉES À SOUPE DE CRÈME ÉPAISSE
2 CUILLERÉES À SOUPE DE GELÉE CLAIRE

Égouttez et épongez les rollmops. Parez le tour en ôtant les petites peaux qui dépassent. Coupez en tronçons de la taille des canapés.
Beurrez les 3 bandes de pain côte à côte. Posez chaque bande sur la planche quadrillée et coupez les canapés.
Disposez un morceau de rollmops sur chaque canapé.
Finition : mélangez la crème à la gelée tiède, au fouet. Nappez immédiatement les canapés au pinceau.
Sur une planchette recouverte d'un linge humide, posez les bandes de canapés.

Conservation : 24 h au réfrigérateur.

CANAPÉS RONDS

Pour la préparation, vous avez le choix entre 2 méthodes :

MÉTHODE RAPIDE

Utilisez un pain de mie rectangulaire coupé en longues bandes dans l'épaisseur.
Étalez 3 bandes de pain côte à côte. Tartinez-les de beurre pommade ou de la préparation choisie à l'aide d'une palette inoxydable.
Découpez les canapés avec un emporte-pièce rond puis disposez la garniture (voir photo, p. 143)

MÉTHODE CLASSIQUE

Utilisez un pain de mie rond coupé en tranches ; décroûtez chaque tranche à l'emporte-pièce.
Posez les tranches de pain côte à côte puis tartinez-les.

La préparation rapide permet de gagner du temps mais elle revient un petit peu plus cher. Avec la méthode de préparation classique, il n'y a pratiquement pas de perte mais l'opération de beurrage est 8 à 10 fois plus longue.
Dans les recettes qui suivent, nous vous indiquons les 2 temps de préparation, mais les quantités ont été calculées pour la méthode de préparation rapide.
Sur une planchette recouverte d'un linge humide, transférez les canapés garnis à l'aide de la palette. Placez le décor sur tous les canapés en même temps.

MATÉRIEL DE BASE

1 planche à pain
1 emporte-pièce rond de ∅ 5 cm
2 ou 3 planchettes
Palette inoxydable de 25 cm
Linges blancs humides

CANAPÉS AUX ANCHOIS

Photo page 143

PRÉPARATION :

20 MN (MÉTHODE RAPIDE)
30 MN (MÉTHODE CLASSIQUE)

INGRÉDIENTS POUR 24 CANAPÉS :

3 BANDES DE PAIN (22 X 7,5 CM)
OU 24 TRANCHES DE PAIN DE MIE ROND
DE 6 MM D'ÉPAISSEUR
12 FILETS D'ANCHOIS À L'HUILE
6 PETITS ŒUFS DURS
50 G DE BEURRE POMMADE

MATÉRIEL DE BASE P. 146
+
COUPE-ŒUFS
PINCEAU (FACULTATIF)

FINITION (FACULTATIF) :

2 CUILLERÉES À SOUPE DE GELÉE CLAIRE

Décroûtez le pain s'il y a lieu.
Coupez les filets d'anchois en 2 dans la longueur puis en 2 dans la largeur pour obtenir 48 petits morceaux.
Écalez les œufs et coupez-les en rondelles.
Beurrez tous les canapés ; sur chacun, posez une belle rondelle d'œuf puis 2 morceaux d'anchois en croix.
Finition facultative : nappez de gelée claire.

Conservation : 24 h au réfrigérateur, posés sur une planchette recouverte d'un linge humide.

CANAPÉS AU CHORIZO

PRÉPARATION :

15 MN (MÉTHODE RAPIDE)
25 MN (MÉTHODE CLASSIQUE)

INGRÉDIENTS POUR 24 CANAPÉS :

3 BANDES DE PAIN (22 X 7,5 CM)
OU 24 TRANCHES DE PAIN DE MIE ROND
DE 6 MM D'ÉPAISSEUR
240 G DE CHORIZO FORT OU DOUX
50 G DE BEURRE POMMADE

MATÉRIEL DE BASE P. 146
+
PASSOIRE
CORNET À DÉCOR (P.74)

DÉCOR :

24 CÂPRES
1 CUILLERÉE À SOUPE DE BEURRE POMMADE

Décroûtez le pain s'il y a lieu.
Mettez les câpres à égoutter.
Sur la planche, beurrez tous les canapés.
Coupez le chorizo en 72 rondelles fines et disposez 3 rondelles sur chaque canapé en les faisant se chevaucher.
Décor : 1 pointe de beurre pommade dressée au cornet à décor, avec une câpre posée au milieu.

Conservation : 24 h au réfrigérateur, posés sur une planchette recouverte d'un linge humide.

CANAPÉS AU FOIE GRAS

Photo page 143

PRÉPARATION :

15 MN (MÉTHODE RAPIDE)
25 MN (MÉTHODE CLASSIQUE)

INGRÉDIENTS POUR 24 CANAPÉS :

3 BANDES DE PAIN (22 X 7,5 CM)
OU 24 TRANCHES DE PAIN DE MIE ROND DE 6 MM D'ÉPAISSEUR
300 G DE FOIE GRAS TRUFFÉ EN ROULEAU DE ∅ 5 CM
50 G DE BEURRE POMMADE

MATÉRIEL DE BASE P. 146
+
COUPE-ŒUFS
OU COUTEAU FIN

Laissez le foie gras au réfrigérateur jusqu'au dernier moment pour qu'il soit plus facile à couper.
Décroûtez le pain s'il y a lieu.
Étalez un peu de beurre pommade sur tous les canapés.
Coupez des rondelles de foie gras de 0,5 cm d'épaisseur environ, soit avec un coupe-œufs (passé à l'eau chaude et essuyé) que vous ouvrez complètement pour pouvoir enfoncer les lames verticalement, soit avec un couteau fin trempé dans l'eau chaude et essuyé avant chaque découpe.
Lorsque le foie gras a un diamètre plus large que les canapés, coupez-le d'abord en tranches puis taillez chaque tranche à l'emporte-pièce.

Conservation : 12 h au réfrigérateur, posés sur une planchette recouverte d'un linge humide.

Conseil : s'il vous reste du foie gras, vous pourrez faire de la mousse de foie gras.

CANAPÉS AU FROMAGE DE CHÈVRE

PRÉPARATION :

15 MN (MÉTHODE RAPIDE)
25 MN (MÉTHODE CLASSIQUE)

INGRÉDIENTS POUR 24 CANAPÉS :

3 BANDES DE PAIN (22 X 7,5 CM)
OU 24 TRANCHES DE PAIN DE MIE ROND
DE 6 MM D'ÉPAISSEUR
1 FROMAGE DE CHÈVRE EN CYLINDRE DE ∅ 5 CM
50 G DE BEURRE POMMADE
3 CUILLERÉES À SOUPE D'HUILE D'OLIVE
3 CUILLERÉES À CAFÉ DE COGNAC

MATÉRIEL DE BASE P. 146

+
BOL
COUPE-ŒUFS (FACULTATIF)
PINCEAU

DÉCOR :

FLEURS DE THYM

Laissez le fromage au réfrigérateur jusqu'au dernier moment.
Décroûtez le pain s'il y a lieu.
Beurrez tous les canapés.
Grattez la croûte du fromage. Coupez-le en rondelles avec un coupe-œufs : posez le fromage sur la planche, ouvrez le coupe-œufs complètement et enfoncez les lames verticalement dans le fromage. Cette méthode a l'avantage de produire des rondelles régulières.
Coupez chaque rondelle en 2 et placez 2 demi-rondelles sur chaque canapé en les faisant se chevaucher.
Mélangez l'huile et le cognac et badigeonnez le fromage au pinceau.
Décor : quelques fleurs de thym.

Conservation : 24 h au réfrigérateur, posés sur une planchette recouverte d'un linge humide.

CANAPÉS MIMOSA

PRÉPARATION : 20 MN (MÉTHODE RAPIDE)
30 MN (MÉTHODE CLASSIQUE)

INGRÉDIENTS POUR 24 CANAPÉS :

3 BANDES DE PAIN (22 × 7,5 CM)
OU 24 TRANCHES DE PAIN DE MIE ROND
DE 1 CM D'ÉPAISSEUR
4 PETITS ŒUFS DURS
3 JAUNES D'ŒUFS DURS
50 G DE MAYONNAISE (P. 111)
1 PINCÉE DE SEL ET POIVRE MÉLANGÉS

MATÉRIEL DE BASE P. 146
+
BOL
COUPE-ŒUFS
PINCEAU (FACULTATIF)
CORNET À DÉCOR (P. 74)
(FACULTATIF)

DÉCOR :

QUELQUES BRINS DE CERFEUIL
OU CONCENTRÉ DE TOMATE

FINITION (FACULTATIF) :

2 CUILLERÉES À SOUPE DE GELÉE CLAIRE

Décroûtez le pain s'il y a lieu.
Écrasez les 3 jaunes d'œufs dans un bol, ajoutez la mayonnaise et mélangez bien. Étalez ce mélange sur les canapés avec la palette.
Écalez les œufs durs et coupez-les en rondelles ; disposez une belle rondelle sur chaque canapé, salez et poivrez.
Décor : un brin de cerfeuil ou une pointe de concentré de tomate dressée au cornet à décor sur chaque rondelle d'œuf.
Finition facultative : nappez de gelée claire.

Conservation : 24 h au réfrigérateur, posés sur une planchette recouverte d'un linge humide.

Conseil : vous pouvez remplacer les 3 jaunes d'œufs par 2 cuillerées à soupe de brisures d'œufs durs que vous écrasez à la fourchette.

CANAPÉS AUX ŒUFS DE CAILLE

PRÉPARATION : 20 MN (MÉTHODE RAPIDE)
30 MN (MÉTHODE CLASSIQUE)

INGRÉDIENTS POUR 24 CANAPÉS :

3 BANDES DE PAIN (22 × 7,5 CM)
OU 24 TRANCHES DE PAIN DE MIE ROND
DE 1 CM D'ÉPAISSEUR
24 ŒUFS DE CAILLE DURS
100 G DE SAUCE TOMATE NAPOLÉON (P. 119)

MATÉRIEL DE BASE P. 146
+
CORNET À DÉCOR (P. 74)

DÉCOR :

1 CUILLERÉE À SOUPE DE CONCENTRÉ DE TOMATE

FINITION :

2 CUILLERÉES À SOUPE DE GELÉE CLAIRE

Écalez les œufs, laissez-les en attente dans un bol rempli d'eau froide légèrement salée.
Décroûtez le pain s'il y a lieu.
Étalez la sauce sur tous les canapés.
Coupez les œufs en 2 dans la longueur ; disposez 2 moitiés côte à côte sur chaque canapé.
Décor : au cornet à décor, dressez une pointe de concentré de tomate au centre de chaque canapé.
Finition : nappez légèrement de gelée claire.

Conservation : 24 h au réfrigérateur, posés sur une planchette recouverte d'un linge humide.

CANAPÉS AUX ŒUFS DE POISSON
(caviar, œufs de saumon ou œufs de lumps)

Photo page 143

PRÉPARATION : 20 MN (MÉTHODE RAPIDE)
30 MN (MÉTHODE CLASSIQUE)

INGRÉDIENTS POUR 24 CANAPÉS :

MATÉRIEL DE BASE P. 146

3 BANDES DE PAIN (22 × 7,5 CM)
OU 24 TRANCHES DE PAIN DE MIE ROND
DE 6 MM D'ÉPAISSEUR
240 G DE CAVIAR
OU 280 G D'ŒUFS DE LUMPS
OU 320 G D'ŒUFS DE SAUMON
50 G DE BEURRE POMMADE

DÉCOR (POUR LE CAVIAR UNIQUEMENT) :

1 CUILLERÉE À SOUPE DE JAUNE D'ŒUF MIMOSA
1 CUILLERÉE À SOUPE DE PETITS OIGNONS BLANCS CRUS HACHÉS

Décroûtez le pain s'il y a lieu.
Beurrez tous les canapés.
Dans l'emporte-pièce, superposez plusieurs canapés pour amener le premier à quelques millimètres du bord ; à l'aide de la palette, remplissez à ras bord d'œufs de poisson. Ajoutez un canapé au fond de l'emporte-pièce en poussant pour faire sortir le canapé garni.
Décor pour le caviar : 1 pointe de couteau d'œuf mimosa et 1 pincée d'oignons blancs.

Conservation : 24 h au réfrigérateur, posés sur une planchette recouverte d'un linge humide.

CANAPÉS AUX RADIS

PRÉPARATION : 20 MN (MÉTHODE RAPIDE)
30 MN (MÉTHODE CLASSIQUE)

INGRÉDIENTS POUR 24 CANAPÉS :

3 BANDES DE PAIN (22 × 7,5 CM)
OU 24 TRANCHES DE PAIN DE MIE ROND
DE 6 MM D'ÉPAISSEUR
36 PETITS RADIS ROSES LONGS
QUELQUES BRINS DE PERSIL
50 G DE BEURRE POMMADE
SEL, POIVRE

MATÉRIEL DE BASE P. 146
+
PINCEAU (FACULTATIF)

FINITION (FACULTATIF) :

2 CUILLERÉES À SOUPE DE GELÉE CLAIRE

Décroûtez le pain s'il y a lieu.
Beurrez les canapés. Salez et poivrez-les.
Lavez et équeutez les radis. Coupez-les en 2 dans l'épaisseur.
Sur les 2/3 de la surface d'un canapé, disposez 3 demi-radis comme les pétales d'une tulipe et sur le tiers restant placez 1 brin de persil pour figurer la tige.
Finition facultative : nappez de gelée claire.

Conservation : 12 h au réfrigérateur, posés sur une planchette recouverte d'un linge humide.

CANAPÉS TOMATES ET ŒUFS

Photo page 143

PRÉPARATION : 20 MN (MÉTHODE RAPIDE)
30 MN (MÉTHODE CLASSIQUE)

INGRÉDIENTS POUR 24 CANAPÉS :

3 BANDES DE PAIN (22 × 7,5 CM)
OU 24 TRANCHES DE PAIN DE MIE ROND
DE 1 CM D'ÉPAISSEUR
3 TOMATES BIEN RONDES (DE 45 G ENVIRON)
3 PETITS ŒUFS DURS
50 G DE MAYONNAISE (P. 111)

MATÉRIEL DE BASE P. 146
+
COUPE-ŒUFS
PINCEAU (FACULTATIF)

DÉCOR :

QUELQUES BRINS DE PERSIL

FINITION (FACULTATIF) :

2 CUILLERÉES À SOUPE DE GELÉE CLAIRE

Décroûtez le pain s'il y a lieu.
Étalez la mayonnaise sur tous les canapés.
Pour partager chaque tomate en 8 quartiers bien réguliers, coupez-la d'abord en 2 verticalement ; posez chaque moitié à plat sur la planche et, en maintenant la demi-tomate d'une main, coupez-la en 4.
Écalez les œufs et coupez-les en rondelles ; coupez chaque rondelle en 2.
Sur chaque canapé, disposez côte à côte un quartier de tomate et une demi-rondelle d'œuf.
Décor : un brin de persil entre la tomate et l'œuf.
Finition facultative : nappez de gelée claire.

Conservation : 12 h au réfrigérateur, posés sur une planchette recouverte d'un linge humide.

SANDWICHES RECTANGULAIRES

MÉTHODE RAPIDE ET MATÉRIEL

La matériel de base est pratiquement le même que pour les canapés rectangulaires, c'est-à-dire :

Planche à pain
3 ou 4 planchettes
Planche quadrillée
Long couteau bien aiguisé
Palette de 25 cm
Linges ou torchons blancs humides

Préparez d'abord la planche quadrillée qui servira à couper 12 sandwiches bien réguliers en une seule opération. En suivant le modèle de la page 154, tracez au crayon sur une planchette la forme d'une bande de pain, puis les bandes de découpe. Prolongez ces lignes au-delà du cadre (comme sur le modèle) pour qu'elles soient visibles lorsque le cadre sera caché par une bande de pain.
Sur la planche à pain, garnissez des bandes de sandwiches en suivant les indications données par la recette choisie. Fermez les bandes de sandwiches.

Finition : sur la planche quadrillée, posez 2 bandes de sandwiches superposées et coupez à la fois les 4 épaisseurs.

Conservation : avec la palette et en un seul mouvement, mettez les bandes superposées de sandwiches coupés sur une planchette recouverte d'un linge humide. Rangez bien les bandes pour ne pas perdre de place.
Quand il n'y a plus de place, recouvrez les sandwiches d'un linge humide puis d'une autre planchette qui servira de poids et pourra, au besoin, servir de support à d'autres sandwiches.
Mettez au réfrigérateur.

Sandwiches

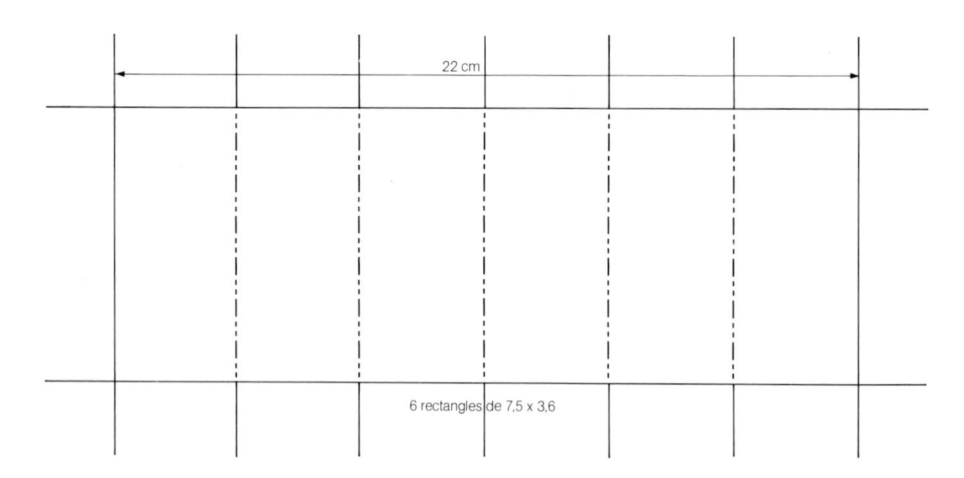

SANDWICHES AVOCAT ET CRESSON

PRÉPARATION : 20 MN

INGRÉDIENTS POUR 24 SANDWICHES :

8 BANDES DE PAIN DE MIE (22 × 7,5 CM) DE 1 CM D'ÉPAISSEUR
200 G DE SAUCE À L'AVOCAT (P. 113)
1 BOTTE DE CRESSON
2 FEUILLES DE GÉLATINE

MATÉRIEL DE BASE P. 153
+
GRANDE CASSEROLE
CUL-DE-POULE

Lavez le cresson et enlevez les tiges.
Dans le cul-de-poule au bain-marie, faites fondre la gélatine (rincée et égouttée) dans 1 cuillerée de sauce à l'avocat.
Incorporez rapidement ce mélange au reste de la sauce.
Coupez grossièrement le cresson, ajoutez-le.
Placez toutes les bandes de pain côte à côte et étalez dessus la garniture.
Formez des bandes de sandwiches en retournant 4 des bandes de pain pour

recouvrir les 4 autres, garniture contre garniture. Pour la finition et la conservation, procédez comme il est indiqué page 154.

Conservation : 12 h au réfrigérateur, entre 2 linges humides.

Conseil : vous pouvez utiliser la même recette pour faire des sandwiches à l'avocat et à la salade verte.

SANDWICHES À LA DUXELLES DE CHAMPIGNONS

PRÉPARATION : 10 MN

INGRÉDIENTS POUR 24 SANDWICHES :

8 BANDES DE PAIN DE MIE (22 × 7,5 CM) DE 1 CM D'ÉPAISSEUR
400 G DE DUXELLES DE CHAMPIGNONS À LA MAYONNAISE (P. 102)

MATÉRIEL DE BASE P. 153

Étalez la Duxelles sur 4 bandes de pain disposées côte à côte.
Recouvrez avec les 4 autres bandes.
Pour la finition et la conservation, procédez comme il est indiqué à la page 154.

Conservation : 24 h au réfrigérateur, entre 2 linges humides.

SANDWICHES AU FROMAGE BLANC-FINES HERBES

PRÉPARATION : 10 MN

INGRÉDIENTS POUR 24 SANDWICHES :

8 BANDES DE PAIN DE MIE (22 × 7,5 CM) DE 1 CM D'ÉPAISSEUR
280 G DE SAUCE FROMAGE BLANC-FINES HERBES (P. 123)

MATÉRIEL DE BASE P. 153

Étalez la préparation sur 4 bandes de pain disposées côte à côte.
Recouvrez avec les 4 autres bandes.
Pour la finition et la conservation, procédez comme il est indiqué à la page 154.

Conservation : 12 h au réfrigérateur, entre 2 linges humides.

SANDWICHES AU JAMBON BLANC

PRÉPARATION : 15 MN

TEMPS DE REFROIDISSEMENT : 1 H

INGRÉDIENTS POUR 24 SANDWICHES :

MATÉRIEL DE BASE P. 153

8 BANDES DE PAIN DE MIE (22 × 7,5 CM) DE 6 MM D'ÉPAISSEUR
160 G DE JAMBON BLANC DE 3 MM D'ÉPAISSEUR
60 G DE BEURRE MAYONNAISE (P. 99)
25 G DE CORNICHONS

Sortez le beurre mayonnaise du réfrigérateur et assouplissez-le à la fourchette.
Posez toutes les bandes de pain côte à côte. Tartinez-les toutes de beurre mayonnaise.
Sur 4 bandes, étalez le jambon sans laisser d'endroits découverts ; répartissez les cornichons coupés en rondelles.
Recouvrez avec les 4 autres bandes.
Coupez le jambon entre les bandes de sandwiches. Superposez les longs sandwiches 2 par 2 sur une planchette recouverte d'un linge humide et faites-les durcir au réfrigérateur pendant 1 h.
Pour la finition et la conservation, procédez comme il est indiqué à la page 154.

Conservation : 24 h au réfrigérateur, entre 2 linges humides.

SANDWICHES AU JAMBON CRU OU AU SAUCISSON

PRÉPARATION : 15 MN

TEMPS DE REFROIDISSEMENT : 1 H

INGRÉDIENTS POUR 24 SANDWICHES :

MATÉRIEL DE BASE P. 153

8 BANDES DE PAIN DE MIE (22 × 7,5 CM) DE 6 MM D'ÉPAISSEUR
120 G DE JAMBON CRU OU DE SAUCISSON DE 2 MM D'ÉPAISSEUR
60 G DE BEURRE POMMADE

Posez les bandes de pain côte à côte sur le plan de travail.
Beurrez-les toutes.
Sur 4 bandes, mettez le jambon ou le saucisson sans laisser d'endroits découverts.
Recouvrez les bandes garnies des 4 bandes simplement beurrées en faisant bien adhérer.
Coupez le jambon ou le saucisson entre les bandes. Parez les bords. Superposez les bandes de sandwiches 2 par 2 sur une planchette recouverte d'un linge humide. Faites-les durcir au réfrigérateur pendant 1 h.
Pour la finition et la conservation, procédez comme il est indiqué page 154.

Conservation : 24 h au réfrigérateur, entre 2 linges humides.

SANDWICHES AU ROQUEFORT

Photo page 40

PRÉPARATION : 10 MN

INGRÉDIENTS POUR 24 SANDWICHES :

MATÉRIEL DE BASE P. 153

8 BANDES DE PAIN DE MIE (22 × 7,5 CM) DE 6 MM D'ÉPAISSEUR
240 G DE BEURRE DE ROQUEFORT (P. 101)

Étalez le beurre de roquefort sur 4 bandes de pain disposées côte à côte.
Recouvrez avec les 4 autres bandes en appuyant bien pour faire adhérer.
Pour la finition et la conservation, procédez comme il est indiqué page 154.

Conservation : 24 h au réfrigérateur, entre 2 linges humides.

SANDWICHES À LA SALADE VERTE

PRÉPARATION : 25 MN

INGRÉDIENTS POUR 24 SANDWICHES :

MATÉRIEL DE BASE P. 153

8 BANDES DE PAIN DE MIE (22 × 7,5 CM) DE 1 CM D'ÉPAISSEUR
1 LAITUE
1 ŒUF DUR
1/4 DE CITRON
60 G DE MAYONNAISE (P. 111)
2 PINCÉES DE SEL ET DE POIVRE MOULU

Lavez la laitue et séchez-la. Pesez 160 g de feuilles et ciselez-les en fines lanières.
Posez les bandes de pain de mie côte à côte sur le plan de travail.
Étalez la mayonnaise sur tout le pain.
Sur 4 bandes, répartissez l'œuf dur écrasé puis les lanières de salade ; arrosez la laitue de jus de citron ; salez et poivrez.
Recouvrez avec les 4 autres bandes.
Pour la finition et la conservation, procédez comme il est indiqué à la page 154.

Conservation : 12 h au réfrigérateur, entre 2 linges humides.

Conseil : si vous avez des brisures d'œufs durs, vous pouvez remplacer l'œuf entier par 50 g de brisures.

SANDWICHES AU SAUMON FUMÉ

PRÉPARATION : 15 MN

TEMPS DE REFROIDISSEMENT : 1 H

INGRÉDIENTS POUR 24 SANDWICHES :

MATÉRIEL DE BASE P. 153

8 BANDES DE PAIN DE MIE (22 × 7,5 CM) DE 6 MM D'ÉPAISSEUR
120 G DE SAUMON FUMÉ DE 2 OU 3 MM D'ÉPAISSEUR
60 G DE BEURRE POMMADE
1/2 CITRON (FACULTATIF)

Posez les bandes de pain côte à côte sur le plan de travail.
Beurrez-les toutes.
Sur 4 bandes, disposez le saumon sans laisser d'endroits découverts. Arrosez, si vous voulez, du jus du 1/2 citron.
Recouvrez avec les 4 bandes simplement beurrées. Coupez le saumon entres les bandes et, au besoin, parez les bords.
Superposez les bandes de sandwiches 2 par 2 sur une planchette recouverte d'un linge humide et faites-les durcir au réfrigérateur pendant 1 h.
Pour la finition et la conservation, procédez comme il est indiqué page 154.

Conservation : 24 h au réfrigérateur, entre 2 linges humides.

Conseil : si le saumon n'est pas coupé assez fin, aplatissez-le avec la paume de la main avant de le mettre sur le pain.

SANDWICHES TOMATES ET ŒUFS

PRÉPARATION : 15 MN

INGRÉDIENTS POUR 24 SANDWICHES : MATÉRIEL DE BASE P. 153

8 BANDES DE PAIN DE MIE (22 × 7,5 CM) DE 1 CM D'ÉPAISSEUR
260 G DE TOMATES
1 ŒUF DUR
60 G DE MAYONNAISE (P. 111)
1 PINCÉE DE SEL ET DE POIVRE MOULU

Lavez et séchez les tomates ; coupez-les en rondelles, éliminez les extrémités.
Posez les bandes de pain côte à côte sur le plan de travail ; tartinez-les toutes de mayonnaise.
Sur 4 bandes, répartissez l'œuf dur écrasé ; posez les rondelles de tomates les unes à côté des autres ; salez et poivrez.
Recouvrez des 4 autres bandes. Coupez les tomates entre les bandes et, au besoin, parez les bords.
Pour la finition et la conservation, procédez comme il est indiqué page 154.

Conservation : 12 h au réfrigérateur, entre 2 linges humides.

Conseil : ces sandwiches complètent bien les canapés tomates et œufs car vous pouvez les réaliser avec 50 g de brisures d'œufs durs et les moins jolies rondelles de tomates.

SANDWICHES À LA VIANDE FROIDE

PRÉPARATION : 15 MN

TEMPS DE REFROIDISSEMENT : 1 H

INGRÉDIENTS POUR 24 SANDWICHES : MATÉRIEL DE BASE P. 153

8 BANDES DE PAIN DE MIE (22 × 7,5 CM) DE 6 MM D'ÉPAISSEUR
300 G DE TRANCHES DE VIANDE CUITE FROIDE DE 3 MM D'ÉPAISSEUR
60 G DE BEURRE MOUTARDE (P. 99)
25 G DE CORNICHONS

Faites le beurre moutarde au dernier moment pour qu'il soit souple.
Hachez les cornichons et mélangez-les au beurre moutarde.
Posez les bandes de pain côte à côte et tartinez-les toutes de ce mélange.
Sur 4 bandes, disposez les tranches de viande sans laisser d'espaces découverts. Recouvrez avec les 4 autres bandes.
Coupez la viande entre les bandes et parez les bords.
Superposez les bandes de sandwiches 2 par 2 sur une planchette recouverte d'un linge humide et faites-les durcir pendant 1 h au réfrigérateur.
Pour la finition et la conservation, procédez comme il est indiqué page 154.

Conservation : 24 h au réfrigérateur, entre 2 linges humides.

Conseil : ces sandwiches sont particulièrement recommandés si vous avez préparé par ailleurs un plat de viande en gelée ou une grosse pièce de viande dont il reste quelques morceaux.

PAIN BOULE SURPRISE

CONSEILS POUR ÉVIDER ET TRANCHER UN PAIN BOULE

Je recommande le pain de seigle pour sa tenue et son goût.

Posez la boule sur la planche à pain.
Enfoncez le couteau chef dans la mie verticalement, à 2 cm de la croûte ; pour décoller la mie des bords, donnez à la lame un mouvement de va-et-vient tout en tournant le pain de l'autre main ; n'ayez pas peur d'aller jusqu'au fond et de taper la pointe du couteau sur la planche (photo) en faisant 2 fois le tour pour être sûr que la mie est détachée (sans toutefois découper le cercle de croûte).
Enfoncez ensuite la lame horizontalement à la base du pain.
Faites aller et venir la lame en arc de cercle, horizontalement, sans élargir l'ouverture, jusqu'à ce que la mie se détache du fond (photo).
Évidez le pain. Avec un couteau-scie, coupez le chapeau de croûte et réservez-le. Pour pouvoir faciliter la découpe, beurrez légèrement le tour du cylindre de mie puis couchez-le sur le côté.
Avec un mouvement rapide de va-et-vient, et sans appuyer pour ne pas déchirer la mie, coupez les tranches (12 pour une boule de 700 à 800 g, 8 pour une boule de 400 g). Au fur et à mesure de la découpe, maintenez chaque tranche en place du bout des doigts pour l'empêcher de se casser (photo).
Vous pouvez conserver le pain évidé pendant 48 h, enveloppé dans un linge humide.
L'ensemble de l'opération vous prendra environ 20 mn.

Si vous avez un pain de seigle ou un pain de campagne plus large que haut, évidez-le de la même façon puis coupez la mie en 10 tranches. Sur 5 tranches, étalez la garniture choisie ; recouvrez des 5 tranches restantes pour former de grands sandwiches.
Avec un emporte-pièce de 6 cm de diamètre, détachez le centre de chaque sandwich ; coupez-le en 2 verticalement ; vous pourrez ainsi faire 10 petits

sandwiches supplémentaires. Coupez la couronne en 8 segments égaux en partant du centre, comme les rayons d'une roue.
Il va de soi que l'opération est plus longue que pour un pain boule.

Quelle que soit la forme de votre pain, il est probable que vous obtiendrez des tranches d'épaisseur inégale. Choisissez toujours les plus épaisses comme base des sandwiches.

1

2

1. Couteau chef enfoncé verticalement dans le pain.

2. Ouverture pratiquée à la base pour détacher le fond.

3

3. Découpage en tranches du cylindre de mie.

FINITION ET PRÉSENTATION DU PAIN BOULE SURPRISE *(photo p. 165)*

Préparez les sandwiches selon la recette que vous avez choisie.
Reconstituez le cylindre en superposant les sandwiches et tranchez-le verticalement, en 8 pour une boule de 800 g et en 6 pour une boule de 400 g. Vous obtiendrez 48 ou 24 petits sandwiches à peu près triangulaires.
Rangez-les en colimaçon dans la croûte en les disposant bien pour qu'il soit facile de les prendre. Décorez le chapeau et réservez-le.
Enveloppez le pain reconstitué dans un linge humide ou un film plastique et mettez-le au réfrigérateur jusqu'au moment de servir.
Présentez la boule de pain avec son chapeau posé en biais à côté ; piquez une fourchette dans le premier sandwich.

MATÉRIEL DE BASE

Planche à pain
Grand couteau
Palette
Linge blanc humide
ou film plastique

SANDWICHES AU JAMBON DE PARME

Photo page 165

Vous pouvez remplacer le jambon de Parme par tout autre jambon cru, fumé ou par du saucisson.

PRÉPARATION : 15 MN + DÉCOR

INGRÉDIENTS POUR 48 SANDWICHES :

MATÉRIEL DE BASE CI-DESSUS

1 PAIN BOULE DE 800 G ÉVIDÉ ET TRANCHÉ
300 G DE JAMBON DE PARME DE 2 MM D'ÉPAISSEUR
200 G DE BEURRE POMMADE

DÉCOR :

COQUES DE RUBAN

Étalez les tranches de pain les unes à côté des autres et beurrez-les.
Recouvrez 6 tranches avec le jambon de façon nette, sans que le jambon dépasse et sans qu'il reste d'espaces vides ; appuyez assez fort pour faire adhérer le jambon.
Recouvrez avec les 6 autres tranches de pain beurré.
Pour la finition et la présentation suivez les conseils de la page 161.

Conservation : 24 h au réfrigérateur, dans le linge humide ou le film plastique.

SANDWICHES AU JAMBON CRU OU AU SAUCISSON

Cette recette peut servir de base pour tous les petits pains de 400 g.

PRÉPARATION : 15 MN

MATÉRIEL DE BASE CI-DESSUS

INGRÉDIENTS POUR 24 SANDWICHES :

1 PAIN BOULE DE 400 G ÉVIDÉ ET TRANCHÉ
150 G DE JAMBON CRU OU DE SALAMI
OU DE SAUCISSON DE 2 MM D'ÉPAISSEUR
100 G DE BEURRE POMMADE

Disposez les 8 tranches de pain sur le plan de travail et beurrez-les.
Sur 4 tranches, disposez la garniture choisie, sans laisser d'espaces vides ; parez les bords.
Recouvrez avec les 4 tranches restantes en appuyant bien.
Pour la finition et la présentation, suivez les conseils de la page 161.

Conservation : 24 h au réfrigérateur, dans un linge humide ou un film plastique.

SANDWICHES AU JAMBON BLANC OU À LA VIANDE

Vous pouvez utiliser la viande froide de votre choix à condition qu'elle puisse être coupée en tranches très fines.

PRÉPARATION : 15 MN

INGRÉDIENTS POUR 48 SANDWICHES :

MATÉRIEL DE BASE P. 162

1 PAIN BOULE DE 800 G ÉVIDÉ ET TRANCHÉ
450 G DE JAMBON OU DE VIANDE FROIDE DE
3 MM D'ÉPAISSEUR
30 G DE CORNICHONS
200 G DE BEURRE MOUTARDE (P. 99)

Faites le beurre moutarde au dernier moment pour qu'il soit bien souple.
Disposez les 12 tranches de pain sur le plan de travail et tartinez-les toutes de beurre moutarde.
Sur 6 tranches, disposez le jambon ou la viande froide, sans laisser d'espaces découverts ; parez les bords. Répartissez les cornichons coupés en rondelles.
Recouvrez avec les 6 autres tranches en appuyant bien.
Pour la finition et la présentation, suivez les conseils de la page 161.

Conservation : 24 h au réfrigérateur, dans un linge humide ou un film plastique.

SANDWICHES AU BEURRE DE NOIX OU AU BEURRE DE ROQUEFORT

PRÉPARATION : 15 MN

INGRÉDIENTS POUR 48 SANDWICHES :

MATÉRIEL DE BASE P. 162

1 PAIN BOULE DE 800 G ÉVIDÉ ET TRANCHÉ
350 G DE BEURRE DE NOIX OU DE BEURRE DE ROQUEFORT (P. 100)

Sortez la garniture choisie du réfrigérateur, à l'avance, et travaillez-la à la fourchette pour qu'elle soit souple.
Posez les 6 tranches de pain les plus épaisses sur le plan de travail et tartinez-les de garniture en prenant soin de ne pas les déchirer.
Recouvrez avec les 6 tranches restantes ; appuyez bien.
Pour la finition et la présentation, suivez les conseils de la page 161.

Conservation : 24 h au réfrigérateur, dans un linge humide ou un film plastique.

SANDWICHES À LA DUXELLES DE CHAMPIGNONS

PRÉPARATION : 15 MN

INGRÉDIENTS POUR 48 SANDWICHES :

MATÉRIEL DE BASE P. 162

1 PAIN BOULE DE 800 G ÉVIDÉ ET TRANCHÉ
400 G DE DUXELLES DE CHAMPIGNONS À LA MAYONNAISE (P. 102)

Étalez 6 tranches de pain sur le plan de travail ; recouvrez-les de Duxelles en prenant soin de ne pas les déchirer.
Recouvrez avec les 6 autres tranches ; appuyez bien.
Pour la finition et la présentation, suivez les conseils de la page 161.

Conservation : 24 h au réfrigérateur, dans un linge humide ou un film plastique.

Pain boule surprise (recette p. 160)
Sandwiches au jambon de Parme (recette p. 162)
Brioche surprise de sandwiches au crabe (recette p. 167)
Coques de ruban (p. 69)

SANDWICHES AU FROMAGE BLANC ET AUX NOIX

PRÉPARATION : 20 MN

INGRÉDIENTS POUR 48 SANDWICHES :

1 PAIN BOULE DE 800 G ÉVIDÉ ET TRANCHÉ
300 G DE SAUCE FROMAGE BLANC-FINES HERBES (P. 123)
100 G DE CERNEAUX DE NOIX

MATÉRIEL DE BASE P. 162
+
RÂPE

Choisissez de préférence un pain de seigle aux raisins.
Râpez les noix.
Disposez 6 tranches de pain côte à côte sur le plan de travail.
Tartinez-les de fromage blanc-fines herbes puis parsemez toute la surface de noix râpée.
Recouvrez des 6 autres tranches en appuyant bien.
Pour la finition et la présentation, suivez les conseils de la page 161.

Conservation : 24 h au réfrigérateur, dans un linge humide ou un film plastique.

BRIOCHES SURPRISE

CONSEILS GÉNÉRAUX

La forme cylindrique de la brioche mousseline permet d'obtenir de petits sandwiches bien réguliers.
Coupez la tête et la base de la brioche avec un couteau-scie.
Couchez le cylindre restant sur le côté.
A l'aide d'une règle graduée, coupez le cylindre en 14 tranches, le plus régulièrement possible. Vous aurez nécessairement quelques tranches qui seront plus épaisses que les autres. Utilisez-les comme bases des sandwiches.
Faites les sandwiches en suivant la recette choisie.
Reconstituez le cylindre en superposant les sandwiches puis coupez-le verticalement en 6 de façon à obtenir 42 petits sandwiches triangulaires.
Replacez le cylindre découpé sur la base de la brioche. Enveloppez d'un linge humide ou de papier d'aluminium et maintenez tout en place avec 2 élastiques.
Mettez au réfrigérateur jusqu'au moment de servir.
Décorez la tête de la brioche de coques de ruban (voir page 69).
Présentez la brioche surmontée de la tête décorée.

MATÉRIEL DE BASE

Planche à pain
Couteau-scie
Règle graduée
Palette
Linge blanc humide ou papier d'aluminium
2 élastiques

SANDWICHES AU CRABE

Photo page 165

PRÉPARATION : 10 MN + DÉCOR

INGRÉDIENTS POUR 42 SANDWICHES :

MATÉRIEL DE BASE CI-DESSUS

1 BRIOCHE MOUSSELINE DE 250 G EN TRANCHES
300 G DE GARNITURE AU CRABE (P. 102)

DÉCOR :

COQUES DE RUBAN

Posez les 7 tranches les plus épaisses sur le plan de travail.
A l'aide d'une palette, recouvrez-les de garniture au crabe.
Recouvrez avec les 7 autres tranches.
Pour la finition et la présentation, reportez-vous aux indications de la page 166.

Conservation : 24 h au réfrigérateur, dans un linge humide ou un papier d'aluminium.

SANDWICHES AU THON ET AUX ANCHOIS

PRÉPARATION : 20 MN + DÉCOR

INGRÉDIENTS POUR 42 SANDWICHES :

MATÉRIEL DE BASE CI-DESSUS

1 BRIOCHE MOUSSELINE DE 250 G EN TRANCHES
180 G DE THON AU NATUREL
20 G DE FILETS D'ANCHOIS À L'HUILE
1 CUILLERÉE À SOUPE DE FINES HERBES HACHÉES
180 G DE SAUCE FAÇON CHORON (P. 115)

DÉCOR :

COQUES DE RUBAN

Faites égoutter les filets d'anchois puis coupez-les grossièrement.
Émiettez le thon.
Disposez les 7 tranches de brioche les plus épaisses sur le plan de travail.
Étalez la sauce choron ; répartissez le thon puis les filets d'anchois ; saupoudrez de fines herbes.
Recouvrez avec les 7 tranches restantes ; appuyez bien.
Pour la finition et la présentation, reportez-vous aux indications de la page 166.

Conservation : 24 h au réfrigérateur, dans un linge humide ou un papier d'aluminium.

MINI-PAINS BRIOCHÉS

MINI-PAINS AU CHAUD-FROID

PRÉPARATION : 20 MN

INGRÉDIENTS POUR 40 SANDWICHES :

40 MINI-PAINS BRIOCHÉS OVALES (P. 438)
4 CUILLERÉES À SOUPE DE SAUCE CHAUD-FROID (P. 329)
400 G DE CHAIR DE POULET CUIT
SEL, POIVRE
CURRY OU CONCENTRÉ DE TOMATE (FACULTATIF)

MATÉRIEL :

ROBOT COMPACT OU MIXER
OU HACHOIR
LINGE BLANC HUMIDE
OU FILM PLASTIQUE
POCHE À DOUILLE

Hachez finement le poulet.
Mélangez le poulet à la sauce chaud-froid et à l'assaisonnement choisi.
Ouvrez les mini-pains sans détacher les 2 moitiés ; garnissez-les de mélange en vous aidant d'une poche à douille.
Refermez-les en appuyant légèrement. Enveloppez-les dans un linge humide ou un film plastique et mettez-les au réfrigérateur jusqu'au moment de servir.

Conservation : 24 h au réfrigérateur, enveloppés.

Conseil : ces sandwiches sont particulièrement recommandés si un de vos plats de buffet est un poulet en chaud-froid.

MINI-PAINS AU GRUYÈRE

Photo page 40

PRÉPARATION : 20 MN

INGRÉDIENTS POUR 24 SANDWICHES :

24 MINI-PAINS BRIOCHÉS OVALES (P. 438)
140 G DE GRUYÈRE
50 G DE BEURRE MOUTARDE (P. 99)
1 PINCÉE DE SEL FIN ET DE POIVRE MOULU

MATÉRIEL :

LINGE BLANC HUMIDE
OU FILM PLASTIQUE

Préparez le beurre moutarde au dernier moment pour qu'il soit souple.
Coupez le gruyère en lamelles puis en rectangles de la taille des mini-pains ; assaisonnez-le.
Ouvrez les mini-pains sans détacher les 2 moitiés ; tartinez l'intérieur de beurre moutarde puis garnissez chacun d'un petit rectangle de gruyère. Refermez en appuyant légèrement.
Enveloppez les mini-pains dans un linge humide ou un film plastique et mettez-les au réfrigérateur jusqu'au moment de servir.

Conservation : 24 h au réfrigérateur, enveloppés.

MINI-PAINS AU JAMBON

PRÉPARATION : 20 MN

INGRÉDIENTS POUR 24 SANDWICHES :

24 MINI-PAINS BRIOCHÉS OVALES (P. 438)
140 G DE JAMBON BLANC DE 3 MM D'ÉPAISSEUR
50 G DE BEURRE MOUTARDE (P. 99)

MATÉRIEL :

LINGE BLANC HUMIDE
OU FILM PLASTIQUE

Préparez le beurre moutarde au dernier moment pour qu'il soit souple.
Coupez le jambon en 24 petits rectangles de la taille des mini-pains (dans une tranche de jambon de Paris rectangulaire, on peut couper environ 14 petits rectangles).
Ouvrez les mini-pains sans détacher les 2 moitiés ; tartinez-les de beurre moutarde puis garnissez-les d'un rectangle de jambon.
Refermez-les en appuyant légèrement.
Enveloppez-les dans un linge humide ou dans un film plastique et mettez-les au réfrigérateur jusqu'au moment de servir.

Conservation : 24 h au réfrigérateur, enveloppés.

MINI-PAINS À LA MOUSSE DE FOIE GRAS

PRÉPARATION : 15 MN

INGRÉDIENTS POUR 24 SANDWICHES :

24 MINI-PAINS BRIOCHÉS OVALES (P. 438)
75 G DE MOUSSE DE FOIE GRAS (P. 104)
75 G DE BEURRE POMMADE
1 CUILLERÉE 1/2 À SOUPE DE PORTO, COGNAC OU MADÈRE
1 PINCÉE DE SEL ET DE POIVRE MOULU

MATÉRIEL :

POCHE À DOUILLE DE ∅ 1 CM (FACULTATIF)
LINGE BLANC HUMIDE OU FILM PLASTIQUE

Mélangez la mousse de foie gras, le beurre pommade et l'alcool de votre choix ; assaisonnez.
Ouvrez les mini-pains sans détacher les 2 côtés ; garnissez-les de préparation à l'aide d'un couteau ou d'une poche à douille.
Refermez-les en appuyant légèrement.
Enveloppez-les dans un linge humide ou dans un film plastique et mettez-les au réfrigérateur jusqu'au moment de servir.

Conservation : 24 h au réfrigérateur, enveloppés.

CHAPITRE VI

PETITES PIÈCES, CHAUDES ET FROIDES

PETITES PIÈCES EN CROÛTE

- Fonds en pâte brisée
- Feuilletage classique
- Allumettes au fromage
- Épinards en croustades
- Feuilletés pissaladière
- Feuilletés au roquefort
- Palmiers au fromage
- Sacristains au fromage
- Sacristains au saumon fumé
- Saucisses feuilletées

PETITES PIÈCES AUX FRUITS

- Ananas, banane, ou pruneaux au bacon

PETITES PIÈCES AUX LÉGUMES

- Céleri au roquefort
- Champignons farcis
- Concombre farci
- Tomates macédoine

PETITES PIÈCES AUX ŒUFS

- Cubes d'omelette aux olives
- Œufs durs à la tapenade
- Œufs garnis en dents de loup

PETITES PIÈCES AU PAIN GRILLÉ

- Bulotade
- Croque-monsieur
- Croque-madame
- Rôties à la tapenade

PETITES PIÈCES EN CROÛTE

FONDS EN PÂTE BRISÉE

Photo page 217

Je vous conseille de les faire la veille du jour où vous voulez les garnir.

PRÉPARATION : 15 MN
TEMPS DE REPOS : 1 H + 1 H
FONÇAGE : 15 À 30 MN
CUISSON : 10 À 30 MN SELON LA TAILLE

INGRÉDIENTS POUR 950 G DE PÂTE
(soit 3 fonds de ∅ 26 cm ou 30 tartelettes de ∅ 8 cm ou 60 barquettes lunch de 8 cm de long ou 80 barquettes petits fours de 6 cm de long) :

500 G DE FARINE TAMISÉE
350 À 400 G DE BEURRE
2 ŒUFS
2 À 3 CUILLERÉES À SOUPE DE LAIT
1 CUILLERÉE À SOUPE DE SUCRE SEMOULE
1 CUILLERÉE À SOUPE DE SEL

POUR LA CUISSON :

LÉGUMES SECS OU NOYAUX DE CERISES LAVÉS ET SÉCHÉS

MATÉRIEL :

PLAQUE DU FOUR
BOL PÉTRISSEUR ET CROCHET (FACULTATIF)
ROULEAU À PÂTISSERIE
CERCLES MÉTALLIQUES OU MOULES
PAPIER BLANC

Si vous utilisez une certaine proportion de beurre salée (jusqu'à la moitié), diminuez d'autant la quantité de sel indiquée.

Si vous avez un bol pétrisseur électrique

Malaxez dans le bol le sucre et le sel avec le beurre ajouté par morceaux. Incorporez ensuite les 2 œufs et le lait, mélangez pendant quelques secondes puis ajoutez la farine en une fois.

Travaillez le moins longtemps possible. Cette pâte ne doit pas être élastique. Il n'y a pas d'inconvénient à ce qu'il reste de petits morceaux de beurre.

Si vous n'avez pas de bol pétrisseur

Préparez tous les ingrédients devant vous.

Faites une fontaine dans la farine, incorporez le sucre et le sel sur le bord de la farine, puis incorporez au centre de la fontaine la moitié du beurre coupé en morceaux et les œufs que vous évitez de mettre en contact direct avec le sel qui les brûlerait. Pétrissez le tout.

Travaillez la pâte le moins longtemps possible. Dès qu'elle est grossièrement sablée, ajoutez le reste du beurre en morceaux et fraisez rapidement en poussant la pâte sous la paume de la main tout en ajoutant le lait. Rassemblez la pâte en boule.

Enveloppez la boule de pâte dans un linge propre ou dans un film plastique et laissez-la reposer au réfrigérateur au moins 1 h et au mieux une nuit. Il ne faut jamais l'abaisser immédiatement.
Sur le plan de travail propre et légèrement fariné, abaissez la quantité désirée avec le rouleau à pâtisserie également fariné.
Utilisez les cercles ou les moules comme patrons pour découper la pâte, sans oublier de tenir compte de la hauteur des bords. Pour les tartelettes, vous pouvez vous servir d'un emporte-pièce.
Beurrez légèrement cercles ou moules avant de les foncer. Si vous utilisez des cercles, beurrez également la plaque du four et foncez les cercles sur la plaque. Laissez reposer pendant encore 1 h au réfrigérateur. Si vous avez coupé un peu trop large, enlevez l'excédent de pâte tout autour des moules ou des cercles avec un couteau ou une palette.
Pour précuire le fond seul, piquez toute la surface de la pâte avec une fourchette à dents fines ; chemisez de papier sulfurisé ou de papier beurré dépassant du moule et remplissez de légumes secs ou de noyaux de cerises pour que la pâte cuise sans gonfler.
Chauffez le four à 200° (th. 6).
Faites cuire les grands cercles pendant 30 mn et les petits moules pendant 10 à 15 mn selon la taille.
Après cuisson, enlevez les légumes secs ou les noyaux de cerises et le papier. Ne sortez pas les fonds des moules si vous voulez les conserver.

Conservation : la pâte crue, 8 jours au réfrigérateur, bien enveloppée ; les fonds précuits, dans les moules, 4 à 5 jours au sec, dans une boîte hermétiquement fermée.

Congélation : la pâte crue, 2 mois, enveloppée dans un film plastique. Laissez-la reprendre 24 h au réfrigérateur avant de l'abaisser.

FEUILLETAGE CLASSIQUE

PRÉPARATION : 30 MN

TEMPS DE REPOS : 5 H

INGRÉDIENTS POUR 1,2 KG DE PÂTE :

500 G DE FARINE (TYPE 45)
75 G DE BEURRE POMMADE
15 G DE SEL
500 G DE BEURRE FIN

MATÉRIEL :

BOL PÉTRISSEUR
CORNE PLASTIQUE
BOL DE 1,5 LITRE
ROULEAU À PÂTISSERIE
2 FEUILLES DE PLASTIQUE

Dans le bol pétrisseur, mélangez à petite vitesse en 30 secondes la farine et le beurre pommade, puis le sel dissous dans 1/4 de litre d'eau. Si le mélange n'est pas parfait, finissez à la main avec la corne en plastique. Donnez au mélange la forme d'une boule, quadrillez la surface avec un couteau et laissez au réfrigérateur pendant 2 h dans un récipient couvert. On appelle ce mélange une « détrempe ».
Mettez 500 g de beurre froid entre 2 feuilles de plastique et tapez dessus avec le plat de la main pour le rendre homogène tout en le laissant ferme.
Étalez la détrempe en carré en appuyant dessus avec la paume de la main, posez le beurre au centre, rabattez les bords pour enfermer le beurre comme dans une enveloppe. Saupoudrez de farine le plan de travail et le rouleau à pâtisserie.

Donnez le 1er tour : allongez d'abord l'abaisse, pliez-la ensuite en 3, faites-lui faire 1/4 de tour, puis allongez-la à nouveau au rouleau.
Donnez un 2e tour en procédant de la même manière.
Enveloppez la pâte dans un linge et mettez-la au réfrigérateur pendant 1 h. Donnez à nouveau 1 tour. Remettez au réfrigérateur pendant 1 h avant utilisation.

Conservation : la pâte ne peut être conservée que 3 ou 4 jours au réfrigérateur ; après cette durée, elle noircit. Divisez-la en pâtons et emballez-la soigneusement dans du papier d'aluminium ou un film plastique. Faites un nombre de pâtons correspondant à l'utilisation que vous voulez faire de la pâte, sans oublier qu'il est facile de partager un pâton mais pratiquement impossible de recoller ensemble plusieurs bouts. En ce qui concerne les recettes de ce livre, la division la plus commode consiste en 3 pâtons pesant respectivement 350 g, 350 g et 500 g.

Congélation : 2 mois, enveloppée dans un papier d'aluminium ou un film plastique. Sortez la pâte du congélateur 24 h avant de l'utiliser et laissez-la reprendre au réfrigérateur.

Conseil : pour abaisser le feuilletage régulièrement, découpez des réglettes de 25 cm de long dans des bandes étroites de carton fort. Selon l'épaisseur désirée, superposez 2 ou 3 réglettes de chaque côté de la pâte ; elles serviront de cadre et vous pourrez ainsi abaisser à 1,5, 2 ou 3 mm.

ALLUMETTES AU FROMAGE

PRÉPARATION : 25 MN

CUISSON : 10 MN × 2

INGRÉDIENTS POUR 80 PIÈCES :

500 G DE FEUILLETAGE
100 G DE GRUYÈRE RAPÉ FIN BIEN SEC
SOUPÇON DE 4 ÉPICES
PINCÉE DE SEL

MATÉRIEL :

PLAQUE DU FOUR
ROULEAU À PÂTISSERIE
RÈGLE DE 30 CM
PAPIER SILICONÉ

POUR LE BUFFET :

2 OU 3 ASSIETTES
OU BOLS DE SERVICE

Préparez le feuilletage et le fromage râpé, la veille.
Incorporez les 4 épices au râpé.
Sur le plan de travail légèrement fariné, donnez 2 tours au feuilletage en incorporant à chaque tour la moitié du râpé et du sel. Mettez au congélateur 5 mn.
Chauffez le four à 200° (th. 6). Respectez bien cette température qui vous permettra de faire gonfler le feuilletage.
Abaissez le feuilletage à 2 mm d'épaisseur.
Coupez l'abaisse en 2. Réservez une moitié pliée sur une assiette au réfrigérateur. En vous aidant de la règle, découpez l'autre en bandes d'1,5 cm de large que vous détaillez ensuite en allumettes de 7 cm de long environ.
Disposez une quarantaine d'allumettes sur la plaque du four recouverte de papier siliconé.
Faites cuire à 200° (th. 6) pendant 10 mn.
Pendant la cuisson, sortez du réfrigérateur la pâte réservée et préparez-la de la même façon.
Servez froid ou chaud sur des assiettes ou dans des bols.

Conservation : 8 jours au sec dans une boîte hermétique. Vous pouvez passer 5 mn au four à 170° (th. 5) pour réchauffer avant de servir.

ÉPINARDS EN CROUSTADES

Les fonds de pâte brisée et l'appareil aux épinards peuvent être préparés à l'avance, mais il est préférable d'attendre le dernier moment pour garnir et cuire les croustades.

PRÉPARATION : 5 À 10 MN

CUISSON : 9 À 15 MN

INGRÉDIENTS POUR 15, 30 OU 45 PIÈCES :

1,3 KG DE GARNITURE AUX ÉPINARDS (P. 360)
FONDS DE PÂTE BRISÉE PRÉCUITS DANS LEURS MOULES,
SOIT : 15 TARTELETTES DE ∅ 8 CM
OU 30 BARQUETTES LUNCH DE 8 CM DE LONG
OU 45 BARQUETTES PETITS FOURS

MATÉRIEL :

CELUI DE LA GARNITURE AUX ÉPINARDS
+
CELUI DE LA PÂTE BRISÉE

POUR LE BUFFET :

PLATS
OU PLATEAU DE SERVICE

Répartissez la garniture aux épinards dans les fonds à la dernière minute pour ne pas ramollir la pâte.
Chauffez le four à 170° (th. 5).

Faites cuire les croustades pendant 9, 12 ou 15 mn selon la taille. Démoulez, dressez sur les plats ou le plateau de service et servez immédiatement.

Conseil : les épinards en croustades peuvent également être présentés en accompagnement d'un plat chaud de poisson ou de viande blanche.

FEUILLETÉS PISSALADIÈRE

Photo page 179

La garniture peut être préparée quelques jours à l'avance.

PRÉPARATION : 15 MN + 15 MN

CUISSON : 10 MN + 15 MN

INGRÉDIENTS POUR 25 À 30 PIÈCES :

350 G DE FEUILLETAGE (P. 174)
300 G DE PULPE DE TOMATES
350 G D'OIGNONS
10 FILETS D'ANCHOIS À L'HUILE
30 PETITES OLIVES DE NYONS
2 CUILLERÉES À SOUPE DE CONCENTRÉ DE TOMATE
1 CUILLERÉE À CAFÉ DE PERSIL HACHÉ
SOUPÇON D'ORIGAN
4 CUILLERÉES À SOUPE D'HUILE D'OLIVE
2 CUILLERÉES À CAFÉ DE SEL FIN
1 PINCÉE DE POIVRE

MATÉRIEL :

PLAQUE DU FOUR
2 POÊLES
ROULEAU À PÂTISSERIE
EMPORTE-PIÈCE DE 6 CM

POUR LE BUFFET :

2 OU 3 ASSIETTES
OU PLAT DE SERVICE

Préparez le feuilletage la veille en lui donnant 2 tours supplémentaires pour qu'il soit à 5 tours ; laissez-le reposer au réfrigérateur.
Hachez finement les oignons. Faites-les cuire doucement dans la moitié de l'huile pendant 10 mn sans les laisser colorer ; remuez-les avec une spatule en bois.
Pendant ce temps, faites sécher la pulpe de tomates avec le concentré dans le reste de l'huile, à feu assez vif, en remuant souvent. Salez et poivrez. En fin de cuisson, ajoutez persil et origan. Dans un bol, mélangez la garniture d'oignons et de pulpe de tomates aromatisée.
Allumez le four à 220° (th. 7).
Sur le plan de travail légèrement fariné, abaissez le feuilletage très finement (1,5 mm d'épaisseur) ; à l'emporte-pièce, coupez dans l'abaisse des ronds de ∅ 6 cm.
Posez les ronds de pâte sur la plaque du four humide. Piquez-les sur toute leur surface avec une fourchette très pointue. Au centre de chaque rond, posez une cuillerée à café de garniture.

Faites cuire pendant 10 à 15 mn à 220° en surveillant la coloration ; si celle-ci n'est pas régulière, tournez la plaque à mi-cuisson.
A la sortie du four, décorez chaque petit feuilleté de 1/3 de filet d'anchois et d'une olive.
Servez chaud, de préférence, sur des assiettes ou un plat de service chauffés.

Conservation : la garniture, 4 à 5 jours au réfrigérateur, dans un récipient fermé ; les feuilletés finis, 24 h à température ambiante (pour les réchauffer, passez-les 5 mn au four à 180°, th. 5).

FEUILLETÉS AU ROQUEFORT

Photo page 183

PRÉPARATION : 20 MN

CUISSON : 15 MN

INGRÉDIENTS POUR 20 PIÈCES :

350 G DE FEUILLETAGE (P. 174)
1 ŒUF

GARNITURE :

75 G DE ROQUEFORT
2 DL DE LAIT
2 CUILLERÉES À SOUPE RASES DE FARINE FLUIDE
1 NOIX DE BEURRE
2 JAUNES D'ŒUFS
SOUPÇON DE MUSCADE

MATÉRIEL :

CASSEROLE DE 2 LITRES
FOUET
ROULEAU À PÂTISSERIE
EMPORTE-PIÈCE DE ∅ 6 CM
PINCEAU
PLAQUE DU FOUR

POUR LE BUFFET :

PLAT DE SERVICE

Préparez le feuilletage la veille ; donnez-lui 2 tours supplémentaires pour qu'il soit à 5 tours et laissez-le reposer au réfrigérateur.
Chauffez le four à 220° (th. 7).
Sur le plan de travail légèrement fariné, abaissez le feuilletage à 3 mm d'épaisseur. A l'emporte-pièce, coupez 20 ronds de ∅ 6 cm ; posez-les sur la plaque du four humide ; dorez-les à l'œuf battu puis rayez-les en croix avec une fourchette. Faites cuire 10 à 15 mn en surveillant.
Dans la casserole, mélangez tous les ingrédients de la garniture, portez à ébullition puis laissez cuire pendant 2 mn en fouettant sans arrêt.
Après cuisson des feuilletés, ouvrez-les en deux et garnissez-les d'une cuillerée à café bombée de garniture au roquefort chaude. Refermez.
Servez chaud sur le plat de service.

Conservation : la garniture, 24 h au réfrigérateur, dans un récipient fermé ; réchauffez-la au bain-marie avant de garnir les feuilletés. Les feuilletés garnis, 12 h au réfrigérateur, sur une planchette ; réchauffez-les 10 mn au four à 200° (th. 6).

Feuilletés pissaladière (recette p. 177)
Palmiers au fromage (recette p. 180)

PALMIERS AU FROMAGE

Photo page 179

PRÉPARATION : 25 MN

TEMPS DE REFROIDISSEMENT : 10 MN

CUISSON : 10 MN

INGRÉDIENTS POUR 60 PIÈCES :

200 G DE FEUILLETAGE (P. 174)
50 G DE GRUYÈRE
SOUPÇON DE MUSCADE
POIVRE DU MOULIN
1 CUILLERÉE À SOUPE DE GROS SEL

MATÉRIEL :

PLAT LONG
PLAQUE DU FOUR
ROULEAU À PÂTISSERIE
RÈGLE GRADUÉE
PAPIER SILICONÉ

POUR LE BUFFET :

PLAT DE SERVICE

La veille, préparez le feuilletage et râpez le gruyère très finement pour qu'il soit bien sec.
Sur le plan de travail fariné, donnez 2 tours au feuilletage en incorporant à chaque tour la moitié du gruyère râpé, du poivre du moulin et un soupçon de muscade.
Mettez la pâte au congélateur pendant 5 mn.
Chauffez le four à 200° (th. 6).
Abaissez la pâte en une bande de 15 × 30 cm environ. Repliez-la dans la longueur de manière à amener les deux bords de 30 cm sur la ligne du milieu ; refermez ensuite les deux plis l'un contre l'autre pour avoir 4 épaisseurs de pâte superposées (voir photo).
Posez la longue bande repliée sur un plat et mettez-la au congélateur pendant 5 mn.
Sortez la bande durcie et détaillez-la en tranches de 0,5 cm d'épaisseur pour former une soixantaine de palmiers. Posez les palmiers à plat sur la plaque du four recouverte de papier siliconé, en les espaçant un peu car ils s'étalent à la cuisson. Saupoudrez de la moitié du gros sel grossièrement concassé.
Faites cuire à 200° (th. 6) pendant 10 mn environ et laissez refroidir.
Servez froid ou chaud sur le plat de service.

Conservation : 8 jours dans un endroit sec, dans une boîte hermétique. Pour réchauffer, passez 5 mn au four à 180° (th. 5).

SACRISTAINS AU FROMAGE

Photo page 183

PRÉPARATION : 25 MN

TEMPS DE REFROIDISSEMENT : 5 MN

CUISSON : 15 MN × 2

INGRÉDIENTS POUR 80 PIÈCES :

450 G DE FEUILLETAGE (P. 174)
100 G DE GRUYÈRE
SOUPÇON DE MUSCADE
POIVRE DU MOULIN
1 CUILLERÉE À SOUPE DE GROS SEL

MATÉRIEL :

PLAQUE DU FOUR
ROULEAU À PÂTISSERIE
COUTEAU CHEF

POUR LE BUFFET :

ASSIETTES
OU BOLS DE SERVICE

Préparez le feuilletage la veille : il faut utiliser un feuilletage bien froid car, s'il était mou, vous ne pourriez pas le façonner et il faut opérer rapidement. Râpez également le gruyère la veille pour qu'il sèche bien.
Sur le plan de travail légèrement fariné, donnez 2 tours au feuilletage en incorporant à chaque tour 1/3 de gruyère râpé, du poivre du moulin, un soupçon de muscade.
Mettez au congélateur pendant 5 mn.
Chauffez le four à 200° (th. 6). Respectez bien cette température qui permettra au feuilletage de gonfler.
Abaissez le feuilletage à 2 mm d'épaisseur ; parsemez-le du gruyère râpé restant, de poivre, de gros sel concassé. Passez le rouleau pour enfoncer légèrement gruyère et assaisonnement dans la pâte.
Coupez l'abaisse en 2 ; pliez une des moitiés sur une assiette et mettez-la au réfrigérateur. Détaillez l'autre moitié en rectangles de 2 × 7 cm ; roulez deux fois chaque rectangle sur lui-même, comme une papillote, pour former les sacristains (photo).
Posez les sacristains sur la plaque du four humide, sans oublier qu'ils vont gonfler et raccourcir à la cuisson. Faites-les cuire pendant 10 mn à 200° (th. 6) puis pendant 5 mn à 180° (th. 5).
Pendant la cuisson, sortez le feuilletage restant du réfrigérateur, préparez de la même façon 40 autres sacristains que vous mettrez à cuire après les premiers.
Servez froid ou chaud, sur une assiette ou dans un bol.

Conservation : 8 jours au sec, dans une boîte hermétique. Vous pouvez réchauffer en passant 5 mn au four à 180° (th. 5).

SACRISTAINS AU SAUMON FUMÉ

Photo ci-contre

PRÉPARATION : 25 MN

TEMPS DE REFROIDISSEMENT : 30 MN ENVIRON

CUISSON : 15 MN

INGRÉDIENTS POUR 40 PIÈCES :

450 G DE FEUILLETAGE (P. 174)
200 G DE SAUMON FUMÉ
1 ŒUF
QUELQUES FEUILLES D'ANETH
SOUPÇON DE POIVRE

MATÉRIEL :

PLAQUE DU FOUR
ROULEAU À PÂTISSERIE
RÈGLE GRADUÉE
PINCEAU
PAPIER SILICONÉ

POUR LE BUFFET :

BOLS OU PLAT DE SERVICE

Préparez le feuilletage la veille en lui donnant 2 tours supplémentaires pour qu'il soit à 5 tours ; laissez-le reposer au réfrigérateur.
Si le saumon n'est pas coupé très finement, aplatissez-le le plus possible avec le rouleau à pâtisserie.
Hachez l'aneth.
Sur le plan de travail légèrement fariné, abaissez le feuilletage en un rectangle de 40 × 20 cm et de 1,5 mm d'épaisseur.
Dorez au pinceau avec l'œuf battu ; parez les bords pour que la forme soit bien régulière.
Coupez l'abaisse en 2 carrés de 20 × 20 cm.
Sur un des carrés, disposez le saumon en recouvrant bien toute la surface ; éparpillez l'aneth, poivrez. Couvrez avec le deuxième carré en retournant celui-ci pour que le côté doré à l'œuf soit contre le saumon.
Aplatissez au rouleau à pâtisserie sans écraser puis coupez en bandes de 10 cm de large. Placez les bandes bien à plat sur une planchette et mettez-les au réfrigérateur pendant environ 30 mn pour les faire durcir.
Faites chauffer le four à 200° (th. 6).
Détaillez chaque bande en rectangles de 1,5 cm × 10 cm ; roulez 2 fois chaque rectangle sur lui-même, comme une papillote, pour former les sacristains (voir photo). Rangez les sacristains sur la plaque du four recouverte de papier siliconé.
Faites cuire pendant 10 mn à 200° (th. 6), puis pendant encore 5 mn à 170° (th. 5).
Servez chaud ou froid, sur un plat ou dans un bol.

Conservation : 3 jours au sec, dans une boîte hermétique. Pour réchauffer, passez 5 mn au four à 180° (th. 5).

Feuilletés au roquefort (recette p. 178)
Sacristains au saumon fumé (recette ci-dessus)
Sacristains au fromage (recette p. 181)

SAUCISSES FEUILLETÉES

Photo page 40

PRÉPARATION : 20 MN

TEMPS DE REFROIDISSEMENT : 30 MN

CUISSON : 18 À 20 MN

INGRÉDIENTS POUR 30 PIÈCES :

250 G DE FEUILLETAGE (P. 174)
250 G DE CHAIR À SAUCISSE
1 ŒUF

MATÉRIEL :

PLAQUE DU FOUR
ROULEAU À PÂTISSERIE
POCHE À DOUILLE DE ⌀ 1,5 CM
PINCEAU

POUR LE BUFFET :

PLAT DE SERVICE

Préparez le feuilletage la veille ; donnez-lui encore 2 tours pour qu'il soit à 5 tours ; laissez-le reposer au réfrigérateur.
Étalez le feuilletage bien froid sur le plan de travail légèrement fariné. Formez une abaisse rectangulaire de 1,5 mm d'épaisseur.
Taillez des bandes de 8 cm de large.
Avec la poche à douille, étalez un boudin de chair à saucisse au milieu de chaque bande. Rabattez un côté de la bande sur la chair à saucisse ; au pinceau, mouillez légèrement le dessus du bord rabattu puis roulez en cylindres.
Placez les cylindres sur une planchette en mettant le rabat en dessous ; mettez-les au réfrigérateur pendant 30 mn pour les faire durcir.
Faites chauffer le four à 220° (th. 7).
Détaillez les cylindres en tronçons de 4 cm de long. Disposez-les sur la plaque du four légèrement humide en appuyant sur chaque pièce pour qu'elle ne se déroule pas à la cuisson. Dorez à l'œuf battu.
Faites cuire à 220° pendant 5 mn, puis à 200° (th. 6) pendant 13 à 15 mn. Surveillez la coloration.
Servez chaud dans un petit plat chauffé.

Conservation : 48 h au réfrigérateur, sur une planchette couverte. Faites réchauffer au four pendant 10 mn à 180° (th. 5).

Congélation : elle se fait avant cuisson. Laissez les saucisses feuilletées durcir bien à plat au congélateur puis mettez-les dans un sac plastique congélation.
Avant de les faire cuire, laissez-les décongeler pendant 2 h au réfrigérateur, sur une planchette ou sur la plaque de cuisson.

Conseil : abaissez le feuilletage très finement ; s'il était trop épais, les pièces auraient tendance à se dérouler.

PETITES PIÈCES AUX FRUITS

ANANAS, BANANE, OU PRUNEAUX AU BACON

PRÉPARATION : 10 MN

CUISSON : 10 MN

INGRÉDIENTS POUR 20 PIÈCES :

20 CUBES D'ANANAS
OU 20 RONDELLES DE BANANE
OU 20 PRUNEAUX DÉNOYAUTÉS
10 TRANCHES DE POITRINE FUMÉE DE 2 MM D'ÉPAISSEUR
1 BELLE POMME (FACULTATIF)

MATÉRIEL :

PLAT DE SERVICE ALLANT AU FOUR
COUTEAU D'OFFICE
20 PIQUES EN BOIS

Avec les pruneaux, pour obtenir un résultat encore plus moelleux, coupez une pomme en dés et fourrez chaque pruneau d'un dé de pomme.
Coupez les tranches de poitrine fumée en 2 et ôtez les cartilages.
Entourez chaque fruit, ou morceau de fruit, d'une demi-tranche de poitrine ; faites tenir en enfonçant un pique en bois.
Faites chauffer le four à 220° (th. 7).
Posez les fruits au bacon côte à côte sur le plat de service. Dès que le four est chaud, faites-les dorer pendant 10 mn.
Servez immédiatement.

Conservation : avant cuisson, 48 h au réfrigérateur, dans le plat couvert (24 h seulement pour des pruneaux fourrés à la pomme).

PETITES PIÈCES AUX LÉGUMES

CÉLERI AU ROQUEFORT

Photo page 25

PRÉPARATION : 30 MN

TEMPS DE REFROIDISSEMENT : 1 H

INGRÉDIENTS POUR 60 À 80 PIÈCES :

1 BEAU PIED DE CÉLERI EN BRANCHES
350 G DE BEURRE DE ROQUEFORT (P. 101)

MATÉRIEL :

PALETTE SOUPLE
PLANCHE

POUR LE BUFFET :

3 ASSIETTES OU RAVIERS

Une heure à l'avance, sortez le beurre de roquefort du réfrigérateur pour qu'il ramollisse.
Détachez les côtes du céleri, lavez-les et enlevez les fibres (voir photo p. 346).
Avec une palette, remplissez l'intérieur de chaque côte de beurre de roquefort en formant un dôme.
Coupez-les en tronçons de 5 à 6 cm de long. Rangez-les sur les assiettes ou raviers de service et faites-les durcir au réfrigérateur pendant au moins 1 h.
Servez bien froid.

Conservation : 2 jours au réfrigérateur sur une planchette, recouverts d'un linge.

CHAMPIGNONS FARCIS

Il y a tout un choix de garnitures.

PRÉPARATION : 20 MN

INGRÉDIENTS POUR 20 PIÈCES :

20 TÊTES DE CHAMPIGNONS DE ∅ 3 CM, CRUES OU MARINÉES (P. 372)
1 CITRON (FACULTATIF)
2 PINCÉES DE SEL (FACULTATIF)

GARNITURE ET DÉCOR :

180 G DE SAUCE FROMAGE BLANC-FINES HERBES (P. 123)
ET 2 CUILLERÉES À CAFÉ DE FINES HERBES HACHÉES
OU 180 G DE SAUCE TARTARE (P. 118)
ET 2 CUILLERÉES À CAFÉ DE CÂPRES
OU 180 G DE SAUCE CRESSONNETTE (P. 116)
ET QUELQUES BRINS DE PERSIL
OU 180 G DE GARNITURE AU CRABE (P. 102)
ET CONCENTRÉ DE TOMATE

MATÉRIEL :

PRESSE-FRUITS
POCHE À DOUILLE DE ∅ 1 CM

POUR LE BUFFET :

RAVIER DE SERVICE

Si vous utilisez des champignons nature, lavez rapidement les têtes, coupez une mince lamelle au sommet pour pouvoir les poser bien à plat. Pressez le

citron dans un bol et roulez dedans les champignons un par un pour qu'ils restent bien blancs ; salez légèrement.
Si vous utilisez des têtes de champignons marinées, faites-les égoutter puis coupez une mince lamelle au sommet.
Posez les champignons côte à côte dans le ravier. Garnissez-les copieusement de la préparation choisie à l'aide de la poche à douille puis posez le décor.

Conservation : 12 h pour les champignons nature, 24 h pour les champignons marinés, au réfrigérateur, dans le ravier couvert.

CONCOMBRE FARCI

Photo page 51

PRÉPARATION : 25 MN

INGRÉDIENTS POUR 10 PIÈCES :

1 CONCOMBRE DE 450 G ENVIRON
80 G DE GARNITURE AU CRABE (P. 102)
ET 20 G DE CÉLERI EN BRANCHES
OU 90 G DE SAUCE TARTARE (P. 118)
OU 90 G DE SAUCE CRESSONNETTE (P. 116)

MATÉRIEL :

GRILLE
EMPORTE-PIÈCE DE ∅ 2,5 CM (FACULTATIF)
ÉPLUCHE-LÉGUMES
CUILLER PARISIENNE
ASSIETTE
OU RAVIER DE SERVICE

FINITION (FACULTATIF) :

GELÉE CLAIRE

L'emporte-pièce permet une présentation beaucoup plus nette : lavez le concombre, ôtez les 2 extrémités, coupez-le en tronçons de 2 cm de long. Recoupez chaque tronçon à l'emporte-pièce pour l'éplucher et l'égaliser.
Si vous n'avez pas d'emporte-pièce, lavez et pelez le concombre, ôtez les extrémités puis coupez-le en tronçons de 2 cm de long.
Creusez l'intérieur de chaque tronçon jusqu'à mi-hauteur avec une cuiller parisienne ou un épluche-légumes, salez légèrement.
Si vous utilisez la garniture au crabe, incorporez le céleri haché très finement.
A l'aide d'une palette, garnissez les tronçons de concombre de la garniture choisie en formant un dôme. Posez le concombre sur une grille pour le faire égoutter.
Quand le concombre est bien égoutté, dressez les tronçons garnis sur le plat de service et mettez au réfrigérateur jusqu'au dernier moment pour servir très frais.
Finition facultative : nappez de gelée claire.

Conservation : 12 h au réfrigérateur, sur le plat de service couvert.

TOMATES MACÉDOINE

Photo page 269

PRÉPARATION : 20 MN

INGRÉDIENTS POUR 10 PIÈCES :

10 PETITES TOMATES BIEN RONDES DE 45 G
300 G DE MACÉDOINE DE LÉGUMES (P. 376)
SEL FIN

MATÉRIEL :

GRILLE
PLAT DE SERVICE
PINCEAU

FINITION :

GELÉE CLAIRE

Coupez les tomates aux 2/3 de leur hauteur, évidez les pépins avec une petite cuiller sans abîmer la chair. Salez l'intérieur et retournez les tomates sur une grille. Laissez-les 30 mn pour que l'eau de végétation s'égoutte. Garnissez-les copieusement de macédoine puis nappez de gelée claire. Dressez sur le plat de service.
Mettez au réfrigérateur jusqu'au dernier moment pour servir très frais.

Conservation : 24 h au réfrigérateur sur le plat de service (ou une planchette) couvert.

PETITES PIÈCES AUX ŒUFS

CUBES D'OMELETTE AUX OLIVES

PRÉPARATION : 15 MN

CUISSON : 8 À 10 MN

INGRÉDIENTS POUR 60 PIÈCES :

12 ŒUFS
150 G D'OLIVES NOIRES DÉNOYAUTÉES
250 G DE CRÈME DOUBLE
SOUPÇON DE MUSCADE
SEL FIN, POIVRE BLANC

MATÉRIEL :

MOULE CARRÉ
OU RECTANGULAIRE
PLAQUE À RÔTIR DU FOUR
GRAND BOL
OU CUL-DE-POULE

POUR LE BUFFET :

PLAT DE SERVICE
60 PIQUES EN BOIS

GARNITURE :

200 G D'ÉPINARDS CUITS HACHÉS
OU 200 G DE GRUYÈRE RÂPÉ
OU 200 G DE PULPE DE TOMATES
OU 200 G DE CHAMPIGNONS ÉTUVÉS (P. 347)

Faites chauffer le four à 200° (th. 6).
Coupez les olives en lamelles. Si vous choisissez la garniture aux champignons, émincez les champignons étuvés.
Battez les œufs en omelette, assaisonnez-les, ajoutez les olives et la garniture choisie, puis la crème. Mélangez bien. Versez dans le moule copieusement beurré.
Préparez un bain-marie en versant 2 verres d'eau dans la plaque à rôtir du four ; posez délicatement le moule dedans.
Faites cuire pendant 8 à 10 mn à 200° (th. 6).
Démoulez encore chaud sur le plat de service ; coupez en bandes de 2,5 cm de côté, puis en cubes. Mettez un pique dans chaque cube.
Servez tiède ou froid.

Conservation : 24 h au réfrigérateur, sur le plat de service couvert, sans les piques.

ŒUFS DURS À LA TAPENADE

PRÉPARATION : 15 MN

INGRÉDIENTS POUR 24 PIÈCES :

12 GROS ŒUFS DURS
150 G DE TAPENADE (P. 106)

MATÉRIEL :

TAMIS OU PASSOIRE FINE
POCHE À DOUILLE CANNELÉE

POUR LE BUFFET :

PLAT DE SERVICE

Écalez les œufs durs ; coupez-les en 2 dans la longueur.
Sortez les jaunes puis écrasez-les dans un bol à travers un tamis.
Disposez les blancs côte à côte sur le plat de service.
Mélangez la moitié des jaunes avec la tapenade. Remplissez la poche à douille et formez des rosaces dans les blancs.
Parsemez le jaune d'œuf restant sur les rosaces.

Conservation : quelques heures au réfrigérateur, sur le plat de service couvert.

ŒUFS GARNIS « EN DENTS DE LOUP »

Photo page 205

PRÉPARATION : 15 MN

INGRÉDIENTS POUR 24 PIÈCES :

12 ŒUFS DURS COUPÉS EN DENTS DE LOUP (P.74)
SEL, POIVRE DU MOULIN

GARNITURE :

120 G DE MAYONNAISE (P.111) BIEN RELEVÉE
OU 120 G DE SAUCE CRESSONNETTE (P.116)
OU 120 G DE SAUCE FAÇON CHORON (P.115)
OU 120 G DE GARNITURE AU CRABE (P.102)

FINITION (FACULTATIF) :

2 CUILLERÉES À SOUPE DE GELÉE CLAIRE

MATÉRIEL :

BOL OU CUL-DE-POULE
TAMIS OU PASSOIRE GRILLAGÉE
POCHE À DOUILLE DE ∅ 1 CM CANNELÉE OU UNIE (FACULTATIF)
PINCEAU (FACULTATIF)

POUR LE BUFFET :

PLAT DE SERVICE

Disposez les blancs d'œufs côte à côte sur le plat de service ; salez et poivrez intérieurement.
Écrasez les jaunes à travers un tamis placé au-dessus d'un bol. Mélangez-les avec la garniture choisie.
Remplissez de mélange la poche à douille et garnissez chaque blanc en formant un dôme. Si vous n'avez pas de poche à douille, utilisez une cuiller à café. Vous pouvez napper au pinceau les œufs garnis, avec un peu de gelée claire.

Conservation : 12 h sans gelée, 24 h nappés de gelée, au réfrigérateur, sur le plat de service couvert.

Conseil : les œufs garnis peuvent également être présentés en décor d'un plat de viande ou de poisson froid.

PETITES PIÈCES AU PAIN GRILLÉ

BULOTADE

PRÉPARATION : 20 MN

INGRÉDIENTS POUR 30 PIÈCES :

700 G DE BULOTS CUITS, ET DÉCOQUILLÉS (P. 293)
200 G D'AILLOLI (P. 112)
2 GOUSSES D'AIL
1 PINCÉE DE SAFRAN
1 BAGUETTE DE PAIN

MATÉRIEL :

PLANCHE À DÉCOUPER

POUR LE BUFFET :

SALADIER
4 PETITES CUILLERS
BANNETTE À PAIN

Découpez la baguette en tranches fines.
Hachez grossièrement les bulots froids sur la planche à découper.
Mélangez-les à l'ailloli assaisonné d'une pincée de safran.
Épluchez les gousses d'ail et frottez-les sur les tranches de pain ; passez sous le gril 2 mn.
Servez la bulotade dans un saladier accompagnée des rôties aillées présentées dans une bannette à pain.

Conservation : la bulotade, 24 h au réfrigérateur, dans un récipient fermé ; les rôties, 24 h au sec.

CROQUE-MONSIEUR

Photo page 193

Ils peuvent être préparés et garnis la veille et finis le jour même.

PRÉPARATION : 10 MN × 2

CUISSON : 8 MN + 5 MN

INGRÉDIENTS POUR 32 PIÈCES :

2 BANDES DE PAIN DE MIE (24 × 12 CM) DE
1 CM D'ÉPAISSEUR
100 G DE JAMBON BLANC DE 3 MM D'ÉPAISSEUR
100 G DE GRUYÈRE
50 G DE BEURRE POMMADE
POIVRE DU MOULIN

MATÉRIEL :

PLAQUE DU FOUR
2 PLANCHETTES
PALETTE
32 PIQUES EN BOIS

POUR LE BUFFET :

PLAT DE SERVICE

Coupez le gruyère en tranches très fines, ôtez la croûte du pain s'il y a lieu. Beurrez chaque bande de pain d'un côté avec 15 g de beurre. Posez les tranches de gruyère en appuyant bien. Donnez un tour du moulin à poivre. Posez le jambon sur une bande en le retaillant au besoin pour qu'il ne reste pas d'espaces vides. Recouvrez avec l'autre bande, côté fromage contre le jambon. Pressez ce long sandwich entre 2 planchettes (ou 2 plats) pour le tasser.
Faites chauffer le four à 220° (th. 7) en y laissant la plaque. Quand celle-ci est très chaude, posez dessus le sandwich et faites-le cuire pendant 8 mn environ ; retirez-le dès qu'il est doré. Laissez refroidir.
A ce stade, le sandwich peut être enveloppé dans un film plastique et conservé 24 h au réfrigérateur.
Finition : beurrez très légèrement le sandwich des 2 côtés, coupez-le en petits carrés de 3 × 3 cm environ, disposez un pique dans chaque carré. Faites chauffer le four à 200° (th. 6).
Disposez les croque-monsieur sur la plaque du four en les espaçant et faites-les réchauffer pendant 5 mn environ.
Servez immédiatement sur le plat de service chauffé à l'avance ou posé sur un chauffe-plat.

Conservation : les croque-monsieur coupés sans les piques, 24 h au réfrigérateur, enveloppés dans un linge ou dans un film plastique. Passez-les au four 5 mn avant de les servir.

CROQUE-MADAME

Nous présentons cette recette séparément parce que c'est un classique mais ce n'est en fait qu'une variante du croque-monsieur.

PRÉPARATION : 10 MN × 2

CUISSON : 8 MN + 5 MN

INGRÉDIENTS POUR 32 PIÈCES :

CEUX DES CROQUE-MONSIEUR
+
100 G DE CHAIR D'ANANAS

MATÉRIEL :

CELUI DES CROQUE-MONSIEUR

Faites égoutter l'ananas et émincez-le finement.
Procédez ensuite de la même façon que pour les croque-monsieur en ajoutant l'ananas sur le jambon avant de recouvrir avec l'autre bande.

Conservation : comme les croque-monsieur.

Croque-monsieur (recette p. 191)

RÔTIES À LA TAPENADE

PRÉPARATION : 5 MN

INGRÉDIENTS POUR 24 PIÈCES :

1 BAGUETTE
300 G DE TAPENADE LENÔTRE (P. 106)

MATÉRIEL :

PLANCHE À PAIN
COUTEAU-SCIE
PLAQUE DU FOUR
OU BARBECUE

POUR LE BUFFET :

PANIER À PAIN
SALADIER
4 PETITES CUILLERS
6 FOURCHETTES À LONG MANCHE (FACULTATIF)

Coupez la baguette en fines rondelles. Disposez-les sur la plaque, chaude, du four et faites griller 2 mn en surveillant.
Placez ces rôties dans un panier à pain.
Disposez-les sur le buffet à côté du saladier de tapenade. Prévoyez quatre petites cuillers pour permettre aux invités de faire eux-mêmes leurs tartines.
Pour un barbecue, contentez-vous de couper la baguette avant de la placer dans le panier. Mettez à la disposition de vos invités le saladier de tapenade avec 4 petites cuillers et 6 longues fourchettes à barbecue. Chacun fait sa tartine, l'embroche et la grille quelques instants au-dessus des braises.

Variante : vous pouvez remplacer la tapenade par du beurre de roquefort.

CHAPITRE VII

PLATS LÉGERS

CRÊPES AU GRATIN

- Pâte à crêpes salée
- Crêpes Blanche de Castille
- Crêpes au boudin et aux pommes
- Crêpes aux épinards et aux œufs brouillés

FONDUES

- Fondue au fromage
- Fondue bourguignonne

PLATS LÉGERS AUX ŒUFS

- Généralités sur les œufs
- Préparation des œufs mollets
- Œuf bagatelle
- Œuf béarnaise
- Cocktail d'œuf fleurette au caviar ou aux œufs de saumon
- Cocktail d'œuf macédoine
- Œufs en cocotte
- Croustades d'œufs brouillés aux pointes d'asperges
- Mousse de céleri aux œufs brouillés en croustades
- Croustades d'œufs brouillés au fenouil, sauce moutarde
- Croustades d'œufs mollets à la ratatouille
- Croustades de saumon aux œufs brouillés
- Croustades aux œufs brouillés et aux blancs de volaille
- Œufs en gelée au jambon

PIZZAS

- Pizza feuilletée aux tomates
- Pizza feuilletée à la ratatouille

QUICHES

- Quiche de Bayonne
- Quiche honfleuraise
- Quiche lorraine

PLATS LÉGERS À LA VIANDE

- Bœuf tartare
- Filet de bœuf à l'italienne
- Boudin comme à la ferme

PÂTE À CRÊPES SALÉE

La méthode est toujours la même mais les ingrédients diffèrent selon le type de farine choisie.

PRÉPARATION : 50 MN DONT 40 MN DE CUISSON EN UTILISANT 2 POÊLES

TEMPS DE REPOS : 1 H MINIMUM

INGRÉDIENTS POUR 25 CRÊPES DE FROMENT DE ∅ 20 CM :

250 G DE FARINE DE FROMENT BLANCHE FLUIDE
6 ŒUFS
7,5 DL DE LAIT
60 G D'HUILE
60 G DE BEURRE FONDU
5 CUILLERÉES À SOUPE DE PERSIL HACHÉ (25 G)
1 CUILLERÉE À CAFÉ DE SEL FIN
POUR LA CUISSON : HUILE OU BEURRE

INGRÉDIENTS POUR 25 À 28 CRÊPES DE SARRASIN DE ∅ 20 CM :

500 G DE FARINE DE SARRASIN
2 ŒUFS
7,5 DL DE LAIT
100 G DE BEURRE FONDU
1 CUILLERÉE À SOUPE DE SEL FIN
1/2 CUILLERÉE À CAFÉ DE POIVRE
POUR LA CUISSON : HUILE OU BEURRE

MATÉRIEL :

2 POÊLES À FOND ÉPAIS
ROBOT COMPACT
OU SALADIER ET FOUET
LOUCHE
SPATULE EN BOIS

Mélangez tous les ingrédients dans le robot compact ou dans le saladier à l'aide du fouet en ajoutant 7,5 dl d'eau si vous faites des crêpes de sarrasin. Il ne doit pas y avoir de grumeaux.
Laissez reposer pendant au moins 1 h.
Chauffez la poêle en la graissant sur toute sa surface à l'aide d'un tampon imbibé d'huile, ou de beurre fondu, fixé au bout d'une fourchette.
Hors du feu, versez la quantité de pâte juste nécessaire pour recouvrir le fond de la poêle ; penchez la poêle pour bien étaler la pâte en faisant un mouvement circulaire rapide. Mettez à cuire.
Pour se rouler facilement, les crêpes doivent être fines et peu cuites. Dès que les bords commencent à se détacher, retournez la crêpe et faites cuire l'autre côté.

Au fur et à mesure qu'elles sont cuites, empilez les crêpes sur un plat. En attendant de les fourrer, recouvrez-les avec une assiette creuse pour qu'elles ne sèchent pas. Des crêpes un peu sèches retrouvent leur moelleux après avoir été badigeonnées au pinceau avec un peu de lait.

Conservation : 48 h au réfrigérateur, enveloppées dans du papier d'aluminium.

Conseil : si vous voulez utiliser de la farine complète, suivez la recette pour les crêpes de froment en utilisant 125 g de farine de froment et 125 g de farine complète. Les crêpes seront plus rustiques.

CRÊPES BLANCHE DE CASTILLE

PRÉPARATION : 40 MN

CUISSON : 35 MN

INGRÉDIENTS POUR 25 PERSONNES :

- 25 CRÊPES DE ∅ 20 CM
- 25 PETITS ŒUFS
- 350 G D'OIGNONS
- 1,2 KG DE PULPE DE TOMATES
- 150 G D'OLIVES NOIRES DÉNOYAUTÉES
- 3 CUILLERÉES À SOUPE D'HUILE D'OLIVE
- 1 NOIX DE BEURRE
- 1 PINCÉE D'ORIGAN
- 1 PINCÉE DE THYM
- SEL, POIVRE

MATÉRIEL :

- 2 PLATS À GRATIN RECTANGULAIRES
- 1 GRANDE POÊLE
- PINCEAU

POUR LE BUFFET :

- 25 ASSIETTES
- 25 FOURCHETTES
- 2 CHAUFFE-PLATS

Émincez les oignons et faites-les blondir à l'huile d'olive ; ajoutez pulpe de tomates, olives, origan et thym, sel et poivre. Laissez réduire en remuant de temps en temps jusqu'à évaporation du liquide. Laissez refroidir.
Étalez les crêpes sur le plan de travail. Répartissez la garniture en formant un puits sur chaque crêpe. Cassez un œuf au milieu puis repliez les crêpes en formant un rouleau.
Disposez les crêpes roulées dans les plats à gratin beurrés.

Finition : faites chauffer le four à 180° (th. 5).
Badigeonnez légèrement la surface des crêpes avec du beurre fondu. Faites-les gratiner pendant 10 mn environ.
Servez immédiatement dans les plats à gratin placés sur des chauffe-plats.

Conservation : la garniture, 48 h au réfrigérateur, dans un récipient fermé ; les crêpes garnies non gratinées, 24 h au réfrigérateur, dans les plats à gratin couverts. Passez-les au four à 180° (th. 5) pendant 20 mn avant de servir.

CRÊPES AU BOUDIN ET AUX POMMES

PRÉPARATION : 1 H

CUISSON : 30 MN

INGRÉDIENTS POUR 25 PERSONNES :

25 CRÊPES DE ∅ 20 CM
2,5 KG DE BOUDIN NOIR
12 GROSSES POMMES ACIDULÉES
300 G DE BEURRE

MATÉRIEL :

2 GRANDS PLATS À GRATIN RECTANGULAIRES
2 GRANDES POÊLES
PINCEAU

POUR LE BUFFET :

25 ASSIETTES
25 FOURCHETTES
2 CHAUFFE-PLATS

Épluchez et épépinez les pommes, coupez-les en lamelles. Faites-les revenir à la poêle dans la moitié du beurre, en les retournant à la spatule sans les écraser, pendant 10 mn environ. Pendant ce temps, coupez le boudin en 25 morceaux ; si la peau est très fine, laissez-la et piquez les morceaux. Faites revenir le boudin à la poêle dans le restant du beurre pendant une dizaine de minutes en le retournant. Coupez-le en rondelles.
Étalez les crêpes sur le plan de travail.
Sur chaque crêpe, disposez lamelles de pommes et rondelles de boudin. Roulez les crêpes puis rangez-les dans les plats à gratin beurrés en plaçant le rabat dessous.

Finition : faites chauffer le four à 180° (th. 5).
Beurrez légèrement la surface des crêpes avec un pinceau et faites-les réchauffer pendant environ 15 mn.
Servez immédiatement dans les plats à gratin posés sur des chauffe-plats.

Conservation : les crêpes garnies avant réchauffage, 24 h au réfrigérateur, dans les plats à gratin couverts ; il faudra alors les faire gratiner pendant 20 mn à 180° (th. 5).

Conseil : si vous avez du boudin dont la peau est très épaisse, ne le faites pas cuire : enlevez la peau, coupez le boudin en rondelles puis garnissez les crêpes.

CRÊPES AUX ÉPINARDS ET AUX ŒUFS BROUILLÉS

PRÉPARATION : 30 MN

CUISSON : 20 MN

INGRÉDIENTS POUR 25 PERSONNES :

25 CRÊPES DE ∅ 20 CM
1 KG D'ÉPINARDS CUITS HACHÉS
18 ŒUFS BROUILLÉS (P. 104)
2 GOUSSES D'AIL
80 G DE BEURRE
MUSCADE
SEL, POIVRE

MATÉRIEL :

2 PLATS À GRATIN RECTANGULAIRES
1 GRANDE POÊLE
SPATULE EN BOIS
PINCEAU

POUR LE BUFFET :

25 ASSIETTES
25 FOURCHETTES
2 CHAUFFE-PLATS

Hachez les gousses d'ail.
Faites chauffer du beurre dans la poêle ; quand il grésille, ajoutez l'ail haché puis les épinards. Faites revenir pendant 5 mn en remuant avec la spatule.
Étalez les crêpes sur le plan de travail. Disposez une grosse cuillerée à soupe d'épinards et une grosse cuillerée à soupe d'œufs brouillés par crêpe.
Roulez les crêpes puis rangez-les dans les plats à gratin beurrés, rabat en dessous.

Finition : faites chauffer le four à 180° (th. 5).
Badigeonnez légèrement la surface des crêpes au beurre fondu. Faites-les réchauffer pendant 15 mn.
Servez aussitôt dans les plats à gratin placés sur des chauffe-plats.

Conservation : les crêpes garnies avant réchauffage, 24 h au réfrigérateur, dans les plats à gratin couverts. Faites-les gratiner pendant 20 mn avant de servir.

FONDUES

FONDUE AU FROMAGE

Cette fondue d'origine suisse ne contient ni œufs ni fécule ; toute sa qualité dépend du choix du vin et des fromages qui la composent.

PRÉPARATION : 40 MN

CUISSON : 10 MN

INGRÉDIENTS POUR 12 PERSONNES :

2,4 KG DE FROMAGE (BEAUFORT OU FRIBOURG, EMMENTHAL SUISSE, COMTÉ)
2 BOUTEILLES DE VIN BLANC TRÈS SEC (POUILLY OU VIN BLANC DE SAVOIE, APREMONT, ROUSSETTE, CRÉPY)
4 GOUSSES D'AIL
4 CUILLERÉES À SOUPE DE KIRSCH
PINCÉE DE MUSCADE
2 CLOUS DE GIROFLE
POIVRE DU MOULIN
8 FLÛTES OU 5 BAGUETTES UN PEU RASSISES

MATÉRIEL :

2 CAQUELONS ÉMAILLÉS
PLANCHE À PAIN
COUTEAU-SCIE
SPATULE EN BOIS

POUR LE BUFFET :

12 FOURCHETTES À LONG MANCHE
2 RÉCHAUDS À ALCOOL
CORBEILLES À PAIN

Placez les réchauds sur le buffet avec, à proximité, les fourchettes à long manche et les corbeilles à pain. Les réchauds ne serviront qu'à maintenir la fondue à la bonne température car la cuisson se fait à la cuisine.
Coupez le fromage en gros dés et le pain, de préférence de la flûte, en cubes de 2 à 3 cm.
Frottez généreusement les caquelons avec les gousses d'ail épluchées et coupées en 2 ; mettez le fromage, puis versez le vin jusqu'à 1/3 de la hauteur du fromage.
Portez les caquelons sur feu doux, ajoutez dans chacun 15 à 20 tours du moulin à poivre, 1 clou de girofle et un peu de muscade râpée. Tournez avec une spatule dans un seul sens jusqu'à ce que le fromage fonde et se mélange au vin blanc pour former une pâte lisse. Quand le fromage est fondu, ajoutez le kirsch.
Allumez les réchauds sur le buffet, apportez les caquelons et déguster sans attendre.
Les convives doivent piquer un morceau de pain au bout d'une fourchette et enrober le pain de fondue en le faisant tourner dans le caquelon. Pour ajouter de l'animation, on peut mettre à l'amende celui qui perd son morceau de pain. Ceci explique l'ambiance qui règne autour d'une fondue.

Conseil : après une fondue, on peut servir du jambon cru et une salade frisée aux lardons ; pour le dessert, je vous recommande un sorbet avec un doigt de kirsch.
Pour les personnes qui ne supportent pas le vin, je déconseille de boire de l'eau en mangeant une fondue car celle-ci serait très difficile à digérer.

FONDUE BOURGUIGNONNE

Choisissez de la viande de bœuf à cuisson rapide.
Le filet est toujours très tendre, le contre-filet ou faux-filet aussi et il a plus de goût ; le rumsteak est tendre et savoureux.

Vous pouvez également obtenir de bons résultats avec de la viande de deuxième catégorie ; les cubes seront moins réguliers et la viande sera peut-être plus ferme mais elle aura beaucoup de goût. Choisissez alors de l'onglet, de la bavette, de l'aloyau, de la hampe ou de l'araignée.

INGRÉDIENTS POUR 12 PERSONNES :

2,5 KG DE BŒUF COUPÉ EN CUBES DE 3 CM DE CÔTÉ
1 LITRE D'HUILE

ACCOMPAGNEMENT :

250 G DE SAUCE FAÇON BÉARNAISE (P. 114)
250 G DE SAUCE FAÇON CHORON (P. 115)
300 G DE SAUCE FAÇON GRIBICHE (P. 116)
200 G DE SAUCE MOUTARDE (P. 124)

MATÉRIEL POUR LE BUFFET :

CAQUELON DE 2 LITRES
RÉCHAUD À ALCOOL
1 GRAND SALADIER
12 FOURCHETTES À LONG MANCHE EN BOIS
12 PETITES ASSIETTES
4 BOLS DE SERVICE

Nous n'indiquons pas de temps de préparation pour cette recette puisque les invités font cuire leur viande eux-mêmes.
Sur le buffet, disposez le réchaud à alcool, les cubes de viande dans un grand saladier, les bols de sauce et les fourchettes à long manche.
Versez l'huile dans le caquelon, placez sur le réchaud allumé et faites chauffer. L'huile est prête quand elle commence à grésiller.
Réglez l'intensité de la flamme.
Chaque convive pique sur une fourchette un morceau de viande qu'il fait cuire à son goût dans le caquelon avant de le tremper dans la sauce de son choix.
Certains invités pourraient apprécier d'avoir à portée de la main du pain de campagne coupé en cubes.

Conseil : ce plat est délicieux et crée une atmosphère très agréable. Mais, étant donné le danger que présente toujours la présence d'huile chaude, il est important de le disposer avec soin : il faut un réchaud stable et beaucoup d'espace pour qu'il soit facile d'accéder au caquelon et de tourner autour. Idéalement, quelqu'un devrait rester à proximité pour surveiller la bonne marche des opérations.

PLATS LÉGERS AUX ŒUFS

GÉNÉRALITÉS SUR LES ŒUFS

Il y a dans ce livre beaucoup de recettes à base d'œufs, ce qui justifie les quelques explications qui vont suivre.
Si vous voulez connaître la provenance des œufs que vous utilisez, regardez le code apposé sur les boîtes. Le premier chiffre correspond aux pays d'origine : 3 pour la France. Le numéro qui suit indique le département d'origine : Finistère 29, Manche 50, Loiret 45, etc. Le numéro et la lettre inscrits en dernier correspondent au numéro d'agrément du producteur.

Le contrôle de qualité est effectué par le ministère de l'Agriculture.
Pour reconnaître la fraîcheur des œufs, vous pouvez les mirer dans un endroit sombre, en approchant une petite lampe de poche et en regardant par transparence la base arrondie. Vous distinguez une couronne plus claire, c'est la poche ou chambre à air qui s'agrandit au fur et à mesure que l'œuf vieillit.
Il y a un autre moyen plus simple : un œuf mis dans de l'eau pure se tient sensiblement horizontal quand il est frais ; dès le 4e jour, le gros bout, devenu plus léger, se soulève et l'œuf s'incline ; à partir d'1 mois, il tient debout la pointe en bas.
Les petits éleveurs arrivent à présenter sur le marché des œufs plus frais que les coopératives qui effectuent un ramassage un peu moins fréquent. Mais le consommateur est très protégé et les œufs portant l'étiquette « Extra frais » ont obligatoirement moins de 8 jours, ensuite ils sont dits « Frais ».

Conservation : on peut conserver les œufs 8 à 15 jours au réfrigérateur, de préférence en les protégeant des autres aliments car la coquille poreuse est perméable aux odeurs. Si vous fêlez un œuf, utilisez-le dans la journée.
Bien que la congélation des œufs n'entre pas vraiment dans le cadre de ce livre, ces conseils pourraient vous être utiles : on peut congeler les œufs entiers ou bien le jaune et le blanc séparés. Cassez les œufs dans un bol, battez-les avec du sucre ou du sel selon l'usage que vous voulez en faire. Pour 8 œufs, comptez 1 cuillerée à soupe de sucre ou 1 cuillerée à café de sel fin. Conditionnez les œufs dans des pots fermés étiquetés avec précision et congelez-les dans un congélateur 4 étoiles au maximum de froid.

PRÉPARATION DES ŒUFS MOLLETS

Faites bouillir de l'eau dans une casserole à raison d'1 litre pour 4 œufs. Placez délicatement les œufs dans l'eau bouillante et laissez-les cuire, en les retournant au bout de 2 mn avec une cuiller.
Le temps de cuisson varie légèrement selon le nombre d'œufs :

4 œufs : 5 mn
5 à 7 œufs : 5 mn 30
8 à 12 œufs : 6 mn

Au-delà de 12 œufs, il est préférable de les faire cuire en 2 fois.
Dès que le temps de cuisson est atteint, rafraîchissez les œufs sous l'eau froide.
Pour écaler un œuf, prenez-le dans la main et frappez sur la coquille avec le dos d'une fourchette. Faites couler l'eau froide et placez l'œuf sous l'eau courante pour enlever la coquille et la membrane, le décollement se fera très facilement.
Si vous avez l'intention d'utiliser les œufs immédiatement, posez-les sur un papier absorbant ; sinon, mettez-les dans un saladier d'eau froide salée. Il faut toujours bien égoutter les œufs avant de les napper de sauce ou de les dresser sur un plat.

Conservation : 12 h au réfrigérateur, dans l'eau froide salée.

ŒUF BAGATELLE

PRÉPARATION : 10 MN

INGRÉDIENTS POUR 10 PERSONNES :

10 ŒUFS MOLLETS
500 G DE CŒURS DE PALMIER
200 G DE SAUCE RÉMOULADE (P. 117)
10 FONDS D'ARTICHAUTS CUITS (P. 343)

MATÉRIEL :

SALADIER
PINCEAU

POUR LE BUFFET :

PLAT DE SERVICE
10 COUPELLES
10 PETITES CUILLERS

Coupez les cœurs de palmier en rondelles, assaisonnez-les avec 150 g de sauce rémoulade.
Garnissez chaque fond d'artichaut de cœurs de palmier, puis posez un œuf mollet entier au milieu.
Nappez au pinceau avec la sauce rémoulade restante. Dressez sur le plat de service.
Mettez au réfrigérateur jusqu'au moment de servir.

Conservation : 6 h au réfrigérateur sur le plat de service.

ŒUF BÉARNAISE

PRÉPARATION : 5 MN

TEMPS DE REFROIDISSEMENT : 1 H

INGRÉDIENTS POUR 10 PERSONNES :

10 ŒUFS MOLLETS
10 FONDS D'ARTICHAUTS CUITS (P. 343)
200 G DE SAUCE FAÇON BÉARNAISE (P. 114)

FINITION :

GELÉE CLAIRE

MATÉRIEL :

PINCEAU

POUR LE BUFFET :

PLAT DE SERVICE
10 COUPELLES
10 PETITES CUILLERS

Posez les œufs mollets sur les fonds d'artichauts garnis de sauce béarnaise.
Disposez sur le plat de service et nappez de gelée claire.
Laissez au réfrigérateur pendant au moins 1 h avant de servir.

Conservation : 6 h au réfrigérateur, sur le plat de service.

1. Œufs garnis en « dents de loup » (recette p. 190)
2. Cocktail d'œuf macédoine (recette p. 206)
3. Cocktail d'œuf fleurette au caviar (recette p. 206)
4. Œufs en cocotte (recette p. 207)
5. Œufs en gelée au jambon (recette p. 212)
6. Cocktail de crabe (recette p. 282)

6
5
2
3
1
4

COCKTAIL D'ŒUF FLEURETTE AU CAVIAR OU AUX ŒUFS DE SAUMON

Photo page 205

PRÉPARATION : 20 MN

INGRÉDIENTS POUR 10 PERSONNES :

10 ŒUFS MOLLETS
300 G DE CAVIAR
OU D'ŒUFS DE SAUMON
200 G DE CRÈME FLEURETTE FOUETTÉE
SEL, POIVRE

MATÉRIEL :

10 RAMEQUINS INDIVIDUELS
OU 10 COUPES EN VERRE
POCHE À DOUILLE CANNELÉE

POUR LE BUFFET :

PLATEAU
10 PETITES CUILLERS

Chemisez le fond et les parois des ramequins avec le caviar ou les œufs de saumon. Posez un œuf mollet au centre, salez et poivrez légèrement.
A la poche à douille cannelée, décorez de crème fouettée en formant des crêtes.
Posez une pointe de couteau d'œufs de poisson au sommet de chaque crête.
Présentez sur un plateau.

Conservation : 6 h au réfrigérateur, dans les ramequins.

COCKTAIL D'ŒUF MACÉDOINE

Photo page 205

PRÉPARATION : 20 MN

INGRÉDIENTS POUR 10 PERSONNES :

10 ŒUFS MOLLETS
500 G DE MACÉDOINE DE LÉGUMES (P. 376)
MÂCHE OU TRÉVISE
100 G DE VINAIGRETTE
3 CUILLERÉES A SOUPE DE SAUCE RÉMOULADE (P. 117)

DÉCOR (FACULTATIF) :

1 CUILLERÉE À SOUPE DE CIBOULETTE HACHÉE

MATÉRIEL :

10 VERRES À PIED
1 SALADIER

POUR LE BUFFET :

10 PETITES CUILLERS

Assaisonnez la macédoine de légumes avec la vinaigrette.
Lavez la mâche ou la trévise, sèchez-la bien.
Disposez un peu de salade dans le fond de chaque verre, remplissez aux

2/3 de macédoine, posez un œuf au milieu puis nappez de sauce rémoulade.
Mettez au réfrigérateur jusqu'au moment de servir. Vous pouvez parsemer la macédoine de ciboulette hachée avant de dresser les verres sur le buffet.

Conservation : 6 h au réfrigérateur, dans les verres couverts de film plastique, sans la ciboulette.

ŒUFS EN COCOTTE

Photo page 205

PRÉPARATION : 15 MN

TEMPS DE REFROIDISSEMENT : 5 MN

CUISSON : 5 À 6 MN

INGRÉDIENTS POUR 10 PERSONNES :

10 ŒUFS
1 NOIX DE BEURRE
SEL, POIVRE

GARNITURE :

500 G D'ÉPINARDS CUITS HACHÉS
OU 500 G DE RATATOUILLE (P. 363)
OU 500 G DE GARNITURE À LA DUXELLES DE CHAMPIGNONS FINIE À LA BÉCHAMEL (P. 102)
OU 500 G DE JARDINIÈRE DE LÉGUMES (P. 357)
3 CUILLERÉES À SOUPE DE CRÈME FRAÎCHE (FACULTATIF)

MATÉRIEL :

10 RAMEQUINS INDIVIDUELS
PLAQUE À RÔTIR DU FOUR
PINCEAU

POUR LE BUFFET :

PLATEAU
10 PETITES CUILLERS
SERVIETTES EN PAPIER

Faites fondre le beurre et beurrez les ramequins au pinceau ; mettez-les au réfrigérateur pendant 5 mn.
Répartissez ensuite dans les ramequins la garniture de votre choix puis, facultativement, versez 1 cuillerée à café de crème ; cassez un œuf cru dessus ; salez et poivrez.
Chauffez le four à 200° (th. 6).
Dans la plaque à rôtir du four, préparez un bain-marie où vous placez les ramequins. Faites cuire pendant 5 à 6 mn en veillant à ce que le jaune de l'œuf reste liquide.
Disposez les ramequins sur un plateau et servez aussitôt.

Conservation : avant cuisson, 24 h au réfrigérateur, avec de la crème fraîche sur l'œuf pour qu'il ne se dessèche pas.

CROUSTADES D'ŒUFS BROUILLÉS AUX POINTES D'ASPERGES

Photo page 40

Choisissez de préférence de petites asperges vertes ou violettes. Tous les ingrédients peuvent être préparés la veille mais il est préférable de ne garnir les croustades qu'au dernier moment pour ne pas détremper la pâte.

PRÉPARATION : 20 MN

CUISSON : 15 MN

INGRÉDIENTS POUR 24 PIÈCES :

24 FONDS PRÉCUITS DE TARTELETTES DE ∅ 8 CM
24 ŒUFS BROUILLÉS (P. 104)
1,2 KG D'ASPERGES CUITES
250 G DE BÉCHAMEL
30 G DE BEURRE

MATÉRIEL :

PLAT DE SERVICE
2 CASSEROLES
PINCEAU

POUR LE BUFFET :

24 PETITES ASSIETTES
24 PETITES FOURCHETTES

Disposez les fonds de tartelettes démoulés sur le plat de service chaud.
Faites fondre le beurre puis badigeonnez au pinceau l'intérieur des tartelettes.
Réservez les pointes des asperges. Coupez la partie tendre des tiges en tronçons et mélangez-les à la béchamel bien relevée. Faites réchauffer à feu doux.
Préparez ou réchauffez les œufs brouillés.
Dressez les tiges d'asperges à la béchamel au fond des tartelettes. Recouvrez-les d'une grosse cuillerée à soupe d'œufs brouillés.
Disposez les pointes d'asperges en décor et servez immédiatement.

Conseil : vous pouvez également servir ces croustades froides. Dans ce cas, ne faites pas réchauffer la garniture. Ne garnissez les fonds de tartelettes que 2 h avant de servir.

MOUSSE DE CÉLERI AUX ŒUFS BROUILLÉS EN CROUSTADES

Tous les ingrédients peuvent être préparés à l'avance mais il vaut mieux attendre le dernier moment pour garnir les croustades afin de ne pas détremper la pâte.

PRÉPARATION : 20 MN

CUISSON : 15 MN

INGRÉDIENTS POUR 24 PIÈCES :

24 FONDS PRÉCUITS DE TARTELETTES DE ∅ 8 CM
24 ŒUFS BROUILLÉS (P. 104)
900 G DE MOUSSE DE CÉLERI (P. 358)
300 G DE RÉDUCTION ÉCHALOTES-TOMATES (P. 115)
30 G DE BEURRE

MATÉRIEL :

PLAT DE SERVICE
3 CASSEROLES
PINCEAU

POUR LE BUFFET :

24 PETITES ASSIETTES
24 PETITES FOURCHETTES

Disposez les fonds démoulés sur le plat de service chaud.
Faites fondre le beurre puis badigeonnez au pinceau l'intérieur des tartelettes.
Préparez ou réchauffez les œufs brouillés.
Réchauffez la mousse de céleri et la réduction échalotes-tomates, séparément.
Dans chaque croustade, dressez 1 grosse cuillerée à soupe d'œufs brouillés à côté d'1 grosse cuillerée à soupe de mousse de céleri ; mettez 1 cuillerée de réduction échalotes-tomates entre les deux.
Servez aussitôt.

CROUSTADES D'ŒUFS BROUILLÉS AU FENOUIL, SAUCE MOUTARDE

Tous les ingrédients peuvent être préparés la veille mais il est préférable de ne remplir les croustades qu'au dernier moment pour éviter de détremper la pâte.

PRÉPARATION : 20 MN

CUISSON : 15 MN

INGRÉDIENTS POUR 24 PIÈCES :

24 FONDS PRÉCUITS DE TARTELETTES DE ∅ 8 CM
24 ŒUFS BROUILLÉS (P. 104)
1,2 KG DE FENOUIL CUIT
300 G DE SAUCE MOUTARDE (P. 124)
30 G DE BEURRE

DÉCOR :

PETITES FEUILLES DE FENOUIL

MATÉRIEL :

PLAT DE SERVICE
2 CASSEROLES
PLANCHE ET COUTEAU
PINCEAU

POUR LE BUFFET :

24 PETITES ASSIETTES
24 PETITES FOURCHETTES

Disposez sur le plat de service les fonds de tartelettes démoulés. Faites fondre le beurre, badigeonnez au pinceau l'intérieur des tartelettes.
Émincez le fenouil, faites-le réchauffer à feu doux avec la sauce moutarde.
Préparez ou réchauffez les œufs brouillés.

Dans chaque tartelette, dressez côte à côte une bonne cuillerée à soupe d'œufs brouillés et une bonne cuillerée à soupe de fenouil à la sauce moutarde.
Décorez de petites feuilles de fenouil et servez immédiatement.

Conseil : vous pouvez éventuellement remplacer la sauce moutarde par une sauce béchamel.

CROUSTADES D'ŒUFS MOLLETS À LA RATATOUILLE

PRÉPARATION : 20 MN

INGRÉDIENTS POUR 10 PIÈCES :

10 FONDS PRÉCUITS DE TARTELETTES DE ∅ 8 CM
10 ŒUFS MOLLETS
500 G DE RATATOUILLE (P. 363)
200 G DE SAUCE TOMATE NAPOLÉON (P. 119)
OU 200 G DE SAUCE FRAÎCHE À LA TOMATE (P. 118)
3 CUILLERÉES À SOUPE DE BASILIC HACHÉ
2 CUILLERÉES À SOUPE DE BEURRE

MATÉRIEL :

PLAT DE SERVICE
CASSEROLE
PINCEAU

POUR LE BUFFET :

10 SOUCOUPES
10 PETITES CUILLERS

Faites fondre le beurre.
Disposez les fonds de tartelettes démoulés sur le plat de service, badigeonnez-les de beurre fondu avec le pinceau.
Garnissez les croustades de ratatouille, posez un œuf mollet dessus puis nappez de la sauce choisie.
Servez frais saupoudré de basilic haché.

Conservation : 6 h au réfrigérateur, sur le plat de service.

Conseil : vous pouvez remplacer le fond de tartelette par un fond d'artichaut. Dans ce cas, servez dans des coupelles, sans le basilic.

CROUSTADES DE SAUMON AUX ŒUFS BROUILLÉS

Photo page 41

Tous les ingrédients peuvent être préparés la veille mais il est préférable de ne remplir les croustades qu'au dernier moment pour éviter de détremper la pâte.

PRÉPARATION : 20 MN

INGRÉDIENTS POUR 24 PIÈCES :

24 FONDS PRÉCUITS DE TARTELETTES DE ∅ 8 CM
600 G DE SAUMON MARINÉ À L'ANETH (P. 280)
OU 600 G DE SAUMON FUMÉ
24 ŒUFS BROUILLÉS (P. 104)
1 LAITUE
30 G DE BEURRE

DÉCOR :

FEUILLES D'ANETH (FACULTATIF)

ACCOMPAGNEMENT :

CITRON CANNELÉ

MATÉRIEL :

PLAT DE SERVICE
CASSEROLE
PINCEAU

POUR LE BUFFET :

24 PETITES ASSIETTES
24 PETITES FOURCHETTES
SOUCOUPES

Dressez les fonds de tartelettes démoulés sur le plat de service.
Faites fondre le beurre puis badigeonnez au pinceau l'intérieur des croustades.
Coupez le saumon en tranches très fines de 25 g environ.
Lavez la laitue et enlevez les côtes, séchez les feuilles.
Sur chaque croustade, dressez une feuille de salade puis une cuillerée à soupe d'œufs brouillés. Poivrez. Recouvrez d'une tranche de saumon que vous plissez légèrement du bout des doigts pour lui donner du relief.
Vous pouvez décorer de quelques feuilles d'aneth.
Servez accompagné de demi-rondelles de citron cannelé.

Conservation : bien qu'il soit préférable de garnir les croustades au dernier moment, il est possible de les conserver pendant 12 h au réfrigérateur, sur le plat de service couvert.

CROUSTADES AUX ŒUFS BROUILLÉS ET AUX BLANCS DE VOLAILLE

Tous les ingrédients peuvent être préparés la veille mais il est préférable de ne garnir les croustades qu'au dernier moment pour ne pas détremper la pâte.

PRÉPARATION : 20 MN

CUISSON : 15 MN

MATÉRIEL :

PLAT DE SERVICE
3 CASSEROLES DE 1/2 LITRE
PLANCHE À DÉCOUPER
PINCEAU

POUR LE BUFFET :

24 PETITES ASSIETTES
24 PETITES FOURCHETTES

INGRÉDIENTS POUR 24 PIÈCES :

24 FONDS PRÉCUITS DE TARTELETTES DE ∅ 8 CM
600 G DE CHAIR DE POULET CUIT
24 ŒUFS BROUILLÉS (P. 104)
600 G D'ÉPINARDS CUITS HACHÉS
6 CUILLERÉES À SOUPE DE CRÈME FRAÎCHE
3 PINCÉES DE MUSCADE
30 G DE BEURRE FONDU
SEL, POIVRE

Dressez les fonds de tartelettes démoulés sur le plat de service.
Faites fondre le beurre puis badigeonnez au pinceau l'intérieur des fonds.
Coupez le poulet en bâtonnets ou en dés, faites-le chauffer dans une casserole avec la crème ; salez et poivrez ; ajoutez quelques pincées de muscade.
Préparez ou réchauffez les œufs brouillés, mélangez-les au poulet à la crème. Faites chauffer les épinards.
Dans chaque fond de tartelette, dressez 1 petite cuillerée à soupe d'épinards puis le mélange poulet-œufs.
Servez aussitôt.

ŒUFS EN GELÉE AU JAMBON

Photo page 205

PRÉPARATION : 30 MN

TEMPS DE REFROIDISSEMENT : 1 H 30

INGRÉDIENTS POUR 12 PERSONNES :

12 ŒUFS MOLLETS
3 TRANCHES DE JAMBON D'YORK DE 2 MM D'ÉPAISSEUR (220 G)
3 DL DE GELÉE CLAIRE
5 CL DE PORTO (FACULTATIF)
1 BRANCHE D'ESTRAGON

MATÉRIEL :

12 MOULES À DARIOLES OVALES DE 1 DL
PINCEAU

POUR LE BUFFET :

PLAT DE SERVICE OU PLATEAU
12 PETITES ASSIETTES (FACULTATIF)
12 PETITES FOURCHETTES

Mettez les moules à darioles au réfrigérateur pendant 15 mn.
Si vous voulez utiliser du porto, incorporez-le dans la gelée en la portant à ébullition. Faites ensuite refroidir la gelée et mettez-la au point (p. 129).
Chemisez le fond et les parois des moules d'une fine couche de gelée et remettez-les au réfrigérateur pendant 15 mn.
Découpez le jambon en bandes de la hauteur des moules ; lavez l'estragon et détachez les feuilles.

Disposez quelques feuilles d'estragon en décor aux fonds des moules, puis chemisez de jambon les parois. Posez un œuf au centre, remplissez de gelée.
Mettez au réfrigérateur pendant au moins 1 h.
Démoulez sur le plat de service en glissant la pointe d'un couteau autour de chaque moule ou présentez dans les moules sur un plateau.

Conservation : 48 h au réfrigérateur, dans les moules couverts.

PIZZAS

PIZZA FEUILLETÉE AUX TOMATES

La garniture peut être préparée à l'avance et la pâte cuite la veille, mais je vous conseille de déguster cette pizza à la sortie du four.

PRÉPARATION : 20 MN + 10 MN
CUISSON : 20 MN + 10 MN

INGRÉDIENTS POUR 12 PERSONNES :

450 G DE FEUILLETAGE (P. 174)

GARNITURE :

1,2 KG DE PULPE DE TOMATES
OU 1,2 KG DE TOMATES AU NATUREL ÉGOUTTÉES
600 G D'OIGNONS
200 G DE POIVRONS
50 G DE CONCENTRÉ DE TOMATE
5 CUILLERÉES À SOUPE D'HUILE D'OLIVE
1 BOUQUET GARNI
30 G DE SEL FIN
1 PINCÉE DE POIVRE DE CAYENNE
SOUPÇON D'ORIGAN
1 CUILLERÉE À SOUPE DE FÉCULE (FACULTATIF)

DÉCOR :

12 FILETS D'ANCHOIS À L'HUILE
12 OLIVES NOIRES DE NICE
100 G DE GRUYÈRE OU DE MOZARELLE RÂPÉS

MATÉRIEL :

PLAQUE DU FOUR
PLAQUE À RÔTIR DU FOUR
2 POÊLES
ROULEAU À PÂTISSERIE
PAPIER D'ALUMINIUM

POUR LE BUFFET :

12 ASSIETTES
12 FOURCHETTES
2 DESSOUS-DE-PLAT

Feuilleté
La veille, donnez 2 tours au feuilletage pour qu'il soit à 5 tours et laissez-le reposer au réfrigérateur. Si vous préférez faire cette opération le jour

même, laissez le feuilletage reposer pendant au moins 1 h avant de l'abaisser.
Chauffez le four à 220° (th. 7).
Sur le plan de travail légèrement fariné, abaissez le feuilletage en un rectangle de 35 × 45 cm environ, soit la taille de la plaque du four.
Pour éviter un rétrécissement à la cuisson, soulevez la pâte et laissez-la retomber à plusieurs reprises pendant que vous l'abaissez.
Sur la plaque du four humide, étalez l'abaisse puis piquez-la abondamment avec une fourchette à dents fines.
Faites cuire à 220° pendant 20 mn.

Garniture

Faites réduire les tomates dans une poêle à feu vif avec 2 cuillerées d'huile d'olive pendant environ 10 mn, en remuant souvent ; il ne doit pas rester d'eau.
Pendant ce temps, émincez les oignons et les poivrons. Faites fondre les oignons dans le reste de l'huile d'olive à feu vif, ajoutez les poivrons ; remuez souvent avec une cuiller en bois ; laissez blondir légèrement.
Quand les tomates sont bien sèches, ajoutez-les aux oignons et aux poivrons ; ajoutez également le concentré de tomate, le sel (diminuez la quantité s'il s'agit de tomates au naturel), le poivre et le bouquet garni dans lequel vous aurez mis beaucoup de thym. Laissez cuire encore 5 mn.
Si le mélange est bien asséché, évitez l'emploi de fécule ; dans le cas contraire, liez avec une cuillerée à soupe de fécule : la garniture ne doit pas détremper le feuilletage.
Ajoutez un soupçon d'origan.

Finition

Faites chauffer le four 15 mn à l'avance à 180° (th. 5).
Avant d'y poser le feuilleté, recouvrez la plaque du four de papier d'aluminium car elle vous servira de plat de service.
Mettez la garniture dans la plaque à rôtir du four huilée.
Passez feuilleté et garniture au four pendant 10 mn. Lorsque le tout est bien chaud, faites glisser la garniture sur le feuilleté en vous aidant d'une grande palette. Saupoudrez de fromage râpé.
Coupez la pizza en 12 parts égales ; disposez sur chaque part une olive et un filet d'anchois.
Servez immédiatement en plaçant la plaque sur 2 dessous-de-plat.

Conservation : le feuilleté cuit, 24 h dans un endroit frais, sur une planchette ; la garniture, 4 à 5 jours au réfrigérateur, dans un récipient fermé.

Congélation : vous pouvez préparer la garniture avec des tomates fraîches l'été et la congeler. Dans ce cas, arrêtez la cuisson du mélange avant assèchement complet et placez-le dans des bacs en aluminium.

Conseil : vous pouvez couper la pizza feuilletée en 24 petites parts pour un cocktail ou un apéritif. Dans ce cas, coupez en 2 les éléments du décor.

PIZZA FEUILLETÉE À LA RATATOUILLE

Cette recette est similaire à la précédente. Seuls la garniture et le décor diffèrent.

PRÉPARATION : 20 + 10 MN

CUISSON : 20 MN + 10 MN

INGRÉDIENTS POUR 12 PERSONNES :

450 G DE FEUILLETAGE (P. 174)

GARNITURE :

1,5 KG DE RATATOUILLE (P. 363)

DÉCOR :

12 RONDELLES DE CHORIZO FORT OU DOUX
1 POIVRON VERT

MATÉRIEL :

PLAQUE DU FOUR
PLAQUE À RÔTIR DU FOUR
POÊLE
ROULEAU À PÂTISSERIE
PAPIER D'ALUMINIUM

POUR LE BUFFET :

12 ASSIETTES
12 FOURCHETTES
2 DESSOUS-DE-PLAT

Préparez et faites cuire le feuilleté comme pour la pizza aux tomates.
Lavez et épépinez le poivron ; coupez-le en lanières.
Faites réduire la ratatouille dans une poêle sans matière grasse, à feu assez vif, pendant environ 10 mn, en remuant constamment. Il ne doit plus rester de liquide.

Finition
Faites chauffer le four 15 mn à l'avance à 180° (th. 5).
Avant d'y poser le feuilleté, recouvrez la plaque du four de papier d'aluminium pour qu'elle puisse être utilisée comme plat de service.
Mettez la ratatouille dans la plaque à rôtir.
Passez feuilleté et ratatouille au four pendant 10 mn.
Répartissez la ratatouille également sur le feuilleté. Coupez en 12 parts égales. Décorez chaque part d'une rondelle de chorizo et de 2 lanières de poivron disposées en croix.
Servez bien chaud.

Conservation, congélation, conseil : voir pizza aux tomates.

QUICHE DE BAYONNE

Photo ci-contre

PRÉPARATION : 15 MN

CUISSON : 35 MN

INGRÉDIENTS POUR 16 PERSONNES :

2 FONDS DE PÂTE BRISÉE PRÉCUITS DE ∅ 26 CM DANS LEURS MOULES (P. 173)
200 G DE JAMBON DE BAYONNE DE 2 MM D'ÉPAISSEUR
500 G DE RATATOUILLE (P. 363)

APPAREIL À QUICHE :

8 ŒUFS
750 G DE CRÈME FLEURETTE
2 CUILLERÉES À CAFÉ DE SEL FIN
4 TOURS DU MOULIN À POIVRE

MATÉRIEL :

PLAQUE DU FOUR
BOL
FOUET

POUR LE BUFFET :

2 PLATS DE SERVICE RONDS
2 COUTEAUX
16 ASSIETTES
16 FOURCHETTES

Chauffez le four à 200° (th. 6).
Coupez le jambon de Bayonne en fines lamelles.
Mettez dans un bol tous les ingrédients de l'appareil à quiche et mélangez-les au fouet.
Garnissez d'appareil les deux fonds de pâte brisée, parsemez de jambon de Bayonne puis disposez la ratatouille à la cuiller en laissant visibles des parties de l'appareil à quiche ; le résultat après cuisson sera plus coloré (voir photo).
Faites cuire pendant 35 mn.
Démoulez et dressez sur les plats de service pour servir chaud ou froid.

Conservation : 24 h au réfrigérateur, sur le plat de service couvert. Pour les réchauffer, passez les quiches 15 mn au four à 200° (th. 6).

Congélation : vous pouvez faire cette quiche avec de la pâte brisée fraîchement cuite et la congeler garnie avant la cuisson de l'appareil. Le jour de la dégustation, mettez-la directement au four à 200° (th. 6) et faites-la cuire pendant 40 mn sans la décongeler au préalable.

Quiche de Bayonne (recette ci-dessus)
Fonds en pâte brisée (recette p. 173)

QUICHE HONFLEURAISE

PRÉPARATION : 40 MN

CUISSON : 40 MN

INGRÉDIENTS POUR 16 PERSONNES :

2 FONDS DE PÂTE BRISÉE PRÉCUITS DE ∅ 26 CM DANS LEURS MOULES

GARNITURE :

500 G DE MOULES (P. 291)
10 COQUILLES SAINT-JACQUES (P. 290)
1 SOLE DE 500 G VIDÉE ET PARÉE
200 G DE CHAMPIGNONS
1/4 DE CITRON
25 G DE BEURRE
MIETTES DE CRABE OU DE HOMARD (FACULTATIF)

APPAREIL À QUICHE :

8 ŒUFS
500 G DE CRÈME FRAÎCHE
2,5 DL DE FUMET DE POISSON
OU CUISSON DES MOULES
SEL, POIVRE

MATÉRIEL :

1 CASSEROLE DE 2 LITRES
SALADIER
FOUET

POUR LE BUFFET :

2 PLATS DE SERVICE RONDS
2 COUTEAUX
CHAUFFE-PLATS
16 ASSIETTES
16 FOURCHETTES

Préparez d'abord la garniture. Faites cuire les moules et les coquilles Saint-Jacques en suivant les conseils donnés aux pages 297 et 298 ; conservez la cuisson des moules pour l'appareil à quiche et celle des saint-jacques pour cuire la sole.
Coupez la noix des saint-jacques en 6 et le corail en 2.
Faites chauffer la cuisson des saint-jacques et pochez la sole dans le bouillon frémissant, à couvert, pendant 5 mn. Égouttez, levez les filets, coupez-les en petits morceaux.
Chauffez le four à 200° (th. 6).
Coupez les champignons lavés en lamelles. Faites-les cuire 5 mn dans une casserole couverte avec 4 cuillerées à soupe d'eau, le beurre, le jus de citron.
Préparez l'appareil à quiche en fouettant les ingrédients dans un saladier.
Répartissez la garniture dans les fonds précuits, recouvrez avec l'appareil.
Faites cuire à 200° (th. 6) pendant 35 mn.
Démoulez et présentez avec un couteau sur les plats de service posés sur des chauffe-plats.

Conservation : 24 h au réfrigérateur dans les moules couverts. Pour réchauffer, passez 15 mn au four à 200° (th. 6).

Congélation : vous pouvez faire cette quiche avec de la pâte brisée fraîchement cuite et la congeler garnie avant cuisson de l'appareil. Le jour de la dégustation, mettez-la directement au four à 200° (th. 6) et faites cuire 40 mn.

QUICHE LORRAINE

PRÉPARATION : 20 MN

CUISSON : 30 MN

INGRÉDIENTS POUR 16 PERSONNES :

2 FONDS DE PÂTE BRISÉE PRÉCUITS DE ⌀ 26 CM DANS LEURS MOULES
400 G DE LARD FUMÉ
350 G DE GRUYÈRE

APPAREIL À QUICHE :

8 ŒUFS
750 G DE CRÈME FLEURETTE
2 CUILLERÉES À CAFÉ DE SEL FIN
4 TOURS DU MOULIN À POIVRE

MATÉRIEL :

PLAQUE DU FOUR
BOL
FOUET

POUR LE BUFFET :

2 PLATS DE SERVICE RONDS
2 COUTEAUX
16 ASSIETTES
16 FOURCHETTES
2 CHAUFFE-PLATS

Chauffez le four à 200° (th. 6).
Coupez le gruyère et le lard fumé en dés.
Dans un bol, fouettez les ingrédients de l'appareil à quiche.
Répartissez les dés de lard et de gruyère sur les fonds de pâte, garnissez d'appareil à quiche.
Faites cuire pendant 30 mn.
Démoulez et servez immédiatement sur les plats de service posés sur des chauffe-plats.

Conservation, congélation : voir les 2 recettes ci-dessus.

BŒUF TARTARE

PRÉPARATION : 10 MN

INGRÉDIENTS POUR 25 PORTIONS EN BUFFET :

1 KG DE BEEFSTEAK HACHÉ
280 G DE MAYONNAISE (P. 111)
60 G DE CORNICHONS
15 G DE PETITES CÂPRES
3 CUILLERÉES À SOUPE DE FINES HERBES HACHÉES (CERFEUIL, CIBOULETTE, ESTRAGON, PERSIL)
1 CUILLERÉE À CAFÉ DE SEL FIN
POIVRE DU MOULIN

ACCOMPAGNEMENT :

50 CRACKERS SALÉS
OU 50 TOASTS GRILLÉS DE 4 X 4 CM
GLAÇONS

MATÉRIEL :

SALADIER

POUR LE BUFFET :

RÉCIPIENT PLUS GRAND QUE LE SALADIER
CORBEILLE À PAIN
4 PETITES CUILLERS

Le beefsteak haché ne doit pas attendre car, dès sa découpe, il s'altère et noircit. Après l'avoir salé et poivré, préservez-le en le mélangeant immédiatement à la mayonnaise dont l'huile va faire office de protection. Au moment du service, ajoutez les cornichons hachés, les câpres égouttées et les fines herbes et mélangez bien.
Présentez dans le saladier posé dans un récipient rempli de glaçons. Disposez à proximité une corbeille de crackers salés ou de petits toasts de pain de mie chauds et 4 petites cuillers pour le service. Les convives prépareront eux-mêmes leurs tartines.

Conservation : 12 h au réfrigérateur, dans le saladier couvert, avec la mayonnaise mais sans les condiments et fines herbes.

Conseil : vous pouvez remplacer la mayonnaise et les condiments par une sauce tartare (page 118).

FILET DE BŒUF À L'ITALIENNE

La viande étant consommée crue, choisissez-la d'excellente qualité et n'oubliez pas qu'elle s'altère aussi vite que du beefsteak haché dès qu'elle est coupée. Ne la laissez donc pas sur le buffet un jour de grosse chaleur.

PRÉPARATION : 30 MN

TEMPS DE REFROIDISSEMENT AU CONGÉLATEUR : 2 H

INGRÉDIENTS POUR 12 PORTIONS EN BUFFET :

600 G DE FILET OU CONTREFILET DE BŒUF
1 CITRON
3 CUILLERÉES À SOUPE D'HUILE D'OLIVE
1 CUILLERÉE À SOUPE DE MOUTARDE DE MEAUX
1/2 CUILLERÉE À CAFÉ DE SEL
POIVRE DU MOULIN

ACCOMPAGNEMENT :

3 BAGUETTES DE PAIN

MATÉRIEL :

PLAT DE SERVICE ROND
BOL
COUTEAU À JAMBON
PINCEAU

POUR LE BUFFET :

CORBEILLE À PAIN
4 FOURCHETTES
PETITES SERVIETTES

Faites durcir la viande au congélateur pendant 2 h en la posant bien à plat.
Avec le couteau à jambon, coupez la viande durcie en tranches aussi fines que des tranches de jambon cru. Disposez les tranches en étoile sur le plat de service froid.
Préparez la sauce en mélangeant le jus du citron, l'huile, la moutarde, le sel et le poivre. Avec le pinceau, badigeonnez soigneusement la viande de sauce.
Mettez au réfrigérateur jusqu'au dernier moment.
Coupez les baguettes en tranches fines et passez-les sous le gril pour préparer des rôties.
Présentez la viande avec 4 fourchettes, accompagnée des rôties sur lesquelles chacun posera une tranche de viande pliée.
N'oubliez pas de mettre des petites serviettes en papier ou un rince-doigts pour le confort de vos invités.

Conservation : la viande coupée badigeonnée de sauce, 1/2 journée au réfrigérateur, sur le plat de service couvert.

BOUDIN COMME À LA FERME

La qualité du boudin blanc dépend de la volaille choisie et de la fraîcheur du lait et des œufs qui le composent. Un boudin blanc bien frais est brillant et lisse. L'appellation « truffé » implique au minimum 3 % de truffes.

Le boudin noir, contenant du sang, doit toujours être consommé très frais.

PRÉPARATION : 10 MN

CUISSON : 10 OU 20 MN

INGRÉDIENTS POUR 10 PORTIONS EN BUFFET :

10 BOUDINS BLANCS DE 100 G
OU 30 MINI-BOUDINS NOIRS OU BLANCS
50 G DE BEURRE
2 CUILLERÉES À SOUPE DE SEL

MATÉRIEL :

1 GRANDE CASSEROLE
1 GRANDE POÊLE
PLAT À GRATIN

POUR LE BUFFET :

10 ASSIETTES (FACULTATIF)
10 FOURCHETTES
ET 10 COUTEAUX
OU PIQUES EN BOIS
CHAUFFE-PLATS

Faites chauffer 2 litres d'eau avec 30 g de sel. Quand l'eau est bien chaude, mais avant frémissement, ajoutez les boudins et faites-les cuire, sans laisser l'eau frémir afin de ne pas faire éclater la peau, pendant 5 mn pour les mini-boudins, 15 mn pour les boudins de 100 g. Otez les boudins avec une écumoire et faites-les égoutter sur un torchon.
Faites fondre le beurre dans la poêle. Ajoutez les boudins et faites-les colorer légèrement à feu assez doux, en les retournant, pendant 2 à 3 mn.
Faites chauffer le four à 100° (th. 3) après y avoir placé le plat à gratin.
Dressez les boudins dans le plat à gratin chaud. Vous pouvez les servir immédiatement, mais vous pouvez également les laisser en attente pendant 1 h, dans le four à 100°, dans le plat à gratin couvert d'un papier d'aluminium.
Présentez sur un chauffe-plats et accompagnez le boudin noir d'un pot de moutarde.

CHAPITRE VIII

SOUPES FROIDES ET CHAUDES

SOUPES FROIDES

- Soupe à l'avocat
- Gaspacho andalou
- Gaspacho à la tomate fraîche
- Soupe glacée aux haricots blancs
- Soupe de Cavaillon

SOUPES CHAUDES

- Soupe de coquilles Saint-Jacques
- Soupe de moules
- Soupe à l'oignon

SOUPE À L'AVOCAT

PRÉPARATION : 25 MN

CUISSON : 30 MN

TEMPS DE REFROIDISSEMENT : 2 H

INGRÉDIENTS POUR 12 PERSONNES (ENVIRON 2,5 LITRES) :

7 AVOCATS
200 G DE PULPE DE TOMATES
200 G D'OIGNONS
2 GOUSSES D'AIL
4 CITRONS
1 CUILLERÉE À SOUPE DE PERSIL HACHÉ
2 LITRES DE FOND DE VOLAILLE
3 POTS DE YAOURT
1 CUILLERÉE À CAFÉ DE PIMENT DOUX
1 PINCÉE DE MUSCADE
SEL, POIVRE

MATÉRIEL :

CASSEROLE DE 4 LITRES
ROBOT COMPACT
OU MOULINETTE
MIXER

POUR LE BUFFET :

12 BOLS
OU CASSOLETTES DE 2 DL
12 CUILLERS

Émincez les oignons et l'ail.
Faites-les cuire pendant 30 mn dans le fond de volaille avec la pulpe de tomates, le piment doux, le sel et le poivre ; remuez plusieurs fois. Laissez refroidir pendant au moins 1 h (cette cuisson peut être faite la veille).
Épluchez et dénoyautez 6 des 7 avocats ; écrasez la chair au robot compact ou à la moulinette ; ajoutez le jus des citrons. Quand le fond de soupe est bien refroidi, passez-le au mixer avec la pulpe d'avocats pour obtenir un mélange onctueux ; ajoutez ensuite la muscade.
Mettez au réfrigérateur pendant au moins 1 h.
Juste avant de servir, battez les yaourts. Incorporez-les à la soupe en même temps que le persil haché et le 7e avocat épluché et coupé en dés.
Servez dans des cassolettes ou des petits bols bien froids.

Conservation : 24 h au réfrigérateur, dans un récipient couvert, sans le persil ni les dés d'avocat.

GASPACHO ANDALOU

PRÉPARATION : 25 MN

TEMPS DE MACÉRATION : 2 H

INGRÉDIENTS POUR 12 PERSONNES (2,4 LITRES) :

400 G DE CONCOMBRE
80 G DE POIVRONS (ROUGE ET VERT MÉLANGÉS)
800 G DE TOMATES
1 OIGNON MOYEN
4 GOUSSES D'AIL
2,2 DL D'HUILE D'OLIVE
8 CL DE VINAIGRE
4 DL DE FOND DE VOLAILLE
400 G DE PAIN DE MIE
1 POINTE DE COUTEAU DE CAYENNE
1 CUILLERÉE À SOUPE DE SEL
1 CUILLERÉE À CAFÉ DE POIVRE

GARNITURE :

200 G DE TOMATES
200 G DE POIVRONS
40 G DE PAIN DE MIE DÉCROÛTÉ (2 TRANCHES)

MATÉRIEL :

MIXER

POUR LE BUFFET :

SOUPIÈRE (FACULTATIF)
12 BOLS
OU CASSOLETTES DE 2 DL
12 CUILLERS
BOLS DE SERVICE (FACULTATIF)
LOUCHE (FACULTATIF)

Préparez et coupez grossièrement concombre, poivrons, tomates, oignons et ail. Mettez-les dans un saladier, assaisonnez-les, ajoutez l'huile d'olive. Laissez macérer pendant 2 h. Mettez le pain de mie à tremper dans le fond de volaille et le vinaigre mélangés.
Broyez au mixer les légumes macérés et le pain de mie trempé ; rectifiez l'assaisonnement ; mettez au réfrigérateur jusqu'au moment de servir.
Préparez la garniture en coupant en dés tomates, poivrons et pain de mie.
Si vous voulez servir ce gaspacho en cassolettes individuelles, mélangez la garniture aux légumes broyés juste avant de servir. Si vous préférez servir le gaspacho en soupière, présentez la garniture à part dans 3 bols afin que chacun se serve à son goût.

Conservation : 24 h au réfrigérateur, dans un récipient couvert, sans la garniture.

Gaspacho à la tomate fraîche (recette p. 228)

GASPACHO À LA TOMATE FRAÎCHE

Photo page 227

PRÉPARATION : 1 H

INGRÉDIENTS POUR 15 PERSONNES (3 LITRES) :

1 KG DE PULPE DE TOMATES
1 OIGNON MOYEN
1 GOUSSE D'AIL
150 G DE MIE DE PAIN
2 DL D'HUILE D'OLIVE
6 CUILLERÉES À SOUPE DE VINAIGRE DE VIN
1 LITRE DE FOND BLANC
150 G DE MAYONNAISE (P. 111)
SOUPÇON DE CUMIN
1 CUILLERÉE À CAFÉ DE SEL
1 TOUR DU MOULIN À POIVRE

GARNITURE :

60 G DE POIVRON VERT
60 G DE POIVRON ROUGE
200 G DE CONCOMBRE
200 G DE TOMATES
200 G DE PAIN DE MIE DÉCROÛTÉ (10 TRANCHES)

MATÉRIEL :

ROBOT COMPACT OU MIXER

POUR LE BUFFET :

GRAND SALADIER OU SOUPIÈRE
4 BOLS DE SERVICE
15 BOLS DE 2 DL
15 CUILLERS
LOUCHE

Faites tremper la mie de pain dans le vinaigre et l'huile mélangés. Passez au mixer ail, oignon, pulpe de tomates ; ajoutez ensuite la mie de pain, l'huile et le vinaigre, la mayonnaise et allongez avec le fond blanc. Assaisonnez de sel, poivre et cumin.
Préparez les légumes de la garniture ; coupez-les en dés ainsi que le pain de mie. Présentez le gaspacho dans la soupière et la garniture dressée séparément dans 4 bols : pain de mie, tomates, concombre, poivrons.

Conservation : 24 h au réfrigérateur, dans un récipient couvert.

SOUPE GLACÉE AUX HARICOTS BLANCS

PRÉPARATION : 15 MN

CUISSON : CELLE DES HARICOTS

TEMPS DE REFROIDISSEMENT : 2 H

INGRÉDIENTS POUR 15 PERSONNES (2 LITRES À 2,5 LITRES) :

250 G DE HARICOTS BLANCS SECS
2 KG DE GROSSES TOMATES
3 ÉCHALOTES
3 GOUSSES D'AIL
CERFEUIL
1 DL D'HUILE D'OLIVE
3 CUILLERÉES À SOUPE DE VINAIGRE DE VIN
SEL, POIVRE
GLAÇONS

MATÉRIEL :

GRANDE CASSEROLE
MIXER ET TAMIS
OU MOULIN À LÉGUMES

POUR LE BUFFET :

SALADIER
RÉCIPIENT PLUS GRAND QUE LE SALADIER
15 CASSOLETTES DE 1,5 DL
15 CUILLERS
LOUCHE

Faites cuire les haricots en suivant les indications portées sur le paquet ; vous devez obtenir environ 700 g de haricots cuits.
Égouttez-les mais réservez le jus de cuisson.
Émondez les tomates. Broyez tomates et haricots au mixer puis passez-les au tamis, ou bien écrasez-les au moulin à légumes, grille fine. Salez et poivrez.
Délayez cette purée avec l'huile et le vinaigre, ajoutez ail et échalotes hachés et le cerfeuil ciselé. Si la purée est trop épaisse, allongez-la en ajoutant du jus de cuisson. Mettez au réfrigérateur pendant au moins 2 h. Servez glacé dans un saladier posé dans un récipient plus grand contenant des glaçons.

Conservation : 12 h au réfrigérateur, dans un récipient couvert.

SOUPE DE CAVAILLON

A déguster froide un jour de plein été.

PRÉPARATION : 10 MN

TEMPS DE REFROIDISSEMENT : 2 H

INGRÉDIENTS POUR 12 PERSONNES (1,2 LITRE) :

4 MELONS BIEN MÛRS (2,6 KG ENVIRON)
QUELQUES FEUILLES DE CERFEUIL
1/3 DE CUILLERÉE À CAFÉ DE SEL DE CÉLERI
2 CUILLERÉES À CAFÉ DE SEL
1/3 DE CUILLERÉE À CAFÉ DE POIVRE
GLAÇONS

MATÉRIEL :

MIXER OU ROBOT COMPACT

POUR LE BUFFET :

SALADIER
RÉCIPIENT PLUS GRAND QUE LE SALADIER
12 TASSES DE 1 DL
12 CUILLERS
LOUCHE

Après avoir vidé les pépins et ôté la peau des melons, vous devez obtenir environ 1,2 kg de pulpe.
Assaisonnez la pulpe puis passez-la au mixer ou au robot compact.
Ajoutez les feuilles de cerfeuil ciselées. Mettez au réfrigérateur pendant au moins 2 h.
Servez glacé dans un saladier posé dans un récipient plus grand rempli de glaçons.

Conservation : 6 h au réfrigérateur, dans un récipient couvert.

SOUPES CHAUDES

SOUPE DE COQUILLES SAINT-JACQUES

La préparation et la cuisson des légumes peuvent être faites à l'avance, ce qui réduit le travail à 10 mn avant de déguster la soupe.

PRÉPARATION : 40 MN + 10 MN

CUISSON : 25 MN ENVIRON

INGRÉDIENTS POUR 15 PERSONNES (3,5 LITRES ENVIRON) :

24 COQUILLES SAINT-JACQUES NETTOYÉES (P. 290)
300 G DE CAROTTES
200 G DE CÉLERI EN BRANCHES
400 G DE POIREAUX
300 G DE CHAMPIGNONS DE PARIS
100 G D'ÉCHALOTES
QUELQUES FEUILLES DE CERFEUIL ET D'ESTRAGON
100 G DE BEURRE
2 DL DE CRÈME FRAÎCHE
2 DL DE VIN BLANC SEC
2 LITRES DE FUMET DE POISSON (P. 130)
SOUPÇON DE SAFRAN (FACULTATIF)
2 PINCÉES DE POIVRE DE CAYENNE
SEL FIN

MATÉRIEL :

CASSEROLE DE 6 LITRES
ÉMINCEUR À LÉGUMES
OU PLANCHE À DÉCOUPER

POUR LE BUFFET :

15 BOLS
15 CUILLERS

Taillez les poireaux, les carottes et le céleri en julienne, en petits cubes ou en petites rondelles très fines. Otez la partie sablonneuse du pied des champignons, lavez-les et coupez-les en lamelles s'ils sont gros. Hachez les échalotes finement, le cerfeuil et l'estragon grossièrement ; si vous désirez

que l'estragon reste bien vert, blanchissez-le rapidement dans une petite casserole d'eau bouillante.
Dans une casserole de 6 litres, faites revenir au beurre les carottes et le céleri, en remuant, pendant 6 mn ; ajoutez les poireaux et les échalotes, le vin blanc, le poivre de Cayenne et le sel. Couvrez et laissez cuire 10 mn ; ajoutez les champignons et, à découvert, laissez réduire pendant 2 mn environ pour que le liquide soit presque complètement évaporé.
Versez le fumet de poisson sur les légumes et donnez un bouillon. Arrêtez la cuisson. Les légumes doivent être encore un peu croquants. Laissez tiédir dans la casserole.
15 mn avant de servir, chauffez les bols vides.
Coupez les noix de saint-jacques crues en 4 et le corail en 2 ; ajoutez-les dans la casserole contenant les légumes avec, si vous voulez, un soupçon de safran. Faites chauffer et laissez cuire pendant 3 ou 4 mn à partir du frissonnement. Arrêtez alors immédiatement la cuisson.
Ajoutez la crème fraîche, rectifiez l'assaisonnement, ajoutez l'estragon et le cerfeuil ciselés.
Servez bien chaud dans les bols chauffés.

Conservation : les légumes cuits, dans leur cuisson, après refroidissement accéléré dans un bain froid, 24 h au réfrigérateur, dans un récipient fermé.

SOUPE DE MOULES

PRÉPARATION : 35 MN

CUISSON : 30 MN

INGRÉDIENTS POUR 15 PERSONNES (3,5 LITRES ENVIRON) :

3 KG DE MOULES DE BOUCHOT NETTOYÉES
3 DL DE VIN BLANC
THYM, LAURIER, QUEUES DE PERSIL
300 G DE CAROTTES
200 G DE CÉLERI EN BRANCHES
400 G DE POIREAUX
300 G DE CHAMPIGNONS DE PARIS
100 G D'ÉCHALOTES
QUELQUES FEUILLES DE CERFEUIL ET D'ESTRAGON
2 DL DE CRÈME FRAÎCHE ÉPAISSE
100 G DE BEURRE
1 DL DE VIN BLANC SEC
1,5 LITRE DE FUMET DE POISSON (P. 130)
SOUPÇON DE SAFRAN
2 PINCÉES DE POIVRE DE CAYENNE

MATÉRIEL :

ÉMINCEUR À LÉGUMES
OU PLANCHE À DÉCOUPER
GRANDE CASSEROLE À LARGE FOND

POUR LE BUFFET :

15 BOLS
15 CUILLERS

Faites cuire les moules selon la recette de la page 298 ; filtrez la cuisson et réservez-la ; décortiquez les moules.
Taillez poireaux, carottes et céleri en bâtonnets, en dés ou en rondelles très fines. Nettoyez les champignons, coupez-les en lamelles s'ils sont gros. Hachez finement les échalotes, grossièrement le cerfeuil et l'estragon.
Faites fondre le beurre dans une grande casserole ; faites revenir carottes et céleri pendant 6 mn en remuant ; ajoutez poireaux, échalotes, vin blanc et poivre de Cayenne ; laissez cuire pendant 10 mn à couvert. Ajoutez ensuite les champignons et faites réduire à découvert pendant 2 mn. Le liquide doit être presque complètement évaporé.
Ajoutez la cuisson des moules au fumet de poisson pour obtenir 2 litres de liquide. Versez sur les légumes et donnez un bouillon.
Arrêtez la cuisson, les légumes doivent être un peu croquants.
Juste avant de servir chauffez les bols et réchauffez les légumes dans leur jus de cuisson. Dès que la cuisson arrive à ébullition, ajoutez les moules et le soupçon de safran. Arrêtez la cuisson.
Incorporez la crème, ajoutez le cerfeuil et l'estragon.
Servez bien chaud dans les bols chauffés.

Conservation : celle-ci n'est possible que si vous refroidissez rapidement tous les éléments dans un bain froid. Les moules décortiquées couvertes de jus de cuisson de légumes, 24 h au réfrigérateur, dans un récipient fermé ; les légumes dans la cuisson, 24 h au réfrigérateur, dans un récipient fermé.

Conseil : si le jus de cuisson des moules n'est pas parfaitement clair, ne l'utilisez pas et prenez 2 litres de fumet de poisson.

SOUPE À L'OIGNON

PRÉPARATION : 30 MN

CUISSON : 1 H 40

INGRÉDIENTS POUR 10 PERSONNES (2 LITRES ENVIRON) :

600 G D'OIGNONS
150 G DE GRUYÈRE
60 G DE FARINE
100 G DE BEURRE
2 DL DE VIN BLANC SEC
2 LITRES DE FOND DE VOLAILLE OU DE FOND BLANC
1 CUILLERÉE À SOUPE DE SEL
1 CUILLERÉE À CAFÉ DE POIVRE

ACCOMPAGNEMENT :

2 FICELLES DE PAIN
60 G DE BEURRE SALÉ

MATÉRIEL :

COCOTTE
PLAQUE DU FOUR
ÉMINCEUR À LÉGUMES OU COUTEAU BIEN AIGUISÉ ET PLANCHE
RÂPE À GRUYÈRE
PAPIER SILICONÉ (FACULTATIF)

POUR LE BUFFET :

SOUPIÈRE
12 BOLS À GRATINER DE 2,5 DL
12 CUILLERS
RAVIER
PANIER À PAIN
LOUCHE

Épluchez les oignons et émincez-les en rondelles fines.
Dans la cocotte, faites fondre le beurre puis faites colorer les oignons en les remuant avec une cuiller en bois pendant environ 10 mn. Ceci doit se faire à feu vif en surveillant pour que tous les oignons soient d'un beau blond doré.
Saupoudrez de farine et continuez la cuisson pendant 1 mn à feu moyen, en tournant, pour faire dorer la farine ; ajoutez alors le vin blanc, laissez cuire encore 1 mn, en tournant, puis ajoutez le fond. Salez et poivrez. Portez à ébullition, comptez ensuite 1 h 30 de cuisson à feu doux, à couvert.
Rectifiez l'assaisonnement après cuisson.

Finition
Coupez les ficelles de pain en une cinquantaine de rondelles. Beurrez-les au beurre salé. Posez-les côte à côte sur une planchette.
Râpez le gruyère ; gardez la moitié du gruyère râpé en réserve. Avec l'autre moitié, saupoudrez régulièrement le pain beurré ; appuyez bien pour faire tenir le fromage.
Rangez les croûtons sur la plaque du four que vous pouvez recouvrir au préalable de papier siliconé. Chauffez le gril et faites griller les croûtons pendant 2 mn pour les colorer.
Mettez les 12 bols vides à chauffer au four.
Servez la soupe dans une soupière, accompagnée d'un panier à pain contenant les croûtons et d'un ravier de gruyère râpé.

Conservation : la soupe, après refroidissement accéléré dans un bain froid, 24 h au réfrigérateur, dans un récipient fermé ; les croûtons grillés, 24 h au sec.

CHAPITRE IX

FOIE GRAS, PÂTÉS ET TERRINES

- Conseils pour bien acheter le foie gras
- Terrine de foie gras au naturel
- Foie gras en brioche
- Préparation et conservation des pâtés et terrines
- Conseils de présentation
- Fromage de tête persillé
- Pâté de campagne au foie de porc
- Rillettes de porc
- Terrine de lapin aux foies de volaille
- Terrine de mousse de foies de volaille
- Terrines de canard ou de gibier à plume : conseils pour le découpage
- Terrine de canard au porto
- Terrine de canard à l'orange
- Terrine de canard à la pistache
- Terrine de canard au poivre vert
- Terrine de faisan
- Terrine de lièvre
- Terrine d'anguille
- Terrine de légumes

CONSEILS POUR BIEN ACHETER LE FOIE GRAS

Si vous achetez du foie gras cuit, préférez-le « entier au naturel » et frais. Il s'agit d'un foie entier cuit dans une terrine avec très peu d'ingrédients : quelques grammes de sel et de poivre, un peu d'excellent vin ou d'alcool. La truffe, à mon avis, n'apporte rien.
Le foie gras frais est de plus en plus apprécié et demandé par les amateurs. On pense toujours au foie d'oie mais la consommation du foie de canard augmente chaque année.
La graisse qui recouvre le foie est une protection indispensable. Il ne faut pas la jeter mais la conserver pour des cuissons ultérieures ; récupérez-la donc et gardez-la au réfrigérateur dans un récipient fermé.
En dehors de la saison des fêtes de fin d'année, le foie gras frais est assez difficile à trouver ; vous pourrez peut-être vous procurer du foie gras mi-cuit de production artisanale.
Mais vous n'êtes pas obligé d'acheter le foie gras cuit. Je vais vous donner la recette du foie gras au naturel comme nous le préparons.
Attention à la qualité du foie cru que vous achetez, de lui dépend toute la réussite.
Vous pouvez choisir un foie d'oie ou de canard. Le foie de canard est un peu moins cher et son goût très fin est un tout petit peu plus prononcé, mais on le trouve toute l'année.
Dans les deux cas, le foie doit être ferme et rosé et peser de 800 g à 1 kg pour une oie ou 500 g pour un canard.

FOIE GRAS AU NATUREL

Photo page 239

La préparation prend relativement peu de temps mais elle est étalée sur 4 jours.

Cette recette peut être réalisée avec un foie de canard en ajustant les proportions des ingrédients (voir p. 240) ; il n'est pas nécessaire d'ôter la peau du foie de canard.

PRÉPARATION : 25 MN LE PREMIER JOUR, QUELQUES MINUTES LES JOURS SUIVANTS

MARINADE : 48 H

CUISSON : 2 H (PAR KG)

TEMPS DE REFROIDISSEMENT APRÈS CUISSON : 24 H

TEMPS DE REPOS : 8 JOURS

INGRÉDIENTS :

1 FOIE D'OIE DE 1 KG
12 G DE SEL FIN
1/2 CUILLERÉE À CAFÉ DE POIVRE ET SUCRE MÉLANGÉS EN PARTIES ÉGALES
2 PINCÉES DE PAPRIKA
1 CUILLERÉE À SOUPE DE COGNAC
2 CUILLERÉES À SOUPE DE PORTO

DÉCOR :

200 G DE GELÉE CLAIRE

MATÉRIEL :

TERRINE RECTANGULAIRE
PLAQUE À RÔTIR DU FOUR
ÉPLUCHE-LÉGUMES
THERMOMÈTRE À SONDE (FACULTATIF)
PAPIER D'ALUMINIUM

Pensez à sortir le foie du réfrigérateur un peu à l'avance. Travaillez-le de préférence dans un endroit frais.
Pelez délicatement le foie avec la pointe d'un épluche-légumes pour ne pas abîmer la chair ; en écartant bien les lobes, mais sans déchirer le foie, ôtez les deux réseaux de vaisseaux sanguins. S'il y a beaucoup de traces de sang, vous pouvez mettre le foie à tremper dans du lait pendant 1 h.
Posez le foie sur une grande feuille de papier d'aluminium dont vous relevez les bords tout autour pour former une sorte de récipient. Mélangez sel, poivre, sucre, et paprika et assaisonnez le foie avec soin, y compris entre les lobes ; ajoutez le cognac et le porto.
Refermez complètement le papier d'aluminium et laissez le foie enveloppé mariner 24 h au réfrigérateur.
Le lendemain, ouvrez le paquet et faites glisser le foie dans une terrine ; couvrez de papier d'aluminium. Laissez ainsi, à température ambiante, pendant encore 24 h.
Le troisième jour, faites chauffer le four à 70° (th. 1/2). Préparez un bain-marie dans la plaque à rôtir du four et faites cuire le foie au bain-marie, dans la terrine découverte, à feu très doux, pendant 2 h ; le foie est cuit quand la température intérieure, vérifiable avec un thermomètre à sonde, atteint 58/60°. Un four trop chaud ou une cuisson trop prolongée font ressortir beaucoup trop de graisse et amènent une perte de poids.
Quand la cuisson est terminée, videz la graisse et réservez-la dans une petite casserole ; dans la terrine, placez une planchette portant un poids pour tasser le foie pendant la période de refroidissement. Mettez au réfrigérateur.
Le quatrième jour, enlevez le poids et la planchette ; recouvrez le foie de graisse tiède pour qu'il se conserve mieux. Enveloppez la terrine dans un film plastique et remettez-la au réfrigérateur.
Il faut, si possible, attendre 8 jours avant de déguster.
Attendez le dernier moment pour démouler le foie sur un plat de service long (p. 243) et pour le couper car, cette méthode de cuisson étant vraiment « au naturel », le foie coupé deviendra grisâtre assez rapidement ; cela n'enlève évidemment rien à sa qualité mais le rend moins présentable.
Coupez le foie en tranches avec un couteau à filet de sole ; faites tiédir la lame en la trempant dans de l'eau chaude et essuyez-la avant chaque découpe.
Servez entouré de cubes de gelée (p. 74).

Foie gras au naturel (recette p. 237)

Conservation : avant démoulage, 3 semaines au réfrigérateur, dans la terrine enveloppée dans un film plastique.

Conseil : si vous utilisez des foies d'un poids différent et avez besoin d'ajuster les ingrédients, voici les quantités précises d'assaisonnement à respecter :

12 g de sel fin au kg de foie
3 g de poivre pour 5 livres de foie
3 g de sucre pour 5 livres de foie
1,5 g de paprika pour 5 livres de foie
1 dl d'alcool pour 5 livres de foie.

Je vous rappelle que le temps de cuisson est de 2 h par kg.

FOIE GRAS EN BRIOCHE

Cette entrée, facile à réaliser, fera beaucoup d'effet.

PRÉPARATION : 15 MN

TEMPS DE REFROIDISSEMENT : 2 H

INGRÉDIENTS POUR 10 PERSONNES :

1 ROULEAU DE FOIE GRAS MI-CUIT EN BOÎTE DE 320 G
200 G DE MOUSSE DE FOIE GRAS (P. 104)
1 BRIOCHE MOUSSELINE DE 18 À 20 CM DE HAUT

MATÉRIEL :

COUTEAU-SCIE
PALETTE DE 15 CM DE LONG

POUR LE BUFFET :

PLAT DE SERVICE DE 40 CM DE LONG
10 PETITES ASSIETTES
10 PETITES FOURCHETTES

Sortez la mousse de foie gras du réfrigérateur et travaillez-la à la palette jusqu'à ce qu'elle soit bien souple.
Sortez le foie gras de la boîte en ouvrant celle-ci aux deux bouts et en poussant sur une des extrémités. Réservez le foie gras au réfrigérateur. Lavez soigneusement la boîte.
Coupez le chapeau de la brioche ; réservez-le. Enfoncez la boîte vide verticalement dans la mie, comme un emporte-pièce, pour évider le centre ; n'allez pas tout à fait jusqu'au fond pour ne pas trouer la croûte. Otez la boîte.
Enfoncez la lame du couteau-scie horizontalement à 1 cm au-dessus de la base de la brioche et, par un mouvement de va-et-vient, détachez le cylindre de mie. Otez-le.
A l'aide de la palette, tartinez copieusement de mousse de foie gras l'intérieur du puits ainsi formé pour qu'il n'y ait pas, par la suite, de vide entre le foie gras et la brioche.
Enfoncez le bloc de foie gras dans le puits. S'il est plus long que la brioche, coupez le surplus. Lissez la surface pour avoir une première tranche nette.

Reposez le chapeau. Enveloppez dans un film plastique et mettez la brioche garnie au réfrigérateur, verticalement, pendant au moins 2 h. Posez la brioche en long sur une planche. Coupez en une dizaine de tranches à l'aide du couteau-scie.
Présentez immédiatement sans décor sur un plat en superposant légèrement les tranches.

Conservation : la brioche garnie, 24 h au réfrigérateur, bien enveloppée dans un film plastique.

PRÉPARATION ET CONSERVATION DES PÂTÉS ET TERRINES

Les terrines demandent plusieurs heures de préparation mais vous pouvez en réaliser plusieurs longtemps à l'avance et les congeler crues ou les stériliser.

Choix du matériel

Le hachoir à viande est un bon appareil car il n'abîme pas les chairs et retient les nerfs et les petits cartilages. C'est un accessoire que l'on trouve aujourd'hui sur les bons robots ménagers.
Le robot compact est utile pour travailler 2 ou 3 terrines à la fois. A défaut, la moulinette électrique donne d'assez bons résultats par petites quantités. Utilisez de préférence des terrines en terre à feu de 1 kg et de 1,5 kg ou, à défaut, un grand plat en verre à feu à hauts bords.

Composition

Une terrine se compose d'une farce dont les éléments sont plus ou moins grossièrement hachés. L'assaisonnement pour 1 kg de farce (viande et lait) est de :

20 g de sel fin
2 g de poivre (1 petite cuiller à café)
1 pincée d'épices (muscade, 4 épices)
1 dl de vin ou d'alcool (cognac, porto)
+ aromates, herbes fraîches, condiments divers.

On tapisse le fond des terrines d'une mince barde de lard et on recouvre la surface soit avec une barde de lard, soit plutôt avec de la crépine de porc fraîche ou une peau de volaille, en bordant à l'intérieur.

Cuisson

Elle est commencée en général à four chaud 220° (th. 7) pour saisir et colorer la surface, puis elle est poursuivie à four doux 100/120° (th. 2/3) dans un bain-marie frémissant que l'on peut compléter d'eau en cours de cuisson.
Le temps de cuisson total est de 1 h 30 par kg d'ingrédients. La température doit atteindre 70° à cœur ; on peut la vérifier si l'on a un thermomètre à sonde ou même un thermomètre à yaourt. Le jus de cuisson doit bouillonner tout autour et sortir clair si l'on pique la préparation avec un couteau.

Refroidissement

Dans le récipient de cuisson, posez une planchette ou un ravier portant un poids assez lourd pour tasser la terrine.
Dans nos cuisines, à Plaisir, nous faisons un fumet avec carcasses, légumes et aromates et, après cuisson, nous remplaçons le jus de la terrine par une réduction de ce fumet. Pour vous montrer un exemple d'utilisation de fumet, je vous l'explique dans la recette de la terrine de lapin aux foies de volaille page 248.
Pour plus de simplicité, je vous conseille plutôt de ne pas remplacer le jus de cuisson, qui est d'ailleurs délicieux, et de garder les os ou carcasses pour préparer un fond que vous pourrez déguster en consommé ou utiliser comme base de gelée (p. 127).

Conservation

Une terrine bien cuite se conserve facilement 10 à 15 jours au réfrigérateur, dans le récipient de cuisson couvert.

Congélation

On peut congeler les terrines après cuisson, mais je ne vous le recommande pas car la terrine rend de l'eau lorsqu'elle est ramenée à température ambiante. La congélation des terrines crues, par contre, donne d'excellents résultats.
Avant d'y mettre la préparation, tapissez entièrement l'intérieur du récipient de cuisson de papier d'aluminium ou de film plastique, en faisant dépasser largement. Remplissez de préparation et mettez au congélateur. Le lendemain, quand tout a bien durci, enlevez le récipient et finissez d'envelopper la terrine dans le papier d'aluminium ou le film plastique. N'oubliez pas de l'étiqueter.
La veille de la cuisson, passez le tout sous l'eau chaude pour décoller l'emballage protecteur et remettez dans le récipient qui a servi de moule. Laissez décongeler au réfrigérateur pendant 12 h.
Même si vous n'avez pas beaucoup de moules, cette méthode vous permet de congeler beaucoup de terrines tout en ayant toujours des récipients disponibles.

Stérilisation

Comme il s'agit ici de stériliser un produit qui n'est pas destiné à être recuit, il faut prendre des précautions car les températures de stérilisation que l'on peut obtenir à la maison ne sont pas suffisantes pour détruire certains microbes.
Le stérilisateur ménager est à déconseiller car il ne permet pas d'obtenir des températures supérieures à 100°. La cocotte minute, qui atteint 112°, permet d'obtenir des semi-conserves. La stérilisation se fait en deux temps dans des bocaux à bords droits, plus larges que hauts :
1. Garnissez les bocaux, ne les fermez pas. Mettez-les à four chaud (220° — th. 7) pendant 20 mn pour saisir et colorer la préparation. La température intérieure atteint environ 55°.
2. Ajoutez le décor s'il y en a un, fermez les bocaux et stérilisez dans une cocotte minute pendant 50 à 60 mn selon la taille des bocaux. Laissez refroidir, mettez au réfrigérateur. Limite de la conservation : 3 mois.

CONSEILS DE PRÉSENTATION

Vous pouvez présenter pâtés et terrines dans le moule de cuisson ou bien les servir démoulés sur un plat de service.

Présentation dans le moule

Choisissez le moule avec un souci d'esthétique. Une belle terrine en terre ou en céramique peut être du plus bel effet sur votre buffet.
Vous pouvez placer sur le pâté ou la terrine un décor ayant un rapport avec sa saveur (voir terrines de gibier) ou avec la viande qui a servi à faire la farce. Ce décor doit être discret et ne pas gêner le découpage.
Coupez quelques tranches pour indiquer la marche à suivre, mais ne les sortez pas ; contentez-vous d'en soulever légèrement une ou deux pour faciliter la tâche du premier invité qui viendra se servir.
N'oubliez pas de poser un couteau et une fourchette à côté de la terrine pour le service.

Présentation hors du moule

Pour démouler une terrine, glissez la lame d'un couteau tout autour pour détacher la préparation. Couchez ensuite la terrine sur le côté ; en glissant le couteau ou une spatule et en appuyant légèrement, faites pénétrer un peu d'air pour décoller le fond. Retournez ensuite sur le plat de service.
Vous pouvez présenter la terrine ou le pâté entier avec 2 ou 3 tranches prédécoupées comme pour les terrines non démoulées. Ou bien vous pouvez les présenter découpés, en superposant partiellement les tranches sur le plat de service.
Décorez le tour du plat de gelée en chiffonnade (p. 74), de petites feuilles de salades entières, de salades coupées en lanières, de cornichons, de cerises au vinaigre ou de fleurons de feuilletage (p. 70).

FROMAGE DE TÊTE PERSILLÉ

Photo page 24

Il ne s'agit pas d'une terrine à proprement parler puisque la préparation est différente et la cuisson se fait en cocotte. Vous pouvez néanmoins suivre les conseils pour le démoulage et la présentation.

PRÉPARATION : 1 H

CUISSON : 2 H 15 DANS UNE COCOTTE
50 MN DANS UNE COCOTTE MINUTE

RÉDUCTION DU BOUILLON : 2 H ENVIRON

TEMPS DE REFROIDISSEMENT : 3 H MINIMUM

INGRÉDIENTS POUR 3 KG :

DEMI-TÊTE DE PORC DEMI-SEL
2 LANGUES DE PORC DEMI-SEL
1 GROS PIED DE VEAU
4 CAROTTES
1 POIREAU
1 BRANCHE DE CÉLERI
3 OIGNONS PIQUÉS AVEC 3 CLOUS DE GIROFLE
3 GOUSSES D'AIL
1 GROS BOUQUET GARNI (THYM, LAURIER, QUEUES DE PERSIL)
1 CUILLERÉE À CAFÉ DE GRAINS DE POIVRE

FUMET :

2 DL DE VIN BLANC SEC
2 CUILLERÉES À SOUPE DE VINAIGRE DE CIDRE
3 ÉCHALOTES

FINITION :

CERFEUIL, ESTRAGON, PERSIL, SELON LA SAISON
QUELQUES CAROTTES

MATÉRIEL :

2 TERRINES LONGUES
OU 2 MOULES À CAKE DE 2 LITRES
OU 2 MOULES À BABA
COCOTTE OU COCOTTE MINUTE DE 10 LITRES
GRANDE CASSEROLE
PLANCHE À DÉCOUPER
COUTEAU CHEF

Commandez la viande au charcutier en précisant que c'est pour faire un fromage de tête. Il est préférable que la demi-tête soit coupée en 2 pour entrer plus facilement dans la cocotte.
Mettez les morceaux de viande dans la cocotte de 10 litres, couvrez-les d'eau froide. Portez à ébullition puis laissez cuire pendant 10 mn, en écumant plusieurs fois. Ajoutez alors les légumes épluchés et coupés grossièrement, le bouquet garni, les oignons, l'ail et l'assaisonnement. Couvrez et laissez cuire doucement, pendant 2 h 15 mn dans une cocotte ou pendant 50 mn dans une cocotte minute.

Préparation du fumet

Sortez la viande de la cocotte. Versez le bouillon à travers une passoire dans une grande casserole. Laissez-le reposer quelques minutes afin que la graisse remonte à la surface. Dégraissez le plus complètement possible, d'abord à l'aide d'une louche, ensuite avec du papier absorbant.
Ajoutez au bouillon le vin blanc sec, les échalotes hachées finement et le vinaigre de cidre.
Faites réduire pendant 1 h 30 à 2 h pour obtenir 1 litre de bouillon corsé. Rectifiez éventuellement l'assaisonnement.

Découpage et mise en terrine

Pendant la réduction du bouillon, faites blanchir quelques carottes à l'eau salée.
Désossez la tête de porc et le pied de veau, ôtez la peau des langues ; coupez viandes et cartilages en cubes ou en rondelles. Après réduction du bouillon, couvrez de bouillon corsé le fond des moules ; décorez le fond et les parois de rondelles de carottes.
Posez dans les moules les viandes coupées en répartissant également gras,

cartilages et maigre. Dispersez dessus cerfeuil, estragon ou persil haché finement. Recouvrez de bouillon.
Après refroidissement, mettez au réfrigérateur pendant au moins 3 h. S'il reste du bouillon, faites-le prendre en gelée au réfrigérateur dans un récipient carré.
Démoulez sur les plats de service en suivant les conseils de la page 243. Hachez la gelée et disposez-la en décor au moment de servir.

Conservation : 8 jours au réfrigérateur, dans les moules couverts.

PÂTÉ DE CAMPAGNE AU FOIE DE PORC

Photo page 247

PRÉPARATION : 1 H 30

CUISSON : 40, 60 OU 90 MN SELON LA TAILLE

TEMPS DE REPOS : 12 H

INGRÉDIENTS POUR 2,5 KG :

400 G DE FOIE DE PORC
1 KG DE GORGE DE PORC DÉCOUENNÉE
200 G D'ÉCHINE DE PORC DÉSOSSÉE
3 ŒUFS
100 G D'OIGNONS (2 OIGNONS MOYENS)
30 G D'ÉCHALOTES (3)
1 GROSSE GOUSSE D'AIL
20 G DE PERSIL (UNE POIGNÉE DE FEUILLES)
70 G DE FÉCULE DE POMMES DE TERRE
3 DL DE LAIT BOUILLI FROID

ASSAISONNEMENT :

1 PINCÉE DE MUSCADE RÂPÉE
30 G DE SEL FIN (2 PETITES CUILLERÉES À SOUPE)
3 G DE POIVRE (1 CUILLERÉE À CAFÉ)
1 DL DE VIN BLANC SEC

CUISSON :

3 OU 4 PETITES BARDES DE LARD FRAIS
100 G DE CRÉPINE

MATÉRIEL :

3 OU 4 TERRINES
PLAQUE À RÔTIR DU FOUR
HACHOIR À VIANDE (GRILLE À TROUS DE ∅ 6 MM)
OU ROBOT COMPACT
CUL-DE-POULE DE 3 LITRES
PLANCHE À DÉCOUPER

Laissez la crépine sous un filet d'eau courante pendant 30 mn. Otez les gros vaisseaux du foie de porc puis coupez-le en gros dés ainsi que les autres viandes.
Mettez toutes les viandes dans le cul-de-poule, ajoutez l'assaisonnement et mélangez bien.

Hachez le persil, les échalotes, l'ail et les oignons.
Passez les viandes au hachoir ou au robot compact.
Faites chauffer le four à 220° (th. 7).
Mélangez tous les ingrédients hachés dans le cul-de-poule, ajoutez les œufs simplement battus et le lait préalablement fouetté avec la fécule.
Au fond de chaque terrine, posez une barde de lard ; remplissez de préparation puis recouvrez avec la crépine coupée à la bonne dimension et bordée à l'intérieur.
Faites colorer les terrines pendant 15 mn dans la plaque à rôtir du four, à 220°. Baissez ensuite le thermostat à 130° (th. 3) ; ajoutez de l'eau dans la plaque à rôtir pour faire un bain-marie puis laissez cuire, pendant 40 mn pour une terrine de 500 g, pendant 60 mn pour une terrine de 1 kg, pendant 90 mn pour une terrine de 1,5 kg. Faites refroidir puis laissez reposer pendant 12 h au réfrigérateur.
Servez non démoulé, partiellement prédécoupé (voir p. 243) et accompagné de condiments et de pain de campagne.
Suivez les conseils des pages 241 et 242 pour vérifier la cuisson, ainsi que pour la conservation, la congélation et la stérilisation.

RILLETTES DE PORC

Les rillettes se préparent rapidement et se cuisent en cocotte. Mais vous pouvez suivre les conseils généraux des terrines pour la stérilisation et la présentation.

PRÉPARATION : 20 MN

CUISSON : 6 H

INGRÉDIENTS POUR 3 KG :

2,5 KG DE POITRINE DE PORC DÉSOSSÉE
1,4 KG DE MAIGRE DE JAMBON BLANC CRU
1 KG DE SAINDOUX
48 G DE GROS SEL
12 G DE POIVRE

MATÉRIEL :

2 OU 3 TERRINES
COCOTTE DE 10 LITRES

Coupez la poitrine en cubes. Dans la cocotte, faites chauffer un quart du saindoux et faites colorer la poitrine à feu vif pendant 5 mn en la tournant avec une cuiller en bois. Ajoutez le maigre de jambon coupé en filets de 100 g environ, puis le reste du saindoux et l'assaisonnement ; laissez cuire à feu très doux à couvert, pendant 6 h.
Après cuisson, retirez les filets de jambon avec l'écumoire.
Avec la cuiller en bois ou un pilon, écrasez le mieux possible les morceaux

Pâté de campagne au foie de porc (recette p. 245)

1979
Bordeaux

de poitrine dans la cocotte. Émiettez grossièrement le jambon, remettez-le dans la cocotte. Mélangez bien.

Moulez chaud dans les terrines. Faites refroidir puis couvrez et mettez au réfrigérateur.
Servez dans la terrine avec des tranches de pain de campagne.

Conservation : 5 jours couvert, au réfrigérateur.

Stérilisation : suivez les conseils propres aux terrines page 242.

Conseil : si vous travaillez une quantité de viande différente, sachez que vous aurez besoin de 12 g de gros sel et de 3 g de poivre par kilo de viande.

TERRINE DE LAPIN AUX FOIES DE VOLAILLE

La réalisation de cette recette doit être étalée sur au moins 2 jours. Le 1er jour, vous préparez l'appareil pour les terrines et la marinade ; le 2e jour, vous préparez le fumet et faites cuire les terrines.
Cette recette est en général réservée aux professionnels.

TERRINE

PRÉPARATION : 1 H 30 (1er JOUR) + 1 H (2e JOUR)

MARINADE : 12 H MINIMUM

CUISSON : 1 H 30 À 2 H (2e JOUR)

FUMET

PRÉPARATION : 15 MN (2e JOUR)

CUISSON : 20 MN + 3 H (2e JOUR)

TEMPS DE REPOS : 12 H

INGRÉDIENTS POUR 2,5 KG :

Les 9 premières quantités indiquées ci-dessous (jusqu'à la fin des ingrédients de l'assaisonnement) ne sont données qu'à titre indicatif pour vous aider dans vos achats. Faites néanmoins les pesées et soyez très précis, surtout pour l'assaisonnement.

APPAREIL POUR LA TERRINE :

1 LAPIN DE 1,2 KG ENVIRON
430 G DE FOIES DE VOLAILLE
700 G D'ÉCHINE DE PORC
2 DL DE COGNAC OU D'ARMAGNAC
3 DL DE LAIT
5 ŒUFS

MATÉRIEL :

2 TERRINES DE 1 KG ET 1,5 KG
PLAQUE À RÔTIR DU FOUR
COCOTTE DE 5 LITRES
HACHOIR À VIANDE (GRILLE À TROUS DE ∅ 8 MM)
OU ROBOT COMPACT
1 SALADIER
5 BOLS DONT 2 GRANDS
COUTEAU CHEF BIEN AIGUISÉ
BALANCE
BALANCE DIÉTÉTIQUE
OU PÈSE-LETTRES

ASSAISONNEMENT :

45 G DE SEL
5 G DE POIVRE
2 G DE MUSCADE
1/2 DL DE LAIT BOUILLI FROID

MARINADE :

200 G DE CAROTTES
200 G D'OIGNONS ET ÉCHALOTES
1 GOUSSE D'AIL
PERSIL, THYM, LAURIER

FUMET :

TÊTE ET CARCASSE DU LAPIN
LÉGUMES DE LA MARINADE
1 PIED DE VEAU
1 COUENNE DE PORC
SEL, POIVRE

CUISSON :

1 CRÉPINE DE PORC
1 BARDE DE LARD

PREMIER JOUR

Préparation de l'appareil pour les terrines : désossage et pesée

Avec le couteau chef, coupez la tête et les pattes du lapin, réservez le foie. Désossez le lapin avec le couteau d'office en longeant les os. Pour détacher les gros nerfs, soulevez-les avec le dos du couteau et enlevez-les en tirant dessus sans les couper au fur à mesure du désossage.
Réservez os, nerfs et parures pour le fumet.

Pesez séparément, d'une part les beaux morceaux du rable et des cuisses, d'autre part le reste de la chair et les rognons. Mettez les beaux morceaux dans un grand bol, le reste dans un saladier.
Additionnez le poids total.

Pesez le même poids d'échine de porc et ajoutez-le dans le saladier.
Pesez ensuite un poids de lait égal au poids des beaux morceaux ; réservez-le pour la cuisson.
Calculez à nouveau le total.

Il faut 200 g de foies par kg de ce nouveau total. Pesez donc le foie du lapin en ajoutant des foies de volaille jusqu'à obtention du poids nécessaire. Réservez les foies.
Calculez le nouveau total.

Pour la cuisson, il faudra 2 œufs par kg de ce nouveau total. Quand vous avez compté combien il fallait d'œufs, pesez-les puis réservez-les.
Calculez le total pour la dernière fois afin de voir combien il faut d'assaisonnement et d'alcool ; les proportions sont les suivantes :

sel : 20 g par kg
poivre : 2 g par kg
muscade : une pincée par kg
alcool : 1 dl par kg.

beaux morceaux ....
\+
chair et rognons ....
= ....
\+
échine ....
\+
lait ....
= ....
\+
foies ....
= ....
\+
œufs ....
= ....

Pesez les ingrédients de l'assaisonnement et mesurez l'alcool nécessaire ; réservez-les séparément.
Débarrassez les foies de toute trace de fiel puis faites-les dégorger pendant 2 h dans le 1/2 dl de lait bouilli pour leur faire perdre leur amertume. Ensuite, égouttez-les et faites-les macérer dans 3 cuillerées à soupe de l'alcool choisi et un peu de l'assaisonnement.

Préparation de la marinade

Épluchez carottes, oignons, échalotes et ail ; coupez-les en rondelles ; répartissez les légumes, le thym, le laurier et le persil dans le saladier et le grand bol contenant les viandes ; ajoutez l'alcool et l'assaisonnement. Mélangez bien.
Laissez les viandes mariner pendant 12 h au moins dans un endroit frais ou pendant 2 à 3 jours dans le bas du réfrigérateur, dans les récipients couverts.

DEUXIÈME JOUR

Préparation du fumet

Séparez les légumes des viandes et filtrez le jus de la marinade. Allumez le four à 220° (th. 7).
Dans la plaque à rôtir du four, faites revenir les os de lapin grossièrement concassés ; au bout de 10 mn, retournez-les et ajoutez les légumes de la marinade. Quand tout est coloré, sortez les os et les légumes de la plaque à rôtir avec une écumoire et mettez-les dans une grande cocotte avec 1,5 litre d'eau froide. Assaisonnez légèrement, ajoutez le pied de veau et la couenne de porc et laissez mijoter doucement pendant 3 h.
Passez le fumet à travers une passoire fine ou un chinois. Prélevez 4 dl et transvasez-les dans un récipient froid ; laissez-les refroidir et prendre en gelée pour décorer le plat de service.
Réservez le reste du fumet ; il vous en faudra environ une louche par terrine après cuisson.

Préparation et cuisson des terrines

Lavez la crépine de porc sous l'eau courante.
Au fond de chaque terrine, mettez une feuille de laurier et quelques brins de thym puis posez une barde de lard.
Cassez les œufs, battez-les. Égouttez les beaux morceaux du lapin et les foies ; coupez-les en dés de 1 cm de côté. Passez le reste des viandes au robot compact ou au hachoir ; ajoutez progressivement les œufs battus, puis le lait, puis le jus de la marinade. Vous obtenez une masse homogène et molle.
Remplissez les terrines de cette préparation en y répartissant la viande coupée en dés ; recouvrez de crépine bien tendue. Allumez le four à 220° (th. 7).
Quand le four est chaud, mettez les terrines dans la plaque à rôtir. Au bout de 20 à 30 mn, elles commencent à prendre une belle couleur de feuilles d'automne. Baissez alors la température à 120° (th. 3), ajoutez de l'eau dans la plaque à rôtir pour faire un bain-marie et laissez cuire, pendant environ 60 mn pour une terrine de 1 kg et pendant 90 mn pour une terrine de

1,5 kg. Vérifiez la cuisson en suivant les conseils de la page 241. Quand les terrines sont cuites, videz le jus de cuisson pour le remplacer par une louche de bon fumet de lapin qui prendra en gelée.
Laissez refroidir en vous conformant aux indications de la page 242.
Démoulez sur une planche, coupez en tranches.
Dressez les tranches partiellement superposées sur les plats de service ; décorez d'un cordon de gelée (p. 74). Servez accompagné de pain grillé.

Conservation, congélation : voir conseils généraux, page 242.

Conseil : s'il vous reste du fumet de lapin, conservez-le et utilisez-le comme n'importe quel fond de viande (p. 126).

TERRINE DE MOUSSE DE FOIES DE VOLAILLE

Il faut beaucoup de gras de jambon pour cette recette. Il ne s'agit pas de gras de jambon blanc. Achetez de la « mouille », c'est ainsi que les charcutiers appellent le gras d'un jambon cru.

PRÉPARATION : 20 MN

CUISSON : 60 MN

TEMPS DE REFROIDISSEMENT : 4 H

INGRÉDIENTS POUR 1,5 KG :

450 G DE FOIES DE VOLAILLE
450 G DE MOUILLE
3 ŒUFS
2 ÉCHALOTES
60 G DE FÉCULE DE POMME DE TERRE
1 NOIX DE BEURRE
3 DL DE LAIT

ASSAISONNEMENT :

1 CUILLERÉE À SOUPE DE SEL
2 PINCÉES DE POIVRE
1 PINCÉE DE MUSCADE
2 CL DE COGNAC
4 CL DE PORTO

CUISSON :

2 OU 3 BARDES DE LARD

MATÉRIEL :

2 OU 3 TERRINES
PLAQUE À RÔTIR DU FOUR
CASSEROLE DE 2 LITRES
POÊLE
ROBOT COMPACT

Plongez la mouille dans de l'eau bouillante pendant 1 mn pour la durcir.
Faites fondre le beurre dans la poêle, faites revenir rapidement les foies de volaille et les échalotes coupées grossièrement.

Hachez foies et échalotes au robot compact, en ajoutant progressivement la fécule, les œufs et l'assaisonnement ; mélangez bien le tout ; incorporez ensuite, en plusieurs fois, la mouille coupée en morceaux puis, quand tout est bien lisse, le lait bouillant, en filet.
Faites chauffer le four à 100° (th. 2).
Au fond de chaque terrine, posez une barde de lard ; remplissez de préparation.
Faites cuire au bain-marie dans le plat à rôtir du four, pendant 60 mn pour des terrines de 500 g et pendant 80 mn pour des terrines de 1 kg.
Suivez les conseils de la page 241 pour vérifier la cuisson.
Laissez refroidir puis mettez au réfrigérateur pendant au moins 4 h.
Servez bien frais dans la terrine, accompagné de rôties.

Conservation, congélation : voir page 242.

Stérilisation : suivez le mode d'emploi de votre cocotte minute.

TERRINES DE CANARD OU DE GIBIER À PLUME
CONSEILS POUR LE DÉCOUPAGE

Les explications qui suivent sont données pour un canard mais elles sont valables pour tout autre volatile destiné à une terrine.
Passez le canard paré et vidé au-dessus d'une flamme pour brûler le duvet et les tuyaux de plumes.
Sur une planche à découper, posez le canard, poitrine en dessous. Pour détacher la carcasse, commencez par inciser le milieu du dos sur toute la longueur avec un couteau effilé et pointu, tandis que de l'autre main vous tirez la chair vers l'extérieur, d'abord d'un côté, puis de l'autre (photo). Longez la carcasse avec la lame du couteau pour laisser le moins de chair possible. Cassez les articulations des pattes et des ailes, détachez l'os du bréchet puis retirez la carcasse. Enlevez les os qui restent en incisant la chair dans le sens de la longueur des os (photo).

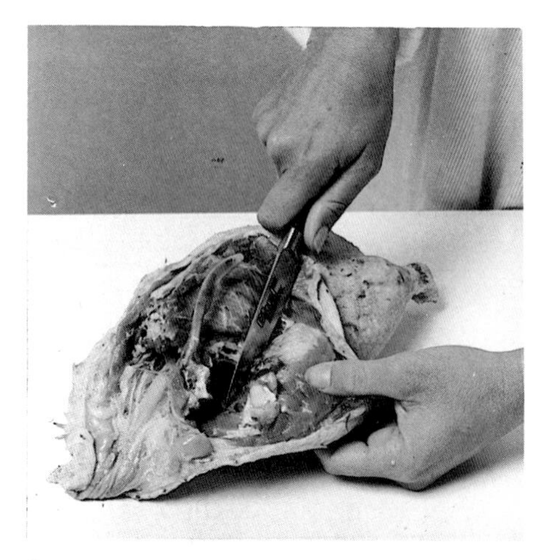

Comment inciser le milieu du dos et tirer la chair de chaque côté.

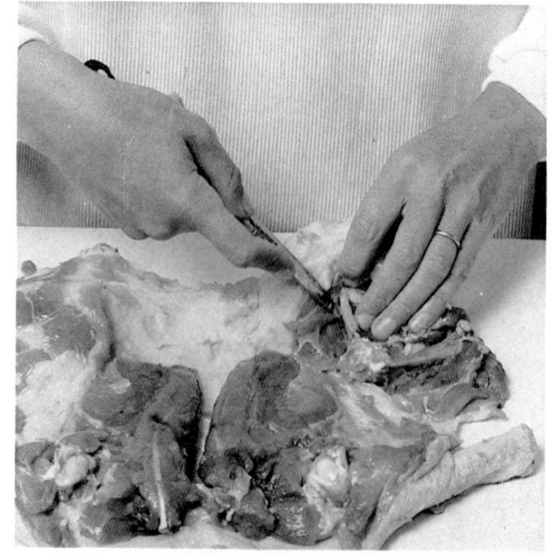

Une fois la carcasse ôtée, la chair est incisée le long des os pour pouvoir la détacher.

Évitez de déchirer la peau et la chair des filets. Détachez la chair et la graisse avec un couteau assez large passé à plat ; récupérez le maximum de petits morceaux.
Ne coupez pas les nerfs. Saisissez chaque nerf à la main en le prenant par son extrémité la plus épaisse et, en prenant appui sur le plan de travail, grattez avec le couteau pour séparer le nerf de la chair.
Réservez séparément les beaux filets et les petits morceaux ; ne gardez qu'une partie du gras car il y en a toujours trop dans un canard.
Dégraissez la peau au maximum en la maintenant sur la planche et en passant un couteau large à plat contre l'intérieur (photo).
Terminez en grattant l'extérieur de la peau pour enlever les tuyaux de plumes qui pourraient rester. La peau servira à recouvrir les terrines.

Dégraissage de la peau.

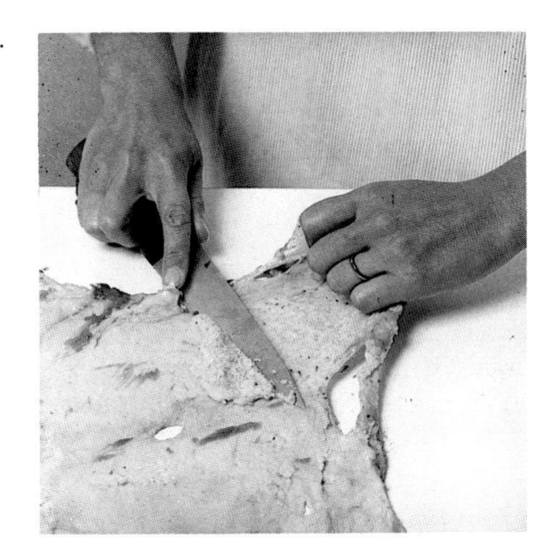

Un canard de Barbarie de 2 kg paré et vidé donne généralement, après découpage :

- 430 g de filets
- 340 g de chair + un peu de gras
- 620 g d'os
- 400 g de peau et de déchets.

Ces indications peuvent évidemment varier d'un oiseau à un autre.

Conseil : avec la carcasse et les déchets, vous pouvez préparer un fond brun (p. 127) ou un fond de volaille (p. 126).

TERRINE DE CANARD AU PORTO

Cette recette se prête à de nombreuses préparations de terrines de canard, de faisan ou même de lièvre. Le parfum indiqué en tête des ingrédients et le décor constituent les seules variantes.

PRÉPARATION : 20 MN (1er JOUR) + 10 MN (2e JOUR)

MACÉRATION : 12 H

CUISSON : 60 À 90 MN SELON LA TAILLE (2e JOUR)

TEMPS DE REPOS APRÈS CUISSON : 24 À 48 H.

INGRÉDIENTS POUR 1,8 KG :

Les poids ci-dessous sont donnés à titre indicatif pour vous aider à faire vos achats. Faites les pesées et soyez très précis quant à l'assaisonnement.

PARFUM : 2 DL DE PORTO

320 G DE FILETS DE CANARD
320 G DE CHAIR DE CANARD
340 G DE GORGE DE PORC
300 G DE POITRINE DE PORC
3,2 DL DE LAIT BOUILLI
2 PETITS ŒUFS
20 G DE FARINE

ASSAISONNEMENT :

2 CUILLERÉES À SOUPE DE SEL
1 CUILLERÉE À CAFÉ DE POIVRE
1 PINCÉE DE MUSCADE
1 CUILLERÉE À CAFÉ DE THYM HACHÉ
1 CUILLERÉE À CAFÉ DE SUCRE

CUISSON :

3 OU 4 FEUILLES DE LAURIER
100 G DE BARDE DE LARD
2 FEUILLES DE GÉLATINE
PEAU OU CRÉPINE

MATÉRIEL :

3 OU 4 TERRINES
PLAQUE À RÔTIR DU FOUR
HACHOIR (GRILLE À GROS TROUS)
OU ROBOT COMPACT
PLANCHE À DÉCOUPER
COUTEAU CHEF
BALANCE DIÉTÉTIQUE
OU PÈSE-LETTRES

PREMIER JOUR

Pesez séparément d'une part les filets, d'autre part le reste de la chair avec un peu de graisse. Mettez les filets dans une assiette creuse et le reste dans un saladier.

Additionnez les deux poids.

filets ....
+
chair et graisse ....
= ....

Ajoutez dans le saladier un poids égal de porc (gorge et poitrine).
Pesez un poids de lait égal au poids des filets. Réservez-le.

Calculez le nouveau total.

+
porc ....
+
lait ....
= ....

Pour la cuisson, il faudra aussi 1 œuf par kg de ce nouveau total. Ajoutez le poids des œufs et réservez-les.

+
œufs ....
= ....

Ce dernier total va vous indiquer la quantité d'assaisonnement et de parfum à employer :

sel : 20 g par kg
poivre : 2 g par kg
muscade : 1 pincée par kg
parfum : 1 dl de porto par kg.

Émincez 3 des filets de canard dans la longueur. Coupez les autres en gros dés.
Coupez en cubes le porc et le reste de chair de canard ; passez-les au hachoir ou au robot compact. Mettez-les dans le saladier. Ajoutez successivement les œufs, puis la farine, puis, petit à petit, le lait dont vous réservez 1 dl, et enfin tout l'assaisonnement et le parfum.
En remuant à la cuiller, ajoutez ensuite les filets coupés en dés. Placez les morceaux longs juste sous la surface de la préparation pour les retrouver facilement.
Laissez macérer au réfrigérateur pendant au moins 12 h, dans le saladier couvert.

DEUXIÈME JOUR

Faites chauffer le four à 220° (th. 7).
Enlevez du saladier les filets longs et réservez-les.
Ajoutez au dl de lait chaud les feuilles de gélatine rincées et égouttées. Incorporez à la préparation.
Garnissez le fond de chaque terrine avec une feuille de laurier puis une barde de lard puis versez la préparation jusqu'à mi-hauteur. Posez ensuite les filets longs, dans la longueur si la terrine est rectangulaire, en arcs de cercle si la terrine est ronde ; finissez de remplir. Recouvrez d'un morceau de peau de canard bordé à l'intérieur. Piquez la peau en 3 endroits avec un couteau pour éviter qu'elle ne se rétracte.
Posez les terrines dans le plat à rôtir du four et faites-les dorer pendant 15 mn ; baissez le thermostat à 120° (th. 3), ajoutez de l'eau dans le plat à rôtir pour faire un bain-marie et laissez cuire, pendant 60 mn pour une terrine de 500 g et pendant 90 mn pour une terrine de 1 kg.
Vérifiez la cuisson et procédez au refroidissement en suivant les conseils de la page 241.
Mettez au réfrigérateur et laissez reposer pendant 24 à 48 h.
Démoulez sur le plat de service préalablement garni de feuilles de laitue. Coupez en tranches que vous écartez légèrement les unes des autres sans modifier la forme de la terrine.

Conservation, congélation et stérilisation : voir page 242.

TERRINE DE CANARD À L'ORANGE

INGRÉDIENTS :

COMME POUR LA TERRINE DE CANARD AU PORTO
SAUF :

PARFUM : COINTREAU ET ZESTE D'ORANGE

DÉCOR : 1 ORANGE

Procédez comme pour la terrine de canard au porto en remplaçant le porto par du cointreau et en ajoutant du zeste d'orange finement haché, à raison de 1 dl de cointreau et de 10 g de zeste par kg de préparation.
Après refroidissement, décorez le dessus de la terrine des demi-tranches d'orange pelée à vif.
Servez non démoulé.

TERRINE DE CANARD À LA PISTACHE

INGRÉDIENTS :

COMME POUR LA TERRINE DE CANARD AU PORTO
SAUF :

PARFUM : PORTO ET PISTACHES

DÉCOR : QUELQUES PISTACHES

Procédez comme pour la terrine de canard au porto en ajoutant 15 g de pistaches entières par kg de préparation, en même temps que le porto.
Décorez de quelques pistaches et servez dans la terrine.

TERRINE DE CANARD AU POIVRE VERT

INGRÉDIENTS :

COMME POUR LA TERRINE DE CANARD AU PORTO
SAUF :

PARFUM : PORTO ET POIVRE VERT

DÉCOR : QUELQUES GRAINS DE POIVRE VERT

Procédez comme pour la terrine de canard au porto en remplaçant le poivre gris de l'assaisonnement par 15 g de poivre vert par kg de préparation.
Décorez le dessus de la terrine de quelques grains de poivre vert et servez-la sans la démouler.

TERRINE DE FAISAN

INGRÉDIENTS :

COMME POUR LA TERRINE DE CANARD AU PORTO
SAUF :

PARFUM : COGNAC ET CHARTREUSE VERTE

DÉCOR : QUELQUES NOISETTES

Procédez comme pour la terrine de canard au porto en remplaçant le canard par du faisan, le porto par du cognac et de la chartreuse verte mélangés, à raison de 1/2 dl de chaque alcool par kg de préparation.
Décorez le dessus de la terrine de quelques noisettes concassées et servez non démoulé.

TERRINE DE LIÈVRE

INGRÉDIENTS :

COMME POUR LA TERRINE DE CANARD AU PORTO
SAUF :

PARFUM : RHUM ET COGNAC

DÉCOR : FLEURS DE THYM ET DE ROMARIN

Désossez le lièvre en vous inspirant des explications données pour le lapin page 249.
Si vous avez le sang du lièvre, pesez-le et ajoutez son poids au poids total de préparation pour calculer l'assaisonnement. Ajoutez le sang au mélange dans la macération.
Procédez ensuite comme pour la terrine de canard au porto en remplaçant le porto par du rhum et du cognac mélangés, à raison de 1/2 dl de chaque alcool par kg de préparation.
Décorez le dessus de la terrine de fleurs de thym et de romarin et servez non démoulé.

TERRINE D'ANGUILLE

La préparation doit être étalée sur 2 jours.
Tous les ingrédients doivent être travaillés très froids.

PRÉPARATION : 30 MN (1er JOUR) + 25 MN (2e JOUR)

MARINADE : 24 H

CUISSON : 1 H 30

TEMPS DE REFROIDISSEMENT : 6 H

INGRÉDIENTS POUR UNE TERRINE DE 1,7 KG :

550 G DE FILETS D'ANGUILLE
460 G DE CHAIR DE BROCHET
150 G DE CHAMPIGNONS DE PARIS
2 ŒUFS
1 BLANC D'ŒUF
1/2 CITRON
2,5 DL DE CRÈME FLEURETTE
1 NOIX DE BEURRE
3 CUILLERÉES À CAFÉ DE SEL
1 CUILLERÉE À CAFÉ DE GROS SEL
3 PINCÉES DE POIVRE BLANC
1 PINCÉE DE POIVRE DE CAYENNE
13 G DE POIVRE VERT

MARINADE :

1/4 LITRE DE VIN BLANC SEC
100 G D'OIGNONS
2 ÉCHALOTES
THYM, LAURIER
1 CUILLERÉE À CAFÉ BOMBÉE DE SEL
1 CUILLERÉE À CAFÉ DE POIVRE EN GRAINS

PANADE :

1/4 LITRE DE LAIT
125 G DE FARINE
4 JAUNES D'ŒUFS
75 G DE BEURRE

ACCOMPAGNEMENT :

300 G DE SAUCE CRESSONNETTE (P. 116)

MATÉRIEL :

TERRINE RECTANGULAIRE DE 1,25 LITRE
CASSEROLE DE 2 LITRES
POÊLE
ROBOT COMPACT ET TAMIS
HACHOIR À VIANDE À TROUS DE ∅ 4 MM (FACULTATIF)
GRAND BOL
POCHE À DOUILLE
PLANCHE À DÉCOUPER
COUTEAU FILET DE SOLE
CELLOPHANE
OU PAPIER BLANC
PAPIER ABSORBANT

PREMIER JOUR

Saisissez l'anguille à la poêle dans une noix de beurre pendant 1 mn, salez et poivrez légèrement.

Marinade

Épluchez les oignons et les échalotes, coupez-les en rondelles ; ajoutez-les au thym, au laurier, au vin blanc et à l'assaisonnement.
Faites macérer l'anguille dans cette marinade pendant 6 h au moins ou, si possible, pendant une journée, au réfrigérateur.

DEUXIÈME JOUR

Panade

Faites bouillir le lait et le beurre. Hors du feu, ajoutez la farine d'un seul coup ; faites dessécher sur le feu pendant quelques instants en remuant avec une spatule.
Hors du feu, incorporez les jaunes d'œufs, toujours en remuant. Laissez refroidir, à couvert pour éviter le dessèchement.

Préparation des champignons

Lavez-les rapidement, coupez-les grossièrement puis faites-les étuver 5 mn avec le jus du 1/2 citron et le gros sel dans une casserole couverte. Laissez refroidir puis égouttez et épongez soigneusement.

Farce

Broyez la chair de brochet crue, au hachoir de préférence ; si vous utilisez un robot compact, passez ensuite la chair au tamis pour éliminer arêtes et petites peaux.
Mettez la chair hachée dans le robot compact (rincé si vous l'avez déjà utilisé) puis, en broyant, ajoutez l'assaisonnement (sauf le poivre vert) et, progressivement, la panade, les deux œufs et le blanc, la crème fleurette. Arrêtez et redémarrez plusieurs fois ; il faut compter environ 5 mn pour que tout soit bien mélangé.
Ajoutez au mélange les champignons et le poivre vert et mélangez à la spatule.

Préparation et cuisson de la terrine

Beurrez la terrine, couvrez le fond avec un papier beurré ou une feuille de cellophane.
Égouttez et épongez l'anguille marinée.
Faites chauffer le four à 90° (th. 2).
Garnissez de farce une poche sans douille ; sur tout le fond de la terrine, étalez une couche de farce de 1 cm d'épaisseur ; posez dessus un filet d'anguille en appuyant légèrement pour éliminer toute bulle d'air. Dressez une deuxième couche de farce, posez un deuxième filet d'anguille. Continuez en alternant farce et anguille.
Couvrez la terrine et faites-la cuire dans un bain-marie au four pendant 1 h 30. La température doit atteindre 55° à cœur.
Laissez refroidir pendant 2 h à température ambiante puis mettez au réfrigérateur pendant 4 h.

Pour démouler la terrine, passez un couteau tout autour ; couchez-la sur le côté et, à l'aide d'une palette, décollez le fond ; faites glisser sur le plan de travail.
Otez le papier et découpez en tranches avec un couteau filet de sole.
Dressez sur le plat de service en superposant légèrement les tranches ; présentez l'accompagnement séparément.

Conservation : avant découpage, 4 jours au réfrigérateur, dans la terrine couverte.

Conseil : la même recette peut être réalisée avec du haddock pour remplacer l'anguille et des filets de rouget et de merlan à la place du brochet. Dans ce cas, faites revenir le haddock sans le saler.

TERRINE DE LÉGUMES

Photo page ci-contre

PRÉPARATION : 40 MN

CUISSON : 20 MN

TEMPS DE REFROIDISSEMENT : 3 H

INGRÉDIENTS POUR 1,2 KG :

500 G DE HARICOTS VERTS MOYENS
450 G DE MACÉDOINE DE LÉGUMES (P. 376) FAITE SANS HARICOTS VERTS
2 FONDS D'ARTICHAUTS CUITS (P. 343)
1 BOÎTE DE CŒURS DE PALMIER
100 G DE CRÈME FRAÎCHE
6 FEUILLES DE GÉLATINE
SEL, POIVRE

ACCOMPAGNEMENT :

200 G DE SAUCE FRAÎCHE À LA TOMATE (P. 118)

MATÉRIEL :

MOULE À CAKE OU TERRINE LONGUE
CASSEROLE DE 2 LITRES
ROBOT COMPACT OU MIXER OU MOULIN À LÉGUMES
PAPIER BLANC

Faites cuire les haricots verts à l'eau bouillante salée pendant 20 mn. Égouttez-les puis passez-les au mixer, au robot compact ou au moulin à légumes. Vous obtenez une mousse onctueuse ; vérifiez l'absence de fils.
Faites bouillir la crème puis incorporez-la aux haricots. Ajoutez les feuilles de gélatine rincées et égouttées dans l'ensemble encore chaud et laissez tiédir.
Égouttez soigneusement la macédoine, mélangez-la à la mousse de haricots tiède et aux fonds d'artichauts coupés en dés de 1 cm. Tapissez le fond et les parois du moule de papier blanc. Remplissez à moitié de mélange.
(suite p. 262)

Terrine de légumes (recette ci-dessus)

Choisissez 100 g de cœurs de palmier bien tendres, disposez-les en longueur dans la terrine. Finissez de remplir avec le mélange puis mettez au réfrigérateur pendant au moins 3 h.
Démoulez sur un plat long en suivant les conseils de la page 243. Coupez en tranches avec le couteau à jambon et servez accompagné d'un bol de sauce fraîche à la tomate.

Conservation : avant découpage, 48 h au réfrigérateur, dans le moule couvert.

CHAPITRE X

POISSONS, CRUSTACÉS ET COQUILLAGES

- Court-bouillon pour poissons et crustacés

POISSONS

- Conseils de cuisson pour les poissons longs
- Bar en chaud-froid
- Couronne de saumon en gelée
- Aspics de saumon en gelée
- Conseils pour choisir et préparer les soles
- Goujonnettes de filets de sole Madras
- Mousselines de poissons
- Cocktail nordique
- Poisson cru en salade
- Saumon frais mariné à l'aneth
- Conseils pour le choix et la présentation du saumon fumé

CRUSTACÉS

- Cocktail de crabe
- Coquilles de crabe
- Conseils sur le choix des langoustes
- Langouste à la parisienne
- Tourteaux à la quimperlaise

COQUILLAGES

- Conseils pour choisir et nettoyer les coques et les prairies
- Conseils pour choisir et nettoyer les coquilles Saint-Jacques
- Conseils pour choisir, ouvrir et servir les huîtres
- Conseils pour choisir et nettoyer les moules
- Comment composer un beau plateau de fruits de mer
- Bulots au naturel
- Coques ou praires au vin blanc
- Coquillages au beurre d'escargot
- Coquilles Saint-Jacques au fumet
- Gratin de saint-jacques en coquilles
- Moules au vin blanc

POISSONS, CRUSTACÉS ET COQUILLAGES AU BARBECUE

- Conseils généraux
- Tableau

COURT-BOUILLON POUR POISSONS ET CRUSTACÉS

PRÉPARATION : 15 MN

CUISSON : 20 MN POUR 6 LITRES

INGRÉDIENTS :

6 LITRES D'EAU
150 G DE CAROTTES
3 BRANCHES DE CÉLERI
150 G D'OIGNONS
3 ÉCHALOTES
3 FEUILLES DE LAURIER
6 BRINS DE THYM
150 G DE GROS SEL
20 G DE POIVRE BLANC MIGNONNETTE

MATÉRIEL :

COCOTTE DE 10 LITRES
OU SAUMONIÈRE

Coupez les carottes en fines rondelles, taillez le céleri en petits tronçons, émincez les oignons et les échalotes.
Mettez tous les ingrédients dans la cocotte ou la saumonière, portez à ébullition à couvert puis laissez cuire. Le court-bouillon est prêt quand les carottes sont cuites. Laissez refroidir avant utilisation.
Adaptez les quantités ci-dessus à la taille du poisson et surtout à celle de la saumonière ; comptez environ 6 litres pour faire cuire un poisson de 1,8 kg dans une saumonière de 70 cm de long.

Conservation : 1 semaine au réfrigérateur, dans un récipient fermé. On peut utiliser plusieurs fois le même court-bouillon, à condition de le faire dans les 48 heures.

POISSONS

CONSEILS DE CUISSON POUR LES POISSONS LONGS

Mettez toujours le poisson dans le court-bouillon froid ; commencez la cuisson à feu moyen pour ne pas faire éclater les chairs.
Comptez 10 mn pour amener le court-bouillon à ébullition ; comptez ensuite 10 mn de cuisson à frémissement par kg pour le bar et le saumon, 5 mn par kg pour le brochet et le colin. Avec une sonde, vous pouvez vérifier la cuisson à cœur (50 à 55°).
Si vous avez 24 invités, il est préférable de préparer 2 poissons de 2 kg plutôt que 1 seul poisson de 4 kg. Vous ne ferez que 6 litres de court-bouillon et vous l'utiliserez 2 fois ; vous pourrez placer 2 poissons dans le

réfrigérateur plus facilement que 1 gros poisson ; enfin, 2 poissons feront meilleur effet sur le buffet.
De façon générale, vous pouvez prévoir la cuisson des poissons 1 jour ou 2 à l'avance. Faites refroidir le poisson dans le court-bouillon le plus rapidement possible, de préférence dans un bain froid.

Conservation du poisson cuit : 48 h au réfrigérateur, enveloppé dans un linge mouillé de court-bouillon et placé dans un sac plastique bien fermé.

BAR EN CHAUD-FROID

Photo page 269

Cette recette peut également être réalisée avec un saumon.
Il est préférable d'étaler la préparation sur 2 jours.

PRÉPARATION : 15 MN (1er JOUR) + 2 H (2e JOUR)

TEMPS DE REFROIDISSEMENT : 3 H (1er JOUR) + 3 H (2e JOUR)

CUISSON : 30 MN (1er JOUR)

INGRÉDIENTS POUR 12 PORTIONS EN BUFFET :

1 BAR DE 2 KG VIDÉ ET ÉCAILLÉ
5 À 6 LITRES DE COURT-BOUILLON
600 G DE SAUCE CRESSONNETTE (P. 116)
750 G DE GELÉE CLAIRE DE FUMET DE POISSON

GARNITURE :

12 TOMATES MACÉDOINE (P. 188)
6 ŒUFS DURS
60 G DE MAYONNAISE

DÉCOR :

2 CITRONS CANNELÉS (P. 69)
1 FLEUR EN TOMATE (P. 71)
1 POIREAU
1 AUBERGINE
QUELQUES BRINS DE PERSIL

MATÉRIEL :

SAUMONIÈRE DE 60 OU 70 CM DE LONG
PLAT LONG DE 70 CM
2 CASSEROLES DONT 1 GRANDE
CUL-DE-POULE
POCHE À DOUILLE DE ∅1 CM
FICELLE FINE
PAPIER D'ALUMINIUM

POUR LE BUFFET :

SAUCIÈRE
COUTEAU D'OFFICE
12 ASSIETTES
12 FOURCHETTES À POISSON

PREMIER JOUR

Enveloppez le poisson dans du papier d'aluminium. Posez-le sur le côté droit et ficelez-le (sans serrer) sur la plaque amovible de la saumonière (photo). Posez-le dans la saumonière et couvrez-le de court-bouillon. Mettez la saumonière sur 2 plaques de cuisson ; comptez 20 mn à partir du frémissement.
Laissez refroidir dans le court-bouillon.
Égouttez le poisson en le laissant enveloppé et ficelé sur la plaque amovible

puis mettez-le au réfrigérateur pendant au moins 3 h, bien enveloppé dans un film plastique et posé sur une planche ou sur un plat.

DEUXIÈME JOUR

Déficelez et ouvrez le papier d'aluminium ; avec un couteau, fendez la peau du poisson le long de l'arête dorsale et commencez par peler le côté droit aplati et moins beau. Retournez le poisson, ôtez la peau du côté gauche (photo). Faites glisser le bar sur le plat de service.

1

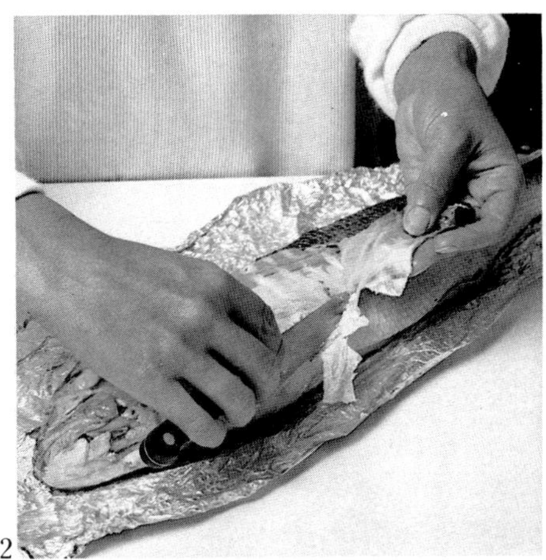

2

1. Bar cru enveloppé de papier d'aluminium et posé sur la plaque.

2. Après cuisson on ouvre le papier d'aluminium et on pèle le poisson.

3. Le bar, nappé, sur le plat de service ; avec une spatule on enlève le surplus de sauce.

3

Nappage en chaud-froid

Réservez la moitié de la sauce cressonnette au réfrigérateur dans une saucière pour le service.

Ajoutez à l'autre moitié de la sauce cressonnette 75 g de gelée tiédie. Nappez le poisson avec une cuiller à soupe ; laissez couler le surplus de sauce sur le plat sans vous en préoccuper. Mettez au réfrigérateur pendant 15 mn.

Faites alors un deuxième nappage en rajoutant dans la sauce 75 g de gelée tiédie ; remettez le poisson au réfrigérateur.

Une fois le deuxième nappage bien pris en gelée, parez le tour du bar puis, avec une spatule, ôtez le surplus de sauce qui a coulé dans le plat (photo).

Réservez 150 g de gelée dans une petite casserole pour le troisième nappage et faites durcir le reste au réfrigérateur dans un récipient plastique rectangulaire pour la finition.

Décor

Coupez et lavez les feuilles vertes du poireau ; faites-les blanchir 1 mn à l'eau bouillante et refroidissez-les immédiatement sous l'eau froide. Ouvrez la feuille la plus verte, étalez-la sur la planche (voir photo couleurs) et, à l'aide du couteau d'office, taillez sur toute la longueur 7 ou 8 tiges très fines et quelques feuilles très allongées.
Dans la peau de l'aubergine, découpez 7 ou 8 plumets de roseaux.
Disposez le décor en vous inspirant de la photo en couleurs. Une fois posé, le décor ne peut plus être modifié.

Finition

Faites tiédir les 150 g de gelée dans la petite casserole ; nappez le poisson décoré en deux fois (p. 129) ; laissez couler la gelée jusqu'à ce que le fond du plat soit recouvert ; mettez au réfrigérateur.
Sur une planche, hachez la gelée bien prise qui était dans le récipient plastique en mouillant constamment le couteau avec quelques gouttes d'eau pour que la lame glisse bien.
Remplissez de gelée la poche à douille et dressez un cordon de gelée autour du poisson.
Cachez les ouïes du bar sous un collier de persil haché grossièrement.
Coupez les citrons en 1/2 rondelles, rangez-les tout autour du plat.
Disposez la fleur en tomate près de la queue.
Coupez les œufs durs en 2, ôtez les jaunes et écrasez-les. Mélangez les jaunes à la mayonnaise et garnissez de ce mélange les moitiés de blancs.
Dressez tomates macédoine et œufs mimosa alternativement autour du bar, comme sur la photo.
Attention ! si votre plat de service est en argent, ne disposez les citrons et les œufs durs qu'à la dernière minute car l'argent s'oxyde.

Service

Comme ce plat est fragile, il est préférable de servir les invités quand ils viennent au buffet.
Avec un couteau d'office, fendez le poisson dans l'épaisseur tout le long de l'arête, coupez 6 parts en biais ; quand les 6 parts sont servies, ôtez l'arête et coupez 6 autres parts en biais dans la moitié restante.
En même temps que le poisson, servez une cuillerée à soupe de sauce cressonnette présentée en saucière ainsi qu'une tomate macédoine et un œuf mimosa en garniture.

Conservation : le plat fini, 12 h au réfrigérateur ou 6 h sur un bloc de glace.

Conseil : si le plat n'est pas assez grand pour contenir toute la garniture, vous pouvez en présenter une partie à part.

Bar en chaud-froid (recette p. 266)
Tomates macédoine (recette p. 188)
Œufs mimosa (recette ci-dessus)

COURONNE DE SAUMON EN GELÉE

Photo page 275

Il est préférable d'étaler la préparation sur 2 jours.

PRÉPARATION : 35 MN (1er JOUR) + 20 MN (2e JOUR)

TEMPS DE REFROIDISSEMENT : 3 H

INGRÉDIENTS POUR 20 PORTIONS EN BUFFET :

600 G DE SAUMON CUIT
24 ŒUFS DE CAILLE DURS
OU 6 ŒUFS DURS
1 CUILLERÉE À SOUPE DE CERFEUIL HACHÉ
1 BRANCHE D'ESTRAGON FRAIS
1,5 LITRE DE GELÉE CLAIRE DE FUMET DE POISSON (P. 130)

DÉCOR :

2 CITRONS CANNELÉS
1 BOUQUET DE PERSIL
2 DL DE GELÉE CLAIRE
1 TUBE DE CONCENTRÉ DE TOMATE

ACCOMPAGNEMENT :

400 G DE SAUCE CRESSONNETTE (P. 116)
OU 400 G DE SAUCE TOMATE NAPOLÉON (P. 119)

MATÉRIEL :

1 MOULE À BABA DE ∅ 22 OU 24 CM
1 PLAT DE SERVICE ROND DE ∅ 28 CM
CASSEROLE DE 2 LITRES
CUL-DE-POULE OU BOL
POCHE À DOUILLE DE ∅ 1 CM
COUTEAU FILET DE SOLE
PINCEAU

POUR LE BUFFET :

SAUCIÈRE
20 ASSIETTES
20 FOURCHETTES À POISSON

PREMIER JOUR

Mettez le moule au congélateur pendant 30 mn.
Mettez la gelée au point.
Pour chemiser le moule, choisissez la méthode qui vous convient le mieux : versez un peu de gelée dans le moule très froid et tournez-le sur lui-même pour le chemiser comme vous feriez avec un caramel ; aidez-vous d'un pinceau pour la colonne. Ou bien : remplissez le moule de gelée à peine tiède ; posez-le dans un bac rempli d'eau froide et de glaçons ; au bout de 5 mn, une pellicule de gelée bien prise chemise alors régulièrement le moule ; videz le reste de la gelée.
Décorez le fond du moule de feuilles d'estragon.
Écalez les œufs de caille et coupez-les en 2 ; si vous utilisez des œufs de poule, coupez-les en 24 belles rondelles.
Coupez grossièrement le saumon : disposez les plus beaux morceaux au fond du moule ; dressez contre les parois des rondelles d'œufs durs ou des 1/2 œufs de caille, jaune tourné vers l'extérieur (photo).
Finissez de remplir avec le cerfeuil haché, le saumon et les œufs restants. Surtout, ne tassez pas.

Versez ensuite la gelée mais, attention, versez-la dès qu'elle commence à prendre : si elle était tiède, elle risquerait de faire fondre le chemisage déjà pris et de faire glisser les œufs de caille.
Mettez au réfrigérateur pendant 3 h au moins.

DEUXIÈME JOUR

Posez le moule 2 secondes dans un récipient rempli d'eau très chaude, essuyez-le et démoulez sur le plat de service.
Décorez le tour avec des 1/2 rondelles de citron et le centre avec des brins de persil.
Hachez grossièrement la gelée, remplissez la poche à douille et dressez un cordon de gelée autour de la couronne.
Décorez chaque 1/2 rondelle de citron d'un point de concentré de tomate recouvert d'une pincée de feuilles de persil.
Remettez au réfrigérateur jusqu'au dernier moment.
Servez accompagné de sauce cressonnette ou de sauce tomate Napoléon présentée en saucière.

Conservation : 48 h au réfrigérateur, dans le moule couvert.

Conseil : si vous avez un carton à entremets doré, démoulez la couronne dessus et placez-le sur le plat de service. L'or fait ressortir la couleur du saumon et la transparence de la gelée.

ASPICS DE SAUMON EN GELÉE

Photo page 275

PRÉPARATION : 20 MN

TEMPS DE REFROIDISSEMENT : 2 H

INGRÉDIENTS POUR 12 PORTIONS EN BUFFET :

540 G DE SAUMON CUIT
24 ŒUFS DE CAILLE DURS
1/2 LITRE DE GELÉE CLAIRE DE FUMET DE POISSON (P. 130)
CERFEUIL

DÉCOR :

12 BELLES FEUILLES DE SALADE
2 CITRONS CANNELÉS

ACCOMPAGNEMENT :

240 G DE SAUCE CRESSONNETTE (P. 116)
OU 240 G DE SAUCE TOMATE NAPOLÉON (P. 119)

MATÉRIEL :

PLAT DE SERVICE
12 MOULES À DARIOLES DE 1 DL

POUR LE BUFFET :

12 FOURCHETTES À POISSON
BOL

Dans chaque moule, versez une cuillerée à soupe de gelée fondue. Disposez quelques brins de cerfeuil puis faites prendre au réfrigérateur pendant 15 mn.

Coupez grossièrement le saumon ; écalez les œufs de caille.
Dans chaque moule, posez un morceau de saumon, 2 œufs de caille coupés en 2 (le jaune tourné vers l'extérieur), quelques brins de cerfeuil ; ajoutez le reste de saumon, puis encore du cerfeuil. Garnissez à moitié de gelée, mettez au réfrigérateur pendant environ 30 mn, puis remplissez de gelée à ras bord. Remettez au réfrigérateur pendant encore au moins 1 h 30 et ne sortez à température ambiante qu'au moment de servir.
Lavez et séchez les feuilles de salade et dressez-les sur le plat de service.
Coupez les citrons en rondelles.
Posez les moules 2 secondes dans un récipient contenant de l'eau très chaude, essuyez-les puis démoulez les aspics sur les feuilles de salade.
Décorez le tour du plat de rondelles de citron.
Servez accompagné d'un bol de la sauce choisie.

Conservation : 48 h au réfrigérateur, dans les moules couverts.

CONSEILS POUR CHOISIR ET PRÉPARER LES SOLES

J'ai un petit faible pour les soles de Port-en-Bessin qui se trouve tout près de Pont Audemer, mais celles de l'île de Ré sont aussi très réputées. On pêche des soles toute l'année ; en hiver, toutefois, elles ont des filets plus épais.

Une sole fraîche est ferme et son ventre est blanc rosé. La peau est très tendue et malheureusement difficile à décoller. Une sole de 800 g donne environ 300 g de filets et autant de parures utilisables pour faire un fumet.

Comment ôter la peau

Faites-le faire de préférence par le poissonnier.
Si vous devez le faire vous-même, coupez d'abord la tête sous les ouïes. Glissez ensuite la pointe d'un couteau sous la peau pour la retrousser, du côté de la queue. Tenez la sole d'une main et, avec le coin d'un torchon pour avoir une bonne prise, attrapez la peau retroussée et tirez-la d'un

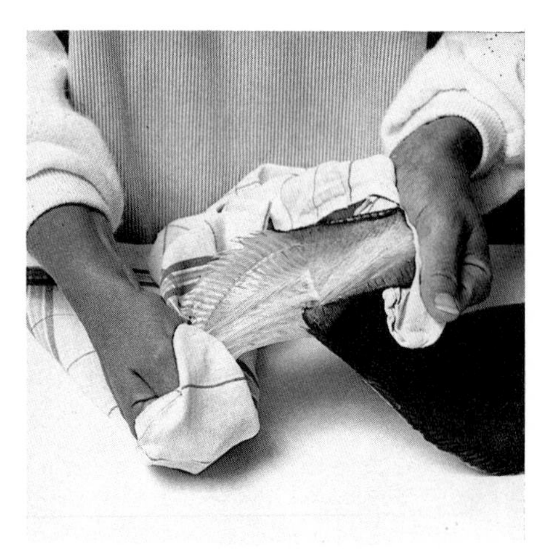

Comment ôter la peau.

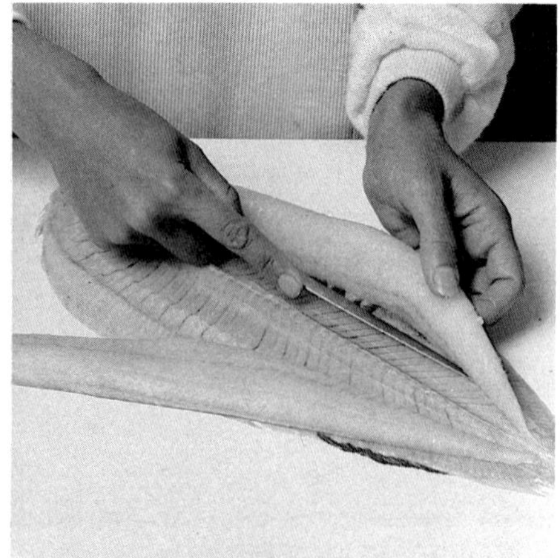

Comment lever les filets.

coup sec, de la queue vers la tête (photo). Procédez de la même façon pour la peau du ventre.

Comment lever les filets

A l'aide d'un couteau filet de sole, faites une incision tout le long de l'arête dorsale puis incisez les côtés à 1 cm du bord pour pouvoir dégager facilement les filets des petites arêtes extérieures.
Introduisez la lame à plat sous le filet, près de la tête (photo), faites glisser le couteau contre l'arête, de la tête vers la queue, levez le filet. Recommencez pour les trois autres filets. Si la sole est petite, faites-la cuire entière puis levez les filets.
Gardez les arêtes et les peaux blanches pour faire un fumet de poisson. Cette méthode est valable pour tous les poissons plats : limande, carrelet, turbot.

GOUJONNETTES DE FILETS DE SOLE MADRAS

Cette méthode de préparation convient particulièrement bien pour un buffet car elle permet de réchauffer les goujonnettes sans problème.

PRÉPARATION : 1 H

CUISSON : 30 MN + 10 OU 15 MN AU MOMENT DE SERVIR

INGRÉDIENTS POUR 12 PERSONNES
OU 25 PORTIONS EN BUFFET (2,5 KG) :

1,3 KG DE FILETS DE SOLE
200 G DE POMMES FRUITS
120 G DE PULPE DE TOMATES
150 G D'OIGNONS
150 G DE POIVRONS VERTS
1 NOIX DE BEURRE
2,5 DL DE CRÈME FLEURETTE
100 G DE ROUX BLOND
3 CUILLERÉES À CAFÉ DE SEL
2 CUILLERÉE À CAFÉ DE POIVRE
1 CUILLERÉE À CAFÉ DE CURRY
1,25 LITRE DE FUMET DE POISSON (P. 130)

MATÉRIEL :

12 CASSOLETTES DE 2 DL
OU 25 RAMEQUINS DE 1 DL
CASSEROLE DE 3 LITRES
POÊLE
MIXER (FACULTATIF)
FOUET

POUR LE BUFFET :

12 OU 25 FOURCHETTES À POISSON
PLATEAU
SERVIETTES EN PAPIER

Préparez le roux, laissez-le refroidir.
Coupez les filets en 3 ou en 4, selon leur taille, puis détaillez-les en lanières de la dimension d'un filet d'anchois. Salez et poivrez légèrement. Dans la casserole, faites chauffer le fumet de poisson assaisonné de sel, poivre et curry ; pochez 1/3 des goujonnettes à frémissement pendant 20 secondes puis enlevez-les avec une écumoire et mettez-les à égoutter dans une passoire.

Ramenez le fumet à ébullition et faites cuire le reste des goujonnettes de la même manière, en 2 fois.
Quand tout le poisson est cuit, faites réduire le fumet pendant 5 mn.
Sans arrêter la cuisson, ajoutez le roux en fouettant et laissez encore réduire pendant 10 mn, à feu assez vif, en fouettant de temps en temps et en ôtant avec une louche les graisses qui pourraient remonter à la surface.
Ajoutez la crème, donnez encore un bouillon. Après cuisson, on peut passer la sauce au mixer pour la rendre plus onctueuse. Refroidissez rapidement.
Pendant la réduction du fumet, épluchez les oignons, épépinez les poivrons, épluchez et épépinez les pommes ; coupez légumes et pommes en dés, dans des récipients séparés.
Dans la poêle, faites fondre le beurre, faites suer oignons et poivrons pendant 5 mn ; ajoutez les pommes, laissez cuire 5 mn ; ajoutez enfin la pulpe de tomates, laissez cuire encore 5 mn puis arrêtez la cuisson.
Pour un buffet-dîner de 12 personnes, garnissez des cassolettes de 2 dl et, pour un buffet de 25 personnes, des ramequins de 1 dl.
Répartissez les goujonnettes, ajoutez les légumes et les pommes mélangés avec soin puis recouvrez de sauce. Faites chauffer le four à 220° (th. 7) et réchauffez les ramequins pendant 10 mn, les cassolettes pendant 15 mn.
Servez bien chaud dans les cassolettes ou les ramequins posés sur un plateau.

Conservation : 12 h au réfrigérateur, dans les casseroles ou les ramequins couverts, avant réchauffage.

MOUSSELINES DE POISSONS

A la différence des quenelles, les mousselines ne contiennent pas de panade. Laissez tous les ingrédients au réfrigérateur jusqu'à la dernière minute car ils doivent être travaillés très froids.

PRÉPARATION : 40 MN

CUISSON : 20 MN + 20 MN

INGRÉDIENTS POUR 15 PORTIONS EN BUFFET :

500 G DE FILETS DE POISSON (SOLE ET BROCHET, OU BIEN ROUGET, MERLAN ET CARPE)
4 ŒUFS
400 G DE CRÈME FLEURETTE
3 CUILLERÉES À CAFÉ DE SEL FIN
1 PINCÉE DE POIVRE BLANC
1 PINCÉE DE POIVRE DE CAYENNE
1 LITRE DE FUMET DE POISSON (P. 130)

ACCOMPAGNEMENT :

1/2 LITRE DE SAUCE NORMANDE (P. 121)

MATÉRIEL :

15 CASSOLETTES DE 2 DL
SAUTEUSE DE 2 LITRES
ROBOT COMPACT
HACHOIR ET GRILLE À TROUS DE ∅ 4 MM
POCHE À DOUILLE DE ∅ 1,5 OU 2 CM
PAPIER SILICONÉ

POUR LE BUFFET :

15 FOURCHETTES À POISSON
PLATEAU
SERVIETTES EN PAPIER

Couronne et aspics de saumon en gelée (recettes p. 270-271)

Passez les chairs crues des poissons au hachoir muni de la grille à trous de 4 mm de diamètre ; travaillez ensuite la masse au robot compact avec les 2 pincées de poivre ; lorsqu'elle s'enroule autour des couteaux, incorporez les œufs un par un, puis, progressivement, la crème. Plusieurs fois pendant le travail, arrêtez la machine et, avec une spatule, rassemblez la masse. Elle doit prendre la consistance d'une purée épaisse. Ajoutez le sel fin en dernier lieu.
Sur le plan de travail, collez une feuille de papier siliconé aux 4 coins avec un peu de la préparation. Avec la poche à douille de 1,5 ou 2 cm de diamètre, dressez côte à côte des mousselines de poissons en forme de boudins d'environ 6 cm de long (photo). Coupez la feuille de papier en bandes pouvant tenir dans la sauteuse.

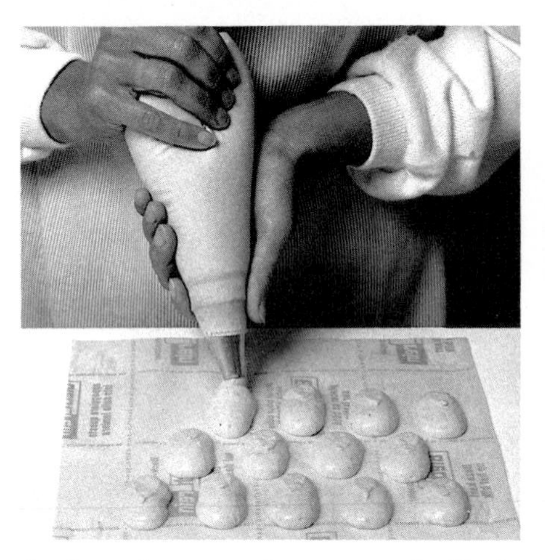

On dresse les mousselines sur une feuille de papier siliconé avec une poche à douille.

Les mousselines dressées, sur la feuille, au moment d'être mises à cuire dans la sauteuse.

Dans la sauteuse, faites chauffer le fumet de poisson jusqu'à ce qu'il arrive à frémissement ; plongez dedans une feuille couverte de mousselines (photo) et laissez pocher pendant 3 mn ; les mousselines se détachent alors de la feuille et vous pouvez la retirer ; retournez-les, laissez-les pocher pendant encore 3 mn. Sortez-les du fumet avec une écumoire et posez-les sur un linge ou sur du papier absorbant.
Continuez jusqu'à ce que toutes les mousselines soient cuites. Laissez-les refroidir.
Deux finitions sont alors possibles.
Pour une finition rapide, garnissez les cassolettes d'un peu de sauce normande tiède, dressez dans chacune 2 ou 3 mousselines et nappez généreusement de sauce normande. Mettez au réfrigérateur jusqu'au moment du réchauffage.
Faites chauffer le four à 220° (th. 7) et réchauffez pendant 20 mn.
Pour une finition plus élaborée, conservez les mousselines pochées au réfrigérateur. Réchauffez-les dans de l'eau bouillante salée. Lorsqu'elles commencent à bien gonfler, sortez-les de l'eau avec une écumoire et

dressez-les dans les cassolettes. Nappez de sauce normande bouillante jusqu'aux 3/4 de la hauteur des cassolettes, puis passez au four à 220° (th. 7) pendant 10 mn. Les petites mousselines gonfleront mieux.
Servez dans les cassolettes posées sur un plateau.

Conservation : avec la 1re finition, 48 h au réfrigérateur, dans les cassolettes couvertes (la 2e finition doit être faite au dernier moment) ; les mousselines pochées, 48 h au réfrigérateur, sur un plat garni d'un linge ou d'un papier absorbant, recouvertes de film plastique.

Conseil : vous pouvez faire la sauce normande à partir du fumet de poisson ayant servi au pochage.

COCKTAIL NORDIQUE

PRÉPARATION : 20 MN

INGRÉDIENTS POUR 10 PERSONNES

300 G DE SAUMON FUMÉ OU D'ESTURGEON FUMÉ
300 G D'ANGUILLE FUMÉE OU DE TRUITE FUMÉE
200 G DE CREVETTES CUITES DÉCORTIQUÉES
OU 200 G DE MOULES CUITES AU VIN BLANC DÉCOQUILLÉES (P. 298)
30 POINTES D'ASPERGES
10 BELLES FEUILLES DE ROMAINE
200 G DE SAUCE RÉMOULADE (P. 117)

DÉCOR :

10 CUILLERÉES À SOUPE DE CRÈME FOUETTÉE
10 TRIANGLES DE PAIN DE MIE GRILLÉS

MATÉRIEL :

10 GRANDS VERRES
CUL-DE-POULE
POCHE À DOUILLE CANNELÉE

POUR LE BUFFET :

10 FOURCHETTES À POISSON

Lavez les feuilles de romaine et séchez-les ; taillez-les puis disposez-les autour et au fond de chaque verre.
Détaillez en lanières les filets de poisson.
Dans le cul-de-poule, mélangez crevettes ou moules à la sauce rémoulade ; ajoutez les lanières de poisson et les pointes d'asperges.
Répartissez le mélange dans les verres.
Au moment de servir, décorez chaque cocktail de poisson d'une rosace de crème fouettée.
Servez bien frais, avec un triangle de pain de mie grillé piqué dans la rosace.

Conservation : 24 h au réfrigérateur, dans les verres couverts, sans la crème fouettée.

POISSON CRU EN SALADE

Pour cette recette, choisissez des filets de poissons très frais, à chair ferme, tels que bar, turbot, sole, saumon ou même sardine ou merlan.

PRÉPARATION : 20 MN

TEMPS DE MACÉRATION : 15 MN

INGRÉDIENTS POUR 10 PERSONNES :

500 G DE FILETS DE POISSONS
3 CITRONS VERTS NON TRAITÉS
2 CUILLERÉES À CAFÉ DE SEL FIN
2 PINCÉES DE POIVRE

GARNITURE :

1 AVOCAT
2 CAROTTES
1/2 OIGNON
1 CITRON VERT
30 G DE NOIX DE COCO RÂPÉE
3 CUILLERÉES À CAFÉ DE FINES HERBES HACHÉES (PERSIL, CERFEUIL, CIBOULETTE)

SAUCE :

1 DL D'HUILE D'OLIVE
1 CITRON VERT
3 CUILLERÉES À SOUPE DE VIN BLANC SEC
SEL, POIVRE

MATÉRIEL :

SALADIER
ROBOT COMPACT
RÂPE À LÉGUMES
PRESSE-FRUITS
CUL-DE-POULE

POUR LE BUFFET :

10 COUPELLES
10 FOURCHETTES À POISSON

Coupez le poisson en lanières fines, puis en tronçons de 3 cm de long.
Faites-le macérer pendant 15 mn dans le jus de 3 citrons verts salé et poivré.
Pendant ce temps, préparez la garniture.
Ouvrez l'avocat en deux, ôtez le noyau, pelez chaque moitié et coupez la pulpe en lamelles.
Épluchez l'oignon, coupez-le en rondelles ; coupez le citron vert en tranches très fines.
Dans le saladier, mélangez délicatement avocat, oignon et citron vert.
Ajoutez les carottes détaillées en petits bâtonnets, la noix de coco et les fines herbes.
Préparez la sauce à part dans un bol ; versez-la dans le saladier.
Égouttez le poisson pendant 5 mn ; mettez-le dans le saladier ; mélangez bien, mais avec précaution.
Servez très frais.

Conservation : 4 h au réfrigérateur, dans le saladier couvert.

Saumon frais mariné à l'aneth (recette p. 280)

SAUMON FRAIS MARINÉ À L'ANETH

Photo page 279

Nous avons choisi un saumon de 2 kg, mais cette recette peut être faite avec un morceau plus petit ; dans ce cas, diminuez l'assaisonnement en proportion. Comptez 100 à 120 g de saumon par portion.

PRÉPARATION : 20 À 40 MN + 20 MN POUR LE DÉCOUPAGE

TEMPS DE MACÉRATION : 2 JOURS

TEMPS DE REPOS : 1 JOUR

INGRÉDIENTS POUR 20 PORTIONS EN BUFFET :

1 SAUMON FRAIS DE 2 KG (SANS LA TÊTE ET VIDÉ)
40 G D'ANETH FRAIS OU 10 G D'ANETH SÉCHÉ
280 G DE SUCRE CRISTAL
200 G DE GROS SEL
10 G DE POIVRE MIGNONNETTE

ACCOMPAGNEMENT :

400 G DE MAYONNAISE À LA MOUTARDE BRUNE (P. 112)

MATÉRIEL :

2 GRANDS PLATS CREUX ET LONGS
OU PLAQUE À RÔTIR DU FOUR
CUL-DE-POULE
OU BOL DE 1 LITRE
1 PAIRE DE PETITES PINCES
GRAND COUTEAU BIEN AIGUISÉ
OU COUTEAU FILET DE SOLE

POUR LE BUFFET :

2 PLATS DE SERVICE
20 ASSIETTES
20 FOURCHETTES À POISSON
BOL

Ouvrez le saumon dans l'épaisseur en faisant glisser le couteau sur toute la longueur du poisson, juste au-dessus de l'arête centrale (photo).
Retournez le saumon pour placer l'arête centrale contre le plan de travail ; en appuyant sur le saumon avec la paume de la main, détachez l'arête en faisant glisser le couteau à plat dans un mouvement de va-et-vient ; ôtez-la. Laissez la peau, mais parez le tour du poisson pour qu'il soit bien net.
En passant un doigt sur la chair, repérez où sont les petites arêtes qui forment une ligne de chaque côté ; retirez-les avec une pince. Si vous trouvez cette opération trop délicate, abandonnez-la : vous pourrez ôter les arêtes pendant le découpage. Dans une queue de saumon, il n'y a pratiquement pas d'arêtes sur les côtés.
Mélangez le sucre, le sel et le poivre.
Dans un plat creux (ou sur la plaque à rôtir du four), posez un demi-saumon, côté peau en dessous ; assaisonnez toute la surface en insistant davantage sur la partie la plus charnue, puis recouvrez d'aneth. Faites de même avec la deuxième moitié du saumon.
Le saumon dégorge de l'eau qui, mélangée au sel, va faire une saumure.
Laissez macérer 2 jours au réfrigérateur, dans les plats couverts.
A la fin du temps de macération, égouttez le poisson, retirez le surplus de sel, d'abord avec une cuiller, puis en grattant au couteau.

Couteau glissant au-dessus de l'arête centrale pour couper le poisson dans l'épaisseur.

Comment couper en tranches le poisson mariné (ou un saumon fumé).

Posez les deux moitiés de saumon sur un film plastique, remettez l'aneth ; recouvrez de film plastique et laissez reposer au réfrigérateur pendant 24 h.
Commencez le découpage en commençant par la queue (photo) et faites des tranches fines, en biais. D'un saumon de 2 kg, on peut tirer 25 belles tranches et 10 petites.
Dressez les tranches sur le plat de service et servez accompagné d'un bol de mayonnaise à la moutarde brune.

Conservation : avant le découpage, 24 h au réfrigérateur, enveloppé dans un film plastique.

Conseil : l'aneth frais est préférable à l'aneth séché ; si vous ne trouvez ni l'un ni l'autre, vous pouvez utiliser du fenouil qui a un peu le même goût.

CONSEILS POUR LE CHOIX ET LA PRÉSENTATION DU SAUMON FUMÉ

Le bon saumon fumé est fumé à point à la sciure de bois.
Les meilleurs que l'on puisse acheter en France sont :

— le saumon écossais, de couleur orangée
— le saumon norvégien, de couleur orangée
— le saumon danois, de couleur rose pâle.

La qualité du saumon varie d'un mois à l'autre en fonction du cycle de vie du poisson, des eaux qu'il fréquente et de la nourriture qu'il trouve.
En jouant sur les diverses provenances on peut acheter du très bon saumon fumé toute l'année car, en dehors des périodes de pêche du saumon sauvage, on trouve un excellent saumon élevé en mer, par ces mêmes pays producteurs.
Un bon saumon est souple au toucher, il n'est pas trop gras, il est moelleux sans être cotonneux, et sa chair est brillante.

Vous trouverez en général des moitiés de saumon dont le poissonnier (ou le traiteur) a déjà enlevé les arêtes.
Si vous achetez un saumon non paré, suivez les conseils de la recette du saumon mariné pour enlever les arêtes et le couper en tranches de 80 à 100 g. Servez-le accompagné de toasts grillés, de coquilles de beurre et de citron.

CRUSTACÉS

COCKTAIL DE CRABE

Photo page 205

C'est un plat assez relevé et très coloré.

PRÉPARATION : 20 MN

INGRÉDIENTS POUR 10 PERSONNES :

300 G DE CHAIR DE CRABE CUITE
350 G DE GARNITURE AU CRABE (P. 102)
3 PETITES TOMATES
1 CŒUR DE CÉLERI EN BRANCHES
200 G DE SAUCE TOMATE NAPOLÉON (P. 119)

MATÉRIEL :

10 VERRES À PIED

POUR LE BUFFET :

10 FOURCHETTES À POISSON

Lavez et parez le céleri. Coupez-le en 10 verticalement en conservant les feuilles vert pâle.
Coupez les tomates en quartiers.
Au fond de chaque verre, versez une grosse cuillerée à soupe de garniture ; placez le céleri verticalement en faisant dépasser les feuilles ; mettez 1 ou 2 quartiers de tomate.
Choisissez les plus beaux morceaux de crabe et posez-les debout devant le céleri. Garnissez les verres de la chair de crabe restante.
Mettez au réfrigérateur.
Servez bien froid, nappé de sauce tomate Napoléon.

Conservation : sans la sauce, 24 h au réfrigérateur, dans les verres couverts.

COQUILLES DE CRABE

PRÉPARATION : 15 MN

INGRÉDIENTS POUR 10 COQUILLES :

400 G DE CHAIR DE CRABE CUITE
700 G DE MACÉDOINE DE LÉGUMES (P. 376)
10 FEUILLES DE LAITUE
1 CITRON
120 G DE SAUCE TOMATE NAPOLÉON (P. 119)

MATÉRIEL :

2 BOLS
FILM PLASTIQUE

POUR LE BUFFET :

10 PETITES ASSIETTES CREUSES OU 10 COQUILLES DE SAINT-JACQUES
10 FOURCHETTES À POISSON

Mélangez la sauce tomate Napoléon à la macédoine et mélangez la chair de crabe au jus de citron.
Lavez et séchez les feuilles de laitue. Disposez-les dans les assiettes ou dans les coquilles ; dessus, dressez le crabe et la macédoine.
Couvrez de film plastique et mettez au réfrigérateur jusqu'au moment de servir.

Conservation : 12 h au réfrigérateur, sur les assiettes couvertes.

CONSEILS SUR LE CHOIX DES LANGOUSTES

Les meilleures langoustes (qui sont aussi les plus chères) viennent des côtes bretonnes (Roscof). Quand elles sont vivantes, on les reconnaît à leur carapace foncée ; après cuisson, elles sont rouge vif. La meilleure période de pêche est l'été.
Viennent ensuite les langoustes des côtes du Maroc, du Brésil et du Cap qui sont plus ou moins roses quand elles sont vivantes et rose foncé après cuisson.
Le poids des langoustes varie entre 800 g et 2 kg.

LANGOUSTE À LA PARISIENNE

Photo page 287

Il est préférable d'étaler la préparation sur 2 jours.

PRÉPARATION : 20 MN (1er JOUR) + 1 H 10 (2e JOUR)

CUISSON : 20 MN (1er JOUR)

TEMPS DE REFROIDISSEMENT : 3 H (1er JOUR) + 1 H (2e JOUR)

INGRÉDIENTS POUR 10 PERSONNES :

1 LANGOUSTE VIVANTE DE 2 KG ENVIRON (AVEC DE BELLES ANTENNES)

8 litres de court-bouillon
300 g de mayonnaise au citron et à l'huile d'olive (p. 111)
1,5 dl de gelée claire de fumet de poisson

Garniture :

10 tomates macédoine (p. 188)
5 œufs durs
100 g de sauce tomate Napoléon (p. 119)

Décor :

1 laitue
1/2 citron en dents de loup (p. 69)
1 petite tomate
quelques feuilles de cerfeuil, persil et estragon
pain de mie de 20 x 8 cm

Accompagnement :

250 g de mayonnaise au citron et à l'huile d'olive

Matériel :

saumonière de 70 cm de long
plat de service de 70 cm de long
grille
couteau à jambon ou couteau filet de sole
ciseaux à volaille
brochette métallique
papier d'aluminium
ficelle

Pour le buffet :

10 assiettes
10 couverts à poisson
bol

PREMIER JOUR

Faites chauffer le court-bouillon dans la saumonière.
Sur la plaque amovible, attachez la langouste sur toute sa longueur en la ficelant serré (photo 1) : ceci permet d'obtenir des médaillons de forme régulière ; attachez les antennes ensemble.
Posez la langouste dans la saumonière, dans le court-bouillon bouillant.
Laissez cuire à plein feu pendant 20 mn puis arrêtez la cuisson et laissez reposer pendant 10 mn avant de sortir la langouste.
Saignez la langouste en enfonçant le couteau chef entre les yeux (photo 2), laissez-la égoutter, tête en bas, dans l'évier pendant 5 mn, puis faites-la refroidir rapidement, enveloppée dans un sac en plastique, dans un bain froid. Mettez la langouste refroidie au réfrigérateur pendant au moins 2 h.

1 Langouste attachée sur la plaque amovible.

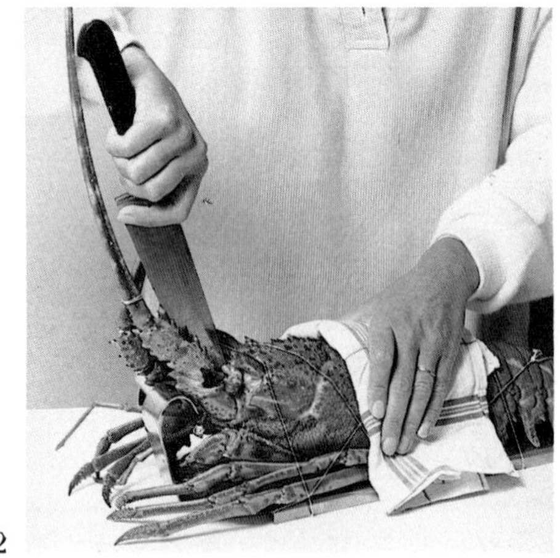

2 Comment saigner la langouste.

DEUXIÈME JOUR :

Découpage

Déficelez la langouste et posez-la sur le dos sur la planche à découper, sans abîmer les antennes. Avec les ciseaux à volaille, coupez les deux côtés de la membrane ventrale. Enfoncez un couteau fin sous la carapace tout autour de la tête pour détacher la chair le plus loin possible (photo 3), en laissant entier un anneau de carapace entre la queue et la tête pour empêcher la carapace de se séparer en 2. Dégagez la chair de la queue avec la main (photo 4) ; ne détachez ni les pattes ni les antennes qui doivent rester intactes pour la présentation.

Coupez la chair de la queue en 20 médaillons très fins, ou en 10 si vous n'êtes pas sûr de votre habileté à manier le couteau (photo 5). Enlevez le boyau qui se trouve au centre de chaque médaillon en tirant dessus (photo 6).

Placez les médaillons sur une grille posée sur un plat ; laissez-les au réfrigérateur jusqu'au moment du nappage.

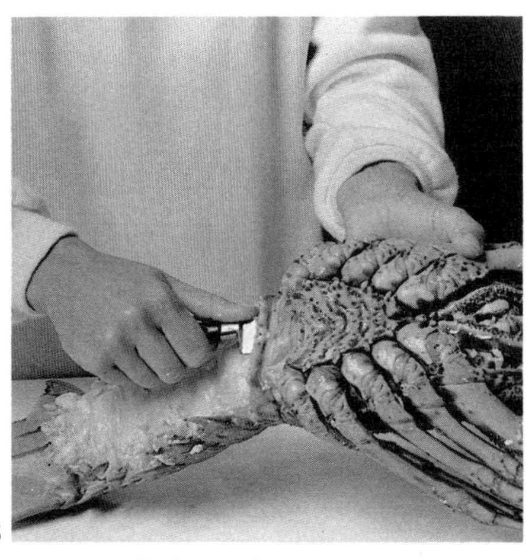
3
Couteau glissé sous la carapace.

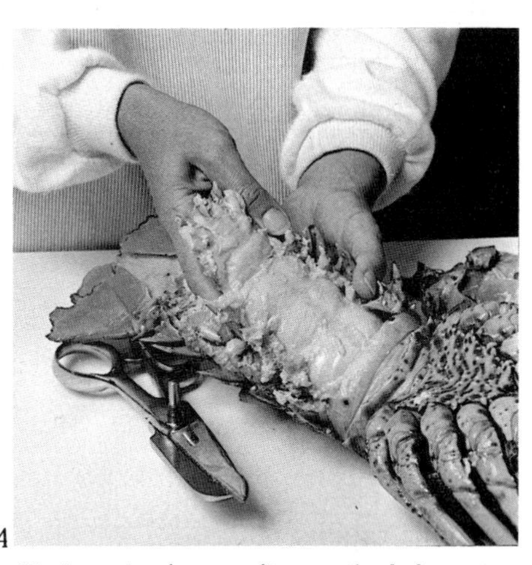
4
Chair soulevée pour être sortie de la queue.

5
Découpage des médaillons.

6
Comment retirer le boyau avec un couteau.

A l'aide d'une cuiller, sortez de la tête le maximum de chair et, éventuellement, de corail. Mettez la carapace au réfrigérateur, enveloppée dans un film plastique.
Coupez en cubes la chair et le corail de la tête. Dans un bol, mélangez-les à 100 g de sauce tomate Napoléon. Réservez au réfrigérateur dans le bol couvert.

Nappage

Incorporez à la mayonnaise 6 cuillerées à soupe de gelée tiédie. Nappez les médaillons bien froids avec une cuiller à soupe (photo 7) ; laissez couler le surplus de nappage sans vous en préoccuper. Remettez les médaillons au réfrigérateur pendant 15 mn.

7 Nappage des médaillons sur une grille.

Faites alors un deuxième nappage en rajoutant dans la sauce le reste de gelée tiédie. Disposez une feuille d'estragon ou de cerfeuil sur chaque médaillon ; remettez au réfrigérateur.
Préparez un socle en taillant en biseau le pain de mie (voir photo couleurs) ; recouvrez-le de papier d'aluminium puis mettez-le sur le plat de service. Disposez les feuilles de salade pour cacher le socle.
Posez la carapace sur le socle. Quand le deuxième nappage est bien pris en gelée, disposez les médaillons en les faisant se chevaucher, le long de la carapace d'abord, puis en éventail sur le plat.

Garniture

Coupez les œufs durs en 2 dans la longueur. Retirez les jaunes et passez-les à travers un tamis.
Ajoutez la moitié des jaunes aux cubes de chair de langouste liés à la sauce tomate Napoléon, remuez. Garnissez les blancs de ce mélange.
Disposez les œufs garnis et les tomates macédoine autour de la langouste. Décorez les œufs en les saupoudrant du jaune d'œuf restant.

Décor

Avec la brochette métallique, piquez la petite tomate ou un brin de persil sur le citron taillé en dents de loup puis fixez celui-ci entre les antennes de

la langouste. Disposez des feuilles de persil tout le long de la carapace, de chaque côté des médaillons.
Servez accompagné d'un bol de mayonnaise au citron.

Conservation : la langouste cuite, 24 h au réfrigérateur, dans sa carapace, enveloppée dans un film plastique ; la langouste découpée, 12 h au réfrigérateur, recouverte d'un film plastique ; le plat terminé, 1 h à température ambiante, 3 h au frais.

Conseil : après la réception, pensez à récupérer les chairs des pinces, des pattes et éventuellement de la tête pour les déguster le lendemain dans une petite salade composée (vous penserez alors à ôter la petite poche de sable qui se trouve dans la tête).

TOURTEAUX À LA QUIMPERLAISE

Photo page 295

La meilleure saison de pêche est l'été. Choisissez de préférence des femelles car elles sont meilleures, mais l'essentiel est de choisir des tourteaux bien lourds.

PRÉPARATION : 50 MN

CUISSON : 10 MN × 2

TEMPS DE REFROIDISSEMENT : 2 H

INGRÉDIENTS POUR 10 PORTIONS EN BUFFET :

2 TOURTEAUX DE 1,2 KG
3 LITRES DE COURT-BOUILLON (P. 265)
150 G DE PULPE DE TOMATES
1 LAITUE
400 G DE SAUCE TOMATE NAPOLÉON (P. 119)

DÉCOR :

1 ŒUF DUR OU 1 BRANCHE DE CERFEUIL

MATÉRIEL :

FAITOUT DE 5 LITRES
GRAND BOL

POUR LE BUFFET :

2 ASSIETTES DE SERVICE
10 PETITES ASSIETTES
10 FOURCHETTES À POISSON

Amenez le court-bouillon à ébullition. Vous allez faire cuire les tourteaux l'un après l'autre.
Posez un tourteau sur le dos dans le court-bouillon bouillant, ramenez rapidement à ébullition puis baissez le feu. Comptez alors 10 mn de cuisson à frémissement. Égouttez le tourteau, cassez la queue rabattue sur l'abdomen et donnez un coup de couteau entre la carapace et le coffre pour vider le jus. Laissez refroidir pendant 2 h, dont 1 h au réfrigérateur, sur une assiette.
Sur la planche à découper, posez le tourteau sur le dos ; ôtez les pattes et

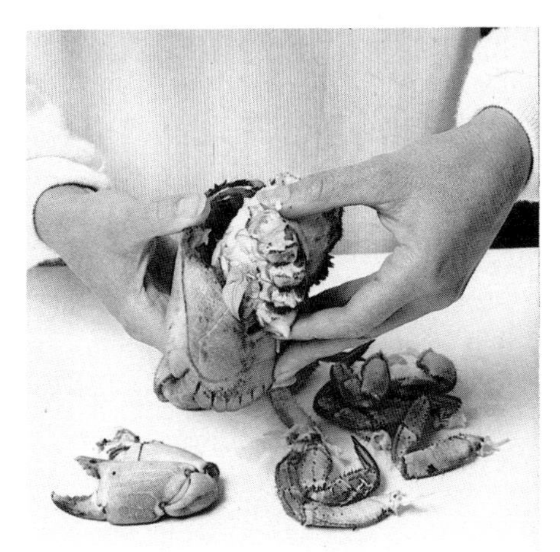

Comment sortir le coffre du tourteau.

les pinces, sortez le coffre sans abîmer la carapace du dos qui va servir pour présenter la chair (photo).
A l'aide d'une cuiller, sortez la chair et le corail, videz bien l'intérieur.
Fendez le coffre en 2 puis, à l'aide d'une petite cuiller et du couteau d'office, récupérez la chair cachée entre les cartilages et les membranes souples.
Avec le plat du manche du couteau chef, cassez les pinces et les pattes en plusieurs endroits et sortez la chair.
Réservez la chair des pinces, coupez le reste en cubes.
Recommencez avec le 2e tourteau.
Chaque tourteau doit contenir environ 200 g de chair.
Lavez la laitue. Réservez les feuilles vertes pour le décor, ciselez le cœur.
Mettez les cubes de chair de tourteau, la pulpe de tomates et la laitue dans un grand bol ; ajoutez la moitié de la sauce tomate Napoléon et remuez bien. Dressez ce mélange dans les carapaces.
Disposez la chair des pinces en décor sur le mélange et saupoudrez de cerfeuil ou d'œuf dur haché.
Placez les feuilles vertes de la laitue sur les deux assiettes de service avant d'y poser les carapaces garnies.
Servez bien frais, accompagné d'un bol de sauce.

Conservation : le tourteau décortiqué, 48 h au réfrigérateur, dans un récipient couvert ; la carapace garnie, 2 h au réfrigérateur, enveloppée dans un film plastique, avec la chair des pinces enveloppée à part.

COQUILLAGES

CONSEILS POUR CHOISIR ET NETTOYER LES COQUES ET LES PRAIRES

Il est préférable de ne pas en consommer l'été, sauf en bord de mer.
Choisissez des coquillages lourds et dont l'origine est garantie.
Commencez par éliminer tous ceux qui ne se referment pas car ils ont perdu leur eau et manquent de fraîcheur.
Rincez sous l'eau courante en frottant bien entre les mains pour éliminer tout le sable.

CONSEILS POUR CHOISIR ET PRÉPARER LES COQUILLES SAINT-JACQUES

La saison des coquilles Saint-Jacques fraîches va de septembre à fin avril.
Choisissez des saint-jacques lourdes et closes, ou du moins se refermant dès que l'on introduit un couteau sous le couvercle. Brossez les coquilles fermées sous l'eau courante.
Comptez 15 mn de préparation pour 12 coquilles Saint-Jacques.
Pour ouvrir la coquille, introduisez la lame du couteau d'office sous le couvercle et faites-la glisser tout autour. Pour ne pas abîmer la noix, détachez-la avec une cuiller épousant la forme de la coquille. Réservez les barbes frisées pour faire un fumet de cuisson.
Otez la petite excroissance dure qui se trouve sur le côté de la noix en tirant dessus doucement pour faire venir la petite peau, ce qui permettra de détacher le corail.
Lavez noix et corail à grande eau, égouttez-les et séchez-les sur un linge.
Selon la taille, comptez 3 à 4 noix par personne pour un plat substantiel.

Conseil : hors-saison vous trouverez des noix de saint-jacques surgelées toute l'année.

CONSEILS POUR CHOISIR, OUVRIR ET SERVIR LES HUÎTRES

Les meilleures huîtres ne sont pas forcément les plus grosses. Si vous êtes nombreux choisissez des huîtres plates de calibre n° 0 ou n° 1. Selon les provenances et la saison elles seront plus ou moins grasses. Les vraies belons sont cultivées dans la rivière Belon... mais on appelle aussi belon toutes les huîtres plates de Roscoff, Paimpol, Carnac, Quiberon, les Abers et Cancale.

Les marennes sont des plates d'origine bretonne engraissées dans l'embouchure de la Sendre. Elles se raréfient.
Les huîtres creuses connues sous le nom de portugaises sont produites en France dans le bassin d'Arcachon, la Gironde, l'île de Ré, la région de Marennes et d'Oléron, des Sables et de Bourgneuf. Les plus savoureuses sont les « spéciales » et les fines de Claire. En portugaises, choisissez des n°s 3 et 4.
Les huîtres « Pleine mer » sont moins bien engraissées que celles qui sont élevées en parcs d'estuaire. Ne vous laissez pas abuser par cette appellation.
Ouvrez les huîtres moins d'1 h avant de les déguster et servez-les sur de la glace pilée couverte d'algues.
Vous pouvez mettre à contribution quelques-uns de vos invités en leur demandant d'arriver en avance. A vous de transformer la corvée des huîtres en effort collectif qui, soutenu par un bon petit verre de muscadet, de pouilly-sur-loire ou de saint-véran, se fera dans la joie.

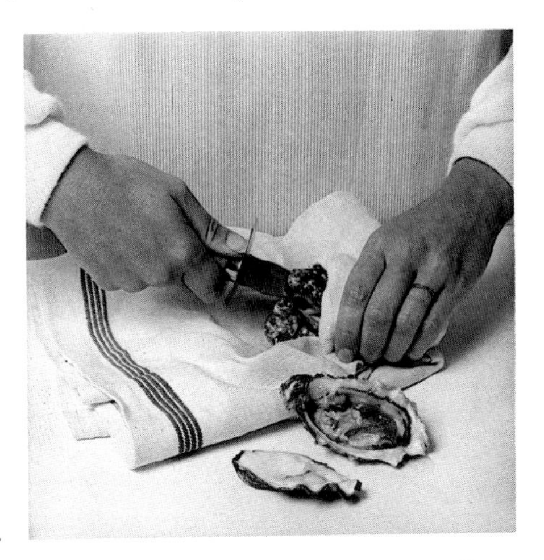

Comment ouvrir les huîtres.

Conseils pour ouvrir les huîtres : maintenez l'huître sur le plan de travail en protégeant votre main par un torchon plié, le côté charnière vers vous (photo). De l'autre main, glissez la lame du couteau à huîtres à l'endroit de la charnière, soulevez le couvercle par torsions successives.
Les amateurs d'huîtres préfèrent les déguster nature ; prévoyez quand même des quartiers de citron ou une sauce composée de vinaigre de vin et d'échalotes hachées. Accompagnez de tranches de pain de seigle beurré. Placez à proximité des fourchettes à huîtres, des petites assiettes et des serviettes en papier.

CONSEILS POUR CHOISIR ET PRÉPARER LES MOULES

Les moules les plus connues viennent de Villerville (banc du Ratier), Dives, Port-en-Bessin et Quiberon.
La meilleure moule d'élevage est la moule de bouchot qui s'agglutine en

grappes sur de grands pieux. On la cultive principalement en Charente-Maritime. On peut la reconnaître à la forme de sa coquille dont le bord opposé à la charnière est convexe au lieu d'être concave, comme chez les autres moules.
Les moules du commerce viennent toujours de lieux sains ; si une zone est déclassée du fait de la pollution, la production est nettoyée pendant plusieurs semaines dans des stations d'épuration, c'est-à-dire dans des bassins choisis pour la qualité de leur eau. Évitez néanmoins de manger les moules crues si votre fournisseur n'en certifie pas la provenance ni la date de fraîcheur, indiquées sur les arrivages.
Comme tous les coquillages, les moules doivent être lourdes et fermées. Quand elles bâillent, elles ont perdu toute leur eau et leur fraîcheur.
Comptez 20 mn de préparation pour 1,5 kg de moules.
Le nettoyage est très important. Il faut arracher les fibres et gratter les coquilles. Il faut également se rappeler qu'une moule bien lourde peut en fait ne contenir que de la vase ; on la remarque au moment du nettoyage et il faut l'éliminer, sinon toutes les autres seront perdues au moment de la cuisson.
Après le nettoyage, lavez les moules à grande eau plusieurs fois.

COMMENT COMPOSER UN BEAU PLATEAU DE FRUITS DE MER

Vous pouvez utiliser des fruits de mer crus ou cuits, des coquillages et des crustacés.
Pour obtenir un plateau copieux et équilibré, comptez, par personne :

COQUILLAGES CRUS
3 huîtres
2 praires
ou 2 palourdes
2 grosses moules
1 clam
ou 2 coques
1 clovis
1 oursin

COQUILLAGES CUITS
60 g de bigorneaux
ou 120 g de bulots

CRUSTACÉS CUITS
2 langoustines
ou 4 grosses crevettes
ou 4 bouquets
ou 1/2 tourteau
ou 1 araignée de mer (1/2 si elle est grosse)

Vous pouvez acheter les crustacés, les bigorneaux et les escargots de mer (ou bulots) déjà cuits.
Passez les coquillages crus sous l'eau courante, en les brossant au besoin, avant de les ouvrir pour les présenter dans une coquille. Vérifiez la provenance des moules pour être sûr qu'elles peuvent être servies crues.
Rincez l'oursin à l'eau froide et enlevez le tiers supérieur en le coupant avec les ciseaux de cuisine.
Disposez coquillages et crustacés sur des plateaux d'algues et de glace pilée ; groupez les bigorneaux dans un nid d'algues ou dans des coupelles.
Servez accompagné de quartiers de citron, d'une sauce composée de vinaigre de vin et d'échalotes hachées, d'un bol de mayonnaise, de pain de seigle coupé en tranches fines et d'une petite motte de beurre.
Disposez sur le buffet des fourchettes à huîtres, quelques petites cuillers, des pinces à homard ou des casse-noix, des fourchettes à escargots, une pelote d'épingles, quelques couteaux, une pile de soucoupes, des serviettes en papier et quelques rince-doigts.

Conservation : les éléments cuits, 48 h au réfrigérateur, dans des récipients fermés ; il vaut mieux acheter les éléments crus le jour même et ne pas les ouvrir plus d'1 h à l'avance.

Conseil : les coquillages crus étant très fragiles et ne supportant pas la chaleur, évitez de servir ce plateau de fruits de mer pendant les mois chauds.

BULOTS AU NATUREL

PRÉPARATION : 10 MN

CUISSON : 15 A 18 MN

INGRÉDIENTS POUR 10 PERSONNES :

2 KG DE BULOTS
1 GROS BOUQUET GARNI
1 CUILLERÉE À CAFÉ DE GRAINS DE CORIANDRE
150 G DE GROS SEL

MATÉRIEL :

1 COCOTTE DE 6 LITRES

POUR LE BUFFET :

10 PETITES FOURCHETTES (FACULTATIF)

1 kg de bulots donne environ 700 g de chair.
Lavez les bulots sous l'eau courante ; plongez-les dans 4 litres d'eau froide salée, avec le bouquet garni et le coriandre. Portez à ébullition à feu vif puis comptez 15 à 18 mn de cuisson selon la taille des bulots. Faites refroidir rapidement dans le bouillon de cuisson en plaçant la cocotte dans un bain froid. Faites égoutter.

Servez dans un grand saladier. Chaque invité dégustera ses bulots en les sortant de la coquille avec une fourchette ou en les attrapant par la pellicule cornée, avec les doigts.
Accompagnez de fines tranches de pain de seigle.

Conservation : dans le jus de cuisson, 24 h au réfrigérateur, dans un récipient fermé.

COQUES OU PRAIRES AU VIN BLANC

PRÉPARATION : 15 MN

CUISSON : 5 MN

INGRÉDIENTS POUR 10 PORTIONS EN BUFFET :

3 KG DE COQUES
OU 3 KG DE PRAIRES
3 DL DE VIN BLANC SEC
2 ÉCHALOTES
4 BRINS DE THYM
QUEUES DE PERSIL
1/2 FEUILLE DE LAURIER
1 TOUR DU MOULIN À POIVRE

ACCOMPAGNEMENT :

1,5 DL DE CRÈME FRAÎCHE

MATÉRIEL :

GRANDE CASSEROLE À LARGE FOND
PASSOIRE
PAPIER ABSORBANT

POUR LE BUFFET :

10 CASSOLETTES
10 PETITES CUILLERS

Nettoyez les praires ou les coques.
Mettez les coquillages dans la casserole avec tous les autres ingrédients et faites-les ouvrir à feu vif, à couvert, en secouant plusieurs fois la casserole.
Sortez les praires ou les coques de leurs coquilles et passez-les sous un filet d'eau tiède.
Filtrez le jus de cuisson à travers une passoire chemisée d'un papier absorbant. Remettez praires ou coques décortiquées dans le jus de cuisson pour les laisser reprendre du goût pendant le refroidissement.
Au moment de servir, sortez les coquillages de leur cuisson et répartissez-les dans les cassolettes chauffées.
Portez la cuisson à ébullition. Versez la cuisson bouillante dans les cassolettes, ajoutez la crème fraîche et servez immédiatement.

Conservation : 24 h au réfrigérateur, dans la cuisson filtrée, dans un récipient fermé. Attention : si vous voulez conserver les praires ou coques cuites, faites-les refroidir rapidement dans un bain froid.

Conseil : au-dessus de 3 kg, faites cuire les coquillages en 2 fois.

Tourteaux à la quimperlaise (recette p. 288)

COQUILLAGES AU BEURRE D'ESCARGOT

PRÉPARATION : 45 MN AVEC ROBOT COMPACT
55 MN À LA MAIN

CUISSON : 10 MN

INGRÉDIENTS POUR 25 PERSONNES :

125 GROSSES MOULES (ENVIRON 3 KG)
OU 125 PRAIRES (ENVIRON 6 KG) CUITES AU VIN BLANC
500 G DE BEURRE
2 GOUSSES D'AIL
1 ÉCHALOTE
40 G DE PERSIL
FLEURS DE THYM (FACULTATIF)
15 G DE POUDRE D'AMANDES OU DE NOISETTES
15 G DE MIE DE PAIN
12 G DE SEL
1 PINCÉE DE POIVRE

DÉCOR :

1 KG DE GROS SEL

MATÉRIEL :

PLAQUE À RÔTIR DU FOUR
MIXER OU ROBOT COMPACT
PALETTE OU POCHE À DOUILLE
PAPIER D'ALUMINIUM

POUR LE BUFFET :

2 DESSOUS-DE-PLAT
25 SOUCOUPES
SERVIETTES EN PAPIER
RINCE-DOIGTS

Sortez le beurre du réfrigérateur 1 h à l'avance.
Pour les moules, enlevez la première coquille après cuisson ; pour les prairies cuites décoquillées, lavez la moitié des coquilles et replacez les prairies dedans.
Hachez finement l'ail, l'échalote et la mie de pain ; mettez-les dans un grand bol. Ajoutez la poudre d'amandes ou de noisettes, le sel, le poivre. Incorporez petit à petit le beurre coupé en morceaux puis, en dernier, le persil ciselé. Ou bien effectuez tout le mélange au robot compact.
Recouvrez chaque coquillage de cette préparation, sans garnir en dôme car le beurre, en cuisant, se répandrait dans le plat.
Recouvrez de papier d'aluminium la plaque à rôtir qui vous servira de plat de service, puis remplissez-la de gros sel avant d'y poser les coquillages.
Faites chauffer le four à 220° (th. 7).
Disposez le plus grand nombre possible de coquillages sur la plaque et passez-les au four pendant quelques minutes, en surveillant. Dès que le beurre arrive à ébullition, sortez et servez sans attendre dans la plaque à rôtir posée sur 2 dessous-de-plat.
Faites cuire les coquillages restants dès que la plaque est vide.

Conservation : le beurre d'escargot, 8 jours au réfrigérateur, dans un récipient fermé ; les coquillages garnis, 12 h au réfrigérateur, dans la plaque à rôtir (ou sur une planche) couverte de film plastique.

COQUILLES SAINT-JACQUES AU FUMET

Cette recette peut servir aussi à faire d'autres plats contenant des coquilles Saint-Jacques.

PRÉPARATION : 8 MN

CUISSON : 5 MN

INGRÉDIENTS POUR 12 PORTIONS EN BUFFET :

12 COQUILLES SAINT-JACQUES NETTOYÉES (P. 290)
1/3 DE LITRE DE FUMET DE POISSON

MATÉRIEL :

CASSEROLE DE 2 LITRES

POUR LE BUFFET :

12 CASSOLETTES
12 CUILLERS

Mettre les saint-jacques à cuire dans le fumet froid, arrêtez la cuisson dès le frémissement ; laissez reposer 5 mn à couvert.
Retirez les saint-jacques avec une écumoire.
Passez le jus de cuisson à travers une passoire fine puis ramenez-le à ébullition.
Émincez les noix en 6 lamelles et coupez le corail en deux. Répartissez-les dans les cassolettes, recouvrez-les de cuisson bouillante.
Servez immédiatement, accompagné de minces tranches de pain de seigle beurré.

Conservation : si vous voulez faire cuire les coquilles Saint-Jacques à l'avance pour préparer d'autres plats, ne les émincez pas et faites-les refroidir rapidement dans un bain froid. Vous pouvez alors les garder 48 h au réfrigérateur, dans leur jus de cuisson filtré, dans un récipient fermé. Pour les servir nature, il vaut mieux les faire cuire au dernier moment.

Conseil : au moment de servir, vous pouvez ajouter dans chaque cassolette de la crème fraîche et du persil haché.

GRATIN DE SAINT-JACQUES EN COQUILLES

PRÉPARATION : 20 MN

CUISSON : 12 À 15 MN

INGRÉDIENTS POUR 12 PERSONNES :

24 COQUILLES SAINT-JACQUES CUITES AU FUMET
24 COQUILLES VIDES

MATÉRIEL :

PLAQUE À RÔTIR DU FOUR
2 CASSEROLES DE 2 LITRES
MIXER

POUR LE BUFFET :

PLAT DE SERVICE
12 PETITES ASSIETTES
OU SERVIETTES EN PAPIER
12 FOURCHETTES À POISSON

SAUCE :

180 G DE DUXELLES DE CHAMPIGNONS (P. 102)
2 ÉCHALOTES
1/4 DE LITRE DE CRÈME FRAÎCHE
1/3 DE LITRE DE FUMET DE POISSON
150 G DE BEURRE (DONT 50 G TRÈS FROID)
40 G DE FARINE
50 G DE CHAPELURE

DÉCOR :

12 FLEURONS EN FEUILLETAGE (P. 70)

Égouttez les coquilles Saint-Jacques, émincez les noix en lamelles.
Dans 60 g de beurre, faites fondre les échalotes hachées sans les laisser colorer ; ajoutez la farine et laissez cuire 3 mn, en remuant. Ajoutez le fumet, laissez frémir 1 mn ; ajoutez la crème, rectifiez l'assaisonnement puis laissez frémir pendant encore 3 mn. La sauce doit être onctueuse.
Versez la sauce dans le mixer avec les 50 g de beurre froid, mixez pendant 10 à 20 secondes ; faites refroidir dans un bain froid.
Disposez les coquilles vides, lavées et séchées sur le plan de travail. Dans chaque coquille, versez un peu de sauce, mettez une cuillerée à soupe de Duxelles, les noix émincées et le corail entier. Finissez en recouvrant de sauce bien froide, saupoudrez de chapelure.
Faites chauffer le four à 180° (th. 5).
Mettez une noisette de beurre sur chaque coquille et faites-les cuire pendant 8 mn. Passez-les ensuite au gril pendant environ 1 mn, en surveillant, pour colorer la surface.
Faites réchauffer les fleurons en feuilletage.
Dressez rapidement les coquilles sur le plat de service et présentez-les décorées d'un fleuron.

Conservation : les coquilles garnies, 48 h au réfrigérateur, couvertes de papier d'aluminium pour éviter le dessèchement ; sortez-les à température ambiante 1 h avant de les passer au four.

Conseil : il est important de recouvrir les noix et le corail de sauce très froide pour éviter de les décolorer et de faire craqueler la surface.

MOULES AU VIN BLANC

C'est la recette de base pour la cuisson des moules.

PRÉPARATION : 5 MN

CUISSON : 8 MN

INGRÉDIENTS POUR 10 PORTIONS EN BUFFET :

3 KG DE MOULES NETTOYÉES
3 DL DE VIN BLANC SEC
THYM, LAURIER, QUEUES DE PERSIL

MATÉRIEL :

CASSEROLE DE 2 LITRES AVEC COUVERCLE

POUR LE BUFFET :

SOUPIÈRE
10 PETITS BOLS
10 CUILLERS
LOUCHE

Mettez tous les ingrédients dans la casserole. Faites ouvrir les moules à feu vif, à couvert, pendant 5 à 8 mn, en secouant plusieurs fois la casserole. Hors du feu, posez la casserole en biais. Otez les moules avec une écumoire et mettez-les dans la soupière chauffée, sans agiter la cuisson pour que le sable se dépose au fond. Après quelques minutes de repos, et en laissant la casserole posée en biais, prélevez la cuisson avec une louche puis versez-la à travers une passoire garnie d'un papier absorbant. Présentez les moules, recouvertes de cuisson, avec une louche pour le service. Placez à proximité une corbeille de pain de seigle coupé en tranches fines.

Conservation : les moules, sans les coquilles, dans leur cuisson filtrée, 24 h au réfrigérateur, dans un récipient couvert. Mais attention ! pour les conserver, il faut toujours les faire refroidir rapidement dans un bain froid. Pour les servir au naturel, il est préférable de les faire cuire au dernier moment.

Conseil : au moment de servir, vous pouvez ajouter à la cuisson de la crème fraîche et du persil haché.

POISSONS, CRUSTACÉS ET COQUILLAGES AU BARBECUE

CONSEILS GÉNÉRAUX

Il est préférable de choisir des poissons gras à chair ferme.
Les 2 modes de cuisson le plus souvent utilisés sont la grillade et la cuisson en papillotes, cette dernière étant recommandée pour les poissons fragiles. La cuisson en brochettes est généralement réservées aux coquillages ou crustacés. Vous pouvez faire mariner les poissons de mer et les filets ou tranches de poisson pendant 1 h dans un mélange d'huile, de laurier émietté et de fenouil, avec une gousse d'ail hachée. Incisez la peau des gros poissons avant de les mettre dans la marinade. Égouttez bien avant de poser sur le gril.
N'écaillez jamais un poisson pour le faire griller. Avant la cuisson, badigeonnez-le d'huile (ou de marinade) avec un petit balai en thym ou en romarin. Recommencez plusieurs fois pendant la cuisson, surtout s'il s'agit d'un gros poisson. Il est préférable de ne pas arroser les poissons car cela produirait de hautes flammes.
Si vous avez frotté le poisson d'herbes aromatiques, vous pouvez en ajouter pendant la cuisson, après chaque badigeonnage, ou bien vous pouvez jeter des herbes sur les braises pour obtenir une odeur délicieuse ; si vos stocks d'herbes ne sont pas énormes, attendez pour cela la fin de la cuisson, le poisson sera tout aussi parfumé.
Pour la cuisson en papillotes, salez le poisson des 2 côtés, posez-le sur une feuille de papier d'aluminium, ajoutez un peu d'huile ou du beurre, des herbes aromatiques, des condiments et, éventuellement, l'accom-

pagnement si celui-ci est à réchauffer ou s'il peut cuire en papillotes dans le même temps que le poisson.
Quel que soit le mode de cuisson choisi, n'oubliez pas de retourner le poisson ou crustacé, ou la brochette, en cours de cuisson, en prenant des précautions pour les pièces fragiles.

POISSONS, CRUSTACÉS ET COQUILLAGES AU BARBECUE

	Présentation	Préparation	Mode de cuisson	Temps	Accompagnement
POISSONS : **Colinots** (200 à 300 g)	vidés, entiers	badigeonnés de mélange huile d'olive-romarin	grillade	10 mn	courgettes grillées (p. 365)
Congre	tronçons de 100 g	frotté de safran	brochettes avec triangles de poivron intercalés	10 mn	pain de campagne frotté d'ail et arrosé d'huile d'olive
Dorades (300 g)	entières, vidées, peau incisée	badigeonnées d'huile, frottées de fenouil	grillade	10 mn	salade de riz coloniale (p. 388)
Harengs	vidés, entiers	badigeonnés de beurre moutarde (p. 99)	papillotes	20 mn	pommes de terre sous la cendre (p. 365)
Loup (bar)	vidé, entier	garni de fenouil, badigeonné d'anis ou de pastis	grillade (avec fenouil sur les braises)	15 mn par livre	aubergines grillées (p. 365) + citron
Maquereaux (200 à 300 g)	vidés, entiers	badigeonnés de beurre d'escargot (p. 296)	papillotes	15 à 20 mn	pommes fruits grillées (p. 365)
Merlans	vidés, entiers	badigeonnés de réduction aux échalotes (p. 114)	grillade	10 mn	sauce façon béarnaise (p. 114)
Rougets	entiers, non vidés si petits	frottés d'herbes de Provence	grillade (retournés 1 fois)	10 à 15 mn	rôties à la tapenade (p. 194)
Sardines	non vidées, entières	badigeonnées de beurre d'anchois	grillade	5 à 6 mn	pain grillé + citron
Truites (250 g)	vidées mais non lavées, entières	frottées de poudre d'amandes	papillotes	15 à 20 mn	sauce fromage blanc-fines herbes (p. 123)
Filets ou tranches	tels quels	–	papillotes (+ ratatouille p. 363)	15 mn	olives noires
CRUSTACÉS : **Gambas ou grosses crevettes**	en carapace	marinées 1 h dans huile d'olive et fleurs de thym	grillade	10 mn	ailloli (p. 112)
Langoustes bretonnes (400 g)	coupées en 2	préalablement ébouillantées 2 mn dans un fumet	grillade	15 mn	mélange beurre fondu/estragon haché + citron
COQUILLAGES : **Moules**	roulées dans beurre fondu + chapelure	préalablement cuites au vin blanc	brochettes de 6	5 mn	quartiers de citron
Coquilles Saint-Jacques	corail entier, noix coupée en 3	badigeonnées d'huile	brochettes de 2 avec lardons intercalés	8 mn	pain de campagne

CHAPITRE XI

VIANDES ET VOLAILLES

PRÉPARATION ET CONSERVATION DE LA VIANDE

PLATS DE VIANDE AU BARBECUE

- Conseils pour la cuisson
- Tableau
- Marinade normande
- Marinade provençale
- Marinade au vin blanc
- Brochettes de cœur de bœuf
- Brochettes de cœurs et foies de volaille
- Brochettes normandes
- Brochettes de porc

PLATS DE VIANDE POUR LE BUFFET

- Daube de joue de bœuf
- Daube de joue de bœuf en gelée
- Gigot présenté en baron d'agneau
- Langue de bœuf à la sauce piquante
- Langue de bœuf écarlate en cubes
- Jambon reconstitué pour buffet campagnard
- Jambon reconstitué façon Virginie

- Comment parer et brider une volaille
- Découpage d'une volaille pour la présentation en aiguillettes
- Découpage d'une volaille à reconstituer
- Nappage en chaud-froid
- Poulets rôtis au four
- Aiguillettes de poulet au bouillon et aux légumes
- Cassolettes de poule au pot en gelée.
- Aiguillettes de poulet en chaud-froid.
- Chaud-froid de poulardes à la française
- Gâteau de poulet
- Chaud-froid de canard Montmorency
- Aiguillettes de canard Montmorency en cassolettes
- Aiguillettes de dinde au bouillon
- Dinde en gelée

PRÉPARATION ET CONSERVATION DE LA VIANDE

Un bon boucher sait travailler sa viande et la présenter à ses clients rassise ou très fraîche selon les morceaux. Vous pouvez donc vous fier à ses conseils. Mais rappelez-vous que les morceaux suivants se consomment rassis :

— le gigot, l'épaule et la selle pour l'agneau ou le mouton ;

— la bavette, le beefsteak, le contre-filet, la côte, l'entrecôte et le rumsteak pour le bœuf.

Si vous l'enveloppez de papier sulfurisé ou de papier aluminium, vous pouvez garder la viande au réfrigérateur, pendant 48 h pour la viande de boucherie (à condition qu'elle ne soit pas hachée) et pendant 24 h seulement pour les abats.

Si vous voulez faire vos achats à l'avance, le problème de la conservation se pose donc.

Sauf lorsqu'elle provient de bêtes très jeunes comme l'agneau de lait, vous pouvez congeler la viande à condition qu'elle n'ait pas déjà été congelée auparavant ; faites la congélation de la viande fraîche ou rassise selon les morceaux.

En général, on fait décongeler la viande au réfrigérateur avant de la faire cuire, mais ce n'est pas toujours nécessaire.

Si vous aimez les fêtes improvisées, conservez dans votre congélateur de l'entrecôte coupée à 2 ou 3 cm d'épaisseur et vous pourrez servir à vos amis de l'ENTRECÔTE AU FOUR en procédant de la façon suivante :

Faites chauffer le four à 100° (th. 2) après y avoir placé un plat de service allant au four.

Sortez les morceaux de viande du congélateur, huilez chaque face et salez légèrement.

Dans une poêle bien chaude, faites dorer la viande pendant 1 mn de chaque côté ; le cœur, évidemment, est encore congelé.

Quand tous les morceaux d'entrecôte sont dorés, disposez-les dans le plat, étalez sur chacun une noix de beurre et poivrez au moulin. Mettez au four à 100° et faites cuire pendant 10 à 15 mn selon l'épaisseur. Vous pouvez vérifier la cuisson en incisant la chair sur le côté.

Coupez chaque morceau en petites tranches verticales, reconstituez les entrecôtes dans le plat, parsemez-les d'échalotes hachées revenues dans du beurre et de persil haché et arrosez du jus de la découpe.

Pour que ce plat soit vraiment bon, il faut compter 200 g de beurre, 2 échalotes et 2 cuillerées à soupe de persil par kg d'entrecôte.

Si vous n'avez pas de congélateur, vous pouvez conserver la viande un certain temps en la faisant macérer dans des mélanges à base d'huile. L'utilisation d'herbes aromatiques dans les pays chauds n'est pas le fait du hasard car celles-ci ont la propriété de retarder l'altération des viandes. On les ajoute à l'huile qui est imperméable à l'air et exerce donc un rôle de protection. Avant l'existence du réfrigérateur, c'était une méthode couramment pratiquée.
Vous pouvez conserver de la viande pendant 6 à 7 jours dans le bas du réfrigérateur ou dans une cave fraîche en la plaçant dans une marinade provençale (voir p. 306), à condition qu'elle n'ait pas été coupée en petits morceaux car toute découpe augmente les risques d'altération.

PLATS DE VIANDE AU BARBECUE

CONSEILS POUR LA CUISSON

Si la viande a mariné, faites-la égoutter, épongez un peu le liquide et essuyez les herbes.
Salez au gros sel juste avant la cuisson.
Si la viande n'a pas mariné, frottez-la d'herbes avant de la huiler légèrement et de la saler.
Pour la cuisson en papillotes, ajoutez les herbes, l'huile ou une noisette de beurre, les condiments et, éventuellement, un légume d'accompagnement à la viande salée des 2 côtés. Refermez bien le papier d'aluminium pour ne pas perdre les sucs. On ne doit pas saisir les papillotes.
Pour la cuisson en brochettes, inspirez-vous des recettes des pages 307 à 309.
Pour une cuisson de plus de 10 mn sur le gril, commencez par saisir la viande, puis déplacez-la dans les parties moins chaudes du barbecue.
Ne piquez jamais la viande en cours de cuisson car elle perdrait son sang. Utilisez des pinces ou une spatule pour la retourner.

Les degrés de cuisson des viandes sont les suivants :

Viande bleue : intérieur cru, extérieur marron foncé, la viande est saisie. Cette cuisson ne peut convenir que pour le bœuf.

Viande saignante : intérieur rouge vif et chaud, le sang perle ; extérieur marron foncé. Cette cuisson convient au bœuf et à l'agneau.

Viande à point : intérieur rose, extérieur bien grillé, surtout la graisse. C'est le bon degré de cuisson du mouton, des côtelettes, du foie, des rognons.

Viande bien cuite : intérieur blanc, extérieur bien grillé. Cette cuisson convient au porc et au veau.

Il va de soi que l'on ne peut régler la chaleur d'un barbecue comme celle d'une cuisinière. Nous sommes donc obligés, dans le tableau qui suit, de vous indiquer des temps de cuisson approximatifs. Surveillez bien la cuisson.

LA VIANDE AU BARBECUE

	Découpe	Préparation	Mode de cuisson	Temps	Accompagnement
Agneau	côtelettes, grillades	marinade provençale, frottées de thym	grillade	6 à 7 mn	champignons en brochettes, sauce fraîche à la tomate (p. 118)
Bœuf	steak	frotté de sariette	grillade	6 mn (saignant)	sauce tartare (p. 118)
	steak haché	badigeonné de moutarde	papillote (avec oignon haché)	8 mn	sauce moutarde (p. 124)
Mouton	côtelettes	marinade normande	grillade	8 à 9 mn	sauce béarnaise (p. 114) ou crème fraîche + menthe hachée
Porc	côtelettes	marinade au vin blanc	papillotes (avec sauge)	25 mn	tomates en papillotes au basilic (p. 365)
	travers	marinade provençale, frotté d'herbes de Provence	grillade	35 mn	pommes au curry (p. 365)
	échine	–	grillade	20 mn	épis de maïs (p. 365)
Petit poulet	1/2	marinade normande, frotté d'estragon	grillade	25 mn	sauce fromage blanc-fines herbes (p. 123)
Poulet	entier	garni de romarin, badigeonné de marinade provençale	broche	20 mn par livre	ratatouille (p. 363)
	cuisses	copieusement badigeonnées de condiment à la tomate (p. 125)	grillade	15 à 20 mn	patates douces (p. 365) + citron
Andouillette	morceaux piqués	frottée de romarin	grillade	15 à 20 mn	pommes grillées (p. 365) + moutarde
Bacon ou poitrine fumée	tranches	–	grillade	2 mn	tomates grillées (p. 365)
Boudin	morceaux	–	papillotes (avec tranches de pomme et raisins secs)	15 mn	moutarde
Saucisses	entières piquées	–	grillade	8 à 15 mn (selon grosseur)	mousse de céleri (p. 358)

MARINADE NORMANDE

PRÉPARATION : 5 MN

TEMPS DE MACÉRATION : 30 MN MINIMUM

INGRÉDIENTS POUR 2 KG DE VIANDE :

3 DL DE CIDRE
4 CUILLERÉES À SOUPE DE CALVADOS
6 ÉCHALOTES ÉCRASÉES
6 QUEUES DE PERSIL
THYM, LAURIER
1 CITRON
2 CUILLERÉES À CAFÉ DE SEL FIN
10 TOURS DU MOULIN À POIVRE

MATÉRIEL :

PLAT CREUX

Mélangez tous les ingrédients de la marinade et laissez macérer la viande pendant au moins 30 mn dans un endroit frais après avoir vérifié que chaque morceau est bien enrobé.

Utilisation : toutes les viandes à griller, mais particulièrement recommandée pour les viandes blanches.

MARINADE PROVENÇALE

PRÉPARATION : 15 MN

TEMPS DE MACÉRATION : 24 H MINIMUM

INGRÉDIENTS POUR 2 KG DE VIANDE :

ASSORTIMENT D'HERBES DE PROVENCE (THYM, ROMARIN, SARIETTE, LAURIER, ORIGAN)
POIVRE MIGNONNETTE
2 DL D'HUILE D'OLIVE
OU 2 DL D'HUILE D'ARACHIDE

MATÉRIEL :

MIXER OU ROBOT COMPACT

Pulvérisez grossièrement les herbes au mixer ou au robot compact pour obtenir 4 cuillerées à soupe d'herbes en poudre.
Saupoudrez la viande sur toutes ses faces. Enrobez ensuite d'huile chaque morceau de viande.
Mettez dans un récipient couvert et laissez macérer dans un endroit frais.

Utilisation : toutes les viandes à griller.

MARINADE AU VIN BLANC

PRÉPARATION : 5 MN

TEMPS DE MACÉRATION : 30 MN MINIMUM

INGRÉDIENTS POUR 2 KG DE VIANDE :

3 DL DE VIN BLANC
4 CUILLERÉES À SOUPE DE COGNAC
6 ÉCHALOTES
6 QUEUES DE PERSIL
THYM, LAURIER
1 CITRON
2 CUILLERÉES À CAFÉ DE SEL FIN
10 TOURS DU MOULIN À POIVRE

MATÉRIEL :

PLAT CREUX

Écrasez les échalotes puis mélangez tous les ingrédients.
Roulez bien la viande dans la marinade pour que chaque morceau soit enrobé et laissez macérer dans un endroit frais.
Cette marinade peut être préparée la veille de son utilisation.

Utilisation : porc, poulet, viandes blanches en général.

Conseil : après utilisation, vous pouvez conserver la marinade 48 h au réfrigérateur dans un récipient fermé et l'utiliser comme fond de cuisson pour une viande blanche.

BROCHETTES DE CŒUR DE BŒUF

La même recette peut se faire avec des rognons.

PRÉPARATION : 30 MN

CUISSON : 10 MN

INGRÉDIENTS POUR 12 BROCHETTES :

1,2 KG DE CŒUR DE BŒUF
36 PETITES SAUCISSES COCKTAIL
12 PETITES TOMATES
6 FEUILLES DE LAURIER
4 CUILLERÉES À SOUPE DE MOUTARDE FORTE
HUILE D'ARACHIDE
SEL ET POIVRE

MATÉRIEL :

12 BROCHETTES
PLANCHE À DÉCOUPER
PINCEAU

POUR LE BUFFET :

12 ASSIETTES
12 FOURCHETTES

Coupez la viande en cubes, les tomates en 4 et les feuilles de laurier en 6.
Embrochez en intercalant 1 cube de cœur, 1/4 de tomate, du laurier, 1 saucisse, 1/4 de tomate, 1 cube de cœur, etc.
Badigeonnez les saucisses de moutarde.
Salez et poivrez puis badigeonnez d'huile tous les autres ingrédients.
Faites griller pendant 10 mn en tournant souvent les brochettes.
Réservez dans un plat chaud, si c'est possible, pendant que les invités viennent se servir.

Conservation : les éléments coupés, 24 h au réfrigérateur, dans un récipient couvert.

BROCHETTES DE CŒURS ET FOIES DE VOLAILLE

PRÉPARATION : 30 MN

TEMPS DE MACÉRATION : 1 H

CUISSON : 10 MN

INGRÉDIENTS POUR 12 BROCHETTES :

1,2 KG DE CŒURS ET FOIES DE VOLAILLE
400 G DE CHIPOLATAS
4 COURGETTES
4 ÉCHALOTES

MARINADE :

2 DL D'HUILE D'OLIVE
THYM ET ROMARIN
SEL ET POIVRE

MATÉRIEL :

12 BROCHETTES
BOL
PLANCHE À DÉCOUPER

POUR LE BUFFET :

12 ASSIETTES
12 FOURCHETTES

Préparez d'abord la marinade en mélangeant les ingrédients.
Coupez les échalotes en lamelles, coupez les cœurs et foies en cubes, les courgettes en gros dés ou en rondelles épaisses, les chipolatas en rondelles.
Laissez macérer dans la marinade.
Égouttez-les au-dessus du bol et embrochez en intercalant 1 cube de cœur, 1 morceau de courgette, 1 lamelle d'échalote, 1 rondelle de chipolata, 1 cube de foie, 1 morceau de courgette, 1 cube de cœur, etc.
Faites griller les brochettes pendant 10 mn en les tournant souvent.
Servez immédiatement.

Conservation : 12 h au frais, dans la marinade.

BROCHETTES NORMANDES

PRÉPARATION : 30 MN

TEMPS DE MACÉRATION : 30 MN

CUISSON : 15 MN

INGRÉDIENTS POUR 12 BROCHETTES :

1,2 KG DE GRILLADE DE PORC
400 G DE CHIPOLATAS (8)
4 POMMES FRUITS
4 FEUILLES DE LAURIER
MARINADE NORMANDE (P. 306)

MATÉRIEL :

12 BROCHETTES
BOL
PLANCHE À DÉCOUPER
PINCEAU

POUR LE BUFFET :

12 ASSIETTES
12 FOURCHETTES

Coupez la grillade en cubes et les pommes en 12 demi-rondelles épaisses ; coupez les chipolatas en 6 et les feuilles de laurier en 5 ou 6.
Faites macérer dans la marinade.
Égouttez et embrochez en intercalant 1 cube de grillade, 1 demi-rondelle de pomme, du laurier, 1 morceau de chipolata, 1 demi-rondelle de pomme, 1 cube de grillade, etc.
Badigeonnez d'huile au pinceau puis faites griller pendant 15 mn en retournant souvent les brochettes.
Servez immédiatement.

Conservation : le porc et les chipolatas coupés, 24 h au réfrigérateur, dans un récipient couvert.

BROCHETTES DE PORC

PRÉPARATION : 30 MN

TEMPS DE MACÉRATION : 15 MN

CUISSON : 15 MN

INGRÉDIENTS POUR 12 BROCHETTES :

1,2 KG DE GRILLADE OU D'ÉCHINE DE PORC
24 TRANCHES DE POITRINE FUMÉE
24 OIGNONS BLANCS
48 PRUNEAUX DÉNOYAUTÉS
6 FEUILLES DE LAURIER
HUILE
MARINADE AU VIN BLANC (P. 307)

MATÉRIEL :

12 BROCHETTES
BOL
PLANCHE À DÉCOUPER

POUR LE BUFFET :

12 ASSIETTES
12 FOURCHETTES

Épluchez les oignons et coupez-les en 2.
Coupez le porc en cubes de 3 × 3 cm ; coupez les tranches de poitrine en 2 et les feuilles de laurier en 4.
Faites mariner le porc et les oignons pendant 15 mn.
Enroulez chaque pruneau dans 1/2 tranche de poitrine.
Égouttez porc et oignons, puis embrochez en intercalant 1 cube de porc, 1 pruneau enveloppé, 1 cube de porc, 1/2 oignon, du laurier, 1 cube de porc, etc.
Badigeonnez d'huile au pinceau et faites griller pendant 15 mn en tournant souvent les brochettes.
Servez immédiatement.

Conservation : la viande découpée et les pruneaux enveloppés, 24 h au réfrigérateur, dans des récipients couverts.

Conseil : vous pouvez remplacer les pruneaux par des dés d'ananas ou des rondelles de bananes.

PLATS DE VIANDE POUR LE BUFFET

DAUBE DE JOUE DE BŒUF

Photo ci-contre

La joue de bœuf en daube est une viande particulièrement moelleuse qui fond sous la dent ; de plus, c'est un plat très économique qui peut se déguster chaud, ou froid en gelée.

PRÉPARATION : 30 MN

CUISSON : 2 H 30

INGRÉDIENTS POUR 12 PORTIONS EN BUFFET :

2 KG DE JOUE DE BŒUF PARÉE
1 PIED DE VEAU
350 G DE TOMATES
OU UNE BOÎTE DE TOMATES AU NATUREL
350 G DE CAROTTES
250 G D'OIGNONS
3 BELLES GOUSSES D'AIL
1 BOUQUET GARNI (THYM, LAURIER, QUEUES DE PERSIL, 2 BRANCHES DE CÉLERI)
3/4 DE LITRE DE FOND BLANC (P. 126)
OU DE BOUILLON
3 DL DE VIN ROUGE OU BLANC

Daube de joue de bœuf (recette ci-dessus)
Pâtes fraîches (recette p. 354)

4 CUILLERÉES À SOUPE DE COGNAC
4 CUILLERÉES À SOUPE D'HUILE
70 G DE BEURRE
1 CUILLERÉE À SOUPE DE GROS SEL
POIVRE DU MOULIN

GARNITURE :

200 G DE CAROTTES
200 G DE HARICOTS VERTS OU PETITS POIS

ACCOMPAGNEMENT :

TAGLIATELLE FRAÎCHES (P. 354)

MATÉRIEL :

COCOTTE DE 10 LITRES
CASSEROLE DE 1 LITRE
SPATULE EN BOIS

POUR LE BUFFET :

SOUPIÈRE DE SERVICE (FACULTATIF)
DESSOUS-DE-PLAT (FACULTATIF)
12 ASSIETTES À POTAGE
12 CUILLERS À SOUPE
1 LOUCHE

Salez la viande au gros sel.
Mélangez l'huile et le beurre dans la cocotte et saisissez la viande à feu vif ; laissez-la prendre couleur pendant environ 10 mn.
Pendant ce temps, émondez les tomates en les plongeant d'abord dans l'eau bouillante pendant 30 secondes. L'hiver, je vous conseille de prendre une boîte de tomates au naturel car les tomates fraîches n'ont aucun parfum. Épluchez et lavez les légumes, coupez-les en rondelles. Ficelez le bouquet garni.
Ajoutez légumes, ail et bouquet garni à la joue de bœuf dans la cocotte, ainsi que le pied de veau, le vin, le cognac et le fond blanc ou le bouillon ; rectifiez l'assaisonnement avec sel et poivre mignonnette et laissez cuire à petit feu à couvert pendant 2 h 15. Retournez la viande plusieurs fois pour qu'elle cuise également sur toutes ses faces.
Épluchez et coupez en bâtonnets les carottes et les haricots verts de la garniture (ou écossez les petits pois) ; ajoutez-les dans la cocotte 10 mn avant la fin de la cuisson.
Après 2 h 15, sortez les viandes mais laissez la cocotte à feu très doux. Coupez la daube en cubes de 2 cm de côté et le pied de veau en petits dés. Remettez les viandes dans la cocotte.
Présentez dans une soupière chauffée ou dans la cocotte posée sur un dessous-de-plat, avec une louche pour que chacun se serve. Accompagnez de tagliatelle fraîches légèrement beurrées.

Conservation : 4 jours au réfrigérateur, dans la cocotte couverte ; dans ce cas, refroidissez la daube rapidement après cuisson.

Congélation : pour congeler dans de bonnes conditions, accélérez le refroidissement en plongeant la cocotte dans un bain froid ; congelez dès que le plat est à température ambiante, dans un seul récipient ou dans plusieurs barquettes congélation.

Conseil : si vous voulez simplifier le service, dressez la daube bien chaude dans des cassolettes de 2 dl et remplacez les tagliatelle par des tranches de pain de campagne.

DAUBE DE JOUE DE BŒUF EN GELÉE

PRÉPARATION : 10 MN

TEMPS DE REFROIDISSEMENT : 3 H

INGRÉDIENTS POUR 12 PERSONNES :

DAUBE DE JOUE DE BŒUF CUITE AVEC SA GARNITURE (VOIR RECETTE PRÉCÉDENTE)

MATÉRIEL :

1 MOULE FANTAISIE DE 2,5 LITRES
OU 12 RAMEQUINS DE 2 DL

POUR LE BUFFET :

PLAT DE SERVICE CREUX
OU PLATEAU
12 ASSIETTES (FACULTATIF)
12 FOURCHETTES

Il faut dresser la daube dans le plat ou dans les cassolettes quand elle est encore chaude, immédiatement après avoir coupé la joue de bœuf en cubes et le pied de veau en dés.
Prélevez quelques rondelles de carottes et placez-les en décor au fond du moule ou des ramequins. Mettez ensuite les cubes de joue de bœuf, puis les légumes et les dés de pied de veau : recouvrez de bouillon de cuisson.
Placez le moule ou les ramequins dans un bain froid pour accélérer le refroidissement puis mettez au réfrigérateur pendant au moins 3 h.
Démoulez sur le plat de service ou servez dans les ramequins sur un plateau.

Conservation : 4 jours au réfrigérateur avant démoulage, dans le moule ou les ramequins couverts, après refroidissement accéléré.

Congélation : pour congeler dans de bonnes conditions, moulez dans un récipient spécial congélation ou dans 12 barquettes individuelles ; refroidissez dans un bain froid et congelez dès que la daube arrive à température ambiante.

GIGOT PRÉSENTÉ EN BARON D'AGNEAU

Photo page 24

PRÉPARATION : 40 MN

CUISSON : 40 MN + 10 MN

TEMPS DE REFROIDISSEMENT : 3 H

INGRÉDIENTS POUR 20 PERSONNES :

1 GIGOT DE 3 KG
HUILE
SEL, POIVRE

PRÉSENTATION :

200 G DE BEURRE MOUTARDE (P. 99)
2 PETITS PAINS DE CAMPAGNE DE 25 CM DE LONG
1 PETITE BOULE DE PAIN DE CAMPAGNE DE ∅ 15 CM

FINITION :

GELÉE CLAIRE

ACCOMPAGNEMENT :

400 G DE SAUCE FAÇON BÉARNAISE (P. 114)
OU 400 G DE SAUCE FAÇON CHORON (P. 115)
OU 400 G DE SAUCE À L'AVOCAT (P. 113)

MATÉRIEL :

PLAT DE SERVICE
PLAT À ROTIR
PLANCHE À DÉCOUPER
COUTEAU CHEF
COUTEAU À JAMBON
PAPIER D'ALUMINIUM
GRANDS PIQUES
OU BROCHETTES

POUR LE BUFFET :

20 ASSIETTES
20 FOURCHETTES
20 COUTEAUX

Faites chauffer le four à 220° (th. 7).
Huilez légèrement la viande, salez et poivrez.
Faites cuire à four chaud 220° (th. 7) pendant 15 mn puis à 200° (th. 6) pendant 25 mn en retournant le gigot à mi-cuisson.
Laissez la viande 10 mn dans le four éteint avant de la sortir.
Faites refroidir le gigot rapidement, en l'enfermant dans un sac plastique et en le plongeant dans un bain froid pour l'amener à 10° le plus vite possible. Mettez ensuite au réfrigérateur pendant 1 h.
Découpez le gigot froid en faisant des tranches très fines et assez larges. Remettez au réfrigérateur.
Sur le plat de service, disposez la boule de pain de mie qui va figurer le bassin de l'agneau et, de chaque côté, les pains longs qui représentent les cuisses.
Taillez les pains longs en biais et ôtez un peu de croûte de la boule pour que l'entaille des pains soient bien bord à bord contre la boule là où ils se touchent. Fixez solidement les pains longs à la boule à l'aide de grands piques ou de brochettes. Le support ainsi construit, recouvrez-le de papier d'aluminium puis d'une couche de beurre moutarde en pommade, à l'aide d'une spatule.
Commencez par poser les tranches de gigot sur la boule en les faisant se chevaucher puis continuez sur les pains longs ; couvrez le maximum de surface. Avant de poser une deuxième épaisseur de tranches de gigot, étalez un peu de beurre moutarde pour que la viande tienne bien.
Finissez en nappant toute la surface de gelée claire à l'aide d'un pinceau. Mettez la pièce au réfrigérateur pendant 1 h au minimum. Si vous n'avez pas assez de place disponible au réfrigérateur, posez le plat dans une grande cuvette placée dans un bain froid.
Servez accompagné d'un bol de sauce assez relevée ou d'une sauce originale comme la sauce à l'avocat.

Conservation : recouvert de film plastique, 12 h au réfrigérateur ou 6 h dans une pièce fraîche ou sur des pains de glace.

Conseil : cette idée de présentation peut s'appliquer à toutes les viandes coupées en fines tranches ; si la quantité de viande est plus importante, il faut prendre des pains plus grands.

LANGUE DE BŒUF À LA SAUCE PIQUANTE

PRÉPARATION : 20 MN (+ 15 MN POUR LA SAUCE)

CUISSON : 2 H 30 MN (+ 30 MN POUR LA SAUCE)

INGRÉDIENTS POUR 20 PORTIONS EN BUFFET :

1 LANGUE DE BŒUF DE 2,2 KG ENVIRON
200 G DE CAROTTES
200 G DE POIREAUX
2 OIGNONS
4 CLOUS DE GIROFLE
BOUQUET GARNI (THYM, LAURIER, QUEUES DE PERSIL, 1 BRANCHE DE CÉLERI)
25 G DE GROS SEL

ACCOMPAGNEMENT :

SAUCE PIQUANTE (P. 122)

MATÉRIEL :

20 RAMEQUINS DE 2 DL
COCOTTE DE 10 LITRES
PLAQUE DU FOUR
PLANCHE À DÉCOUPER
SAC PLASTIQUE

POUR LE BUFFET :

PLATEAU
20 FOURCHETTES
SERVIETTES EN PAPIER

Lavez la langue puis faites-la blanchir 10 mn à l'eau bouillante. Rafraîchissez-la sous l'eau courante.
Épluchez et lavez les légumes mais laissez-les entiers. Épluchez les oignons et piquez-les des clous de girofle.
Dans la cocotte contenant 3 litres d'eau froide, mettez la langue et tous les autres ingrédients. Faites cuire pendant 2 h 30 environ à feu moyen en enlevant de temps en temps les impuretés de la surface avec une écumoire.
La langue est cuite quand une brochette métallique s'enfonce facilement dedans.
Otez la peau alors que la langue est encore chaude.
Enveloppez hermétiquement la langue dans un sac plastique et mettez-la à refroidir dans un bain froid d'eau et de glaçons.
Prélevez 1 litre de bouillon de cuisson et préparez la sauce piquante.
Faites égoutter les légumes puis coupez-les en rondelles ou en tronçons.
Quand la langue est froide, coupez-la en tranches fines ; recoupez en 2 les tranches qui ne pourraient être mangées en une bouchée.
Disposez les légumes au fond des ramequins, recouvrez-les de tranches de langue, nappez de sauce piquante.
Allumez le four à 220° (th. 7) et faites réchauffer pendant environ 20 mn.
Servez immédiatement dans les ramequins présentés sur un plateau.

Conservation : le plat fini avant réchauffage, 6 h au réfrigérateur, dans les ramequins couverts ; la langue et les légumes cuits, 2 jours au réfrigérateur, dans le bouillon de cuisson après refroidissement rapide.

Congélation : vous pouvez congeler le plat fini dans les ramequins ou des barquettes spécial congélation.

Conseil : s'il vous reste du bouillon, il pourra servir de base à un consommé ou à une soupe à l'oignon.

LANGUE DE BŒUF ÉCARLATE EN CUBES

Achetez chez votre charcutier une langue écarlate cuite.

PRÉPARATION : 45 MN

INGRÉDIENTS POUR 10 PORTIONS EN BUFFET :

1 LANGUE DE 1 KG ENVIRON
80 G DE MOUSSE DE FOIE GRAS (P. 104)
OU 80 G DE BEURRE POMMADE ET 2 CUILLERÉES À SOUPE DE MOUTARDE FORTE
SEL, POIVRE

ACCOMPAGNEMENT :

500 G DE PETITS LÉGUMES DE SAISON
1 LAITUE
1 DIZAINE DE CORNICHONS AU VINAIGRE
1 DIZAINE D'OIGNONS AU VINAIGRE
200 G DE SAUCE TARTARE (P. 118)
2 DL DE GELÉE CLAIRE (FACULTATIF)

MATÉRIEL :

PLAT DE SERVICE LONG
CUL-DE-POULE
BOL
GRAND COUTEAU
PALETTE
PINCEAU

POUR LE BUFFET :

PIQUES EN BOIS
BOL DE SERVICE

Si vous n'utilisez pas de mousse de foie gras, préparez un beurre moutarde en travaillant le beurre pommade et la moutarde à la cuiller dans un bol. Salez et poivrez selon votre goût.
Coupez la langue horizontalement en longues tranches de 2 cm d'épaisseur, en commençant par le côté le plus plat qui servira de base.
Posez la première tranche sur le plat de service pour qu'elle serve de socle ; si elle est trop bombée ou trop petite, prenez la suivante.
Coupez-la en bandes dans la longueur puis formez des losanges de 1,5 cm de côté en coupant en biais dans la largeur. Il est important de couper sans déplacer les morceaux pour que la langue garde bien sa forme (photo).
Masquez la surface du socle découpé de beurre moutarde ou de mousse de foie gras, comme un maçon cimente avant de poser ses briques.
Coupez la deuxième tranche sur le plan de travail, d'abord en bandes dans la largeur, puis en biais dans la longueur. A l'aide de la palette, prenez-la bande par bande et commencez à reconstituer la langue sur le socle (photo). Quand toute la deuxième tranche est bien en place, masquez-la de beurre moutarde ou de mousse de foie gras.

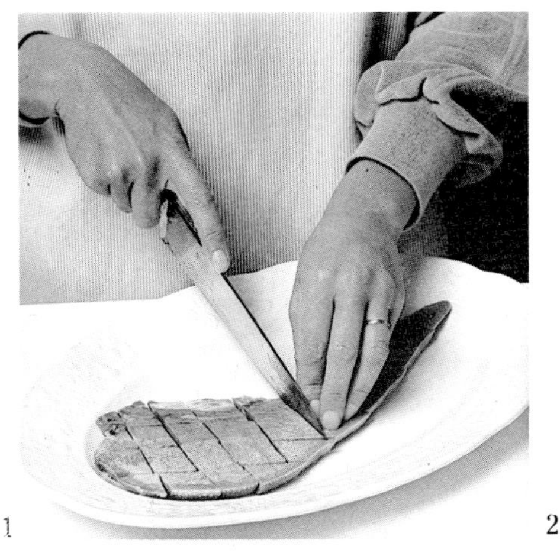

1

2

1. Découpage de la tranche devant servir de socle.

2. Pose de la deuxième tranche sur le socle masqué.

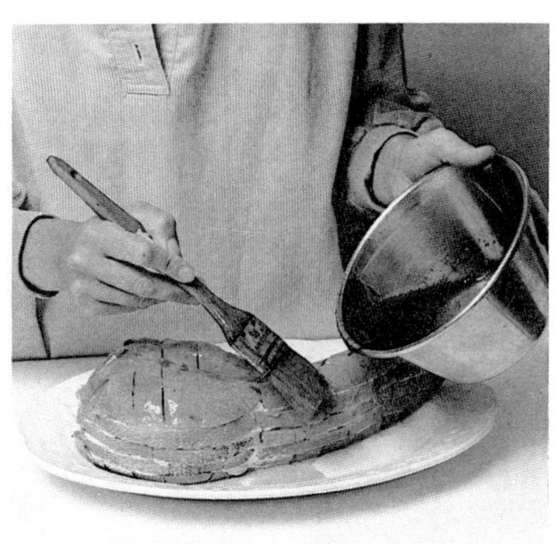

3. Nappage de la langue reconstituée.

3

Coupez la troisième tranche comme la première, mettez-la en place, masquez-la ; coupez la quatrième tranche comme la deuxième et ainsi de suite jusqu'à ce que toute la langue soit reconstituée ; la partie la plus délicate est la mise en place de l'assise.
Vous pouvez napper la langue reconstituée de gelée claire au pinceau, sans vous préoccuper du surplus de gelée qui coule dans le plat (photo).
Lavez et séchez la laitue ; épluchez et lavez les petits légumes de saison mais laissez-les entiers.
Faites égoutter les oignons et les cornichons ; coupez les cornichons en rondelles. Piquez oignons et rondelles de cornichons sur des piques ou sur des hâtelets.
Dressez les feuilles de laitue et les petits légumes autour de la langue.
Décorez le pourtour et le dessus en y plantant les piques ou hâtelets garnis.
Présentez accompagné d'un bol de sauce tartare. Mettez des piques supplémentaires à la disposition des invités.

Conservation : la langue reconstituée, 24 h au réfrigérateur, nappée de gelée ou recouverte de film plastique.

Conseil : utilisez le beurre moutarde dès qu'il est prêt car il sèche vite ; la mousse de foie gras n'a pas cet inconvénient.

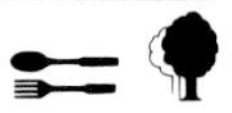

JAMBON RECONSTITUÉ POUR BUFFET CAMPAGNARD

PRÉPARATION : 20 MN

TEMPS DE REFROIDISSEMENT : 30 MN

INGRÉDIENTS POUR 50 PERSONNES :

1 JAMBON DÉSOSSÉ FAÇON YORK DE 6 KG

FINITION :

1 SALADE VERTE
4 DL DE GELÉE CLAIRE

ACCOMPAGNEMENT :

250 G DE CORNICHONS
250 G DE CERISES AU VINAIGRE
250 G DE PICKLES AU VINAIGRE
250 G D'OIGNONS AU VINAIGRE
1 PAIN DE MIE LOUIS XV (P. 73)
OU 1 GROS PAIN DE CAMPAGNE ÉVIDÉ ET REMPLI DE DÉS DE MIE DE PAIN (P. 160)
1 MOTTE DE BEURRE

MATÉRIEL :

COUTEAU À JAMBON
PLANCHE À DÉCOUPER
PINCEAU
PLAT DE SERVICE
4 BOLS

POUR LE BUFFET :

50 ASSIETTES
50 FOURCHETTES
50 COUTEAUX

Achetez chez votre charcutier un jambon façon York de 6 kg désossé. Faites-le découenner et dégraisser puis couper horizontalement en tranches de 2,5 mm d'épaisseur ; vous obtenez ainsi environ 50 tranches. Pour reconstituer facilement le jambon, éliminez les 5 tranches du dessous et prenez pour base une tranche bien large. Posez le jambon sur la planche à découper et coupez verticalement en croix de façon à obtenir 180 quarts de tranches. Laissez le jambon en forme.
Disposez des feuilles de salade sur le plat de service et posez le jambon dessus ; le plus simple est de prendre le jambon quart par quart et de le mettre sur le plat en reconstituant sa forme.
Nappez une première fois de gelée claire à l'aide du pinceau. Mettez au froid 30 mn. Recommencez une deuxième fois pour assurer une bonne protection sur toute la surface du jambon.
Laissez dans un endroit frais jusqu'au moment de servir.
Servez sur le buffet accompagné de 4 bols de condiments au vinaigre. Prévoyez un pain de mie Louis XV ou un gros pain de campagne rempli de cubes de mie de pain et une motte de beurre.

Conservation : 12 h au frais, sur le plat de service couvert.

JAMBON RECONSTITUÉ FAÇON VIRGINIE

Photo page 41

Il faut aimer les puzzles pour réussir cette pièce de buffet.

PRÉPARATION : 3 H ENVIRON

TEMPS DE REFROIDISSEMENT : 2 H

INGRÉDIENTS POUR 50 PERSONNES :

1 JAMBON FAÇON YORK DE 6 KG DÉSOSSÉ
500 G DE BEURRE POMMADE
ET 4 CUILLERÉES À SOUPE DE MOUTARDE
OU 500 G DE MOUSSE DE FOIE GRAS (P. 104)

GARNITURE :

3 ANANAS FRAIS
1 BOÎTE 4/4 D'ANANAS AU NATUREL
1 BOÎTE 4/4 DE CERISES AU NATUREL
1 POT DE SAUCE CHUTNEY À L'ANANAS
100 G DE CERISES AU VINAIGRE
1 LAITUE

FINITION :

GELÉE CLAIRE

MATÉRIEL :

PLAT DE 50 À 60 CM DE LONG
COUTEAU À JAMBON
PLANCHE À DÉCOUPER
PALETTE INOXYDABLE
COUTEAU D'OFFICE
100 PIQUES EN BOIS
PINCEAU

Achetez chez votre charcutier un jambon façon York de 6 kg désossé.
Faites-le découenner et dégraisser puis découper horizontalement en tranches de 1 cm d'épaisseur.
Pour que le jambon une fois découpé et reconstitué tienne bien, il faut faire une base large et solide. Éliminez donc les premières tranches du dessous, trop petites et trop arrondies, et prenez pour base une tranche bien large. Posez-la sur le plat, ne la découpez pas.
Prenez ensuite les tranches dans l'ordre où elles se présentent.
Découpez la première en bandes dans la longueur puis formez des losanges de 2 × 2 cm environ en coupant en biais dans la largeur. Ne déplacez pas les morceaux pour que le jambon garde exactement sa forme.
Étalez une couche de beurre moutarde sur la base avec la palette en insistant sur les bords, les morceaux à cet endroit ayant toujours tendance à se décoller plus vite. Prenez la tranche découpée bande par bande avec la palette et posez-la à sa place sur la base. Vérifiez que la petite bande de gras du bord est bien à l'alignement (si la reconstitution était bancale, elle le deviendrait un peu plus à chaque étage).
Coupez la deuxième tranche en bandes dans la largeur, puis formez des losanges de 2 × 2 cm en coupant en biais dans la longueur. Masquez la

tranche précédente de beurre moutarde et continuez la reconstitution... Coupez la troisième tranche comme la première, la quatrième comme la deuxième et ainsi de suite.
Lorsque le jambon est reconstitué, mettez-le au réfrigérateur 1 h 30 pour que tout l'édifice se solidifie.

Garniture
Otez la base et le plumet de 2 des ananas. Coupez-les en croix dans la longueur. Retirez la partie fibreuse du cœur. Détachez la chair de l'écorce sans abîmer celle-ci. Réservez l'écorce. Coupez la chair en dés.
Évidez le 3e ananas verticalement en suivant les conseils de la page 68, il servira de saladier naturel.
Mélangez sa chair coupée en dés avec 100 g de cerises au vinaigre et 125 g de sauce Chutney. Remplissez l'ananas évidé de ce mélange, couvrez avec le plumet et mettez au frais jusqu'au moment de servir.
Préparez une soixantaine de piques en juxtaposant un dé d'ananas frais ou au naturel et une cerise égouttée (choisissez des cerises bien rouges). Laissez-les au réfrigérateur sur une planchette, couverts d'un film plastique.
Sortez le jambon du réfrigérateur. Recouvrez la partie visible du plat de service de feuilles de salade lavées et séchées ; habillez le jambon jusqu'à mi-hauteur de morceaux d'écorce d'ananas fixés avec des piques en bois ; disposez un des plumets d'ananas au bout du jambon, à la place de l'os.
Nappez de gelée le reste du jambon.
Remettez au froid jusqu'au moment de servir.
Au dernier moment, disposez un maximum de piques garnis en hérisson, sur tout le tour du jambon. Si le plat est assez grand, posez dessus l'ananas entier ; sinon, présentez celui-ci sur une assiette entouré des piques garnis restants.

Conservation : le jambon découpé et reconstitué, 24 h au réfrigérateur, couvert d'un film plastique ; l'ananas découpé, 24 h au réfrigérateur, enveloppé ; l'ananas garni, 6 h au réfrigérateur, enveloppé ; les piques, 12 h au réfrigérateur, couverts d'un film plastique.

PLATS DE VOLAILLE

COMMENT PARER ET BRIDER UNE VOLAILLE

Videz et flambez soigneusement la volaille. Otez les pattes sous le pilon, le cou, les poumons, le gésier et le foie. Salez et poivrez la cavité intérieure et garnissez-la d'échalotes ou d'oignons hachés. Fermez la cavité en retournant le croupion.

Posez la volaille sur le dos sur la planche à découper. Glissez sous le croupion un morceau de ficelle fine d'environ 50 cm de long. En serrant bien, croisez la ficelle sur le dessus pour maintenir les pilons (photo), puis faites-la remonter de chaque côté en suivant la face intérieure des cuisses ; retournez la volaille ; ramenez la peau du cou sur le dos ; croisez la ficelle sur le dos de la volaille en passant sur le bout des ailes et faites un nœud pour maintenir à la fois les ailes et la peau du cou (photo).

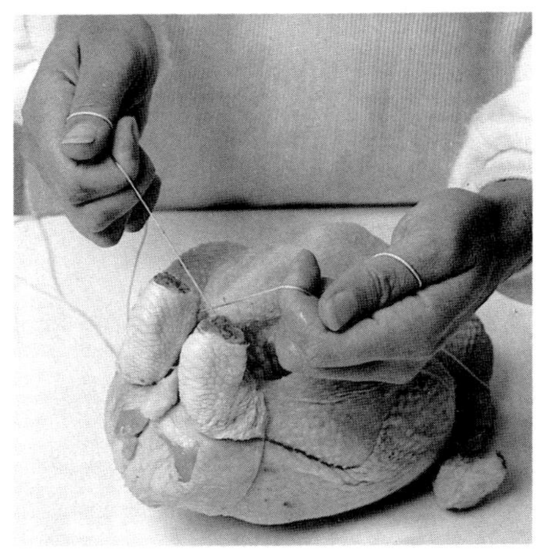

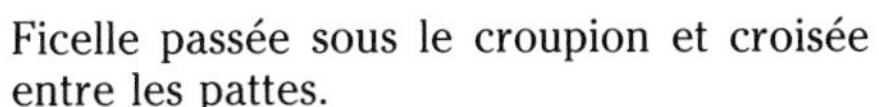

Ficelle passée sous le croupion et croisée entre les pattes.

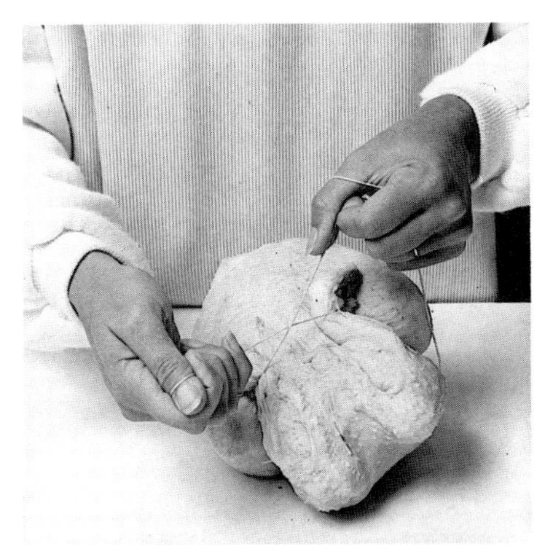

Volaille retournée sur le ventre, nouer la ficelle sur le dos.

Vous pouvez brider ainsi toutes les volailles, quelle que soit leur taille.
Le poids indiqué dans les recettes qui suivent correspond à une volaille vidée et parée. Si vous préparez la volaille vous-même, comptez 1/3 de perte.

Conseil : réservez tous les abattis, sauf le foie, pour corser la saveur d'un fond ; n'oubliez pas de vider le gésier. (Conservation : 48 h au réfrigérateur, dans un papier sulfurisé ou dans du papier d'aluminium.)
Réservez le foie séparément après l'avoir débarrassé de toute trace de fiel. Vous pouvez le conserver 3 jours dans du cognac si vous avez l'intention de faire une terrine.
Tous les abattis peuvent être congelés.

DÉCOUPAGE D'UNE VOLAILLE CUITE POUR LA PRÉSENTATION EN AIGUILLETTES

Le découpage se fait de la même façon, qu'il s'agisse d'un poulet, d'un canard, d'une dinde ou de toute autre volaille. Le plus important est de faire des aiguillettes régulières qui, une fois nappées, seront agréables à regarder et commodes à déguster.
Utilisez un couteau bien aiguisé.

Photo 1 : Après avoir ôté le croupion, coupez les cuisses à l'articulation. Séparez les pilons des cuisses.
Photo 2 : Enlevez le blanc et l'aile. Séparez l'aile du blanc.
Photos 3 et 4 : En glissant la pointe du couteau le long des os pour ne pas déchirer les chairs, désossez les cuisses, les pilons et les ailes.

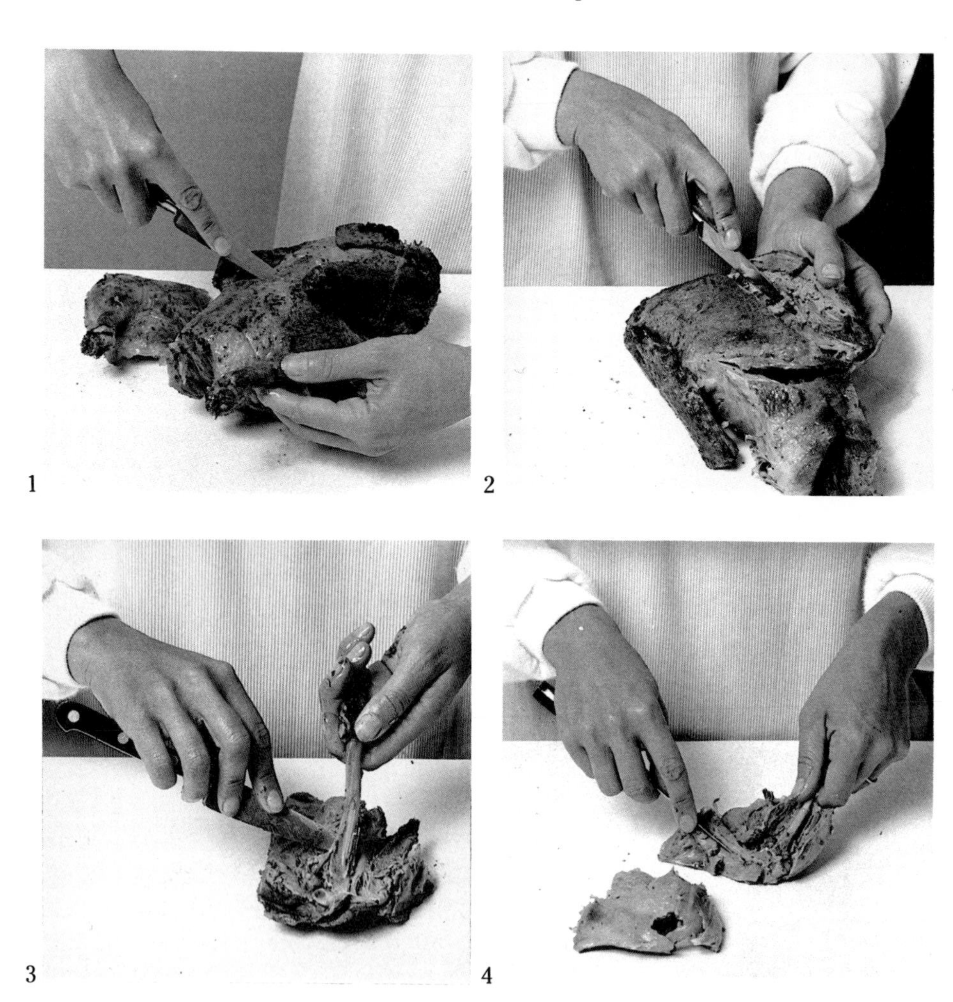

1 2

3 4

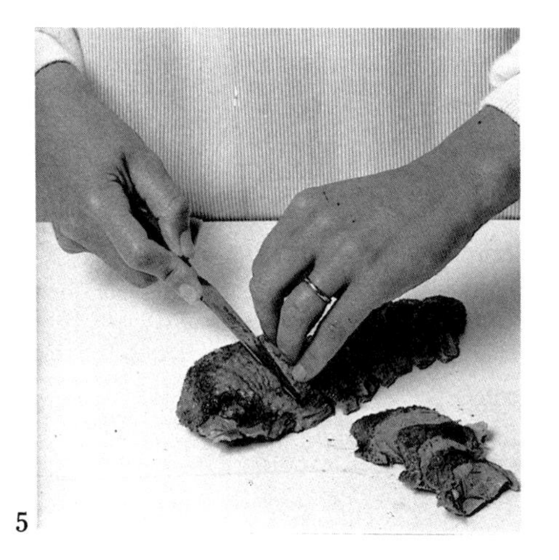

5

Photo 5 : Coupez toute la chair en biais en aiguillettes de 6 × 3 cm. S'il y a de gros morceaux (dans une dinde, par exemple), coupez-les dans la largeur avant de tailler les aiguillettes.

DÉCOUPAGE D'UNE VOLAILLE À RECONSTITUER

La méthode est la même pour toutes les volailles.
Égouttez la volaille et essuyez-la avec du papier absorbant avant de la poser sur le dos sur la planche à découper.
Utilisez un couteau bien aiguisé.
Photo 1 : Avec le couteau d'office, détachez le dessus du pilon puis, en un seul morceau, l'extérieur du pilon et de la cuisse ; enfoncez bien le couteau pour détacher le maximum de chair.
Photo 2 : Détachez nettement le blanc et la partie charnue du haut de l'aile.
Photo 3 : Avec de la mousse de foie gras ou du beurre moutarde, masquez la carcasse aux endroits où vous avez retiré la chair.
Photo 4 : Pour reconstituer plus facilement la volaille, posez chaque morceau sur la planche dans le sens où il devra être replacé, puis taillez-le en aiguillettes d'environ 6 × 3 cm. Au fur et à mesure, remettez les morceaux à leur place sur la carcasse.

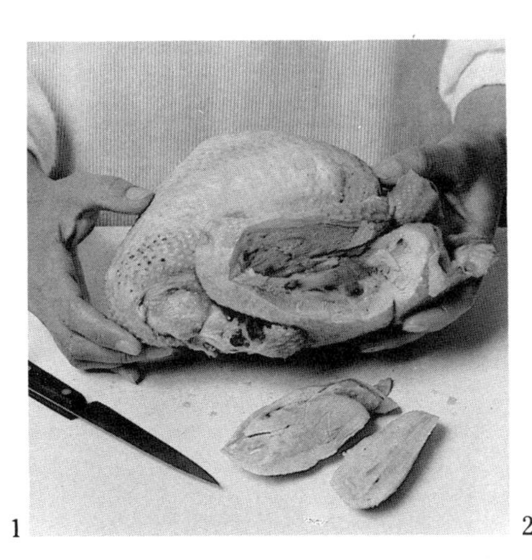
1

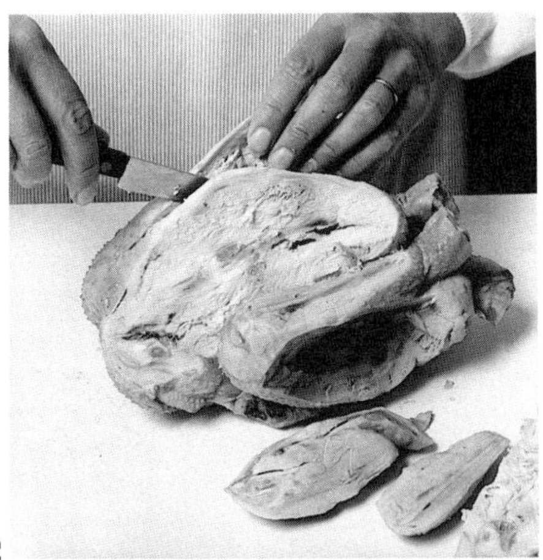
2

3

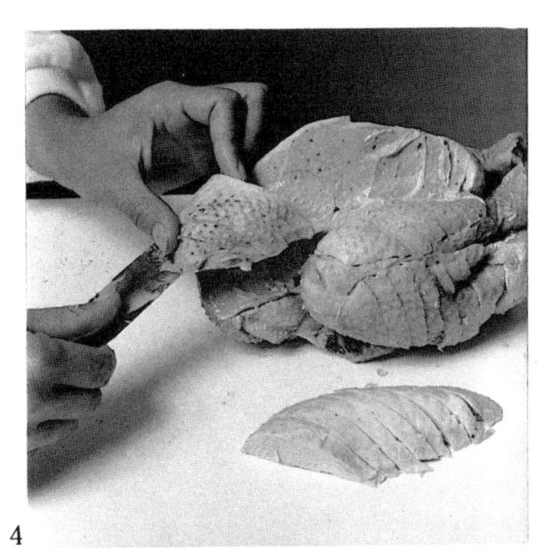
4

NAPPAGE EN CHAUD-FROID

Photo 1 : Disposez les aiguillettes sur une grille posée sur la plaque à rôtir du four pour recueillir l'excédent de sauce.
Vérifiez la consistance de la sauce chaud-froid.
Photo 2 : Nappez les aiguillettes avec une poche à douille dentelée ou plate.
Photo 3 : Tenez la volaille reconstituée dans une main et nappez-la rapidement au-dessus du plat, en laissant le surplus de sauce ou de gelée couler dans le plat.

1

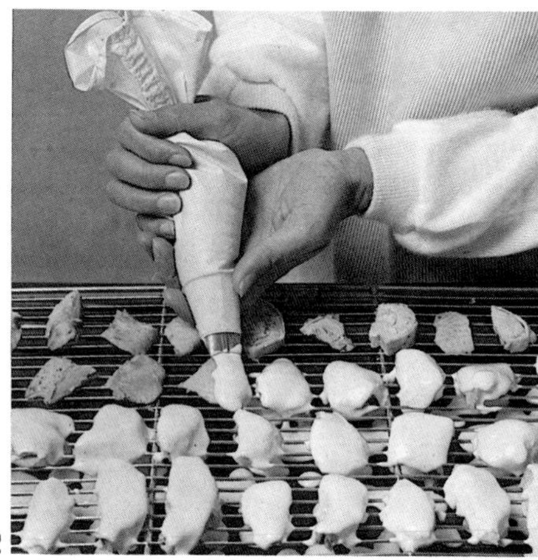
2

3

POULETS RÔTIS AU FOUR

Cette méthode de cuisson s'applique également au canard.
Les volailles ainsi rôties restent moelleuses et les cuisses sont toujours bien cuites, elles sont recommandées pour les buffets juniors, les buffets campagnards et les plateaux-repas.

PRÉPARATION : 15 MN

CUISSON : 1 H (ENTRE 15 ET 20 MN PAR LIVRE)

TEMPS DE REPOS AU FOUR : 15 MN

INGRÉDIENTS POUR 12 PERSONNES :

3 POULETS DE 1,8 KG PARÉS ET BRIDÉS
150 G DE BEURRE
CRÈME FRAÎCHE (FACULTATIF)
HUILE
3 CUILLERÉES À CAFÉ DE GROS SEL
POIVRE

MATÉRIEL :

PLAQUE À RÔTIR DU FOUR
PLAT DE SERVICE ALLANT AU FOUR (FACULTATIF)
PLANCHE À DÉCOUPER

POUR LE BUFFET :
12 ASSIETTES
12 FOURCHETTES
12 COUTEAUX
PLAT DE SERVICE (FACULTATIF)

Sortez le beurre du réfrigérateur 2 h à l'avance.
Faites chauffer le four à 220° (th. 7).
Dans la plaque à rôtir huilée, couchez les 3 poulets sur le côté ; assaisonnez-les de gros sel et étalez des noisettes de beurre sur toute la surface.
Mettez à cuire.
En cours de cuisson, arrosez souvent avec le jus qui se forme, en ajoutant au besoin un peu d'eau bouillante. Poivrez au moulin. Quand les poulets sont colorés d'un côté, retournez-les sur l'autre côté, puis sur le dos.
Pour vérifier la cuisson, piquez un poulet à la jointure de la cuisse : le jus qui sort doit être clair.
Après cuisson, laissez les poulets dans le four éteint pendant 15 mn avant de les sortir pour les découper.

Pour servir chaud

Sortez la plaque à rôtir du four et enlevez les poulets, sans vider le jus de cuisson. Posez les poulets sur la planche à découper en les piquant dans la jointure de la cuisse pour ne pas abîmer les filets.
Mettez le plat de service dans le four encore chaud.
Découpez la cuisse et le pilon en un seul morceau puis, en suivant bien l'os du bréchet, le blanc attaché à l'aile. Vous obtenez ainsi 4 beaux morceaux par poulet. Au fur et à mesure du découpage, dressez les quarts de poulet sur le plat de service, au four.
Mettez la plaque de cuisson sur le feu, ajoutez un peu d'eau et grattez bien

les sucs. Liez éventuellement à la crème fraîche, rectifiez l'assaisonnement. Versez la sauce sur les poulets et servez immédiatement.

Pour servir froid

Vous n'avez pas besoin du jus de cuisson.

Découpez les poulets, laissez-les refroidir. Si vous voulez accélérer le refroidissement, enfermez les morceaux hermétiquement dans un sac plastique et plongez-les dans un bain froid.

Servez accompagné d'un bol de sauce à base de mayonnaise et d'une salade.

Conservation : les poulets cuits, découpés ou non, 48 h au réfrigérateur, enveloppés dans du papier d'aluminium.

Conseil : réservez les carcasses au réfrigérateur enveloppées dans du papier d'aluminium, à l'intention des amateurs, ou grattez la chair restante et accommodez-la en salade avec des pâtes fraîches (p. 354) et une vinaigrette à l'estragon.

AIGUILLETTES DE POULET AU BOUILLON ET AUX LÉGUMES

Vous pouvez utiliser la méthode de cuisson au bouillon pour de plus gros poulets sans qu'il soit nécessaire de modifier les quantités des ingrédients.

PRÉPARATION : 1 H 15

CUISSON : 1 H 20 (20 À 25 MN PAR LIVRE)

INGRÉDIENTS POUR 12 PORTIONS EN BUFFET :

- 1 POULET DE 1,8 KG PARÉ ET VIDÉ
- 500 G D'ABATTIS DE POULET (TÊTES, COUS, GÉSIERS, PATTES)
- 200 G DE CAROTTES
- 200 G DE POIREAUX
- 4 BRANCHES DE CÉLERI
- 4 BRANCHES D'ESTRAGON
- 1 OIGNON
- 2 CLOUS DE GIROFLE
- 1/2 CITRON
- BOUQUET GARNI
- 1 CUILLERÉE À SOUPE BOMBÉE DE GROS SEL (15 G)
- 6 GRAINS DE POIVRE

ACCOMPAGNEMENT :

- 50 G DE VERMICELLE DE SOJA
- NUOC-MÂM (FACULTATIF)

MATÉRIEL :

- COCOTTE DE 10 LITRES
- CASSEROLE
- THERMOMÈTRE

POUR LE BUFFET :

- 12 BOLS
- 12 CUILLERS À SOUPE
- 1 LOUCHE
- CHAUFFE-PLATS

Cuisson au bouillon

Faites blanchir les abattis à l'eau bouillante.
Garnissez l'intérieur du poulet de 2 branches d'estragon, salez et poivrez.
Frottez le poulet avec le 1/2 citron puis bridez-le comme pour le faire rôtir.
Lavez et épluchez les légumes, coupez-les en assez gros tronçons.
Dans la cocotte, portez à ébullition 3 litres d'eau ; ajoutez légumes, abattis, aromates et assaisonnement. Faites cuire pendant 40 mn à frémissement.
Laissez tiédir à 40°, ajoutez le poulet puis ramenez à ébullition ; comptez encore 40 mn de cuisson à frémissement pour que la chair du poulet reste bien ferme. Écumez au moins 2 fois.

Présentation

Après cuisson, sortez le poulet et laissez-le un peu refroidir. Coupez-le ensuite en 100 aiguillettes, voir pages 321 et 322.
Sortez les légumes avec une écumoire, coupez-les en rondelles ou en dés, réservez-les.
Ajoutez dans la cocotte les 2 branches d'estragon restantes et faites réduire le bouillon pendant environ 30 mn à frémissement ; enlevez alors l'estragon et les abattis avec une écumoire.
Remettez dans le bouillon les légumes et les aiguillettes de poulet. Réchauffez à feu doux. 5 mn avant de servir, ajoutez le vermicelle de soja. Servez dans la cocotte posée sur un chauffe-plats, accompagné de nuoc-mâm pour les amateurs.

Conservation : le poulet cuit, 48 h au réfrigérateur, enveloppé dans un film plastique ou un papier d'aluminium ; le plat terminé refroidi rapidement, 48 h au réfrigérateur, dans le bouillon mais sans le vermicelle, dans un récipient couvert. Faites réchauffer pendant 15 mn avant de servir.

Conseil : cette méthode de cuisson convient également à la préparation de poulet à servir froid, pour un plateau-repas par exemple.

CASSOLETTES DE POULE AU POT EN GELÉE

PRÉPARATION : 1 H 15

CUISSON : 1 H 20

TEMPS DE REFROIDISSEMENT : 1 H 30

INGRÉDIENTS POUR 12 PORTIONS EN BUFFET :

1 POULET DE 1,8 KG VIDÉ ET PARÉ
1 PIED DE VEAU
500 G D'ABATTIS DE POULET

600 G DE CAROTTES
600 G DE POIREAUX
2 BRANCHES DE CÉLERI
4 BRANCHES D'ESTRAGON
1 OIGNON
2 CLOUS DE GIROFLE
1/2 CITRON
BOUQUET GARNI
1 CUILLERÉE À SOUPE BOMBÉE DE GROS SEL (15 G)
6 GRAINS DE POIVRE

GARNITURE :

2 CUILLERÉES À SOUPE DE FINES HERBES HACHÉES (CERFEUIL, CIBOULETTE, ESTRAGON)

MATÉRIEL :

12 CASSOLETTES DE 2 DL
COCOTTE DE 10 LITRES
CASSEROLE
THERMOMÈTRE

POUR LE BUFFET :

12 PETITES FOURCHETTES

Faites cuire le poulet au bouillon selon la recette précédente en utilisant les quantités de légumes indiquées ci-dessus mais en ajoutant, en même temps que les abattis, un pied de veau blanchi.
Après cuisson, sortez les légumes et le pied de veau, réservez-les.
Sortez le poulet du bouillon et laissez-le un peu refroidir pour pouvoir le découper.
Faites réduire le bouillon de moitié en y ajoutant 2 branches d'estragon.
Coupez le poulet en 100 aiguillettes (pages 321 et 322) pour obtenir environ 800 g de chair. Taillez les légumes et le pied de veau en petits cubes.
Après réduction du bouillon, enlevez les abattis et l'estragon puis versez un peu de bouillon dans chaque cassolette ; parsemez de fines herbes, disposez viandes et légumes puis remplissez à moitié de bouillon. Mettez au réfrigérateur pendant 30 mn.
Remplissez de bouillon les cassolettes refroidies puis remettez-les au réfrigérateur pendant au moins 1 h.
Servez bien frais.

Conservation : 2 jours au réfrigérateur dans les cassolettes couvertes.

AIGUILLETTES DE POULET EN CHAUD-FROID

La présentation en aiguillettes permet aux invités de se servir avec de petits piques en bois ; elle évite les couverts et les assiettes. Vous pouvez faire cuire le poulet la veille car il doit être froid pour être découpé plus facilement.

PRÉPARATION : 15 MN + 1 H

CUISSON : 1 H 30 (20 À 25 MN PAR LIVRE)

TEMPS DE REFROIDISSEMENT : 3 H + 30 MN

INGRÉDIENTS POUR 15 PORTIONS EN BUFFET :

1 POULET DE 1,8 KG CUIT AU BOUILLON ET AUX LÉGUMES (P. 326) EN AJOUTANT 1 PIED DE VEAU
SAUCE CHAUD-FROID (1/2 LITRE) :
35 G DE FARINE
25 G DE BEURRE
2 JAUNES D'ŒUFS
2 DL DE CRÈME FRAÎCHE
4 FEUILLES D'ESTRAGON
2 FEUILLES DE GÉLATINE
SEL, POIVRE

DÉCOR :

LAMELLES DE TRUFFES
OU PRUNEAUX DÉNOYAUTÉS
2 DL DE GELÉE CLAIRE (FACULTATIF)

MATÉRIEL :

PLAT DE SERVICE ROND DE ∅ 30 CM
COCOTTE DE 10 LITRES
CASSEROLE DE 2 LITRES
PLAQUE À RÔTIR DU FOUR
ET GRILLE DE LA MÊME TAILLE
CUL-DE-POULE
CHINOIS OU PASSOIRE FINE
POCHE À DOUILLE DENTELÉE OU APLATIE (FACULTATIF)
HÂTELETS (FACULTATIF)
PAPIER D'ALUMINIUM

POUR LE BUFFET :

PIQUES EN BOIS

Faites cuire le poulet au bouillon en suivant la recette de la page 326 mais en ajoutant, en même temps que les abattis, le pied de veau blanchi.
Après cuisson, sortez le poulet du bouillon, laissez-le refroidir puis enveloppez-le dans du papier d'aluminium et mettez-le au réfrigérateur pendant au moins 3 h.
Enlevez les légumes du bouillon avec une écumoire. Ajoutez l'estragon et faites réduire le bouillon de moitié.
Après réduction, enlevez les abattis, le pied de veau et l'estragon avec une écumoire. Réservez 1/2 litre de bouillon réduit pour faire la sauce chaud-froid. Avec le bouillon restant, vous pouvez préparer une gelée claire.
Coupez le poulet en une centaine d'aiguillettes (pages 321 et 322) que vous posez sur une grille. Mettez-les au réfrigérateur.

Préparation de la sauce chaud-froid

Préparez un roux blond avec le beurre et la farine en fouettant sans arrêt ; laissez-le refroidir.
Délayez les jaunes d'œufs avec 1 cuillerée à soupe de crème.
Dans la casserole, versez petit à petit le 1/2 litre de bouillon chaud sur le roux refroidi en remuant, ajoutez les feuilles d'estragon, portez à frémissement ; laissez frémir pendant 2 mn puis passez au travers d'une passoire fine ou d'un chinois dans le cul-de-poule.
En fouettant, ajoutez le mélange œufs-crème puis les feuilles de gélatine rincées et égouttées et assaisonnez copieusement car la crème va adoucir la sauce.
Laissez refroidir dans le cul-de-poule posé dans un bain froid jusqu'à ce que la sauce soit à température ambiante, en vannant souvent. Vous obtiendrez ainsi un beau brillant ivoire.
Sortez le cul-de-poule du bain froid.
Fouettez légèrement la crème fraîche restante, incorporez-lui un peu de sauce puis versez le tout dans le cul-de-poule en remuant à la spatule. La sauce va rapidement épaissir et napper la spatule.

Nappage

Voir photos du nappage en chaud-froid.
Sortez du réfrigérateur la grille garnie d'aiguillettes, posez-la sur la plaque à rôtir du four ou sur un plateau pour recueillir l'excédent de sauce chaud-froid. Remplissez de sauce la poche munie d'une douille dentelée ou d'une douille aplatie et nappez toutes les aiguillettes ; vous pouvez, si vous préférez, faire ce nappage à la cuiller. Tapez un peu sur la grille pour égaliser le nappage et mettez à refroidir au réfrigérateur ; la sauce va prendre rapidement.
Vous pouvez alors napper de gelée claire.

Présentation

Recouvrez de papier d'aluminium le dessous d'une assiette creuse et posez celle-ci à l'envers au milieu du plat de service pour former un dôme. Avec une fourchette ou un pique en bois, disposez les aiguillettes en commençant par former une couronne tout autour du plat puis une deuxième couronne chevauchant la première et ainsi de suite jusqu'en haut du dôme (vous pouvez vous inspirer de la photo p. 335).
Décorez de lamelles de truffes, ou, plus simplement, de pruneaux dénoyautés piqués sur des hâtelets garnis d'une petite faveur.
Mettez le plat au réfrigérateur jusqu'au moment de servir.

Conservation : le plat fini, 6 h au réfrigérateur, recouvert d'un film plastique.

Conseil : avec une spatule, récupérez la sauce qui a coulé sur le plat à rôtir et utilisez-la pour garnir des mini-pains au chaud-froid (p. 168).

CHAUD-FROID DE POULARDES À LA FRANÇAISE

Photo ci-contre

PRÉPARATION : ENVIRON 2 H + 1 H POUR LA SAUCE

CUISSON : 1 H 15 ENVIRON

TEMPS DE REFROIDISSEMENT : 3 H

INGRÉDIENTS POUR 25 PORTIONS EN BUFFET :

2 POULETS CUITS AU BOUILLON ET AUX LÉGUMES (P. 326) EN AJOUTANT 2 PIEDS DE VEAU
1 LITRE DE SAUCE CHAUD-FROID (P. 329)

DÉCOR :

5 PRUNEAUX DÉNOYAUTÉS
30 G DE POINTES D'ASPERGES
20 G D'AMANDES EFFILÉES
BOUQUET DE PERSIL
FEUILLES D'ESTRAGON
150 G DE MOUSSE DE FOIE GRAS (P. 104)
CONCENTRÉ DE TOMATE
2 DL DE GELÉE CLAIRE
300 G DE GELÉE CLAIRE HACHÉE
COQUES DE RUBAN
SOCLE DE PAIN DE MIE DE 15 CM DE LONG

Chaud-froid de poulardes à la française (recette ci-dessus)

MATÉRIEL :

PLAT DE SERVICE DE 50 CM DE LONG
2 COCOTTES DE 10 LITRES
2 CASSEROLES
PLAQUE À RÔTIR DU FOUR
ET GRILLE DE LA MÊME TAILLE
POCHE À DOUILLE DENTELÉE
BROCHETTE MÉTALLIQUE
THERMOMÈTRE
PAPIER D'ALUMINIUM
OU PAPIER DORÉ

POUR LE BUFFET :

PIQUES EN BOIS

La veille, faites cuire les deux poulets séparément au bouillon en ajoutant les pieds de veau blanchis en même temps que les abattis. Enveloppez les poulets refroidis dans un papier d'aluminium et mettez-les au réfrigérateur. Réservez le bouillon après l'avoir fait réduire de moitié avec une branche d'estragon.
Découpez un poulet en 100 aiguillettes (pages 321 et 322). Posez les aiguillettes sur une grille et mettez-les au réfrigérateur.
Découpez l'autre poulet en aiguillettes et reconstituez-le (p. 323). Mettez le poulet reconstitué sur une assiette au réfrigérateur.
Préparez la sauce chaud-froid.
Nappez de sauce le poulet reconstitué et les aiguillettes (p. 324), remettez-les au réfrigérateur.
Quand le chaud-froid est bien pris, disposez des feuilles d'estragon en décor en vous inspirant de la photo puis nappez de gelée claire.

Présentation

Pour surélever le poulet reconstitué, préparez un socle plat en pain de mie de 15 cm de long. Recouvrez-le de papier métallisé et fixez-le sur la moitié arrière du plat de service avec du papier collant.
Dressez les aiguillettes devant ce socle et prenant appui sur lui. Posez ensuite le poulet reconstitué sur le socle.
Remplissez la poche, sans douille, de cubes de gelée et recouvrez de gelée les parties encore visibles du plat.
Rincez la poche à douille et, avec la douille dentelée, garnissez les pruneaux de mousse de foie gras. Disposez-les à intervalles réguliers autour du plat. Dressez les pointes d'asperges deux par deux, reliées par un double filet de concentré de tomate.
Passez rapidement les amandes au gril pour les colorer, laissez-les refroidir puis posez-les sur les pruneaux.
Serrez le bouquet de persil derrière le poulet reconstitué et piquez au-dessus une coque de ruban.
Laissez au froid jusqu'au dernier moment et servez bien frais.

Conservation : 6 h dans le plat de service posé sur des blocs de glace ou des sacs de glaçons.

GÂTEAU DE POULET

Photo page 25

PRÉPARATION : 3 H

TEMPS DE REFROIDISSEMENT : 1 H

CUISSON : 1 H 10

INGRÉDIENTS POUR 20 PERSONNES :

2 GROS POULETS PARÉS ET VIDÉS
250 G DE FEUILLETAGE (P. 174)
20 ŒUFS DE CAILLE DURS
OU 4 ŒUFS DE POULE DURS
600 G DE POITRINE FUMÉE
1,5 KG DE POIREAUX
1 KG DE DUXELLES DE CHAMPIGNONS (P. 102)
2 LITRES DE FOND BLANC (P. 126)
5 DL DE VIN BLANC
4 CUILLERÉES À SOUPE D'HUILE
BOUQUET GARNI
SEL ET POIVRE

MATÉRIEL :

2 PLATS À GRATIN
COCOTTE DE 10 LITRES
CASSEROLE DE 2 LITRES
POÊLE
PLANCHE À DÉCOUPER
ROULEAU À PÂTISSERIE
POCHE À DOUILLE DE ∅ 1 CM
EMPORTE-PIÈCE CANNELÉ
PINCEAU

POUR LE BUFFET :

20 ASSIETTES
20 FOURCHETTES
2 CHAUFFE-PLATS

Demandez au boucher de couper les poulets crus en quatre, ou bien faites-le vous-même avec un couteau bien aiguisé.
Préparez la Duxelles en laissant les champignons en lamelles.
Lavez les poireaux, coupez-les en tronçons puis en fines lanières.
Dans la cocotte, faites sauter les morceaux de poulet avec l'huile pendant 8 à 10 mn. Quand ils sont bien colorés de tous côtés, mouillez avec le vin et le fond blanc, assaisonnez si le fond ne l'est pas, ajoutez le bouquet garni et les poireaux, puis portez à ébullition. Laissez cuire pendant 40 mn à frémissement sur feu doux dans la cocotte couverte.
Coupez la poitrine fumée en petits lardons. Mettez-les dans la casserole, couvrez-les d'eau froide ; portez à ébullition, laissez blanchir pendant 30 secondes, puis rafraîchissez sous l'eau courante. Faites ensuite sauter les lardons à feu vif dans une poêle sans matière grasse pendant 5 mn. Laissez-les en attente dans une passoire.
Écalez les œufs de caille.
En laissant la cocotte sur le feu, sortez le poulet et laissez-le refroidir 15 mn sur la planche à découper ; désossez les morceaux puis coupez-les en grosses aiguillettes : les chairs se détachent très facilement.
Arrêtez la cuisson du bouillon, sortez les poireaux avec une écumoire et, dans les plats à gratin, faites un lit de poireaux et de Duxelles. Recouvrez d'aiguillettes de poulet puis disposez sur le dessus les œufs de caille coupés en deux, ou les œufs de poule en rondelles, et les lardons.

Versez juste assez de jus de cuisson du poulet pour recouvrir et faites refroidir rapidement dans un bain froid.
Sur le plan de travail légèrement fariné, donnez 2 tours au feuilletage puis abaissez-le à 1,5 mm d'épaisseur. Découpez-le à la forme et à la taille des plats à gratin en comptant 1 cm supplémentaire tout autour. Recouvrez chaque plat refroidi de feuilletage en bordant la pâte à l'intérieur.
Faites chauffer le four à 200° (th. 6).
Dans le feuilletage restant, découpez des fleurons avec l'emporte-pièce cannelé (voir p. 70).
A l'aide d'un pinceau humide, collez les fleurons sur le feuilletage pour décorer le dessus des gâteaux. Découpez une cheminée au centre avec la douille de 1 cm. Dorez le feuilletage à l'œuf battu.
Faites cuire les gâteaux de poulet à 200° (th. 6) pendant 30 mn.
Intervertissez les plats dans le four à mi-cuisson.
Servez dans les plats de cuisson posés sur des chauffe-plats.
Ce plat se tient bien chaud et peut être disposé 30 mn à l'avance.

Conservation : après refroidissement rapide et avant passage au four, 48 h au réfrigérateur, dans les plats recouverts d'un film plastique. Sortez les plats à température ambiante 1 h avant la cuisson.

Conseil : conservez le jus de cuisson restant et servez-le ultérieurement en consommé.

CHAUD-FROID DE CANARD MONTMORENCY

Photo ci-contre

PRÉPARATION : 2 H 30
DONT CUISSON : 45 MN + 1 H

TEMPS DE REFROIDISSEMENT : 2 H MINIMUM

INGRÉDIENTS POUR 20 PORTIONS EN BUFFET :

4 CANETTES DE BARBARIE DE 1,2 KG (VIDÉES ET PARÉES)
+ 2 KG D'ABATTIS (TÊTES, COUS, GÉSIERS, PATTES)
200 G DE CAROTTES
200 G D'OIGNONS
1 BRANCHE DE CÉLERI
1 CUILLERÉE À CAFÉ DE SEL
1/2 CUILLERÉE À CAFÉ DE POIVRE
1 GOUSSE D'AIL CONCASSÉE
2 FEUILLES DE LAURIER EN MORCEAUX
1 BRIN DE THYM
2 CLOUS DE GIROFLE

SAUCE AUX CERISES :

500 G DE CERISES AU NATUREL (POIDS NET ÉGOUTTÉ)
+ JUS DU BOCAL
1/2 LITRE DE VIN ROUGE
1 DL DE VINAIGRE DE VIN
2 CUILLERÉES À SOUPE DE CHERRY
1 BOUQUET DE QUEUES DE PERSIL
1 BRANCHE D'ESTRAGON
1 CUILLERÉE À CAFÉ DE POIVRE
4 CUILLERÉES À CAFÉ DE SEL
8 FEUILLES DE GÉLATINE
160 G DE ROUX

FINITION :

2 DL DE GELÉE CLAIRE

Chaud-froid de canard Montmorency (recette ci-dessus)

MATÉRIEL :

PLAT À RÔTIR DU FOUR
COCOTTE DE 10 LITRES
CASSEROLE DE 3 LITRES
GRILLE
GRAND COUTEAU
PLANCHE À DÉCOUPER
FOUET

POUR LE BUFFET :

PIQUES EN BOIS

Faites chauffer le four à 250° (th. 9/10).
Épluchez carottes, oignons et céleri et coupez-les en mirepoix.
Sur la plaque à rôtir légèrement huilée, posez les canettes, assaisonnées, sur le côté.
Faites-les rôtir sans ajouter de matière grasse. Dès qu'elles sont colorées d'un côté, retournez-les de l'autre jusqu'à coloration, puis sur le dos pour finir la cuisson.
Au bout de 15 mn, videz l'excédent de graisse et baissez la température à 200° (th. 6).
20 mn après le début de la cuisson des canettes, ajoutez les légumes en mirepoix, l'ail concassé, le laurier cassé en morceaux, le thym, les clous de girofle et les abattis.
Arrosez régulièrement du jus de cuisson en ajoutant un peu d'eau bouillante.
45 mn après le début de la cuisson, éteignez le four et laissez reposer pendant 10 mn dans le four éteint.
Sortez les canettes, égouttez-les et laissez-les refroidir. Avec une écumoire, retirez les légumes et les abattis. Réservez-les. Ne videz pas le jus du plat de cuisson.

Préparation de la sauce aux cerises

Préparez un roux et laissez-le refroidir.
Dans la cocotte de 10 litres, faites cuire la moitié des cerises dans tout le jus du bocal avec vin et vinaigre. Laissez réduire en surveillant pendant environ 30 mn.
Lorsque le liquide est presque complètement évaporé, ajoutez dans la cocotte les légumes et les abattis, 1,5 litre d'eau, le persil et l'estragon. Assaisonnez puis amenez à ébullition.
Pendant la cuisson des cerises, déglacer le jus de cuisson des canettes : portez le plat à rôtir sur feu vif, faites dessécher les sucs sans les laisser brûler. Jetez toute la graisse puis ajoutez 1/2 litre d'eau et, toujours sur feu vif, frottez avec une spatule pour détacher tous les sucs.
Quand le contenu de la cocotte arrive à ébullition, ajoutez le jus des canettes déglacé puis laissez cuire encore 20 mn à feu moyen. Dégraissez et écumez.
Ajoutez le roux froid, remuez bien, finissez la cuisson à feu doux pendant 10 mn sans cesser de remuer. Transvasez dans un saladier à travers une passoire.
Ajoutez le cherry et la gélatine rincée et égouttée.
Placez le saladier dans un bain froid et faites refroidir la sauce en vannant de temps en temps avec une spatule.

Présentation

Posez les canettes sur la planche à découper, séchez-les avec du papier

absorbant. Désossez-les et coupez-les en aiguillettes (photo p. 322). Vous devez pouvoir obtenir 40 belles aiguillettes par canette.
Sur une grille, nappez les aiguillettes de sauce aux cerises (voir photo du nappage en chaud-froid), puis mettez-les au réfrigérateur pendant au moins 15 mn ; nappez-les ensuite de gelée claire.
Disposez les aiguillettes en dôme sur le plat de service en suivant les conseils de la page 330. Décorez avec les cerises restantes.
Mettez au réfrigérateur jusqu'au moment de servir.

Conservation : le plat fini, 24 h au réfrigérateur, sur le plat de service recouvert d'un film plastique ; les aiguillettes découpées, la sauce aux cerises sans gélatine, 48 h au réfrigérateur, dans un récipient couvert (faites-la réchauffer avant d'ajouter la gélatine).

AIGUILLETTES DE CANARD MONTMORENCY EN CASSOLETTES

PRÉPARATION DONT CUISSON : 1 H 30

RÉCHAUFFAGE : 20 MN

INGRÉDIENTS POUR 20 PORTIONS EN BUFFET :

CEUX DU CHAUD-FROID DE CANARD MONTMORENCY SAUF LA GÉLATINE ET LA GELÉE CLAIRE

MATÉRIEL :

CELUI DU CHAUD-FROID DE CANARD MONTMORENCY
+ 20 CASSOLETTES

POUR LE BUFFET :

20 ASSIETTES
20 PETITES FOURCHETTES

Faites rôtir les canettes, préparez la sauce aux cerises.

Présentation

Taillez les canettes en aiguillettes (p. 322) et disposez-les dans les cassolettes. Nappez-les de sauce aux cerises et décorez des cerises restantes.
Mettez les cassolettes au réfrigérateur jusqu'au réchauffage.
Allumez le four à 180° (th. 5) et faites réchauffer pendant 20 mn.
Présentez les cassolettes sur des assiettes. Vous pouvez les servir avec du riz complet (p. 355) en accompagnement.

Conservation : avant réchauffage, 24 h au réfrigérateur, dans les cassolettes couvertes.

AIGUILLETTES DE DINDE AU BOUILLON

PRÉPARATION : 1 H 30

CUISSON : 2 H 15

RÉCHAUFFAGE : 20 MN

INGRÉDIENTS POUR 20 PORTIONS EN BUFFET :

1 DINDE DE 3,5 KG VIDÉE ET BRIDÉE
5 LITRES DE FOND DE VOLAILLE
300 G D'OIGNONS
300 G DE CAROTTES
BOUQUET GARNI (THYM, LAURIER, QUEUES DE PERSIL, 1 BRANCHE DE CÉLERI)
1 CLOU DE GIROFLE
50 G DE GROS SEL
20 G DE POIVRE EN GRAINS

MATÉRIEL :

2 PLATS À GRATIN
COCOTTE DE 10 LITRES
PLAQUE À RÔTIR DU FOUR
PAPIER D'ALUMINIUM

POUR LE BUFFET :

20 CASSOLETTES DE 2 DL
OU 2 CHAUFFE-PLATS
ET 20 ASSIETTES À POTAGE
20 CUILLERS

Cuisson au bouillon

Dans la cocotte, assaisonnez le fond de volaille ; s'il l'est déjà un peu, diminuez les quantités de sel et de poivre des ingrédients.
Plongez la dinde dans le fond froid avec les oignons et les carottes épluchés et coupés en rondelles. Ajoutez les aromates, portez à frémissement puis laissez cuire à feu très doux pendant 1 h 15, en écumant de temps en temps.
Faites chauffer le four à 180° (th. 5) 15 mn avant la fin de la cuisson au bouillon.
Sortez les légumes avec une écumoire et réservez-les.
Placez la dinde dans la plaque à rôtir légèrement huilée pour continuer la cuisson au four pendant encore 1 h. Mouillez plusieurs fois avec du bouillon de cuisson. Pendant ce temps, laissez réduire le bouillon dans la cocotte. La cuisson terminée, sortez la dinde du four. Laissez-la refroidir pendant au moins 15 mn avant de la découper.

Présentation

Découpez la dinde en aiguillettes (pages 321 et 322).
Rangez les aiguillettes dans les plats à gratin, recouvrez-les de légumes et de bouillon refroidi.
Faites chauffer le four à 180° (th. 5) et réchauffez à couvert pendant 20 mn.
Servez dans les plats à gratin posés sur des chauffe-plats ou dans des cassolettes chauffées que vous présentez sur un plateau.

Conservation : La dinde cuite, 48 h au réfrigérateur, enveloppée dans du papier d'aluminium ; les légumes et le bouillon ensemble, 48 h au réfrigérateur, dans un récipient couvert ; le plat fini, avant de le passer au four, 24 h au réfrigérateur dans les plats couverts.

DINDE EN GELÉE

PRÉPARATION : 1 H

TEMPS DE REFROIDISSEMENT : 3 H

INGRÉDIENTS POUR 15 PORTIONS EN BUFFET :

1 DINDE DE 3,5 KG CUITE AU BOUILLON
600 G DE MACÉDOINE DE LÉGUMES À LA MAYONNAISE (P. 376)
1 LAITUE
100 G DE BEURRE MOUTARDE (P. 99)
2 DL DE GELÉE CLAIRE
1 BOUQUET DE PERSIL

ACCOMPAGNEMENT :

CORNICHONS
PETITS OIGNONS AU VINAIGRE

MATÉRIEL :

PLAT DE SERVICE OVALE
COCOTTE DE 10 LITRES
PLAQUE À RÔTIR DU FOUR
PINCEAU

POUR LE BUFFET :

15 ASSIETTES
15 FOURCHETTES

Faites égoutter la dinde après cuisson, épongez-la avec du papier absorbant.
Posez-la sur le dos sur le plan de travail. Taillez-la en aiguillettes pour pouvoir la reconstituer (voir photos p. 323). Vous devez pouvoir obtenir une soixantaine d'aiguillettes.
Otez le bréchet et les côtes en vous aidant d'un petit couteau. Vous avez alors une partie bien creuse que vous garnissez en dôme de macédoine de façon à redonner sa forme à la dinde.
Masquez de beurre moutarde les parties évidées des pilons et des cuisses avant de les reconstituer.
Avec une palette, posez soigneusement les aiguillettes de blanc sur le dôme de macédoine pour reconstituer le ventre de la dinde.
Posez la dinde reconstituée sur le plat de service garni de feuilles de laitue.
Nappez-la entièrement de gelée claire à l'aide du pinceau.
Quand la gelée est bien prise, disposez le bouquet de persil lavé entre les pilons.
Mettez au réfrigérateur ou au frais jusqu'au moment de servir.
Servez accompagné de cornichons et de petits oignons au vinaigre.

Conservation : dans le plat de service couvert, 12 h au réfrigérateur, ou bien 6 h dans une pièce fraîche, ou sur des blocs de glace ou des sacs de glaçons.

CHAPITRE XII

LÉGUMES

CONSEILS SUR LE CHOIX, LA PRÉPARATION ET LA CUISSON DES LÉGUMES

- Artichauts, asperges, aubergines, avocats, carottes, céleri en branches, céleri-rave, champignons de Paris, choux brocolis, chou-fleur, choux, cœurs de palmier, courgettes, endives, épinards, fenouil, fèves, haricots verts, maïs en épi, melon, navets, oignons, olives, petits pois, mange-tout, poireaux, poivron, pommes de terre, radis roses, radis noirs, tomates ; pâtes fraîches ; riz.

PLATS DE LÉGUMES

- Mousseline de légumes en ramequins
- Petits soufflés froids de légumes
- Jardinière de légumes
- Mousse de céleri
- Éventails de courgettes au coulis de tomates
- Subrics d'épinards
- Moussaka de haricots verts
- Gratin à la dauphinoise
- Gratin normand
- Ratatouille Lenôtre

LÉGUMES AU BARBECUE

- Conseils pour la cuisson
- Tableau

CONSEILS SUR LE CHOIX, LA PRÉPARATION ET LA CUISSON DES LÉGUMES

Nous ne parlons ici que des légumes qui conviennent au buffet. Dans les recettes, le poids indiqué est celui des légumes prêts à être utilisés. Pour vos achats, comptez 15 % en plus, sauf s'il s'agit d'un légume où il y a énormément de pertes ; dans ce cas, vous trouverez les indications nécessaires au nom de ce légume.

ARTICHAUTS

Petit violet : lavez-le et coupez-le en 4 à la dernière minute (corbeille de crudités).
Autres artichauts : choisissez-les sans taches, bien verts et bien serrés. Cassez la tige au ras du pied pour dégager les fibres s'il y en a.
Les fonds d'artichauts peuvent servir de présentoirs et remplacer croustades ou fonds de tartelettes dans de nombreuses recettes.

CUISSON DES FONDS D'ARTICHAUTS

PRÉPARATION : 20 MN

CUISSON : 20 À 25 MN

TEMPS DE REFROIDISSEMENT : 1 H

INGRÉDIENTS POUR 8 ARTICHAUTS :

1 CITRON
1/2 DL DE VINAIGRE ORDINAIRE
5 CUILLERÉES À SOUPE DE FARINE
2,5 DL DE VINAIGRE BLANC
1 CUILLERÉE À SOUPE DE GROS SEL

MATÉRIEL :

CASSEROLE DE 3 LITRES
SALADIER DE 3 LITRES
COUTEAU CHEF
COUTEAU D'OFFICE INOXYDABLE
PAPIER BLANC

Lavez bien les artichauts.
Avec le couteau d'office coupez toutes les feuilles de la base pour dégager le fond (photo).
Frottez le fond nettoyé avec 1/2 citron pour éviter le noircissement et avec le couteau chef coupez toutes les feuilles restantes pour dégager le foin

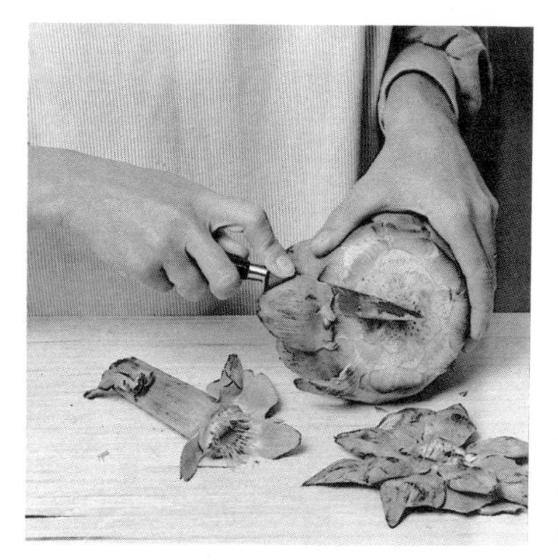

On coupe les feuilles à la base.

On dégage le foin avant la cuisson.

(photo), ôtez-le avec une cuiller à café. Rincez et réservez dans l'eau vinaigrée pendant la préparation des autres fonds d'artichauts.
Dans la casserole délayez la farine avec le vinaigre blanc, ajoutez 2 litres d'eau froide, portez à ébullition, surveillez car le mélange monte et déborde si l'on n'y prend garde.
Ajoutez les fonds d'artichauts ; laissez cuire à frémissement environ 20 mn.
Laissez refroidir dans le jus de cuisson.

Conservation : dans le jus de cuisson, 24 h au réfrigérateur dans un récipient fermé.

Utilisation : terrine de légumes, plats légers aux œufs mollets.

ASPERGES

Selon la variété, la couleur peut aller du blanc au violet en passant par le vert. Choisissez des tiges charnues avec des pointes fermes et serrées.

Préparation : pelez la tige des asperges avec un épluche-légumes en commençant sous la pointe. Arrêtez-vous avant d'arriver à la base et cassez le bout des tiges.
Lavez rapidement sous l'eau courante.

Cuisson : sucrez l'eau à 5 g au litre et salez à 15 g au litre. Ficelez les asperges en bottes, plongez-les dans l'eau bouillante, faites cuire entre 10 et 20 mn selon la qualité. Vérifiez la cuisson avec un couteau. Égouttez ; réservez-les sur un linge dans un plat où vous pourriez éventuellement les servir.
Accompagnez-les d'une sauce froide (vinaigrette ou rémoulade). Prévoyez de petites assiettes et des rince-doigts.

Utilisation : canapés, corbeille de crudités, croustades, etc.

AUBERGINES

Choisissez-les fermes et brillantes. Si vous en avez besoin pour un décor de plat, vous trouverez une grande variété de couleurs. En général on ne les épluche pas mais il faut prendre soin de bien enlever la queue qui est garnie de petits piquants. Lavez-les et essuyez-les. Elles sont le plus souvent cuites à l'huile d'olive ou grillées.

Utilisation : ratatouille, grillées au barbecue et en décor de plats.

AVOCATS

Les meilleurs viennent de Californie ou d'Israël, c'est la qualité Hass. Le Fuerté petit et allongé vient d'Afrique du Sud. L'avocat de la Martinique, à peau brillante, a malheureusement un gros noyau et peu de chair.
L'avocat doit mûrir à l'air libre, jamais au réfrigérateur ; il faut en général l'acheter 2 ou 3 jours à l'avance. Il est mûr lorsqu'il est souple au toucher. On en trouve maintenant toute l'année.
Si vous voulez préparer les avocats un peu à l'avance, salez les morceaux et badigeonnez-les au pinceau, de jus de citron d'abord et ensuite d'huile d'olive. Même ainsi vous ne pouvez les conserver qu'environ 1 h au réfrigérateur sans qu'ils noircissent. Pour les salades il est donc préférable de les couper au dernier moment.

Utilisation : sauce, soupe, poisson cru en salade, etc.

CAROTTES

La carotte est une racine qui présente l'avantage de pousser toute l'année. Épluchez et lavez les carottes d'hiver. Elles peuvent être coupées de nombreuses manières. Si vous voulez des bâtonnets, fendez d'abord les carottes en 2 pour ôter au besoin le cœur filandreux et recoupez-les en bâtonnets pour la corbeille de crudités. Vous pouvez les blanchir 1 mn à l'eau bouillante pour les servir crues.
Au printemps, grattez et lavez rapidement les petites carottes nouvelles.

Utilisation : corbeille de crudités, piques garnis, etc.

CÉLERI EN BRANCHES

Choisissez des céleris d'un jaune assez clair car c'est un signe de jeunesse. Détachez les côtes. Otez les feuilles extérieures mais gardez les petites feuilles du cœur. Pelez les côtes et cassez-les en 2 ou 3 pour vérifier qu'il ne reste pas de fibres (photo). Vous récupérez environ 400 g sur un céleri de 800 g.
Lavez et émincez en petits tronçons de 9 cm en laissant les feuilles du cœur attachées à leurs tronçons.

Épluchage des côtes de céleri en branches.

Utilisation : farcis au roquefort, salade au céleri, salade arlésienne, cocktail de crabe, salade de crevettes et maïs, canapés et sandwiches, corbeille de crudités.

Conseil : vous pourrez utiliser les feuilles extérieures ultérieurement pour parfumer des potages ; vous pouvez même les faire cuire comme des épinards.

CÉLERI-RAVE

C'est une racine très développée de la même famille que le céleri en branches. On le récolte l'hiver et il peut se consommer cru ou cuit.
Pelez la peau épaisse, lavez et coupez en grosses tranches. On peut l'utiliser, émincé à la râpe à légumes, ou cuit en grosses tranches dans un liquide bouillant.

Utilisation : mousse de céleri, céleri rémoulade, etc.

CHAMPIGNONS DE PARIS

On en trouve toute l'année ; c'est malheureusement le seul qu'il soit difficile de préparer cru à l'avance, à moins que vous n'achetiez des champignons tout parés qu'il vous suffira de passer sous l'eau citronnée à la dernière minute pour les servir crus.
Vous pouvez n'utiliser que les têtes, marinées (p. 372) ou étuvées. Dans ce cas, prévoyez par ailleurs un plat avec une Duxelles (p. 102) pour utiliser également les queues.

TÊTES DE CHAMPIGNONS ÉTUVÉES

PRÉPARATION : 15 MN

CUISSON : 5 MN

INGRÉDIENTS POUR 24 BEAUX CHAMPIGNONS DE PARIS DE ∅ 3 CM :
3 CITRONS
50 G DE BEURRE
SEL, POIVRE

MATÉRIEL :
CASSEROLE DE ∅ 20 CM ET COUVERCLE
PRESSE-FRUITS

Otez la partie terreuse, lavez rapidement les champignons sous l'eau courante. Égouttez-les.
Séparez les têtes des pieds. Mettez les têtes dans un bol. Arrosez les pieds du jus d'un citron et réservez-les pour utilisation ultérieure. Pressez les citrons restants, gardez un filet de jus pour la cuisson et versez le reste sur les têtes de champignons. Mélangez bien pour éviter le noircissement.
Dans la casserole, faites fondre le beurre, ajoutez le filet de citron, sel et poivre, puis mettez les champignons. Faites cuire à feu vif à couvert pendant environ 5 mn en secouant la casserole plusieurs fois. Enlevez ensuite le couvercle et faites revenir les champignons pendant quelques minutes à découvert pour les dessécher. Retournez-les de temps en temps avec une cuiller en bois et secouez doucement pour qu'ils n'attachent pas.
Si vous préparez une grande quantité de champignons, il est préférable de les faire revenir avec une noix de beurre dans une sauteuse assez large pour qu'ils ne se chevauchent pas.

Conservation : 48 h au réfrigérateur, dans un récipient fermé.

Utilisation : les pieds, en Duxelles ; les têtes étuvées, en décor d'un plat de viande ou de poisson, en décor de canapés ; les têtes crues, marinées (p. 372), en salade ou sur des piques garnis.

CHOUX BROCOLIS

Ils sont très riches en vitamines A, B1 et C. On les trouve surtout en automne et en hiver.
Leur couleur varie du vert au violet. Choisissez de préférence des tiges fines et des bouquets serrés. Si les tiges sont grosses, coupez-les à la base du bouquet.
Lavez les bouquets ; faites-les blanchir à l'eau bouillante salée pendant 2 à 4 mn pour les servir en crudités, pendant 8 à 10 mn pour les servir en salade. Rafraîchissez-les sous l'eau froide et égouttez-les bien. Ils sont très fragiles et demandent à être maniés avec précaution.

Utilisation : salade de brocolis, corbeille de crudités, etc.

CHOU-FLEUR

Choisissez-le bien blanc, pommé et sans taches. Il est préférable de le blanchir, même pour le servir en crudité : détachez les bouquets, blanchissez-les 3 mn dans de l'eau bouillante salée, rafraîchissez-les sous l'eau courante puis égouttez-les.

Utilisation : corbeille de crudités, salade multicolore à la langue, etc.

CHOUX

Quelle que soit leur couleur, choisissez-les bien pommés et lourds, avec des feuilles brillantes.
Coupez la queue et lavez les choux à l'eau légèrement vinaigrée avant de les émincer.

Utilisation : en décor pour la corbeille de crudités, en support pour des piques, en salade.

CŒURS DE PALMIER

N'hésitez pas à prendre une grosse boîte de la meilleure qualité car il y a beaucoup de perte (jusqu'à 30 %).
Passez les cœurs de palmier sous l'eau fraîche. Coupez-les à la taille désirée en éliminant toutes les parties filandreuses.

Utilisation : corbeille de crudités, œuf bagatelle, canapés, etc.

COURGETTES

Choisissez-les assez petites et bien régulières (sauf pour une ratatouille où la taille et la forme n'ont pas d'importance).
En général, on ne les épluche pas ; lavez-les, essuyez-les et ôtez les deux bouts.
On les fait le plus souvent cuire à l'huile d'olive.

Utilisation : éventails de courgettes au coulis de tomate, ratatouille, grillées au barbecue, taboulé, etc.

ENDIVES Voir page 370

ÉPINARDS

Prévoyez 1 kg d'épinards frais pour obtenir 400 g d'épinards cuits égouttés.
Enlevez les tiges. Lavez les feuilles 3 fois à grande eau puis faites-les blanchir dans 4 litres d'eau bouillante salée, pendant 5 mn pour des épinards simplement blanchis, pendant 15 mn à partir de l'ébullition pour une cuisson complète.
Égouttez-les dans une passoire, rafraîchissez-les sous l'eau courante puis pressez-les entre les mains pour éliminer le maximum d'eau. Vous pouvez alors les hacher ou les laisser en branches, selon la recette choisie.
Si vous utilisez des épinards congelés, laissez-les égoutter une nuit sur une passoire, au réfrigérateur, hachez-les puis passez-les directement à la poêle dans un peu de beurre ; il n'est pas nécessaire de les faire cuire à l'eau.

Utilisation : garniture de croustades, subrics d'épinards.

FENOUIL

C'est un légume d'hiver.
Choisissez des bulbes arrondis et lourds. Coupez les tiges à leur base en tirant vers l'extérieur pour ôter en même temps le maximum de fibres.
Le fenouil peut être utilisé cru ou cuit.
Pour garnir des piques, lavez le fenouil, séchez-le, séparez les feuilles puis coupez-les en tranches horizontales ; détaillez ensuite les tranches en carrés ou en triangles.

Si vous voulez faire cuire le fenouil, lavez-le puis coupez-le en 4 ou en 6 verticalement ; plongez les morceaux dans de l'eau bouillante salée et laissez-les cuire pendant 15 mn. Égouttez bien, pressez au besoin entre les paumes des mains pour extraire toute l'eau.

Utilisation : plats en salade, corbeille de crudités, croustades, piques garnis.

FÈVES

Limitez-vous à l'achat de fèves précoces au printemps, quand elles sont très jeunes et que l'on peut les manger avec leur peau.
Pour les écosser, coupez partiellement la cosse avec un couteau puis sortez les graines en passant le pouce à l'intérieur de la cosse.

Utilisation : amuse-gueule, corbeille de crudités.

HARICOTS VERTS

Il n'est pas toujours utile de prendre des haricots très fins, mais à l'achat faites attention à ce qu'ils soient fermes, lisses et sans taches. Cassez les deux bouts en tirant vers le milieu du haricot pour l'effiler, lavez à grande eau. Plongez les haricots dans un grand volume d'eau bouillante salée à raison de 20 g (1 bonne cuillerée à soupe) par litre et faites cuire à découvert pendant 5 à 8 mn selon la grosseur et l'emploi. Il est préférable que les haricots soient croquants sous la dent (sauf pour la terrine de légumes, page 260).
Rafraîchissez sous l'eau froide et faites égoutter.

Utilisation : moussaka, salade multicolore à la langue, corbeille de crudités.

MAÏS EN ÉPI

La saison en est malheureusement très courte et on ne le trouve qu'à l'automne.
Lavez les épis puis faites-les cuire pendant une quinzaine de minutes dans de l'eau bouillante salée. Égouttez soigneusement.
Vous pouvez servir les épis chauds à un buffet juniors. Piquez un hâtelet à chaque bout et servez-les sur des assiettes chauffées accompagnés de beurre fondu présenté en saucière.

Utilisation : corbeille de crudités.

MELON

Comment le choisir : le plus lourd possible, ferme, avec à la base un gros rond craquelé appelé « cul de singe » par les professionnels et quelquefois, autour de la queue, une aréole qui jaunit quand le melon est bien mûr. Il doit dégager une bonne odeur sucrée et parfumée.
Conservez le melon dans un endroit frais sans le mettre au réfrigérateur.
Pour la corbeille de crudités, prenez de petits melons, coupez-les en 2, épépinez-les et présentez-les avec une petite cuiller.

Utilisation : corbeille de crudités, soupe de Cavaillon.

NAVETS

N'utilisez que les navets nouveaux. Laissez 3 cm de fanes.
Épluchez avec un couteau économe toute la peau. Coupez en 2 ou en 4 selon la grosseur.
S'ils sont tout petits laissez-les entiers.
Cuisez croquant pendant 10 mn dans un peu d'eau salée et sucrée.
Rafraîchissez et égouttez.

Utilisation : corbeille de crudités.

OIGNONS

Ils se conservent facilement à température ambiante et on en trouve toute l'année. Leur goût est fort et il est préférable de les utiliser en condiment ou cuits.
Épluchez-les sous l'eau froide avant de les couper.
Les utilisations sont trop nombreuses pour être détaillées.

OIGNONS NOUVEAUX

Ils ont un goût suave et discret et sont délicieux à la croque au sel.
Laissez 5 cm de tige. Retirez la première peau et la petite barbe.
Passez rapidement sous l'eau.

Utilisation : corbeille de crudités.

OLIVES

L'olive noire est soit ronde, grosse et un peu ridée comme l'olive de Nyons récoltée en décembre et janvier dans les départements de la Drôme et du Vaucluse, soit ovale, petite et fine à chair très parfumée comme l'olive de Nice récoltée en février-mars dans les Alpes-Maritimes.
L'olive verte est la jeune olive cueillie encore verte en octobre. Sa qualité se reconnaît à la finesse de sa pulpe et à son goût. Elle peut faire l'objet de préparations diverses (mise en saumure par exemple) et, la plupart du temps, elle est vendue conditionnée, sauf dans le Midi. En France, les traitements ne comportent pas de fermentation, ce qui différencie l'olive française de l'olive d'importation.
Elles sont riches en calories mais aussi en calcium, potassium et vitamines.

Utilisation : amuse-gueule, piques garnis, tapenade, salades, décor de plats, corbeille de crudités.

PETITS POIS

La saison en est courte, mais on trouve d'excellents petits pois congelés.
Faites-les cuire à l'eau bouillante salée avec un oignon blanc.
Le temps de cuisson varie selon la grosseur et la qualité.

Utilisation : macédoine et jardinière de légumes, terrine, etc.

PETITS POIS MANGE-TOUT

Otez les deux bouts, lavez bien. Faites cuire et utilisez comme les petits pois.
Ils sont parfumés et fondants mais malheureusement de plus en plus difficiles à trouver.

POIREAUX

C'est un légume que l'on trouve en toutes saisons.
Otez les radicelles et l'extrémité du vert. Fendez le poireau en 4 au-dessus du blanc et lavez bien sous l'eau courante. Faites cuire à l'eau bouillante salée pendant environ 20 mn et égouttez bien.

Au printemps, choisissez de préférence des poireaux nouveaux ; ne les fendez pas en 4 mais lavez-les bien entre les feuilles et faites-les cuire un peu moins longtemps.
Vérifiez la cuisson à l'aide de la pointe d'un couteau.

Utilisation : en ramequins, dans des soupes, avec des viandes cuites au bouillon, en salade, en décor de plats, etc.

POIVRON VERT, ROUGE OU JAUNE

Il doit être lisse et brillant. Ne l'achetez pas s'il est ridé.
Lavez le poivron rapidement, séchez-le ; fendez-le en deux dans la longueur pour retirer les graines et les filaments blanchâtres.
Coupez en lanières plus ou moins fines, ou en triangles pour les piques garnis ou les brochettes.
Pour adoucir le goût du poivron à servir cru et le rendre plus digeste, faites-le blanchir dans de l'eau bouillante salée pendant 5 mn. Égouttez et rafraîchissez rapidement.

Utilisation : piques garnis, corbeille de crudités, gaspacho, brochettes, salades, etc.

POMMES DE TERRE

La pomme de terre qui germe devient toxique ; il est nécessaire de conserver ce féculent dans l'obscurité et au frais et d'éviter la consommation de pommes de terre verdies et germées.
Pour un plat froid, faites cuire de préférence la pomme de terre avec sa peau, en la plongeant dans l'eau froide salée. Après cuisson, égouttez-la et épluchez-la encore chaude.
Choisissez des races différentes pour des modes de cuisson différents :
Belle de Fontenay : pour faire cuire à l'eau ou à la vapeur, pour les pommes de terre sautées ;
Bintje : pour la cuisson sous la cendre, en papillotes, pour la purée, le gratin normand, le gratin dauphinois ;
Roseval : pour la salade.

RADIS NOIRS

Épluchez et lavez avant de couper en bâtonnets, ou bien lavez soigneusement avec la peau et coupez en tranches, sans éplucher.

Utilisation : corbeille de crudités.

RADIS ROSES

Ils sont ronds ou longs.
Coupez les radicelles, laissez 3 cm de fanes ; grattez-les à la base et faites tremper au fur et à mesure dans un récipient d'eau froide. Égouttez-les soigneusement si vous devez les conserver. Ils se conservent dans un linge humide ou dans un récipient plastique fermé.

Utilisation : corbeille de crudités, décor de plats, piques garnis, canapés.

TOMATES

Pour les présenter entières (dans la corbeille de crudités par exemple), choisissez les plus petites que vous trouverez : tomates olivettes ou même tomates cerises. Lavez-les et séchez-les. Vous pouvez laisser le pédoncule des tomates cerises.
Utilisez de grosses tomates bien mûres pour la pulpe de tomates et comptez un peu plus de 1/3 de perte en tenant compte de l'eau de végétation.
Si vous voulez émonder les tomates, passez-les d'abord à l'eau bouillante (voir pulpe de tomates).

Utilisation : corbeille de crudités, tomates macédoine, pulpe, éventails de courgettes, ratatouille, etc.

PÂTES FRAÎCHES

Il faut compter 100 g par personne. Sauf si vous disposez de très grands faitouts, il est préférable de faire cuire les pâtes par petites quantités car leur cuisson demande beaucoup d'eau.
Pour 500 g de pâtes, portez à ébullition 3,5 litres d'eau avec 45 g de sel et 1 cuillerée à soupe d'huile.
Plongez les pâtes dans l'eau bouillante, ramenez rapidement à ébullition puis laissez cuire à gros bouillons pendant 5 à 6 mn en tournant de temps en temps. Égouttez dès que la cuisson est terminée.
Si vous voulez les utiliser froides, rafraîchissez-les sous l'eau courante.
En légume d'accompagnement chaud, elles sont délicieuses légèrement crémées avec, à l'occasion, quelques lamelles de truffe.

Utilisation : en accompagnement de la daube, en salade.

RIZ BLANC LONGS GRAINS

Pour faire cuire 500 g de riz à la créole, portez à ébullition 2,5 litres d'eau avec 30 g de sel. Lavez le riz dans une passoire, plongez-le dans l'eau bouillante et laissez-le cuire pendant 20 mn environ sans remuer. Égouttez, rafraîchissez sous l'eau courante et laissez refroidir dans la passoire.
Si vous voulez utiliser le riz à la créole comme légume d'accompagnement, rincez-le sous l'eau très chaude après refroidissement et faites-le sécher au four dans le plat de service. Au dernier moment, ajoutez une noix de beurre ou nappez de sauce.
Il faut compter 60 g de riz par personne.

RIZ COMPLET

Comptez 75 g de riz par personne.
Mesurez 2,5 dl d'eau par personne, salez et amenez à ébullition. Lavez le riz à l'eau courante, puis plongez-le dans l'eau bouillante. Le temps de cuisson peut varier de 20 mn à 1 h selon le type de riz ; suivez les indications portées sur le paquet. En général, toute l'eau sera absorbée.
Utilisez le riz complet comme vous utilisez le riz blanc. Il a une saveur délicate et est spécialement riche en protéines, vitamines B1, fer, potassium, phosphore et fibres végétales.
On trouve de l'excellent riz complet qui vient de Camargue.

Utilisation : en légume d'accompagnement, en salade.

PLATS DE LÉGUMES

MOUSSELINE DE LÉGUMES EN RAMEQUINS

PRÉPARATION : 40 MN

CUISSON : 25 MN

TEMPS DE REFROIDISSEMENT : 30 MN ENVIRON

INGRÉDIENTS POUR 20 PORTIONS EN BUFFET :

800 G DE BLANCS DE POIREAUX
800 G DE POMMES DE TERRE
2,5 DL DE BOUILLON DE CUISSON DE POULET OU 2,5 DL DE FOND BLANC OU DE FOND DE VOLAILLE
1/2 LITRE DE CRÈME FLEURETTE FOUETTÉE
1/2 LITRE DE LAIT BOUILLI
2 CUILLERÉES À SOUPE DE CIBOULETTE OU DE CERFEUIL HACHÉ
3 FEUILLES DE GÉLATINE
2 CUILLERÉES À SOUPE DE SEL
POIVRE ET MUSCADE

MATÉRIEL :

20 RAMEQUINS DE 1 DL
2 CASSEROLES DE 3 LITRES
MIXER
BOL MÉLANGEUR ET PALE

POUR LE BUFFET :

20 FOURCHETTES OU CUILLERS

Mettez la crème fleurette au congélateur dans un bol pour la tenir bien froide.
Préparez une purée épaisse en faisant cuire les pommes de terre épluchées dans le lait et 1/2 litre d'eau. Faites cuire les blancs de poireaux. Égouttez-les soigneusement puis passez-les au mixer.
Chauffez le bouillon et faites fondre dedans les feuilles de gélatine rincées et égouttées. Laissez refroidir.
Montez la crème bien ferme.
Mélangez les deux purées et le bouillon. Incorporez un peu de ce mélange redroidi à la crème fouettée puis ajoutez toute la crème et la ciboulette ou le cerfeuil. Remuez ; vérifiez l'assaisonnement et ajoutez au besoin poivre et muscade.
Garnissez les ramequins de la mousseline de légumes et mettez-les au réfrigérateur pendant au moins 30 mn.
Servez bien frais dans les ramequins ou démoulé sur un plat autour d'une viande blanche froide.

Conservation : 2 jours au réfrigérateur, dans les ramequins couverts.

Utilisation : en accompagnement de poulet, avec le fromage de tête persillé, etc.

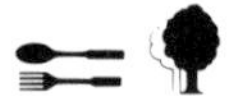

PETITS SOUFFLÉS FROIDS DE LÉGUMES

PRÉPARATION : 30 MN

CUISSON : 20 À 25 MN

TEMPS DE REFROIDISSEMENT : 1 H

INGRÉDIENTS POUR 15 RAMEQUINS :

BLANC DE POIREAU (100 G)
POMME DE TERRE (100 G)
1 KG DE LÉGUMES CUITS, AU CHOIX (HARICOTS VERTS, CAROTTES, ÉPINARDS, POIVRONS, FONDS D'ARTICHAUTS)
6 FEUILLES DE GÉLATINE
4 DL DE CRÈME FLEURETTE FOUETTÉE
SEL, POIVRE

MATÉRIEL :

POÊLE À REVÊTEMENT ANTI-ADHÉSIF
MIXER OU MOULIN À LÉGUMES
PALETTE INOXYDABLE

POUR LE BUFFET :

15 RAMEQUINS DE 1,5 DL
15 FOURCHETTES
OU 15 CUILLERS

Mettez la crème au freezer.
Faites cuire le poireau et la pomme de terre coupés en petits morceaux.
Choisissez des légumes cuits de couleurs vives, prélevez-en 100 g que vous taillez en petits dés.
Passez le reste au mixer ou au moulin à légumes avec le poireau et la pomme de terre. Vous obtenez une purée plus ou moins liquide.
Desséchez cette purée dans la poêle sans matière grasse en tournant sans arrêt avec une cuiller en bois pour obtenir environ 900 g de purée épaisse.
Incorporez les feuilles de gélatine rincées et égouttées ; faites refroidir dans un bain froid.
Fouettez la crème fleurette et mélangez-la (comme des blancs d'œufs montés) à la purée de légumes revenue à température ambiante. Ajoutez les dés de légumes. Rectifiez l'assaisonnement.
Garnissez les ramequins à ras bords, lissez le dessus. Mettez au réfrigérateur pendant 1 h au moins.
Dégustez froid avec une viande ou un poisson.

Conservation : 24 h au réfrigérateur, dans les ramequins couverts.

JARDINIÈRE DE LÉGUMES

PRÉPARATION : 20 MN AVEC UN ROBOT COMPACT
40 MN À LA MAIN

CUISSON : 35 MN

INGRÉDIENTS POUR 20 PERSONNES :

400 G DE CAROTTES
250 G DE NAVETS
250 G DE HARICOTS VERTS
400 G DE POMMES DE TERRE
400 G DE PETITS POIS
300 G DE PETITS POIS MANGE-TOUT
BOUQUET GARNI (THYM, LAURIER, CÉLERI, QUEUES DE PERSIL)
25 G DE BEURRE
25 G DE FARINE
2 CUILLERÉES 1/2 À SOUPE DE SEL
2 CUILLERÉES 1/2 À CAFÉ DE POIVRE

MATÉRIEL :

COCOTTE
GRANDE CASSEROLE
LONG COUTEAU EFFILÉ ET PLANCHE
OU ROBOT COMPACT AVEC GRILLE SPÉCIALE
OU GRILLE À FRITES

POUR LE BUFFET :

LOUCHE
20 ASSIETTES
20 FOURCHETTES

Coupez carottes, navets, pommes de terre et mange-tout en bâtonnets de 3 × 1 cm ; effilez les haricots verts et cassez-les en morceaux de 3 cm. Faites bouillir 3 litres d'eau avec le sel, le poivre et le bouquet garni. Quand l'eau arrive à ébullition, mettez les carottes puis ajoutez successivement, à intervalles de 7 mn, les navets, les haricots verts, les pommes de terre et enfin, en même temps, les petits pois et les mange-tout. Surveillez la cuisson qui doit être « al dente ».
Dans la cocotte, à feu doux, travaillez la farine dans le beurre fondu, à la cuiller en bois. Quand le mélange est lisse, mouillez avec 1/2 litre du bouillon de cuisson des légumes.
Ajoutez les légumes égouttés et servez très chaud dans la cocotte.

Conservation : les légumes cuits, 2 jours au réfrigérateur dans le bouillon de cuisson, dans un récipient fermé.

Utilisation : en accompagnement d'un plat de viande chaud.

Conseil : la jardinière sera encore plus délicieuse si vous la faites cuire dans un fond de volaille.

MOUSSE DE CÉLERI

PRÉPARATION : 25 MN

CUISSON : 15 À 20 MN

INGRÉDIENTS POUR 12 PERSONNES (1,8 KG) :

1 CÉLERI-RAVE DE 1 KG
1 KG DE POMMES
2 LITRES DE LAIT ÉCRÉMÉ
3 CUILLERÉES À CAFÉ DE SEL FIN
1/2 CUILLERÉE À CAFÉ DE POIVRE

DÉCOR :

1 GROSSE POMME
NOIX DE BEURRE

MATÉRIEL :

1 CASSEROLE MOYENNE
1 GRANDE CASSEROLE POUR LE BAIN-MARIE
1 POÊLE
1 MOULE À SOUFFLÉ EN TERRE
ROBOT COMPACT ET ÉMINCEUR À LÉGUMES
OU COUTEAU CHEF ET PLANCHE
MOULIN À LÉGUMES

POUR LE BUFFET :

12 ASSIETTES
12 FOURCHETTES

Épluchez le céleri et le kilo de pommes. Coupez céleri et pommes en 8, épépinez les pommes puis coupez tout en tranches.
Mettez à cuire avec l'assaisonnement dans le lait chaud. Laissez frémir pendant 15 à 20 mn puis passez au moulin à légumes avec une partie du liquide de cuisson pour obtenir une purée consistante.
Épluchez la grosse pomme, coupez-la en 4, épépinez-la puis coupez-la en une douzaine de lamelles. Faites-les dorer au beurre dans une poêle pendant 5 mn en les retournant à mi-cuisson. Réservez-les.
Faites réchauffer la mousse au bain-marie dans un moule à soufflé en remuant. Juste avant de servir, décorez-la avec les lamelles de pomme disposées en rosace.
Servez bien chaud, dans le moule.

Conservation : avant réchauffage, 24 h au réfrigérateur, dans un récipient couvert. Prévoyez 15 mn de réchauffage au bain-marie.

Utilisation : en accompagnement d'une volaille rôtie, de crêpes au boudin et aux pommes, de brochettes de porc, etc., en croustade.

ÉVENTAILS DE COURGETTES AU COULIS DE TOMATES

Photo page 24

PRÉPARATION : 25 MN

CUISSON : 45 MN

INGRÉDIENTS POUR 12 PERSONNES :

12 COURGETTES MOYENNES
12 TOMATES MOYENNES
1 KG D'OIGNONS
4 GOUSSES D'AIL
2 BRANCHES DE THYM
2 CUILLERÉES À SOUPE DE PERSIL HACHÉ
2 FEUILLES DE LAURIER
20 FEUILLES DE BASILIC
8 CUILLERÉES À SOUPE D'HUILE D'OLIVE
3 CUILLERÉES À CAFÉ DE SEL
POIVRE DU MOULIN

MATÉRIEL :

PLAQUE À RÔTIR DU FOUR
POÊLE
MIXER
ÉCUMOIRE
PINCEAU
PAPIER D'ALUMINIUM

POUR LE BUFFET :

2 PLATS DE SERVICE
SAUCIÈRE
12 ASSIETTES
12 FOURCHETTES

Fendez les courgettes en 6 lamelles sans aller jusqu'au bout pour que les lamelles restent attachées. Dans chaque tomate, coupez 5 belles rondelles et réservez les extrémités.
Faites chauffer le four à 200° (th. 6).
Épluchez les oignons, hachez-les puis faites-les revenir doucement à la poêle dans l'huile d'olive pendant 5 mn, sans les colorer. En fin de cuisson, ajoutez l'ail et le persil hachés.

Étalez la purée d'oignons sur la plaque à rôtir du four, ajoutez les extrémités des tomates, le thym et les feuilles de laurier coupées en 4, salez et poivrez.
Glissez les belles rondelles de tomates dans les courgettes, entre les lamelles ; disposez les courgettes garnies sur la plaque à rôtir, salez et poivrez. Ajoutez 2 dl d'eau, huilez légèrement la surface au pinceau. Faites cuire 40 mn en appuyant de temps en temps sur les courgettes avec une écumoire pour qu'elles s'étalent en éventail. Surveillez la coloration et protégez éventuellement avec du papier d'aluminium.
Laissez refroidir. Avec l'écumoire, enlevez soigneusement les éventails et dressez-les sur les plats de service.
Retirez les peaux des extrémités de tomates, le thym et le laurier. Passez tomates et oignons au mixer pour obtenir un coulis onctueux. Ajoutez le basilic coupé grossièrement et servez séparément en saucière.

Conservation : 24 h au réfrigérateur, sur les plats couverts.

Utilisation : en accompagnement de brochettes de cœurs et foies de volaille, de quarts de poulet, de gigot reconstitué.

Conseil : selon la qualité des tomates, il peut être nécessaire d'ajouter un peu d'eau en cours de cuisson pour que le plat n'attache pas.

SUBRICS D'ÉPINARDS

PRÉPARATION : 20 MN

CUISSON : 30 MN

INGRÉDIENTS POUR 15 PORTIONS EN BUFFET :

APPAREIL OU GARNITURE AUX ÉPINARDS (1,3 KG) COMPOSÉ DE :
500 G D'ÉPINARDS CUITS ÉGOUTTÉS
6 ŒUFS
1/4 LITRE DE CRÈME FLEURETTE
1/4 LITRE DE LAIT
10 G DE SEL, POIVRE ET MUSCADE MÉLANGÉS
BEURRE POMMADE POUR LES MOULES

MATÉRIEL :

15 MOULES D'ALUMINIUM
OU 15 RAMEQUINS DE 1,5 DL
PLAQUE À RÔTIR DU FOUR
CASSEROLE DE 2 LITRES
MIXER
OU HACHOIR GRILLE FINE
BOL MÉLANGEUR ET PALE (FACULTATIF)

POUR LE BUFFET :

PLATEAU
15 FOURCHETTES
SERVIETTES EN PAPIER

Mixez ou hachez les épinards après en avoir exprimé toute l'eau.
Mettez les épinards dans le bol mélangeur avec tous les autres ingrédients de la garniture et travaillez-les à la pale ou bien mélangez-les à la spatule.
Faites chauffer le four à 150° (th. 4).

Beurrez les moules à subrics et garnissez-les d'appareil. Posez-les dans la plaque à rôtir du four et versez de l'eau à mi-hauteur pour faire un bain-marie. Faites cuire pendant 30 mn.
Servez bien chaud dans les moules posés sur un plateau.

Conservation : 24 h au réfrigérateur, dans les moules couverts, avant cuisson.

Utilisation : en accompagnement de mousselines de poissons, de la quiche honfleuraise, etc.

Conseil : la garniture aux épinards peut également être présentée en croustade et servie avec l'apéritif ou en entrée (voir page 176).

MOUSSAKA DE HARICOTS VERTS

PRÉPARATION : 20 MN

CUISSON : 35 MN

INGRÉDIENTS POUR 15 PERSONNES :

2 KG DE HARICOTS VERTS CUITS
400 G DE PULPE DE TOMATES
4 ŒUFS
8 POTS DE YAOURT
4 GOUSSES D'AIL
6 CUILLERÉES À SOUPE DE BEURRE
4 CUILLERÉES À CAFÉ DE SEL
2 CUILLERÉES À CAFÉ DE POIVRE
1 CUILLERÉE À CAFÉ DE PAPRIKA

MATÉRIEL :

2 GRANDS PLATS À GRATIN
BOL ET FOUET

POUR LE BUFFET :

15 ASSIETTES
15 FOURCHETTES
DESSOUS-DE-PLAT

Faites chauffer le four à 200° (th. 6).
Faites fondre le beurre.
Dans les plats à gratin, disposez les haricots verts et recouvrez-les de pulpe de tomates. Arrosez de beurre fondu et faites cuire au four pendant 30 mn ; les légumes doivent être bien tendres.
Hachez finement l'ail, mettez-le dans un bol avec les yaourts et les œufs. Mélangez au fouet, salez, poivrez et ajoutez le paprika, puis versez le mélange sur les légumes.
Remettez au four pendant quelques minutes et servez bien chaud dans les plats à gratin posés sur des dessous-de-plat.

Conservation : 12 h au réfrigérateur, dans les plats couverts, sans le mélange yaourts/œufs qui ne doit être ajouté qu'au moment du réchauffage. Réchauffez au four à 200° (th. 6) pendant 20 mn.

Utilisation : après une fondue bourguignonne, en accompagnement de brochettes de cœur de bœuf, de viandes grillées, etc.

GRATIN À LA DAUPHINOISE

Cette recette prévoit une cuisson en cocotte qui permet de ne pas immobiliser longtemps le four.

PRÉPARATION : 15 MN AVEC ÉMINCEUR
25 MN SANS

CUISSON : 45 MN + 15 MN

INGRÉDIENTS POUR 16 PERSONNES :

2,4 KG DE POMMES DE TERRE BINTJE
1,8 LITRE DE LAIT
6 DL DE CRÈME FRAÎCHE
200 G DE BEURRE
2 CUILLERÉES 1/2 À SOUPE DE SEL FIN
1 CUILLERÉE À CAFÉ DE POIVRE
2 POINTES DE COUTEAU DE MUSCADE EN POUDRE
1 GOUSSE D'AIL
160 G DE GRUYÈRE RÂPÉ

MATÉRIEL :

COCOTTE DE 10 LITRES
2 PLATS À GRATIN OVALES DE 30 CM
ÉMINCEUR À LÉGUMES (FACULTATIF)

POUR LE BUFFET :

16 ASSIETTES
16 FOURCHETTES
2 CHAUFFE-PLATS

Coupez les pommes de terre en rondelles fines.
Dans la cocotte portez le lait à ébullition, ajoutez la crème, le beurre, l'assaisonnement puis les pommes de terre ; ramenez à ébullition puis laissez cuire à feu très doux en remuant de temps en temps avec précaution pour ne pas casser les pommes de terre. Après 20 mn de cuisson, ajoutez l'ail haché finement. Laissez cuire pendant encore 25 mn.
Avec une louche, disposez une couche de pommes de terre dans chaque plat à gratin, parsemez de gruyère râpé, continuez à remplir en faisant alterner pommes de terre et gruyère, finissez par une couche de gruyère râpé.
Faites gratiner 15 mn sous le gril du four.
Servez dans les plats de cuisson posés sur des chauffe-plats.

Conservation : avant le passage sous le gril, 48 h au réfrigérateur, dans le plat recouvert d'un film plastique.
Réchauffez au four à 200° (th. 6) pendant 30 mn puis faites gratiner avant de servir.

Conseil : utilisez un diffuseur de chaleur si le fond de votre cocotte n'est pas très épais.

GRATIN NORMAND

PRÉPARATION : 20 MN

CUISSON : 45 MN + 15 MN

INGRÉDIENTS POUR 12 PERSONNES :

2 KG DE POMMES DE TERRE BINTJE
400 G D'OIGNONS
500 G DE POIREAUX
1,6 LITRE DE FOND BLANC (P. 126)
600 G DE CRÈME FRAÎCHE
1 CUILLERÉE À SOUPE DE SEL
1 PETITE CUILLERÉE À CAFÉ DE POIVRE
60 G DE BEURRE

MATÉRIEL :

COCOTTE DE 10 LITRES
2 PLATS À GRATIN OVALES DE 28 CM
ÉMINCEUR À LÉGUMES

POUR LE BUFFET :

12 ASSIETTES
12 FOURCHETTES
2 CHAUFFE-PLATS

Dans la cocotte faites fondre le beurre, ajoutez les oignons et les poireaux coupés très fins. Faites suer pendant 10 mn, puis ajoutez les pommes de terre coupées en rondelles fines, le fond blanc, la crème, le sel et le poivre. Laissez cuire encore 35 mn à feu très doux en remuant de temps en temps avec précaution pour ne pas casser les pommes de terre.
Avec une louche, répartissez le contenu de la cocotte dans les plats à gratin.
Faites gratiner 15 mn sous le gril du four.
Servez dans les plats à gratin posés sur les chauffe-plats.

Conservation : avant le passage sous le gril, 48 h au réfrigérateur, dans les plats recouverts d'un film plastique.
Réchauffez au four à 200° (th. 6) pendant 30 mn puis faites gratiner avant de servir.

Conseil : utilisez un diffuseur de chaleur si le fond de votre cocotte n'est pas très épais.

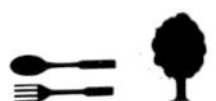

RATATOUILLE LENÔTRE

PRÉPARATION : 30 MN

CUISSON : 1 H

INGRÉDIENTS POUR 12 PORTIONS EN BUFFET :

400 G D'AUBERGINES
400 G DE COURGETTES
700 G DE TOMATES BIEN MÛRES
250 G D'OIGNONS
2 GOUSSES D'AIL
1 BRANCHE DE THYM
1 BRANCHE DE ROMARIN
1 FEUILLE DE LAURIER
6 CUILLERÉES À SOUPE D'HUILE D'OLIVE
1 CUILLERÉE À SOUPE DE SEL
1/3 DE CUILLERÉE À CAFÉ DE POIVRE

MATÉRIEL :

COCOTTE
COUTEAU CHEF ET PLANCHE

POUR LE BUFFET :

PLAT DE SERVICE (FACULTATIF)
12 ASSIETTES
12 FOURCHETTES

Pelez les oignons et coupez-les en rondelles. Lavez et essuyez les aubergines et les courgettes puis coupez-les en rondelles sans les éplucher. Dans la cocotte faites revenir le tout à l'huile d'olive en remuant avec une cuiller en bois.
Pelez et hachez l'ail et ajoutez-le dans la cocotte ainsi que les aromates. Émondez les tomates, ajoutez-les ; remuez bien puis laissez mijoter pendant 1 h à petit feu, à couvert, en remuant 2 ou 3 fois. Découvrez en fin de cuisson pour faire réduire, si les tomates ont rendu beaucoup d'eau. Vous pouvez servir la ratatouille chaude dans la cocotte, ou froide dans un plat.

Conservation : après refroidissement rapide dans un bain froid, 4 à 5 jours au réfrigérateur, dans un récipient couvert. La ratatouille se réchauffe très bien, dans une cocotte.

Congélation : dès que la ratatouille arrive à température ambiante, dans des barquettes d'aluminium.

Utilisation : en accompagnement de poissons et de viandes grillés, de volaille, etc. ; en croustade.

Conseil : vous pouvez ajouter aux aubergines et courgettes un poivron épépiné et coupé en lanières.

LÉGUMES AU BARBECUE

CONSEILS POUR LA CUISSON

Comme les viandes et les poissons, les légumes peuvent être cuits sur le gril, en brochettes ou en papillotes.
Il ne faut pas les éplucher mais il est important, après les avoir lavés, de les sécher très soigneusement pour qu'il ne reste plus d'humidité. Il est rare qu'on les fasse mariner mais la marinade est quelquefois possible pour des légumes coupés en tranches. Épongez-les soigneusement avant de les faire cuire.

La peau joue un rôle protecteur et empêche les légumes de se défaire et de se dessécher. Éliminez donc ceux dont la peau est un peu abîmée ou déchirée et retournez toujours les légumes avec grand soin pour qu'ils restent intacts.
Avant la cuisson, badigeonnez-les d'huile à l'aide d'une branche de thym ou de romarin avant de saler et poivrer car l'huile fixera le sel et le poivre sur la peau souvent lisse.
Les gros légumes peuvent être coupés en 2 pour cuire plus rapidement ; dans ce cas, vous pouvez frotter la partie coupée d'herbes aromatiques. Mais faites-les griller côté peau.
Les pommes de terre ou les patates douces, délicieuses cuites sous la cendre, ont l'inconvénient de mettre longtemps à cuire.
Vous pouvez les précuire à la vapeur, en les laissant bien fermes ; vous les coupez ensuite en rondelles et finissez la cuisson en papillotes avec l'accompagnement de votre choix.

LÉGUMES AU BARBECUE

	Présentation	Préparation	Mode de cuisson	Temps
Artichauts (petits violets)	entiers	saupoudrés de gros sel	en papillotes dans la braise	30 mn
Aubergines (moyennes)	coupées en 2 dans la longueur	huilées, salées, poivrées,	grillées côté peau	20 mn
Aubergines (grosses)	rondelles de 1 cm d'épaisseur	marinées dans marinade provençale (p. 306) égouttées	grillées	10 mn
Champignons	entiers	huilés, salés, poivrés	brochettes de 4 avec triangles de citron intercalé	15 mn
Courgettes (petites)	coupées en 2 dans la longueur	badigeonnées mélange huile d'olive, romarin, ail haché	grillées des 2 côtés	15 mn
Épis de maïs au naturel (gros)	entiers	badigeonnés de condiment à la tomate	en papillotes avec noisette de beurre	20 mn
Oignons blancs	entiers	huilés, salés	grillés	20 mn
Patates douces	rondelles de 1 cm d'épaisseur entières	préalablement cuites à la vapeur	en papillotes avec oignon émincé et noisette de beurre	15 mn 40 mn
Pommes fruits	coupées en 2	épépinées, badigeonnées d'huile, saupoudrées de marjolaine	grillées côté peau, puis côté chair	15 mn à 20 mn
	ou lamelles	épluchées, épépinées, saupoudrées de curry	en papillotes beurrées avec raisins secs macérés	15 mn
Pommes de terre (grosses, Bintje)	entières	–	en papillotes dans la braise	40 mn
Tomates (petites)	entières	huilées	grillées	8 à 10 mn
Tomates (grosses)	coupées en 2	–	en papillotes huilées avec branche de fenouil ou basilic	6 à 8 mn

CHAPITRE XIII

SALADES

CONSEILS SUR LE CHOIX ET LA PRÉPARATION DES SALADES VERTES

- Les fines herbes
- Assaisonnement et présentation de salades

SALADES LÉGÈRES

- Salade arlésienne
- Champignons de Paris marinés
- Salade de céleri aux pommes
- Salade de céleri rémoulade
- Salade de chou à l'orange
- Salade d'endives aux pommes fruits
- Macédoine de légumes en salade
- Salade aux quatre couleurs

SALADES COMPLÈTES

- Salade de brocolis
- Salade de cervelas
- Salade de crevettes et maïs
- Salade de l'Est
- Salade aux filets de harengs
- Salade indienne
- Salade multicolore à la langue
- Salade de lentilles aux lardons
- Salade de pissenlits aux œufs mollets
- Poireaux en gribiche
- Salade de riz coloniale
- Salade de riz créole
- Salade au roquefort
- Taboulé au crabe et aux crevettes

CONSEILS SUR LE CHOIX ET LA PRÉPARATION DES SALADES VERTES

Photo page 371

On peut trouver des salades vertes toute l'année car elles sont cultivées en serre hors saison ou transportées par avion, mais je vous conseille de choisir de préférence des salades de saison : elles sont, de loin, les plus savoureuses et nettement moins chères.
Prenez-les fournies, avec des feuilles brillantes et colorées. Éliminez celles qui vous paraissent ternes et flétries. Gardez-les dans le bac à légumes du réfrigérateur après les avoir épluchées ou dans un récipient plastique hermétique après les avoir épluchées, lavées et bien essorées.
Ne jetez les feuilles extérieures les plus vertes que si elles sont abîmées car ce sont les plus riches en vitamines.
Maintenant que l'agriculture fait couramment usage de produits chimiques, il est plus prudent de toujours laver les salades. Éssorez-les bien et saupoudrez-les de sel fin avant de les assaisonner.

LES FINES HERBES

Elles jouent un grand rôle en cuisine mais sont particulièrement importantes lorsqu'il s'agit d'assaisonner les salades.
Le persil (commun ou frisé) a l'avantage d'exister en toutes saisons. Lavez-le bien et hachez-le grossièrement. En dehors des salades, le persil est souvent utilisé en feuilles ou même en bouquets pour le décor des plats.
L'anis s'utilise surtout en graines dans des salades aigres-douces (carottes, betteraves rouges, etc.).
Le basilic est plutôt une herbe d'été, mais l'hiver pensez au basilic conservé à l'huile. On l'associe à des sauces à base d'huile d'olive.
Le cerfeuil se trouve toute l'année sauf l'hiver. Il est préférable de le couper avec des ciseaux car il est fragile. Sa saveur étant moins caractéristique que celle de beaucoup d'autres fines herbes, on peut l'utiliser dans la plupart des salades.
La ciboulette, au contraire, a un goût assez fort car elle fait partie de la famille des oignons. Elle va particulièrement bien avec les sauces au fromage blanc et avec les œufs. On la trouve toute l'année sauf l'hiver.
Les feuilles de coriandre, aussi appelées « persil arabe » peuvent ajouter une note exotique à une salade à l'huile d'olive.
On dit quelquefois que l'estragon est l'aristocrate des fines herbes. Son parfum agrémente toutes les vinaigrettes. Si vous voulez l'utiliser pour le décor d'un plat, faites blanchir les feuilles entières pendant 1 mn à l'eau bouillante pour qu'elles gardent leur couleur.
La menthe, comme l'anis, ne convient qu'à certains types de salades et doit être utilisée en petites quantités. Elle est excellente dans les salades de tomates ou de concombre ou dans des salades composées à base de semoule ou de riz.

ASSAISONNEMENT ET PRÉSENTATION DE SALADES

Salade (50 g par personne)	**Saveur**	**Couleur**	**Présentation**	**Garniture, fines herbes, etc.**	**Sauce** (20 g par personne)
Barbe-de-capucin (hiver)	croquante, amère	blanche	en tronçons	gésier sauté ou confit d'oie	huile de noix, vinaigre, moutarde
Batavia (juin à octobre)	douce-amère	verte	feuilles ou en lanières	raisin frais épépiné	huile de pépins de raisin, vinaigre
Cresson (sauf l'hiver)	piquante	vert foncé	en bouquets	gruyère en julienne	huile parfumée aux noisettes, vinaigre
Endives (hiver)	croquante, amère	blanchâtre	en tronçons	cerneaux de noix cerfeuil	rémoulade au vinaigre de cidre
Feuille de chêne (hiver et printemps)	tendre, douce	rouge et verte	feuilles ou en lanières	céleri en branches en julienne	huile parfumée aux noix, vinaigre
Frisée (automne-hiver)	ferme, amère	jaune et vert clair	sans la nervure centrale	lardons, gruyère	huile, vinaigre de Xérès
Laitue (toute l'année)	tendre, douce	vert clair	sans la nervure centrale	estragon, œuf dur haché	huile, vinaigre de vin vieux
Mâche (octobre à mars)	tendre, un peu sucrée	verte	en bouquets (lavés dans 4 eaux)	betterave rouge, pomme	huile, vinaigre de Xérès
Mesclin (hiver-printemps)	fraîche	variée	feuilles	pignons	huile d'olive, vinaigre
Pissenlits (hiver-printemps)	amère	verte	feuilles	avocat ou croûtons frottés d'ail	huile d'olive, jus de citron
Romaine (sauf l'automne)	ferme, douce-amère	verte	en tronçons	fenouil émincé ou grains d'anis	crème fleurette, jus de citron
Roquette (avril à septembre)	douce (jeune)	verte	en lanières	basilic	vinaigrette à la moutarde de Meaux
Scarole (toute l'année)	tendre, douce	verte	feuilles ou en lanières	estragon	huile de noix, vinaigre
Trévise (novembre à avril)	amère	rouge	feuilles	amandes effilées	huile, vinaigre de vin vieux, moutarde

SALADES LÉGÈRES

SALADE ARLÉSIENNE

C'est une très bonne composition pour l'hiver.

PRÉPARATION : 20 MN

TEMPS DE REFROIDISSEMENT : 1 H

INGRÉDIENTS POUR 15 PERSONNES :

2 KG DE FENOUIL
400 G DE CÉLERI EN BRANCHES
500 G D'EMMENTHAL
500 G DE SAUCE FROMAGE BLANC-FINES HERBES (P. 123)

MATÉRIEL :

ROBOT COMPACT ET RÂPE À LÉGUMES
OU COUTEAU CHEF ET PLANCHE
SALADIER DE SERVICE

POUR LE BUFFET :

15 ASSIETTES
15 FOURCHETTES

Préparez le fenouil et le céleri (p. 346). Émincez ensuite le fenouil en fines lanières, coupez le céleri et l'emmenthal en dés.
Mélangez à la sauce dans le saladier.
Mettez au réfrigérateur pendant au moins 1 h pour servir très frais.

Conservation : 24 h au réfrigérateur, dans le saladier couvert.

Recommandé avec : poissons, poulet froid.

CHAMPIGNONS DE PARIS MARINÉS

PRÉPARATION : 15 MN

TEMPS DE MACÉRATION : 8 JOURS

INGRÉDIENTS POUR 12 PERSONNES :

1 KG DE TÊTES DE CHAMPIGNONS
50 G DE GROS SEL
6 CUILLERÉES À SOUPE DE JUS DE CITRON

MARINADE :

1 DL D'HUILE D'OLIVE
1 DL D'HUILE D'ARACHIDE
1 CUILLERÉE À CAFÉ DE GRAINS DE MOUTARDE (FACULTATIF)
1 CUILLERÉE À CAFÉ DE GRAINS DE POIVRE (60 GRAINS)
1 CUILLERÉE À CAFÉ DE GRAINES DE CORIANDRE
2 CLOUS DE GIROFLE
2 PINCÉES DE FLEURS DE THYM
1/2 CUILLERÉE À CAFÉ DE GRAINS D'ANIS
OU 6 ÉTOILES D'ANIS ÉTOILÉ
4 CUILLERÉES À CAFÉ DE JUS DE CITRON

MATÉRIEL :

PASSOIRE À PIEDS
BOL PLASTIQUE AVEC COUVERCLE

POUR LE BUFFET :

SALADIER
12 COUPELLES
12 PETITES FOURCHETTES
OU SAUCIÈRE
ET PIQUES EN BOIS

ACCOMPAGNEMENT :

200 G DE SAUCE FROMAGE BLANC-FINES HERBES (P. 123)
OU 200 G DE SAUCE LÉGÈRE (P. 124)

Lavez et égouttez les champignons ; faites-les dégorger 24 h dans le gros sel et le jus de citron au réfrigérateur.
Préparez la marinade.
Mettez les champignons dans une passoire et rincez-les sous l'eau courante pendant 5 mn en les remuant. Égouttez-les et mettez-les dans la marinade ; remuez pour que les champignons soient bien enrobés.
Laissez mariner au moins 7 jours, au réfrigérateur, dans un bol plastique fermé.
Faites égoutter les champignons.
Mélangez-les à la sauce dans le saladier ou bien piquez-les sur des piques en bois et servez la sauce à part.

Conservation : dans la marinade, 1 mois au réfrigérateur, dans un récipient fermé.

Recommandé avec : fromage de tête persillé et poisson froid.

SALADE DE CÉLERI AUX POMMES

Photo page 387

PRÉPARATION : 20 MN AVEC UN ROBOT COMPACT
40 MN À LA MAIN

INGRÉDIENTS POUR 24 PERSONNES :

1,25 KG DE CÉLERI EN BRANCHES
750 G DE POMMES FRUITS
300 G DE JAMBON DE PARIS
300 G DE GRUYÈRE
150 G DE CÂPRES
150 G DE CORNICHONS
500 G DE SAUCE RÉMOULADE (P. 117)

MATÉRIEL :

SALADIER DE SERVICE
ROBOT COMPACT
OU RÂPE À LÉGUMES

POUR LE BUFFET :

24 ASSIETTES
24 FOURCHETTES

DÉCOR :

1 CORNICHON

Épluchez les pommes, enlevez le cœur et les pépins. Râpez-les à la main ou au robot compact.
Si vous avez un robot compact, râpez le céleri en fines lanières ; sinon coupez-le en bâtonnets.
Coupez les cornichons, le gruyère et le jambon en petits bâtonnets.

Mettez le tout dans un saladier, ajoutez les câpres égouttées, versez la sauce rémoulade et mélangez délicatement.
Décorez avec des lamelles de cornichon.

Conservation : 12 h au réfrigérateur, dans le saladier couvert.

Conseil : la même salade peut être faite à partir de céleri-rave.

Recommandé avec : poissons, œufs garnis, jambon reconstitué pour buffet campagnard.

SALADE DE CÉLERI RÉMOULADE

PRÉPARATION : 20 MN

INGRÉDIENTS POUR 10 PERSONNES :

1 KG DE CÉLERI-RAVE
4 CITRONS

SAUCE :

150 G DE MAYONNAISE (P. 111)
20 G DE MOUTARDE
1 CUILLERÉE À SOUPE DE SEL FIN
1/2 CUILLERÉE À CAFÉ DE POIVRE
1 PETIT BOUQUET DE PERSIL

MATÉRIEL :

SALADIER DE SERVICE
ROBOT COMPACT
OU RÂPE À LÉGUMES
BOL

POUR LE BUFFET :

10 ASSIETTES
10 FOURCHETTES

Pressez les citrons.
Épluchez le céleri-rave, lavez-le puis râpez-le. Mettez-le dans un saladier et ajoutez aussitôt le jus de citron.
Hachez le persil puis mélangez dans un bol les ingrédients de la sauce.
Versez sur le céleri et mélangez bien.

Conservation : 24 h au réfrigérateur, dans le saladier couvert.

Recommandé avec : pâté de campagne au foie de porc, jambon reconstitué pour buffet campagnard.

SALADE DE CHOU À L'ORANGE

PRÉPARATION : 30 MN

INGRÉDIENTS POUR 20 PERSONNES :

900 G DE CHOU BLANC
900 G D'ORANGES
300 G DE JAMBON D'YORK
50 G DE CERFEUIL HACHÉ
2 CUILLERÉES À SOUPE DE JUS D'ORANGE
180 G DE VINAIGRETTE

MATÉRIEL :

2 SALADIERS DE SERVICE
ROBOT COMPACT (FACULTATIF)
CANNELEUR
OU COUTEAU D'OFFICE

POUR LE BUFFET :

20 ASSIETTES
20 FOURCHETTES

Cannelez la peau des oranges. Éliminez les 2 bouts puis coupez les oranges en rondelles fines.
Lavez le chou, émincez-le en lanières ; coupez le jambon en bâtonnets.
Répartissez rondelles d'oranges, chou et jambon dans les deux saladiers.
Hachez le cerfeuil. Dans un bol, mélangez le cerfeuil haché au jus d'orange et à la vinaigrette. Versez la sauce dans les saladiers, remuez bien.
Servez très frais.

Conservation : les ingrédients découpés, 12 h au réfrigérateur, enveloppés séparément ; la salade finie, 6 h au réfrigérateur, dans le saladier couvert.

Conseil : cette salade étant très originale, il est plus prudent de prévoir également une petite salade plus classique.

Recommandé avec : terrine de canard à l'orange, gigot, terrine de faisan.

SALADE D'ENDIVES AUX POMMES FRUITS

PRÉPARATION : 20 MN

TEMPS DE MACÉRATION : 1 H

INGRÉDIENTS POUR 16 PERSONNES :

800 G D'ENDIVES
300 G DE POMMES DE REINETTE
50 G DE RAISINS SECS
50 G D'AMANDES EFFILÉES
120 G DE VINAIGRETTE AU VINAIGRE DE CIDRE

MATÉRIEL :

SALADIER

POUR LE BUFFET :

20 ASSIETTES
16 FOURCHETTES

Mettez les raisins dans un bol d'eau chaude et laissez-les gonfler pendant 1 h à couvert.
Lavez rapidement les endives et coupez-les en tronçons.
Épluchez et épépinez les pommes puis coupez-les chacune en 8 quartiers.

Mélangez tous les ingrédients dans la vinaigrette 1 h au plus tôt avant de servir.

Conservation : les endives lavées et coupées, 24 h au réfrigérateur, enveloppées dans un film plastique.

Recommandé avec : brochettes normandes, langue de bœuf écarlate en cubes.

MACÉDOINE DE LÉGUMES EN SALADE

Photo page 379

Cette salade s'utilise également en garniture.
La recette est établie pour des légumes de printemps ; si vous la faites en une autre saison, modifiez les temps de cuisson.

PRÉPARATION : 20 MN AVEC UN ROBOT COMPACT
40 MN À LA MAIN

CUISSON : 20 MN ENVIRON EN SURVEILLANT

INGRÉDIENTS POUR 20 PERSONNES :

MACÉDOINE (2 KG) :
500 G DE CAROTTES
250 G DE NAVETS
250 G DE HARICOTS VERTS
500 G DE POMMES DE TERRE (BELLE DE FONTENAY)
500 G DE PETITS POIS FRAIS OU CONGELÉS
OU 1 BOÎTE DE PETITS POIS AU NATUREL
BOUQUET GARNI (THYM, LAURIER, CÉLERI, QUEUES DE PERSIL)
45 G DE SEL
4 G DE POIVRE

SAUCE :

200 G DE MAYONNAISE BIEN RELEVÉE (P. 111)
OU 200 G DE SAUCE RÉMOULADE (P. 117)
OU 200 G DE SAUCE FROMAGE BLANC-FINES HERBES (P. 123)

MATÉRIEL :

SALADIER
GRANDE CASSEROLE
ROBOT COMPACT ET GRILLE SPÉCIALE OU GRILLE À FRITES
OU PLANCHE ET COUTEAU LONG ET EFFILÉ

POUR LE BUFFET :

20 ASSIETTES
20 FOURCHETTES

Coupez carottes, navets et pommes de terre en tranches, puis en bâtonnets de 1/2 cm de large, puis en dés (photo). Coupez les haricots verts en tronçons de 1/2 cm après les avoir effilés. (Certains robots permettent de faire ce travail très vite.)
Dans la casserole, faites bouillir 3 litres d'eau avec le sel, le poivre et le bouquet garni : quand l'eau arrive à ébullition, mettez les carottes ; 5 mn

plus tard, ajoutez les navets ; attendez encore 5 mn puis ajoutez les haricots verts, les pommes de terre et les petits pois frais ou congelés. Surveillez la cuisson qui doit être « al dente ».
Si vous utilisez des petits pois au naturel, égouttez-les et ajoutez-les seulement en fin de cuisson.
La cuisson terminée, égouttez les légumes, rafraîchissez-les sous l'eau froide.
Lorsque les légumes sont froids, mélangez-les à la sauce choisie dans le saladier.

Conservation : 48 h au réfrigérateur, dans le saladier couvert.

Recommandé avec : poulet froid ; truites au barbecue (avec l'assaisonnement à la sauce fromage blanc-fines herbes).

Conseil : vous pouvez encore améliorer cette salade en faisant cuire les légumes dans un fond de volaille. Mais, même si vous les faites cuire à l'eau, le bouillon de cuisson est délicieux et peut être utilisé pour faire cuire des pâtes fraîches ou du riz.

SALADE AUX QUATRE COULEURS

Cette salade est une aubaine l'hiver pour colorer le buffet.

PRÉPARATION : 30 MN

INGRÉDIENTS POUR 16 PERSONNES :

320 G DE BETTERAVES ROUGES CUITES
320 G D'ENDIVES
400 G DE MÂCHE
8 ŒUFS DE CAILLE DURS
180 G DE VINAIGRETTE À L'HUILE PARFUMÉE AUX NOIX

MATÉRIEL :

SALADIER
CUILLER PARISIENNE

POUR LE BUFFET :

16 ASSIETTES
16 FOURCHETTES

Épluchez les betteraves ; détaillez-les en petites boules avec la cuiller parisienne. Mettez-les avec la vinaigrette dans le saladier, remuez bien.
Écalez les œufs de caille et laissez-les en attente dans un bol d'eau salée.
Lavez les endives à l'eau froide et la mâche dans plusieurs eaux à peine tièdes. Coupez les endives en tronçons, laissez la mâche en bouquets.
Au moment de servir, ajoutez endives et mâche dans le saladier, remuez.
Disposez en décor les œufs de caille coupés en deux.

Conservation : les salades lavées, 24 h au réfrigérateur, enveloppées séparément ; les œufs de caille écalés, 24 h au réfrigérateur, dans le bol d'eau.

Recommandé avec : couronne ou aspics de saumon, rillettes, terrine de lièvre.

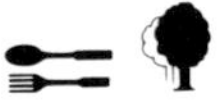

SALADE DE BROCOLIS

PRÉPARATION : 20 MN

DONT CUISSON : 10 MN

INGRÉDIENTS POUR 10 PERSONNES :

1 KG DE BROCOLIS
200 G DE POITRINE FUMÉE
4 ŒUFS DURS
1 BEAU BOUQUET DE PERSIL
250 G DE SAUCE RÉMOULADE À LA MOUTARDE DE MEAUX (P. 117)

GARNITURE :

100 G DE PAIN DE MIE (5 TRANCHES)

MATÉRIEL :

SALADIER
PLAQUE DU FOUR
POÊLE

POUR LE BUFFET :

10 ASSIETTES
10 FOURCHETTES

Faites blanchir les brocolis à l'eau bouillante salée pendant 8 à 10 mn pour qu'ils restent plus ou moins croquants.
Faites revenir la poitrine fumée coupée en dés dans une poêle sans matière grasse en retournant souvent les morceaux avec une spatule.
Hachez les œufs durs.
Égouttez bien les brocolis, détaillez-les en petits bouquets ; lavez et hachez le persil.
Mélangez tous les ingrédients à la sauce dans le saladier.
Coupez le pain de mie en croûtons de 1,5 cm de côté et faites-le griller sur la plaque du four.
Ajoutez les croûtons à la salade au moment de servir.

Conservation : sans le persil ni les croûtons, 24 h au réfrigérateur, dans le saladier couvert ; les croûtons grillés, 24 h au sec.

SALADE DE CERVELAS

PRÉPARATION : 25 MN

CUISSON : 15 MN

Macédoine de légumes en salade (recette p. 376) avec sauce fromage blanc-fines herbes (recette p. 123)

INGRÉDIENTS POUR 15 PERSONNES :

500 G DE CERVELAS
1 KG DE POMMES DE TERRE (ROSEVAL)
5 ÉCHALOTES
6 CUILLERÉES À SOUPE DE FINES HERBES HACHÉES
1 DL DE VIN BLANC
1/2 DL D'HUILE
125 G DE SAUCE RÉMOULADE (P. 117)

DÉCOR (FACULTATIF) :

1 POIVRON

PRÉSENTATION (FACULTATIF) :

15 BELLES FEUILLES DE CHOU VERT

MATÉRIEL :

SALADIER
CASSEROLE DE 3 LITRES

POUR LE BUFFET :

15 ASSIETTES
15 FOURCHETTES

Faites cuire les pommes de terre dans leur peau dans 2 litres d'eau salée. Épluchez-les encore chaudes, coupez-les en 2 et mettez-les dans le saladier. Arrosez-les avec le vin blanc et l'huile et laissez refroidir.
Quand les pommes de terre sont froides, égouttez-les, puis coupez-les en rondelles.
Otez la peau du cervelas ; coupez-le en rondelles ou en cubes.
Épluchez et hachez les échalotes.
Mélangez pommes de terre, cervelas et échalotes à la sauce rémoulade ; attendez le dernier moment pour ajouter les fines herbes.
Servez dans le saladier avec des anneaux de poivron disposés en décor ; ou présentez dans les feuilles de chou lavées et essuyées.

Conservation : sans les fines herbes, 24 h au réfrigérateur, dans le saladier couvert.

SALADE DE CREVETTES ET MAÏS

PRÉPARATION : 10 MN

INGRÉDIENTS POUR 15 PERSONNES :

750 G DE CREVETTES CUITES DÉCORTIQUÉES
600 G DE MAÏS AU NATUREL
200 G DE CÉLERI EN BRANCHES
8 ŒUFS DURS
6 CUILLERÉES À SOUPE DE PERSIL HACHÉ
240 G DE SAUCE À L'HUILE D'OLIVE (P. 109)

PRÉSENTATION :

15 BELLES FEUILLES DE LAITUE

MATÉRIEL :

SALADIER

POUR LE BUFFET :

15 COUPELLES
15 FOURCHETTES
PLATEAU

Préparez le céleri et coupez-le en dés.
Hachez les œufs durs.
Mélangez tous les ingrédients à la sauce, sauf le persil que vous ajoutez au moment de servir.
Garnissez le fond de chaque coupelle d'une feuille de laitue lavée et séchée ; dressez la salade et servez sur un plateau.

Conservation : sans le persil, 12 h au réfrigérateur, dans le saladier couvert.

Conseil : vous pouvez remplacer les crevettes par des bouquets, des tourteaux ou des moules.

SALADE DE L'EST

PRÉPARATION : 10 MN AVEC UNE RÂPE ÉLECTRIQUE
20 MN AVEC UNE RÂPE À MAIN

DONT CUISSON : 2 MN

INGRÉDIENTS POUR 20 PERSONNES :

540 G DE JAMBON OU DE CERVELAS
360 G DE LARDONS
1 KG DE CHOUX VERT OU BLANC
1 GOUSSE D'AIL
6 FEUILLES DE MENTHE FRAÎCHE
3 CUILLERÉES À SOUPE DE SUCRE
300 G DE VINAIGRETTE

MATÉRIEL :

SALADIER
POÊLE
RÂPE À MAIN
OU RÂPE À LÉGUMES ÉLECTRIQUE
OU PLANCHE ET COUTEAU CHEF
PRESSE-AIL
PAPIER ABSORBANT

POUR LE BUFFET :

20 ASSIETTES
20 FOURCHETTES

Lavez le chou cru et émincez-le.
Émincez le jambon ou coupez le cervelas en rondelles après avoir ôté la peau.
Taillez les lardons en fines lanières puis faites-les rissoler à la poêle sans matière grasse pendant 2 mn, en remuant avec une cuiller en bois. Égouttez les lardons sur du papier absorbant.
Épluchez l'ail et écrasez-le ; ciselez les feuilles de menthe.
Mélangez tous les ingrédients à la sauce dans le saladier puis mettez au réfrigérateur pendant au moins 1 h pour servir très frais.

Conservation : 12 h au réfrigérateur, dans le saladier couvert.

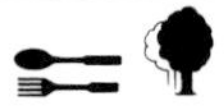

SALADE AUX FILETS DE HARENGS

PRÉPARATION : 20 MN

CUISSON : 15 MN

INGRÉDIENTS POUR 15 PERSONNES :

1 KG DE FILETS DE HARENGS MARINÉS À L'HUILE
800 G DE PÂTES FRAÎCHES
600 G DE POMMES FRUITS
3 OIGNONS MOYENS
100 G DE CORNICHONS
1 BOUQUET DE PERSIL
1 BOUQUET DE CIBOULETTE
180 G DE VINAIGRETTE À LA MOUTARDE DE MEAUX

MATÉRIEL :

2 SALADIERS
2 GRANDES CASSEROLES

POUR LE BUFFET :

15 ASSIETTES
15 FOURCHETTES

Choisissez de préférence des pâtes en forme de papillons ou de tortillons et, si vous pouvez en trouver, des pâtes fraîches à la tomate.
Faites cuire les pâtes dans les deux casseroles (p. 354). Dès qu'elles sont cuites, égouttez-les et rafraîchissez-les sous l'eau froide.
Hachez finement le persil et la ciboulette ; il vous en faudra 50 g de chaque.
Coupez les pommes épluchées et épépinées en bâtonnets ; coupez les harengs en fines lanières de 5 cm de long ; taillez les oignons en rondelles fines.
Dans les saladiers, mélangez pommes, harengs et oignons aux pâtes refroidies, avec la sauce.
Ajoutez les fines herbes au moment de servir.

Conservation : sans les fines herbes, 24 h au réfrigérateur, dans le saladier couvert.

SALADE INDIENNE

Photo page 387

PRÉPARATION : 30 MN

CUISSON : 20 MN

TEMPS DE REFROIDISSEMENT : 1 H

INGRÉDIENTS POUR 10 PERSONNES :

90 G DE RIZ LONG OU DE RIZ SAUVAGE
40 G DE RAISINS DE SMYRNE
1/2 LITRE DE FOND DE VOLAILLE (FACULTATIF)
150 G DE POMMES FRUITS
100 G DE HARICOTS ROUGES AU NATUREL
100 G DE MAÏS EN GRAINS
100 G DE TOMATES
1 OIGNON MOYEN
1/2 ANANAS FRAIS
1 BANANE
1 ORANGE
3 CUILLERÉES À SOUPE DE FINES HERBES HACHÉES (CERFEUIL, ESTRAGON, CIBOULETTE)
120 G DE VINAIGRETTE AU VINAIGRE DE XÉRÈS

MATÉRIEL :

2 SALADIERS
GRANDE CASSEROLE

POUR LE BUFFET :

10 BOLS
10 FOURCHETTES

Faites cuire le riz à la créole (p. 355) avec les raisins, dans un fond de volaille de préférence ; égouttez et laissez refroidir.
Coupez la chair de l'ananas en dés, les oignons, les tomates, et la banane en rondelles. Lavez l'orange, ôtez les bouts ; sans l'éplucher, coupez-la en tranches puis en quarts de tranches.
Égouttez les haricots rouges et le maïs.
Dans les saladiers, mélangez tous les ingrédients à la vinaigrette, sauf les fines herbes. Mettez au réfrigérateur pendant au moins 1 h. Au dernier moment, ajoutez les fines herbes et servez très frais.

Conservation : sans la banane ni les fines herbes, 12 h au réfrigérateur, dans les saladiers couverts.

Conseil : pour une présentation originale, vous pouvez servir cette salade en dômes : décorez le fond et les parois de deux moules plastiques de dés d'ananas, d'orange et de haricots rouges ; remplissez de salade, en tassant un peu et mettez au réfrigérateur ; démoulez sur les plats de service et servez parsemé de fines herbes.

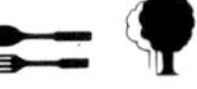

SALADE MULTICOLORE À LA LANGUE

Photo page 24

C'est une excellente préparation pour servir une langue de bœuf froide.

PRÉPARATION : 15 MN

CUISSON : 15 MN

INGRÉDIENTS POUR 20 PERSONNES :

1 KG DE LANGUE DE BŒUF CUITE (P. 315)
500 G DE POMMES DE TERRE (ROSEVAL)
200 G DE HARICOTS VERTS
200 G DE TOMATES
150 G DE CHOU-FLEUR
100 G DE POIVRON ROUGE
50 G DE POIVRON VERT
1 OIGNON MOYEN
75 G DE CORNICHONS
5 CUILLERÉES A SOUPE DE FINES HERBES HACHÉES (CIBOULETTE, ESTRAGON, CERFEUIL)
240 G DE VINAIGRETTE À L'HUILE PARFUMÉE AUX NOISETTES (P. 108)
OU 250 G DE SAUCE RÉMOULADE (P. 117)

MATÉRIEL :

2 SALADIERS
3 CASSEROLES

POUR LE BUFFET :

20 ASSIETTES
20 FOURCHETTES

Faites cuire les haricots verts « al dente » et blanchir le chou-fleur. Faites cuire les pommes de terre avec leur peau dans de l'eau salée.
Coupez les tomates en quartiers, les poivrons en lanières, les cornichons et l'oignon en rondelles.
Égouttez les légumes cuits ; épluchez les pommes de terre encore chaudes, coupez-les en rondelles et mélangez-les à la sauce choisie dans les saladiers. Faites refroidir dans un bain froid.
Coupez la langue de bœuf en cubes.
Répartissez tous les ingrédients sauf les fines herbes et les tomates dans les 2 saladiers et mélangez-les aux pommes de terre.
Ajoutez fines herbes et tomates au moment de servir.

Conservation : sans les fines herbes et les tomates, 24 h au réfrigérateur, dans les saladiers couverts.

Conseil : vous pouvez remplacer l'huile parfumée aux noisettes par de l'huile d'arachide, de tournesol ou de maïs.

SALADE DE LENTILLES AUX LARDONS

PRÉPARATION : 15 MN

CUISSON : 45 MN

TEMPS DE REFROIDISSEMENT : 30 MN

INGRÉDIENTS POUR 20 PORTIONS EN BUFFET :

500 G DE LENTILLES
100 G DE POITRINE FUMÉE

200 G DE CAROTTES
150 G D'OIGNONS
2 GROSSES GOUSSES D'AIL
BOUQUET GARNI (THYM, LAURIER, CÉLERI, QUEUES DE PERSIL)
2 CLOUS DE GIROFLE
3 CUILLERÉES À CAFÉ DE GROS SEL
200 G DE VINAIGRETTE

MATÉRIEL :

SALADIER
CASSEROLE DE 4 LITRES

POUR LE BUFFET :

20 COUPELLES
20 FOURCHETTES

Épluchez les oignons, l'ail et les carottes. Coupez les oignons en 4 et l'ail en 2.
Dans la casserole, mettez les oignons, l'ail, une carotte entière, les lentilles, les tranches de poitrine entières, le bouquet garni, les clous de girofle et le sel ; couvrez de 1,5 litre d'eau froide. Portez à ébullition puis laissez cuire pendant 45 mn à feu doux, à couvert.
Détaillez les carottes restantes en bâtonnets et ajoutez-les dans la casserole 5 mn avant la fin de la cuisson.
Sortez les tranches de poitrine avec une écumoire, ôtez la couenne, coupez les tranches en dés puis remettez-les dans la casserole ; sortez également la carotte entière et coupez-la en dés avant de la remettre ; retirez l'oignon. Faites refroidir, dans le bouillon de cuisson, dans un bain froid.
Quand les légumes et les lentilles sont froids, égouttez-les puis mélangez-les à la vinaigrette dans le saladier.

Conservation : 24 h au réfrigérateur, dans le saladier couvert.

Conseil : à la belle saison, en même temps que les bâtonnets de carottes, ajoutez 100 g d'oignons grelots.

SALADE DE PISSENLITS AUX ŒUFS MOLLETS

PRÉPARATION : 20 MN DONT CUISSON : 2 MN

INGRÉDIENTS POUR 20 PERSONNES :

1 KG DE PETITS PISSENLITS VERTS TRÈS TENDRES
20 ŒUFS MOLLETS
300 G DE POITRINE 1/2 SEL
3 ÉCHALOTES
1 GOUSSE D'AIL

SAUCE :

1,5 DL D'HUILE D'OLIVE
4 CUILLERÉES À SOUPE DE VINAIGRE DE VIN
2 CUILLERÉES À SOUPE DE MOUTARDE
SEL
POIVRE DU MOULIN

MATÉRIEL :

GRAND SALADIER
POÊLE
20 ASSIETTES

POUR LE BUFFET :

20 FOURCHETTES

Rincez bien les pissenlits épluchés, faites-les tremper 30 mn dans de l'eau froide, lavez-les ensuite à plusieurs eaux.
Débarrassez la poitrine de sa couenne, coupez-la en tranches fines ou en petits cubes. Faites-la revenir dans une poêle sans matière grasse, en remuant avec une spatule en bois.
Mettez les lardons dans le saladier, ajoutez la moutarde, les échalotes et la gousse d'ail hachées, le sel, le poivre, le vinaigre puis l'huile d'olive. Remuez bien.
Ajoutez les pissenlits égouttés et séchés, mélangez le tout, rectifiez au besoin l'assaisonnement.
Répartissez la salade sur les assiettes. Salez et poivrez les œufs mollets écalés et dressez 1 œuf sur chaque assiette de salade.

Conservation : la salade finie ne se conserve pas mais vous pouvez préparer tous les ingrédients et les conserver au réfrigérateur.

Variante : remplacez la sauce de la salade par 2 dl de sauce façon gribiche.

Conseil : en dehors de la saison des pissenlits, vous pouvez faire cette recette avec des cœurs de chicorée frisée.

POIREAUX EN GRIBICHE

PRÉPARATION : 20 MN

CUISSON : 20 À 30 MN

INGRÉDIENTS POUR 10 PERSONNES :

2 KG DE POIREAUX
500 G DE JAMBON BLANC
2 CUILLERÉES À SOUPE DE GROS SEL
150 G DE SAUCE GRIBICHE (P. 116)

MATÉRIEL :

PLAT CREUX
CASSEROLE DE 6 LITRES

POUR LE BUFFET :

10 PETITES ASSIETTES
10 FOURCHETTES

Épluchez les poireaux, fendez-les en 4 au-dessus du blanc et lavez-les dans 3 eaux pour supprimer toute la terre. Égouttez-les puis coupez-les en tronçons de 5 cm environ.
Dans la casserole, faites bouillir 4 litres d'eau avec le gros sel ; quand l'eau arrive à ébullition, ajoutez les poireaux et faites-les cuire pendant 20 à 30 mn, selon leur qualité.
Coupez le jambon en dés, mettez-le dans le plat creux.
Égouttez bien les poireaux ; dès qu'ils sont tièdes, ajoutez-les au jambon et assaisonnez.

Conservation : les poireaux cuits, 48 h au réfrigérateur dans leur eau de cuisson, dans un récipient fermé. Faites tiédir et assaisonnez juste avant de servir.

Salade de céléri aux pommes (recette p. 373)
Salade indienne (recette p. 382)

SALADE DE RIZ COLONIALE

PRÉPARATION : 10 MN

CUISSON : 20 MN ENVIRON

INGRÉDIENTS POUR 20 PERSONNES :

400 G DE RIZ COMPLET OU DE RIZ LONGS GRAINS
400 G DE MAÏS AU NATUREL
150 G DE POIVRON ROUGE
200 G D'OLIVES NOIRES DÉNOYAUTÉES
240 G DE VINAIGRETTE

MATÉRIEL :

SALADIER
2 CASSEROLES
DONT 1 GRANDE

POUR LE BUFFET :

20 COUPES EN VERRE
20 PETITES CUILLERS

Faites cuire le riz à la créole (p. 355). Émincez le poivron et faites-le blanchir. Laissez refroidir.
Égouttez le maïs.
Préparez la vinaigrette dans le saladier. Ajoutez le riz froid, le poivron, les olives et le maïs. Remuez bien. Mettez au réfrigérateur pendant au moins 1 h.
Servez bien frais dans le saladier ou dans des coupes individuelles.

Conservation : 24 h au réfrigérateur, dans le saladier couvert.

SALADE DE RIZ CRÉOLE

PRÉPARATION : 30 MN

TEMPS DE MACÉRATION : 12 H

CUISSON : 20 MN ENVIRON

INGRÉDIENTS POUR 10 PERSONNES :

300 G DE RIZ LONGS GRAINS
1 GROSSE TOMATE
60 G DE THON AU NATUREL
50 G D'OLIVES NOIRES
50 G DE POIVRON VERT
100 G DE RADIS ROSES
100 G DE RAISINS DE SMYRNE
1 DL DE VIN BLANC SEC
240 G DE VINAIGRETTE

MATÉRIEL :

SALADIER
GRANDE CASSEROLE

POUR LE BUFFET :

10 BOLS
10 CUILLERS

Portez le vin à ébullition ; versez-le sur les raisins dans un bol ; laissez macérer pendant une nuit.
Faites cuire le riz à la créole (p. 355), égouttez-le et laissez-le refroidir.
Nettoyez les radis, coupez-les finement ainsi que la tomate, les olives et le poivron. Si vous voulez, vous pouvez préalablement faire blanchir le poivron.
Mettez dans le saladier avec le riz, ajoutez les raisins et le thon émietté ; arrosez de vinaigrette et mélangez bien.
Servez très frais.

Conservation : le riz cuit ou la salade finie sans la tomate, 24 h au réfrigérateur, dans un récipient couvert.

SALADE AU ROQUEFORT

PRÉPARATION : 20 MN

INGRÉDIENTS POUR 24 PERSONNES :

700 G DE ROMAINE OU D'ENDIVES
300 G DE ROQUEFORT
5 ŒUFS DURS
180 G DE FILETS D'ANCHOIS À L'HUILE
200 G DE PAIN DE MIE (10 TRANCHES)
4 À 5 GOUSSES D'AIL
2 CUILLERÉES À SOUPE D'HUILE D'ARACHIDE
3 CUILLERÉES À SOUPE D'HUILE DE NOIX
3 CUILLERÉES À SOUPE DE VINAIGRE DE VIN

MATÉRIEL :

SALADIER
PLAQUE DU FOUR

POUR LE BUFFET :

24 ASSIETTES
24 FOURCHETTES

Égouttez les filets d'anchois ; dans le saladier, mélangez-les au vinaigre, aux 2 huiles et à l'ail haché finement.
Coupez le pain de mie en croûtons de 2 cm de côté et faites-le griller sur la plaque du four.
Lavez la salade, coupez-la en petits tronçons. S'il s'agit d'endives, mettez-les en attente dans de l'eau vinaigrée.
Émiettez grossièrement le roquefort. Écalez les œufs durs et coupez-les en 6 quartiers.
Ajoutez tous les ingrédients aux anchois juste au moment de servir.
Servez bien frais.

Conservation : tous les ingrédients séparés, 24 h au réfrigérateur, dans des récipients fermés, sauf les croûtons qui sont gardés au sec.

Conseil : cette salade aura un parfum plus prononcé si vous écrasez 30 g du roquefort dans l'huile.

TABOULÉ AU CRABE ET AUX CREVETTES

Photo page 25

PRÉPARATION : 30 MN AVEC UN ROBOT COMPACT 60 MN À LA MAIN

TEMPS DE MACÉRATION : 12 H

INGRÉDIENTS POUR 16 PORTIONS EN BUFFET :

250 G DE COUSCOUS MOYEN
400 G DE CHAIR DE CRABE CUITE
300 G DE CREVETTES CUITES DÉCORTIQUÉES
2 BULBES DE FENOUIL
2 PETITES COURGETTES
6 PETITS OIGNONS NOUVEAUX (OU 2 GROS)
3 PAMPLEMOUSSES BLANCS
2 PAMPLEMOUSSES ROSES
2 CITRONS
3 CUILLERÉES À SOUPE DE CERFEUIL HACHÉ

ASSAISONNEMENT :

6 CUILLERÉES À SOUPE D'HUILE D'OLIVE
7 CUILLERÉES À SOUPE DE JUS DE CITRON
2 CUILLERÉES À SOUPE DE MOUTARDE
2 CUILLERÉES À SOUPE DE CONCENTRÉ DE TOMATE
5 GOUTTES DE TABASCO

MATÉRIEL :

SALADIER
CASSEROLE DE 1 LITRE
ROBOT COMPACT
ET ÉMINCEUR À LÉGUMES
OU PLANCHE
ET COUTEAU CHEF
GRAND BOL
PRESSE-FRUITS

POUR LE BUFFET :

16 COUPELLES
16 CUILLERS

Dans un grand bol arrosez le couscous avec le jus des 3 pamplemousses blancs et des 2 citrons. Mettez-le au réfrigérateur et laissez-le gonfler pendant au moins 12 h dans le bol couvert.
Épluchez les oignons et coupez-les très finement.
Lavez les courgettes, coupez-les en rondelles très fines et faites-les blanchir 2 mn à l'eau bouillante salée. Coupez le fenouil en lamelles très fines.
Pelez les pamplemousses roses à vif, c'est-à-dire en enlevant toutes les petites membranes qui entourent les quartiers ; coupez chaque quartier en 2.
Émiettez grossièrement la chair de crabe.
1 h avant de servir, mélangez dans un saladier oignons, courgettes, fenouil et pamplemousse rose puis le crabe, les crevettes et le cerfeuil haché.
Dans un bol, mélangez les ingrédients de l'assaisonnement. Quand la sauce est onctueuse, versez-la dans le saladier.
Laissez au frais jusqu'au moment de servir. Ajoutez alors le couscous et mélangez le taboulé.

Conservation : la salade finie, 12 h au réfrigérateur, dans le saladier couvert.

Conseil : en hiver, remplacez le cerfeuil par du persil et les oignons nouveaux par des oignons doux.

CHAPITRE XIV

FROMAGES

- Conseils généraux
- Classification des fromages
- Composition des plateaux
- Présentation
- Association fromages-vins

CONSEILS GÉNÉRAUX

Le fromage joue un grand rôle dans les buffets.
Les pâtes pressées non cuites, cuites ou dures permettent des combinaisons intéressantes avec crudités ou charcuteries pour composer des piques garnis.
Les fromages frais associés aux fines herbes peuvent servir de garniture, d'accompagnement ou d'assaisonnement.
On peut toujours penser à de nouvelles utilisations pour le fromage et vous pouvez varier toutes les recettes au fromage de ce livre en remplaçant le fromage conseillé par un autre, plus ou moins fruité, de la même famille.
Mais aussi, dans tous les cas où le buffet est copieux, qu'il s'agisse d'un buffet-dîner ou d'un barbecue, le plateau de fromages s'impose, tout autant qu'à la fin d'un repas de type plus classique.

Conseils pour bien choisir les fromages

Choisissez de préférence des fromages faits à partir de lait non pasteurisé, ils ont plus de caractère et de saveur.
Comptez 100 g par convive si vous recevez moins de 20 personnes et 80 g par convive pour une réception plus importante. Les fromages se conservant très bien, prévoyez plutôt plus que moins car, en cette matière, mieux vaut trop que pas assez.

Conservation des fromages

Mettez-les dans le bac à légumes du réfrigérateur ou, de préférence, dans une cave suffisamment humide à 10/12°. N'oubliez pas de les sortir à température ambiante une heure environ avant de les consommer en tenant compte de la fragilité de certains d'entre eux aux températures supérieures à 20°.
Ils s'affineront bien si vous les laissez dans leurs emballages d'origine (bois, paille, feuilles ou cire). Enlevez l'emballage des fromages de chèvre si vous voulez les servir un peu secs. En ce qui concerne les bleus, mettez-les de préférence dans une terrine de céramique couverte d'un épais linge humide.
Si vous reculez devant l'idée de mettre certains fromages au réfrigérateur, vous pouvez conserver les fromages à pâte molle (camembert, brie, vacherin, etc.) à température ambiante dans leur emballage en bois d'origine, enveloppés dans un linge humide, pendant trois jours.

Découpe des fromages

Les fromages à pâte molle, ronds ou carrés, se découpent comme les rayons d'une roue de bicyclette.
Les fromages en forme de cône ou de pyramide se découpent en portions, verticalement.
Les parts de bleu ou de roquefort se coupent en biseau.
Les parts de brie se coupent en triangles pointus, toujours en commençant par l'extérieur, jamais par la pointe.
Les parts de fromage à pâte dure (emmenthal, comté, etc.) se coupent en tranches, parallèlement à la plus petite largeur, ou en lamelles horizontales grâce à une raclette à fromage.
Les petits chèvres peuvent être coupés en demi-cylindres.

CLASSIFICATION DES FROMAGES

TYPE DE FROMAGE	SAVEUR		
	Douce	**Fruitée**	**Très prononcée**
Pâtes fondues	fondu aux noix	fondu aux raisins	
Pâtes pressées non cuites	bel paese edam gouda montségur saint-paulin	cantal chester morbier port-salut saint-nectaire savaron taleggio tomme d'Abondance tomme de Savoie	appenzel cheddar vieux
Pâtes pressées cuites ou dures	emmenthal	beaufort vieux comté comté vieux fribourg gruyère parmesan	brindamour gruyère vieux
Pâtes molles	boursault affiné boursin affiné brillat-savarin caprice des dieux duc reblochon rigotte de Condrieu saint-marcellin vacherin Mont-d'Or	banon (vache, chèvre ou brebis) bondon de Neufchâtel brie de Melun cabécou camembert carré de l'Est chabichou (chèvre) chaource coulommiers crottin de Chavignol (chèvre) gournay affiné olivet bleu pont-l'évêque pavé d'Auge sancerre (chèvre)	boulette d'Avesnes brie de Meaux brie de Montereau chaource affiné époisses limbourg livarot maroilles munster munster au cumin pannes cendré
Pâtes persillées	bleu de Bresse gorgonzola	fourme d'Ambert persillé des Aravis pyramide (chèvre) roquefort	bleu d'Auvergne bleu des Causses stilton
Fromages frais	banon frais (chèvre ou brebis) brousse (brebis) chèvre frais demi-sel fontainebleau petit-suisse	boursin aux herbes boursin au poivre claquebitou (chèvre) triple-crème au paprika	

COMPOSITION DES PLATEAUX

Pour un style de buffet décontracté, vous pouvez ne présenter qu'un fromage. Choisissez alors une roue de brie de Meaux qui mesure environ 35 cm de diamètre.
Pour garder au fromage une présentation nette, servez-vous d'une assiette retournée sur le fromage pour faire une première découpe circulaire ; cela permettra aux invités qui se servent en premier de se couper des parts dans la couronne.

Mais en général, vous servirez un assortiment. Voici nos suggestions pour composer un beau plateau de fromages à chaque saison :
Printemps : chaource, emmenthal, pyramide, tomme de Savoie, roquefort, chabichou, brie de Melun, munster.
Été : chèvre frais, reblochon, carré de l'Est, camembert, fourme d'Ambert, saint-nectaire, taleggio, époisses.
Automne : vacherin, cantal, pont-l'évêque, brie de Meaux, comté, sancerre, appenzel, bleu d'Auvergne.
Hiver : montségur, brillat-savarin, boursin au poivre, savaron, crottin de Chavignol, coulommiers, stilton, livarot.

PRÉSENTATION

Photo page 25

Présentez les fromages sur un plateau de bois, d'osier ou de céramique couvert de feuilles ou de paillons, avec au moins deux couteaux. Disposez-les en cercle selon leur degré de saveur, du plus doux au plus fort. Vous pouvez piquer dans chaque fromage une étiquette portant son nom.
Prédécoupez une première tranche dans chaque fromage pour indiquer la ligne à suivre.
Accompagnez le plateau d'une petite motte de beurre, de pain (pain de campagne, pain de seigle, pain complet ou pain aux noix ou aux raisins) ou de biscuits dans une corbeille, et des condiments appropriés :

— de la moutarde pour le gruyère, le comté et l'emmenthal
— du cumin pour le munster
— un mélange de ciboulette, d'échalote et d'ail hachés pour les fromages de chèvre frais
— du paprika pour tous les fromages frais
— de petits oignons blancs pour le roquefort et le camembert
— du céleri en branches pour les pâtes persillées.

Vous pouvez toujours prévoir un pot de moutarde et un bol de cerneaux de noix.
Si vous préférez une présentation plus originale, vous pouvez présenter les fromages, le beurre, les accompagnements et un pain boule évidé garni de cubes de pain sur un seul plateau couvert de chapelure en vous inspirant des explications de la page 54 (photo p. 41).

ASSOCIATION FROMAGES-VINS

Vous devez respecter deux règles simples :
— de façon générale, les fromages s'associent bien avec les vins de leur région d'origine ;
— si vous désirez avoir un service simple et ne servir qu'un seul vin, il vaut mieux choisir un vin rouge corsé.

CHAPITRE XV

FRIANDISES ET DESSERTS

CONSEILS GÉNÉRAUX

DESSERTS SIMPLES

- Crème au chocolat
- Pâte à crêpes sucrée
- Crêpes roulées aux pommes normandes
- Crêpes roulées à la confiture
- Crêpes roulées à la crème pâtissière
- Flan parisien
- Gâteau au fromage blanc à la sauce à la vanille
- Quatre-quarts
- Gâteau moelleux au chocolat
- Tarte feuilletée

DÉCOR DES GÂTEAUX

- Conseils généraux
- Glaçage au chocolat
- Rosaces aux amandes
- Décor en glace royale

- Idées de présentation et conseils
- Pièce montée confiseur
- Pyramide de gâteaux au chocolat
- Croquembouche
    - Petits choux
    - Crème pâtissière
    - Cuisson du sucre au caramel blond
    - Fabrication du cône
    - Garniture des choux à la crème pâtissière
    - Glaçage au caramel
    - Montage du croquembouche

CONSEILS GÉNÉRAUX

Si le buffet comprend une corbeille de fruits, il n'est pas toujours nécessaire de prévoir également un gros gâteau. Mais les gourmands apprécieront certainement la possibilité de finir sur une note sucrée et une friandise sera la bienvenue.
Vous choisirez évidemment le dessert en fonction de l'occasion et du temps que vous pouvez lui accorder. N'oubliez pas qu'une même recette de base se prête souvent à des finitions plus ou moins complexes, à des présentations plus ou moins spectaculaires. Un gâteau aussi simple que le quatre-quarts, par exemple, permet de construire d'intéressantes pièces montées, tandis que les choux que nous vous présentons ici pour le croquembouche peuvent être tout simplement servis individuellement, garnis ou non, à un goûter d'enfants.
Étant donné que nous avons déjà consacré un livre à la pâtisserie *(Faites votre pâtisserie comme Lenôtre)* et un autre à la confiserie et aux glaces *(Faites votre confiserie comme Lenôtre),* parus tous les deux chez Flammarion, nous avons décidé de nous limiter ici à certains desserts qui se prêtent particulièrement bien au buffet, et aux pièces montées.
En matière de pâtisserie, les professionnels ont des « trucs » pour la construction des pièces et la mise en place des décors. Je vais vous en montrer quelques-uns que vous pourrez ensuite adapter à vos desserts favoris. Le reste dépend de votre imagination.

DESSERTS SIMPLES

CRÈME AU CHOCOLAT

Cette crème restera moelleuse et brillante. Elle est délicieuse servie telle quelle, avec des biscuits par exemple, mais elle peut également être servie en accompagnement ou encore fourrer ou glacer des gâteaux.

PRÉPARATION : 10 MN
DONT 5 MN DE CUISSON

INGRÉDIENTS POUR 800 G :

250 G DE CHOCOLAT FONDANT EN TABLETTE
50 G DE CACAO AMER EN POUDRE
2,2 DL DE LAIT
130 G DE SUCRE SEMOULE
150 G DE BEURRE

MATÉRIEL :

CASSEROLE DE 3 LITRES
PASSOIRE FINE
FOUET

POUR LE BUFFET :

COMPOTIER EN VERRE (FACULTATIF)
COUPES DE VERRE
PETITES CUILLERS

Tamisez le cacao dans une passoire fine.
Dans la casserole, faites bouillir le lait avec le sucre et le beurre ; dès que le mélange arrive à ébullition, ajoutez le cacao ; fouettez en ramenant à ébullition.
Hors du feu, ajoutez le chocolat cassé en morceaux, laissez reposer pendant 3 mn avant de mélanger doucement au fouet.
Servez bien frais avec des biscuits à la cuiller ou du pain brioché (p. 436).

Conservation : 4 jours au réfrigérateur, dans un récipient couvert.

Conseil : si vous voulez servir cette sauce en accompagnement, faites-la réchauffer pendant 7 mn dans un bain-marie chaud mais non bouillant, en remuant à la spatule et présentez-la dans une saucière chauffée.

PÂTE À CRÊPES SUCRÉE

PRÉPARATION : 30 MN

TEMPS DE REPOS : 1 H

CUISSON : 30 MN AVEC 2 POÊLES

INGRÉDIENTS POUR 20 CRÊPES DE ∅ 20 CM UN PEU ÉPAISSES :
250 G DE FARINE
80 G D'HUILE
60 G DE SUCRE SEMOULE
80 G DE BEURRE
6 ŒUFS
1 CUILLERÉE À SOUPE DE GRAND MARNIER
1 CUILLERÉE À SOUPE DE RHUM VIEUX
1 ORANGE
3/4 DE LITRE DE LAIT
100 G DE BEURRE POUR LA POÊLE
OU 1 DL D'HUILE

MATÉRIEL :
2 POÊLES DE ∅ 20 CM
1 GRAND BOL
1 FOUET OU ROBOT COMPACT

Faites cuire le beurre jusqu'à ce qu'il prenne une odeur de noisette et soit à peine coloré.
Mélangez au fouet ou au robot compact la farine, l'huile, le sucre, les œufs, les alcools, le zeste de l'orange haché très fin et le beurre noisette avec 2 dl de lait pour obtenir un mélange lisse et consistant. Continuez à ajouter du lait en en réservant 2 dl pour alléger la pâte juste avant la cuisson. Laissez reposer pendant au moins 1 h.
Faites cuire les crêpes dans 2 poêles pendant 1 mn environ de chaque côté. Elles sont alors prêtes à être garnies.
Ne les conservez pas sans garniture car elles risqueraient de se dessécher.

Conseil : si vous prévoyez plusieurs garnitures, gardez les crêpes les plus épaisses pour les fourrer à la confiture et à la crème pâtissière.

Utilisation : nature, pour un goûter d'enfants. Dans ce cas, mettez-les au bain-marie dans un plat creux couvert.

CRÊPES ROULÉES AUX POMMES NORMANDES

PRÉPARATION : 30 MN

CUISSON : 20 MN

TEMPS DE REFROIDISSEMENT : 15 MN

INGRÉDIENTS POUR 10 PERSONNES :

20 CRÊPES DE ∅ 20 CM
1,5 KG DE POMMES ACIDULÉES
100 G DE BEURRE
1 GOUSSE DE VANILLE
120 G DE SUCRE SEMOULE

MATÉRIEL :

2 BARQUETTES ALUMINIUM POUR CONGÉLATION DE 24 CM DE LONG AVEC COUVERCLE
SAUTEUSE
VIDE-POMMES
PINCEAU

POUR LE BUFFET :

10 ASSIETTES
10 FOURCHETTES

Pelez et évidez les pommes. Coupez-les verticalement en 2. Posez chaque moitié à plat sur le plan de travail et coupez-la en 8 quartiers.
Faites fondre le beurre dans la sauteuse, ajoutez la gousse de vanille fendue, les quartiers de pommes. Laissez 30 secondes puis ajoutez 100 g de sucre. Faites cuire à feu moyen pendant 10 mn en tournant souvent.
Faites refroidir rapidement en plaçant la sauteuse dans un bain froid.

Garniture et finition

Étalez les crêpes sur le plan de travail.
Sur chaque crêpe, mettez 1 bonne cuillerée à soupe de garniture que vous étalez un peu pour lui donner la forme d'un boudin d'environ 10 cm de long. Repliez les bords des crêpes sur les deux extrémités du boudin puis roulez en cylindre.
Faites chauffer le four à 180° (th. 5).
Beurrez les barquettes au pinceau, saupoudrez-les légèrement du sucre restant.
Rangez les crêpes dedans en plaçant le rabat en dessous. Couvrez.
Réchauffage : passez au four pendant 10 mn.
Servez immédiatement.

Conservation : avant le passage au four, 24 h au réfrigérateur, dans les barquettes couvertes.

Congélation : elle se fait avant le passage au four, dans les barquettes. Pour réchauffer les crêpes, ne les décongelez pas au préalable et mettez-les directement au four à 180° (th. 5) pendant 15 à 20 mn.

CRÊPES ROULÉES À LA CONFITURE

PRÉPARATION : 15 MN

CUISSON : 10 MN

INGRÉDIENTS POUR 10 PERSONNES :

20 CRÊPES DE ∅ 20 CM
600 G DE CONFITURE D'ORANGES
OU DE CONFITURE D'ABRICOTS

MATÉRIEL :

2 BARQUETTES ALUMINIUM POUR CONGÉLATION DE 24 CM DE LONG AVEC COUVERCLE
PINCEAU

POUR LE BUFFET :

10 ASSIETTES
10 FOURCHETTES

Choisissez de la confiture d'oranges épaisse avec beaucoup de zeste ou de la confiture d'abricots contenant des morceaux de fruits.
Garniture, finition, réchauffage : voir crêpes roulées aux pommes normandes.

Conservation, congélation : idem.

CRÊPES ROULÉES À LA CRÈME PÂTISSIÈRE

PRÉPARATION : 15 MN

CUISSON : 10 MN

INGRÉDIENTS POUR 10 PERSONNES :

20 CRÊPES SUCRÉES DE ∅ 20 CM
900 G DE CRÈME PÂTISSIÈRE (P. 421)
80 G DE CRÈME CHANTILLY
OU DE CRÈME FOUETTÉE

MATÉRIEL :

2 BARQUETTES ALUMINIUM POUR CONGÉLATION DE 24 CM DE LONG, AVEC COUVERCLE
FOUET
PINCEAU

POUR LE BUFFET :

10 ASSIETTES
10 FOURCHETTES

Préparez la crème pâtissière la veille ou faites-la refroidir rapidement. Lissez-la au fouet et incorporez la crème Chantilly ou la crème fouettée.
Garniture, finition, réchauffage : voir crêpes roulées aux pommes normandes.

Variantes

1. Concassez grossièrement sur la garniture de crème pâtissière une tablette de chocolat fondant de 100 g.

2. Ajoutez à la crème pâtissière 100 g de raisins secs macérés dans du rhum.
3. Ajoutez à la crème pâtissière 2 cuillerées à soupe de grand-marnier et le zeste d'une orange haché finement.

Conservation, congélation : voir crêpes roulées aux pommes normandes.

FLAN PARISIEN

Photo page 24

PRÉPARATION : 15 MN

CUISSON : 60 MN

INGRÉDIENTS POUR 24 PERSONNES :

3 MOULES DE ⌀ 26 CM GARNIS DE PÂTE BRISÉE CRUE (P. 173)
2 LITRES DE LAIT
2 GOUSSES DE VANILLE
8 ŒUFS
500 G DE SUCRE SEMOULE
160 G DE MAÏZENA

MATÉRIEL :

2 PLAQUES DU FOUR
BOL MÉLANGEUR
FOUET ÉLECTRIQUE OU À MAIN

POUR LE BUFFET :

3 PLATS DE SERVICE
24 PETITES FOURCHETTES

Préparez les fonds de pâte la veille ou au minimum 2 h à l'avance ; laissez-les au réfrigérateur jusqu'au moment de les garnir.
Chauffez le four à 200° (th. 6).
Faites bouillir le lait dans la casserole avec les gousses de vanille fendues dans la longueur. Battez les œufs avec le sucre pendant 2 mn à grande vitesse. Ajoutez la maïzena ; arrêtez de fouetter dès qu'elle est incorporée. Versez un peu de lait bouillant dans ce mélange, fouettez quelques secondes, puis versez le mélange dans le reste du lait.
Reportez à ébullition et laissez cuire 1 minute en fouettant toujours.
Continuez à fouetter 1 minute hors du feu après cuisson ; répartissez l'appareil également dans les 3 moules.
Faites cuire à 200° (th. 6) pendant 5 mn puis baissez à 180° (th. 5) pendant 45 mn.
Surveillez la coloration en intervertissant au besoin les plaques à mi-cuisson.
Laissez refroidir avant de démouler.
Servez prédécoupé sur les plats.

Conservation : 48 h au réfrigérateur, dans les moules couverts.

Variantes : en suivant la même recette, vous pouvez faire un *flan auvergnat* ou un *flan breton* en disposant sur le fond de pâte 250 g de cerises dénoyautées ou 250 g de pruneaux moelleux dénoyautés avant d'ajouter l'appareil.

GÂTEAU AU FROMAGE BLANC À LA SAUCE À LA VANILLE

PRÉPARATION : 30 MN + 20 MN

CUISSON : 20 MN + 15 MN

TEMPS DE REFROIDISSEMENT : 30 MN

INGRÉDIENTS POUR 15 A 20 PERSONNES :

GÂTEAU :

500 G DE FROMAGE BLANC ÉPAIS À 40 % DE MATIÈRES GRASSES
8 BLANCS D'ŒUFS
120 G DE MAÏZENA
300 G DE SUCRE SEMOULE
5 DL DE LAIT
1 CUILLERÉE À CAFÉ DE ZESTE DE CITRON
1 CUILLERÉE À CAFÉ DE JUS DE CITRON
5 FEUILLES DE GÉLATINE
UNE NOIX DE BEURRE

SAUCE :

8 JAUNES D'ŒUFS
280 G DE SUCRE SEMOULE
6,5 DL DE LAIT
1 GOUSSE DE VANILLE

MATÉRIEL :

2 CERCLES À ENTREMETS DE ∅ 20 CM HAUTS DE 5 CM
ET 2 PLATS DE SERVICE RONDS ALLANT AU FOUR
OU BIEN 20 MOULES ALUMINIUM INDIVIDUELS
GRANDE CASSEROLE DE 3 LITRES
GRAND CUL-DE-POULE
BOL ET FOUET
THERMOMÈTRE À SUCRE (FACULTATIF)

POUR LE BUFFET :

15 À 20 PETITES ASSIETTES
15 À 20 CUILLERS
SAUCIÈRE

Gâteau

Cassez les œufs et séparez les blancs des jaunes. Râpez finement le zeste de citron. Faites ramollir la gélatine dans de l'eau froide. Faites bouillir le lait. Dans un cul-de-poule, mélangez au fouet le fromage blanc, la moitié du sucre semoule et la maïzena ; ajoutez un peu de lait, puis versez le tout dans la casserole. Ajoutez le sel et le zeste de citron et faites cuire jusqu'à ébullition, en fouettant.
Laissez bouillir 1 mn
Hors du feu, incorporez la gélatine rincée et égouttée.
Beurrez les cercles et les plats ou les moules ; posez-les sur la plaque du four.
Faites chauffer le four à 200° (th. 6).
Montez les blancs en neige ferme avec la cuillerée de jus de citron en ajoutant le sucre restant, cuillerée par cuillerée, dès que les œufs commencent à mousser.
Incorporez 1/4 des blancs d'œufs en neige à l'appareil au fromage puis incorporez délicatement le mélange au reste des blancs (voir conseils, p. 408).

Garnissez moules ou cercles à ras bords.
Faites colorer au four pendant 10 mn en surveillant.
Sortez du four : ôtez les cercles en glissant tout autour la lame d'un couteau ou laissez refroidir dans les moules individuels.

Sauce à la vanille
Portez à ébullition le lait, la moitié du sucre et la gousse de vanille fendue dans la longueur. Arrêtez la cuisson et laissez la vanille infuser pendant 10 mn dans la casserole couverte.
Dans un bol, fouettez les jaunes d'œufs avec le reste du sucre, à vitesse moyenne, pendant 1 mn, pour les blanchir.
Reportez à ébullition le contenu de la casserole ; versez un peu de lait bouillant sur les jaunes en fouettant puis versez le mélange dans la casserole.
Laissez cuire à feu très doux, en vannant sans arrêt avec la spatule en bois. L'appareil ne doit surtout pas bouillir. On le sent très vite commencer à épaissir ; pour vérifier la consistance, passez le bout du doigt sur la spatule au-dessus de la casserole : si le trait reste bien marqué, la sauce est prise, elle nappe la spatule. Retirez du feu et enlevez la gousse de vanille. Si vous voulez éviter tout risque de faire bouillir l'appareil, utilisez un thermomètre à sucre et arrêtez la cuisson dès que la température atteint 83° exactement. Continuez à vanner hors du feu car la température montera encore de 2°. Si, malgré vos précautions, la sauce bout et tourne en cours de cuisson, fouettez-la vivement au mixer en ajoutant immédiatement 1 cuillerée de lait froid ou de crème.
Faites refroidir dans un cul-de-poule posé dans un bain froid, en vannant de temps en temps, pendant environ 30 mn.
Mettez au réfrigérateur jusqu'au moment de servir.
Servez le gâteau au fromage blanc refroidi accompagné de la sauce à la vanille présentée en saucière.

Conservation : le gâteau, 48 h au réfrigérateur, dans les moules couverts ; la sauce, 48 h au réfrigérateur, dans un récipient fermé.

Congélation : faites congeler le gâteau dès que les moules sont garnis. Congelez la sauce dans un récipient plastique que vous fermez hermétiquement après durcissement.
Ne les conservez pas pendant plus de 15 jours.

QUATRE-QUARTS

Comme son nom l'indique, ce gâteau est fait avec 4 parts égales d'œufs, de beurre, de farine et de sucre.

PRÉPARATION : 20 MN

TEMPS DE REPOS : 30 MN

CUISSON : 50 MN

INGRÉDIENTS POUR 12 PERSONNES :

6 GROS ŒUFS (350 G SANS LES COQUILLES)
350 G DE BEURRE POMMADE
350 G DE FARINE FLUIDE
350 G DE SUCRE SEMOULE
2 CITRONS OU 2 PINCÉES DE VANILLE EN POUDRE
2 CUILLERÉES À CAFÉ RASES DE LEVURE CHIMIQUE

MATÉRIEL :

2 MOULES À CAKE DE 1,5 LITRE
BOL MÉLANGEUR ET FOUET
RÂPE
PAPIER SILICONÉ OU SULFURISÉ

POUR LE BUFFET :

2 PLATS RECTANGULAIRES

Râpez le zeste des citrons.
Ramollissez le beurre pommade au fouet. Toujours en fouettant, ajoutez le sucre, les œufs un par un et le zeste de citron.
Si tous les ingrédients ne sont pas à température ambiante, le mélange peut être un peu granuleux. Dans ce cas, il suffit de chauffer le bol mélangeur en le posant dans de l'eau chaude pendant quelques secondes.
Tamisez la levure avec la farine, incorporez-les au mélange.
Beurrez légèrement les moules, tapissez l'intérieur de papier siliconé ou sulfurisé que vous pouvez également beurrer très légèrement.
Versez la pâte dans les moules en vous aidant d'une spatule et en évitant de salir le haut du papier qui risquerait de brûler au four.
Laissez reposer au réfrigérateur pendant au moins 30 mn.
Faites chauffer le four à 180° (th. 5).
Faites cuire les quatre-quarts pendant 20 mn puis baissez la température à 170° et laissez cuire encore 30 mn.
Sortez les gâteaux du four, retournez les moules sur une plaque ; laissez refroidir. Démoulez sur les plats de service quand les quatre-quarts sont froids.
Servez les gâteaux coupés en tranches et accompagnés de confiture de framboises ou d'une sauce à la vanille (p. 405) ou d'une crème au chocolat (p. 399).

Conservation : 8 jours au réfrigérateur, enveloppés dans du papier d'aluminium.

Congélation : elle se fait dès que les gâteaux sont à température ambiante. Démoulez-les, faites-les durcir au congélateur puis enfermez-les individuellement dans des sacs plastique congélation. Vous pouvez aussi faire cuire les gâteaux dans des moules aluminium et les congeler dans les moules couverts.
Le quatre-quarts se congèle particulièrement bien, n'hésitez donc pas à en faire plusieurs à la fois.
Décongelez 1/2 journée au réfrigérateur dans leur emballage.

Conseil : vous pouvez également présenter le quatre-quarts fourré à la crème ou à la confiture, vous pouvez le glacer et le décorer ; avec 3 quatre-quarts de tailles décroissantes cuits dans des moules bas, vous pouvez réaliser une pièce montée (p. 413).

GÂTEAUX MOELLEUX AU CHOCOLAT

Photo page 417

PRÉPARATION : 20 MN

CUISSON : 40 À 50 MN

TEMPS DE REFROIDISSEMENT : 2 H

INGRÉDIENTS POUR 15 PERSONNES :

APPAREIL AU CHOCOLAT :

250 G DE CHOCOLAT À CROQUER
12 JAUNES D'ŒUFS
60 G DE FARINE
125 G DE BEURRE

APPAREIL MERINGUÉ :

12 BLANCS D'ŒUFS
125 G DE FÉCULE
360 G DE SUCRE SEMOULE
1 PINCÉE DE SEL FIN

DÉCOR ET FINITION :

75 G D'AMANDES EFFILÉES
SUCRE GLACE
1 NOIX DE BEURRE

MATÉRIEL :

2 MOULES A GÉNOISE DE ∅ 28 ET 24 CM
OU 3 PETITS MOULES DE ∅ 20, 16 ET 14 CM
CASSEROLE DE 3 LITRES
CUL-DE-POULE DE 2 LITRES
BOL ET FOUET
PAPIER SILICONÉ

POUR LE BUFFET :

2 OU 3 PLATS DE SERVICE
15 PETITES ASSIETTES
15 PETITES CUILLERS

Cassez les œufs, séparez les blancs des jaunes ; tamisez la farine.
Beurrez les moules au pinceau, couvrez le fond avec du papier siliconé, beurrez à nouveau. Chemisez tout l'intérieur des moules, y compris les parois, d'amandes effilées (voir photo).
Faites chauffer le four à 180° (th. 5).
Faites fondre le chocolat dans un grand cul-de-poule au bain-marie pour l'amener à 35°. Hors du feu et en fouettant, incorporez le beurre en morceaux, puis les jaunes d'œufs ; mélangez soigneusement. Versez dessus la farine en une fois, mais ne l'incorporez pas pour ne pas alourdir l'appareil ; la farine sera incorporée en même temps que l'appareil meringué.
En même temps, de préférence, si vous avez un bol et un fouet électrique, montez les blancs en neige avec 1 pincée de sel.
Prélevez 1 cuillerée à soupe de sucre et mélangez-la à la fécule tamisée.
Quand les blancs commencent à mousser, ajoutez 5 cuillerées de sucre en une fois puis le sucre restant, cuillerée par cuillerée. Enfin, quand les blancs sont bien fermes, incorporez le mélange sucre-fécule en fouettant à vitesse minimum pendant 2 ou 3 secondes.

Le mélange des deux appareils est assez délicat car il ne faut pas que l'appareil au chocolat, qui est assez lourd, fasse retomber les œufs. La meilleure méthode consiste à faire d'abord un prémélange : avec une spatule souple ou une écumoire, prélevez 1/4 des œufs en neige ; mélangez-les à l'appareil au chocolat tout en continuant à fouetter le reste des œufs à vitesse minimum. Cessez de fouetter et versez le prémélange sur les œufs.
Plongez la spatule souple verticalement dans le bol puis sortez-la horizontalement en longeant le bord tandis que, de l'autre main, vous faites faire au bol 1/4 de tour. Recommencez l'opération plusieurs fois jusqu'à ce que l'appareil soit homogène. C'est la meilleure méthode pour conserver au mélange un maximum de légèreté.
Garnissez immédiatement les moules aux 3/4 de leur hauteur, mettez au four sans attendre et laissez cuire pendant 40 à 50 mn selon la taille des gâteaux, en maintenant le four entrouvert avec le manche d'une cuiller.
Démoulez encore chaud sur une plaque recouverte de papier siliconé. En cours de refroidissement, déplacez les gâteaux sur la plaque pour qu'ils n'y adhèrent pas sous l'effet de la condensation.
Saupoudrez de sucre glace et servez prédécoupé.

Conservation : sans sucre glace, 8 jours au réfrigérateur, enveloppés individuellement dans du papier d'aluminium ou un film plastique.

Congélation : bien enveloppés dans des sacs spéciaux congélation, les gâteaux peuvent être conservés 1 mois. Faites décongeler au réfrigérateur 1/2 journée avant d'ouvrir les sacs.

Conseil : si vous utilisez cette recette pour faire une pyramide de gâteaux au chocolat, faites 6 gâteaux en 2 fois et moulez le plus petit dans un moule à côtes.
Vous pouvez aussi fourrer les gâteaux au chocolat et les présenter individuellement ou en pièce montée feu d'artifice.

TARTE FEUILLETÉE

Photo page 24

PRÉPARATION : 40 MN

CUISSON : 25 MN

INGRÉDIENTS POUR 15 PORTIONS EN BUFFET :

500 G DE FEUILLETAGE (P. 174)
600 G DE CRÈME PÂTISSIÈRE (P. 421)
800 G DE FRUITS AU SIROP ÉGOUTTÉS (POIRES, PRUNEAUX, MIRABELLES, ETC.)
OU 800 G DE PRUNEAUX DÉNOYAUTÉS
OU 1,2 KG DE FRUITS ROUGES
150 G DE GELÉE DE FRUITS
1 ŒUF

MATÉRIEL :

PLAQUE DU FOUR
ROULEAU À PÂTISSERIE
PINCEAU

POUR LE BUFFET :

PLATEAU
OU PAPIER MÉTALLISÉ
15 PETITES ASSIETTES
15 FOURCHETTES

Faites le feuilletage la veille et donnez-lui 2 tours supplémentaires pour qu'il soit à 5 tours.
Sur le plan de travail légèrement fariné, abaissez le feuilletage sur 1,5 mm d'épaisseur en un rectangle de 35 × 45 cm environ. Piquez toute la surface avec une fourchette.
Coupez 1,5 cm de pâte sur le pourtour de l'abaisse pour former 4 bandes. Réservez-les bien à plat. Posez le reste de l'abaisse sur la plaque du four légèrement humide.
Avec un pinceau, mouillez le tour de l'abaisse sur une largeur de 1,5 cm. Soudez dessus les bandes réservées en les humectant au pinceau et en les retaillant un peu pour obtenir un rebord bien net. Avec le côté tranchant de la lame d'un couteau, formez des stries en biais sur toute la hauteur du rebord pour qu'il apparaisse comme cannelé après cuisson (en pâtisserie, cela s'appelle « chiqueter » la pâte). Dorez le rebord à l'œuf battu.
Faites chauffer le four à 220° (th. 7).
Mettez la pâte à cuire. Au bout de 5 mn, baissez le four à 200° (th. 6) et laissez cuire pendant encore 20 mn. Saupoudrez de sucre glace et remettez à four très chaud quelques minutes en surveillant.
Laissez refroidir le feuilletage puis étalez dessus la crème pâtissière froide. Disposez les fruits en rangées, en diagonale. Nappez de gelée de fruits tiédie à l'aide du pinceau.
Servez sur un plateau ou sur la plaque du four recouverte de papier métallisé.

Conservation : le feuilletage cuit, 48 h au sec ; la tarte finie, 4 h au frais.

Conseil : tous les ingrédients pouvant être préparés longtemps à l'avance, je vous conseille de garnir la tarte peu de temps avant la réception pour que la crème ne détrempe pas le feuilletage.

DÉCOR DES GÂTEAUX

CONSEILS GÉNÉRAUX

Le décor n'ajoute pas seulement au goût du gâteau, il peut aussi symboliser l'occasion qui donne lieu à la fête. Tous les gâteaux à base d'un biscuit ou d'une génoise peuvent être décorés si l'on prend la précaution de préparer la surface en la recouvrant d'un glaçage ou d'une pâte d'amandes (500 g pour un dessert de 10 personnes).
Vous pouvez remplacer le glaçage au fondant habituel par un glaçage au chocolat (p. 410), à raison de 650 g de crème pour un dessert de 10 personnes.
Pour décorer un gâteau, posez-le sur un disque de carton du même diamètre et placez le tout sur un support assez haut, une boîte de conserve pleine par exemple ; il faut pouvoir tourner le gâteau en cours d'exécution et il est plus facile de décorer le tour si l'on n'est pas gêné par le plan de travail.
Les deux décors les plus faciles à réaliser sont les applications de motifs et le décor à la poche à douille.

Application de motifs

1. Motifs en feuilletage : fleurons (p. 70), cœurs, étoiles, etc., découpés à l'aide de petits emporte-pièce fantaisie.
2. Rosaces aux amandes (p. 412).
3. Motifs en pâte d'amandes de couleurs différentes (voir photo p. 40).

Vous pouvez faire tenir les motifs en les mettant en place sur le glaçage avant que celui-ci ne soit froid, si vous avez fait un glaçage au chocolat, ou bien en les collant avec un peu de miel ou de confiture.

Décor à la poche à douille ou au cornet à décor

Il se fait avec de la glace royale (p. 413).

Avant de préparer la glace royale, faites un dessin schématique du décor que vous voulez réaliser en choisissant des formes courbes de préférence aux lignes droites plus difficiles à exécuter ; pour écrire un nom, par exemple, utilisez des lettres anglaises plutôt que des lettres bâtons. Si vous êtes un peu inquiet en ce qui concerne vos talents, n'hésitez pas à faire appel aux enfants qui excellent souvent à ce genre d'exercice. Si vous vous sentez relativement expert, par contre, lancez-vous dans les décors figuratifs élaborés (bouquet de fleurs, paysages, etc.) ou essayez-vous aux décors géométriques symétriques, en vous inspirant de la photo de la page 411 par exemple.

GLAÇAGE AU CHOCOLAT

PRÉPARATION : 10 MN
DONT 5 MN DE CUISSON

INGRÉDIENTS :
CRÈME AU CHOCOLAT (P. 399)
GÂTEAU

MATÉRIEL :
CASSEROLE
CUL-DE-POULE
GRILLE
PLAT

La quantité de crème au chocolat nécessaire dépendra évidemment de la taille des gâteaux que vous voulez ensuite décorer.
Posez le gâteau sur une grille placée sur un plat.
Faites chauffer la crème dans le cul-de-poule posé dans un bain-marie chaud mais non bouillant. Remuez avec une spatule pendant environ 5 mn jusqu'à ce que la température de la crème atteigne 45 à 50°.
Versez la crème doucement sur le gâteau en laissant couler pour que le pourtour soit bien recouvert. Ne touchez pas au glaçage.
Laissez refroidir.

Conseil : l'excès de crème tombé dans le plat peut encore être utilisé.

Pièce montée confiseur (recette p. 415)

ROSACES AUX AMANDES

En dehors du décor des gâteaux, vous pouvez servir ces rosaces moelleuses comme friandises, séparément ou collées 2 par 2 avec un peu de miel ou de confiture ; présentez-les de préférence dans des coupes à pied.

PRÉPARATION : 10 MN
CUISSON : 10 MN
TEMPS DE REPOS : 6 H MINIMUM

INGRÉDIENTS POUR 60 ROSACES :

200 G D'AMANDES EN POUDRE
100 G DE FRUITS CONFITS
2 BLANCS DE GROS ŒUFS
1 CUILLERÉE À SOUPE BOMBÉE DE MIEL
200 G DE SUCRE GLACE

DÉCOR :

DEMI-BIGARREAUX CONFITS
OU ÉCORCES D'ORANGE CONFITES
OU AMANDES EFFILÉES
OU PIGNONS DE PIN

MATÉRIEL :

2 PLAQUES DU FOUR
ROBOT COMPACT
OU BOL PÉTRISSEUR ET CROCHET POUR PÂTE MOLLE
POCHE À DOUILLE CANNELÉE
2 FEUILLES DE PAPIER BLANC

Hachez les fruits confits. Mélangez-les aux amandes, au sucre glace et aux blancs d'œufs pour obtenir une pâte assez dure. Faites chauffer le miel ; ajoutez-le et mélangez bien.
Sur les plaques du four, collez aux 4 coins 2 feuilles de papier blanc avec un peu de mélange. Dressez le mélange, sur le papier blanc, à la poche à douille (comme il est plutôt ferme, n'en mettez pas trop à la fois dans la poche). Vous obtiendrez une soixantaine de rosaces sur lesquelles vous placerez le décor de votre choix.
Laissez reposer à température ambiante pendant au moins 6 h, plus longtemps si vous voulez ; vous pouvez dresser les rosaces un jour et les faire cuire le lendemain.
Faites chauffer le four à 210° (th. 6/7).
Faites cuire les rosaces pendant 10 ou 11 mn en intervertissant au besoin les plaques à mi-cuisson. Surveillez attentivement la couleur qui doit rester blonde. Dès la sortie du four, versez un peu d'eau sur la plaque en soulevant la feuille de papier pour aider au décollage.

Conservation : 8 jours au réfrigérateur, dans un récipient fermé.

DÉCOR EN GLACE ROYALE

PRÉPARATION : 15 À 30 MN

INGRÉDIENTS POUR DÉCORER UN GROS GÂTEAU :

1 BLANC D'ŒUF
30 GOUTTES DE JUS DE CITRON
225 G DE SUCRE GLACE
COLORANT ALIMENTAIRE (FACULTATIF)

MATÉRIEL :

BOL MÉLANGEUR ET FOUET
OU CUL-DE-POULE ET SPATULE
POCHE À DOUILLE
OU CORNETS À DÉCOR (P. 74)
PAPIER BLANC

Il vous faudra plusieurs cornets à décor.
Travaillez les ingrédients dans le bol mélangeur ou le cul-de-poule pour obtenir une crème épaisse et lisse. Ne laissez pas la crème exposée à l'air mais couvrez-la immédiatement avec un papier humide.
Remplissez le premier cornet et faites quelques essais sur le plan de travail pour voir si la crème coule bien. Décorez ensuite le gâteau (voir p. 410 et photo p. 411).
En colorant la glace royale avec 2 ou 3 gouttes de colorant alimentaire, vous pourrez réaliser tout un paysage, un décor de Noël ou tout autre dessin sur un thème de votre choix.

Conservation : plusieurs jours au réfrigérateur, dans un bol hermétique. Avant utilisation, donnez quelques bons coups de spatule pour lisser la pâte et ajoutez éventuellement quelques gouttes de jus de citron.

Conseil : bien que vous n'utilisiez que quelques gouttes de colorant alimentaire, n'oubliez pas que seuls les colorants de fabrication française répondent toujours aux normes établies pour votre protection.

PIÈCES MONTÉES

IDÉES DE PRÉSENTATION ET CONSEILS

Les gâteaux faciles à manipuler qui ne risquent pas de s'écraser lorsqu'on les superpose sont le pain de Gênes, le colombier de la Pentecôte, le cake, le quatre-quarts (p. 405), le gâteau moelleux au chocolat (p. 407), les biscuits meringués, les génoises. Il est néanmoins nécessaire de les consolider avec des supports (voir recette de la pyramide de gâteaux au chocolat).
Il paraît difficile de les faire le jour de la réception et impossible de les garder au réfrigérateur déjà bien rempli. Mais la plupart d'entre eux peuvent être achetés tout faits et se conservent au sec plusieurs jours ; si vous préférez les préparer vous-même, vous trouverez les recettes dans ce livre ou dans *Faites votre pâtisserie comme Lenôtre* (Flammarion, 1975).

Si vous voulez fourrer les gâteaux de la pièce montée, évitez les garnitures fragiles comme la crème pâtissière ou la crème au beurre qui doivent être conservées au réfrigérateur. Vous pouvez vous contenter d'imbiber légèrement l'intérieur des gâteaux avec un sirop à entremets, de les fourrer à la confiture et de présenter à part une sauce à la vanille (p. 405) ou une crème au chocolat (p. 399) ou même un coulis de fruits de saison.
Pour construire une pièce montée, les possibilités sont multiples. Une idée de présentation simple mais efficace consiste à faire toute une série de gâteaux dans des moules de tailles décroissantes et à les superposer. Pour obtenir une belle pièce montée, il faut en général 5 moules différents, 3 si les gâteaux sont très épais. On appelle cela le montage en pyramide et il peut se faire avec des gâteaux rectangulaires aussi bien qu'avec des gâteaux ronds.
On peut également couper les gâteaux en demi-cercle, s'ils sont ronds, ou en triangles, s'ils sont rectangulaires, et les superposer de façon excentrée, ce qui donne des motifs géométriques intéressants. On obtient ainsi un double escalier avec des marches sur lesquelles on peut poser des décors.

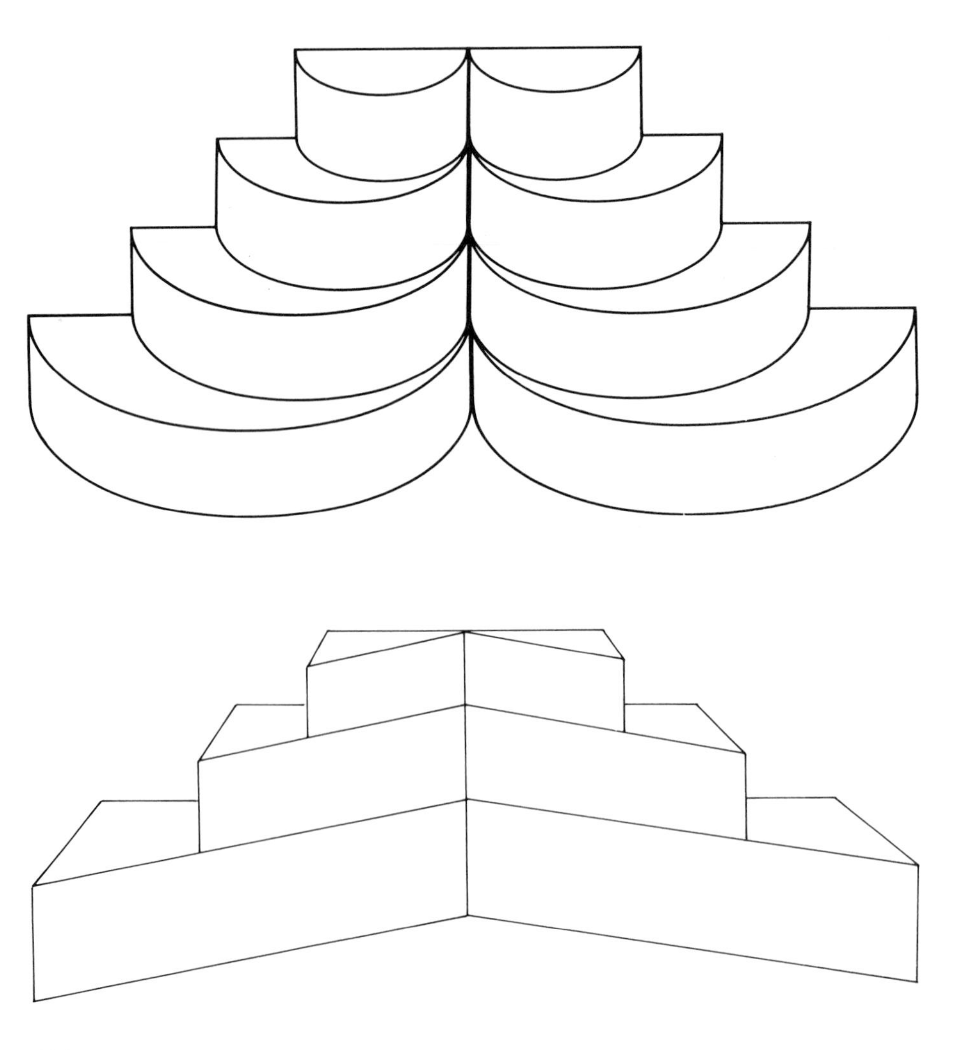

Avec des gâteaux ronds de tailles décroissantes, on peut également construire une double spirale pour faire une pièce montée feu d'artifice (voir photo du buffet classique p. 40).

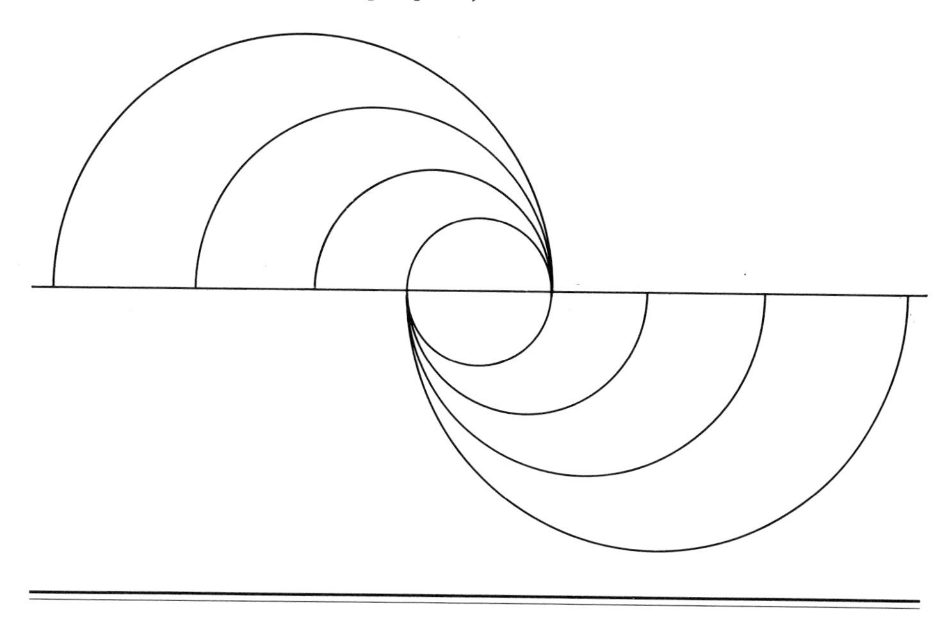

PIÈCE MONTÉE CONFISEUR

Photo page 411

Il s'agit d'une pièce montée composée de 2 gâteaux de diamètres différents, déjà décorés, séparés par des supports verticaux en sucre coulé.

PRÉPARATION : 1 H

CUISSON : 5 À 10 MN

INGRÉDIENTS :

- 2 GÂTEAUX DE ∅ DIFFÉRENTS, DÉCORÉS
- 3 KG DE SUCRE SEMOULE
- 8 CUILLERÉES À SOUPE DE VINAIGRE D'ALCOOL
- 2 FLACONS DE COLORANT ALIMENTAIRE DE COULEURS DIFFÉRENTES
- HUILE POUR LES MOULES

MATÉRIEL :

- 2 CASSEROLES
- 2 CERCLES MÉTALLIQUES DU ∅ DES GÂTEAUX
- 5 PETITS MOULES FANTAISIE SANS FOND EN MÉTAL DE LA MÊME LARGEUR (8 À 10 CM)
- 5 MOULES FANTAISIE PLUS PETITS SANS FOND
- 1 PETIT MOULE EN FORME D'ÉTOILE OU DE CŒUR (SANS FOND)
- THERMOMÈTRE À SUCRE
- PINCEAU
- CISEAUX OU CUTTER
- CERCLE DE CARTON DU ∅ DU PLUS GRAND GÂTEAU
- PAPIER D'ALUMINIUM
- DENTELLE
- PLAT OU PLATEAU DE SERVICE

POUR LE BUFFET :

- PETITES ASSIETTES ET FOURCHETTES

Préparation du sucre coulé

Il est très important que les 5 premiers moules fantaisie soient de largeur identique car ils vont permettre de mouler les supports verticaux sur lesquels sera posé le deuxième gâteau, un peu comme sur des pilotis.

Sur le plan de travail, déroulez assez de papier d'aluminium pour pouvoir poser tous les moules et les cercles dessus ; froissez-le légèrement puis aplatissez-le au rouleau à pâtisserie ; cela donnera du relief au décor.

Mettez 1,5 kg de sucre dans chaque casserole avec 4 cuillerées à soupe de vinaigre et 4,5 dl d'eau. Faites cuire le sucre au grand cassé, à 155° ; pour vérifier la cuisson, jetez un peu du sucre cuit dans un bol d'eau bien froide et assurez-vous qu'il casse comme du verre et ne colle pas sous la dent.

Huilez légèrement l'intérieur de tous les moules et des cercles au pinceau et posez-les sur le papier d'aluminium.

Hors du feu, penchez les casseroles et, quand les bulles disparaissent, versez dans chacune 10 gouttes de colorant ; répartissez le colorant régulièrement en imprimant aux casseroles un mouvement de rotation puis versez vite le sucre dans tous les moules et les cercles sur 7 ou 8 mm d'épaisseur. Laissez refroidir 5 mn et démoulez encore chaud pour que le sucre ne colle pas aux parois des moules. Aidez-vous du dos d'une petite cuiller si le sucre a commencé à coller.

Avec des ciseaux ou un cutter, coupez le papier d'aluminium entre les formes en sucre coulé. Si par mégarde vous cassez un bout de sucre, prenez-le avec une petite pince, passez-le sur une flamme et ressoudez-le.

Montage de la pièce

Ce montage étant relativement rapide, il est préférable de ne pas le faire trop longtemps à l'avance.

Sur le plat de service, posez le cercle de carton puis la dentelle qui doit le cacher entièrement. Posez le grand gâteau, recouvrez-le du grand disque de sucre coulé. En cercle sur ce disque et à environ 7 cm du bord, collez verticalement les 5 moulages fantaisie les plus grands, en chauffant leur base sur une flamme ; ils vont servir de support au deuxième gâteau. Posez dessus le deuxième disque en sucre pour vérifier s'il est bien horizontal et corrigez au besoin les différences de hauteur en les égalisant avec une lame chauffée sur la flamme. Chauffez ce deuxième disque sur une flamme et collez-le sur les supports en le centrant bien. Attendez quelques instants. Placez dessus le deuxième gâteau.

Posez l'étoile ou le cœur en décor, à plat sur le deuxième gâteau, puis collez dessus, verticalement, les 5 petits moulages fantaisie.

Conservation : les formes en sucre coulé démoulées ou l'ensemble du montage en sucre coulé, 3 jours à température ambiante dans un endroit sec, sur une planchette recouverte d'un film plastique ; la pièce montée, pour une durée n'excédant pas 7 ou 8 h, dans une pièce fraîche.

Conseil : le sucre coulé prenant la forme de tout moule dans lequel il est versé, on peut envisager des décors très originaux. Il faut 5 gouttes de colorant pour 750 g de sucre.

Gâteaux moelleux au chocolat (recette p. 407)
Pyramide de gâteaux au chocolat (recette p. 418)

PYRAMIDE DE GÂTEAUX AU CHOCOLAT

Photo page 417

PRÉPARATION : 30 MN

CUISSON : 5 MN

TEMPS DE REFROIDISSEMENT : 1 H

INGRÉDIENTS POUR 28 À 30 PERSONNES :

5 GÂTEAUX MOELLEUX AU CHOCOLAT DE ∅ 28, 24, 20, 16 ET 14 CM
800 G DE CRÈME AU CHOCOLAT (P. 399)
200 G DE GELÉE D'ABRICOTS
1 OU PLUSIEURS FRUITS CONFITS

ACCOMPAGNEMENT :

1 LITRE DE SAUCE À LA VANILLE (P. 405)

SUPPORTS :

75 CM DE BAGUETTE DE BOIS DE ∅ 1 CM
OU 75 CM DE BOIS DE RÉGLISSE
OU 10 À 15 SUCRES D'ORGE DE ∅ 1 CM
SCIE (FACULTATIF)

MATÉRIEL :

PLAT DE SERVICE ROND DE ∅ 32 CM
CASSEROLE DE 1 LITRE
COUTEAU-SCIE
PALETTE
PINCEAU
5 RONDS DE CARTON DU ∅ DES GÂTEAUX
PAPIER D'ALUMINIUM
DENTELLE

POUR LE BUFFET :

30 PETITES ASSIETTES
30 PETITES FOURCHETTES

Coupez les sucres d'orge, cassez le bois de réglisse ou sciez la baguette de bois pour obtenir 15 tronçons de la même longueur correspondant à l'épaisseur des gâteaux ; s'il s'agit de baguettes, enveloppez-les de papier d'aluminium. Ce petit travail peut être fait la veille.
Si la crème au chocolat est froide, assouplissez-la dans un bain-marie tiède.
Pour ne pas abîmer l'extérieur des gâteaux en les fourrant, posez-les à l'envers sur le plan de travail ; incisez le dessous presque horizontalement à l'aide d'un couteau-scie pour découper un large cône très plat. Otez-le. Étalez la crème au chocolat à l'aide d'une palette, refermez le gâteau en appuyant légèrement.
Mettez les gâteaux fourrés au réfrigérateur, à l'envers, pendant 1 h.
Disposez la dentelle sur le plat de service, retournez le plus grand gâteau sur un rond de carton du même diamètre et posez-le au milieu de la dentelle. Enfoncez 5 petits supports verticalement dans le gâteau.
Recouvrez avec le deuxième gâteau posé sur son rond de carton, mettez également 5 supports dans ce deuxième gâteau ; continuez pour former la pyramide en plaçant 3 supports dans le troisième gâteau et 2 dans le quatrième ; le gâteau du haut n'a pas besoin d'être renforcé.

Faites chauffer la gelée d'abricots dans une casserole ; quand elle est chaude, nappez au pinceau l'ensemble de la pièce montée.
Décorez de fruits confits.
Présentez la pyramide accompagnée de sauce à la vanille.

Conservation : 24 h au réfrigérateur ou 12 h dans une pièce fraîche.

LE CROQUEMBOUCHE

Photo page 425

C'est la pièce montée par excellence, servie traditionnellement aux mariages, premières communions et baptêmes.

Il est composé de choux garnis de crème pâtissière et caramélisés. Il faut compter 4 petits choux par personne et au moins 60 petits choux pour monter un joli croquembouche.

nombre de personnes	nombre de petits choux	taille du croquembouche	
		diamètre	hauteur
15	60 à 66	11,5 cm	26 cm
20	80 à 86	13 cm	36 cm
25	100 à 105	14,5 cm	42 cm

Vous pouvez évidemment acheter les choux chez le pâtissier et vous contenter de monter la pièce. Mais, si vous voulez tout faire vous-même, voici le temps approximatif dont vous devrez disposer pour réaliser un croquembouche de 80 choux :

48 h avant la réception :

— préparation des choux	30 mn
— préparation de la crème pâtissière	20 mn
— préparation du caramel	20 mn
— fabrication du cône	10 mn
soit :	1 h 20 mn

24 h avant la réception :

— garniture des choux à la crème pâtissière	20 mn

Le matin même :

— glaçage des choux au caramel	15 mn
— montage et décor	40 mn
soit :	55 mn

VOICI TOUTES LES RECETTES QUI VOUS SERONT NÉCESSAIRES DANS L'ORDRE DE LEUR RÉALISATION.

PETITS CHOUX

PRÉPARATION ET DRESSAGE DE LA PÂTE : 30 MN

CUISSON : 25 MN

INGRÉDIENTS POUR 80 CHOUX :

90 G DE FARINE
3 ŒUFS
16 CL DE MÉLANGE LAIT-EAU (PAR MOITIÉ)
70 G DE BEURRE
1 BONNE CUILLERÉE À CAFÉ DE SEL
1 BONNE CUILLERÉE À CAFÉ DE SUCRE
3 CUILLERÉES À SOUPE DE SUCRE GLACE

MATÉRIEL :

CASSEROLE DE 2 LITRES À FOND ÉPAIS
SPATULE EN BOIS
VERRE GRADUÉ
CUL-DE-POULE
FOUET
POCHE À DOUILLES DE ∅ 1 CM ET 0,3 OU 0,4 CM
2 PLAQUES DU FOUR

Chauffez le four à 220° (th. 7).
Cassez les œufs dans le verre gradué pour vérifier si leur volume est à peu près égal à celui du mélange eau-lait. S'il y a une trop grosse différence, ajustez le nombre d'œufs pour ne pas fausser le rapport des quantités.
Mettez dans la casserole le mélange eau-lait, le sel, le sucre et le beurre. Faites chauffer doucement ; dès le début de l'ébullition, ôtez du feu et ajoutez la farine. Desséchez la pâte à feu doux pendant 1 mn en remuant avec la spatule. Transvasez dans un cul-de-poule chaud, incorporez un œuf en fouettant pendant quelques secondes, puis un autre très rapidement, puis le dernier. Cessez de fouetter dès que la pâte est homogène.
Il est préférable de ne pas travailler longuement la pâte pour obtenir des choux de forme régulière.
Sur la plaque du four beurrée ou recouverte d'un papier siliconé, dressez 35 à 40 boules de pâte de ∅ 2,5 cm à l'aide de la douille de 1 cm, en les espaçant car elles vont gonfler.
Prenez ensuite la douille de 0,3 ou 0,4 cm et dressez 4 décors en forme de « S » de 8 cm, plus larges à la base qu'au sommet.
Dressez le reste des choux sur la seconde plaque.
Saupoudrez légèrement de sucre glace avant d'enfourner.
Faites cuire à 220° (th. 7) pendant 10 mn, puis baissez à 200° (th. 6) et laissez cuire encore 15 mn en maintenant la porte du four entr'ouverte à l'aide d'une cuiller. Surveillez la cuisson : les choux doivent être relativement secs pour bien tenir les uns sur les autres quand vous monterez le croquembouche.

Conservation : 48 h au sec dans une boîte fermée.

CRÈME PÂTISSIÈRE

PRÉPARATION DONT CUISSON : 20 MN

INGRÉDIENTS POUR 900 G DE CRÈME :

1/2 LITRE DE LAIT
1/2 GOUSSE DE VANILLE
6 JAUNES D'ŒUFS
150 G DE SUCRE SEMOULE
40 G DE MAÏZENA
OU 40 G DE FARINE FLUIDE

MATÉRIEL :

CASSEROLE DE 2 LITRES
FOUET À MAIN
ET FOUET ÉLECTRIQUE
GRAND BOL DE 2 LITRES
CUL-DE-POULE DE 1/2 LITRE
SPATULE EN BOIS

Faites bouillir le lait avec la gousse de vanille fendue dans la longueur dans une casserole de 2 litres.
Dans un grand bol de 2 litres, fouettez vivement les jaunes d'œufs et le sucre jusqu'à ce que le mélange blanchisse. Incorporez la maïzena ou la farine sans la travailler.
Versez le lait bouillant sur le mélange en fouettant doucement et remettez le tout sur le feu. Laissez bouillir la crème 1 mn en la fouettant vigoureusement contre le fond de la casserole pour ne pas la laisser attacher.
Versez la crème dans le cul-de-poule et frottez-en la surface avec un peu de beurre, pour éviter la formation d'une croûte. Faites refroidir dans un bain froid.

Conservation : 2 jours au maximum, au réfrigérateur dans un récipient hermétiquement fermé.

CUISSON DU SUCRE AU CARAMEL BLOND

Le caramel blond va servir à glacer les choux, à préparer 2 socles et à « cimenter » la pièce au moment du montage.

PRÉPARATION : 20 MN

DONT 10 MN DE CUISSON

INGRÉDIENTS POUR UN CROQUEMBOUCHE DE 80 CHOUX :

1 KG DE SUCRE SEMOULE
20 GOUTTES DE JUS DE CITRON

MATÉRIEL :

CASSEROLE DE 3 LITRES EN INOXYDABLE
2 CERCLES À TARTE (∅ 20 CM ET ∅ 6 OU 8 CM)
PLAQUE MÉTALLIQUE
OU MARBRE
PINCEAU

Versez le sucre et 2,5 dl d'eau dans la casserole, faites chauffer et remuez doucement avec une spatule pour faire fondre le sucre en évitant d'éclabousser les parois.
Dès que le sucre bout, ajoutez le jus de citron et cessez de remuer pour éviter de troubler la limpidité du sucre.
Le feu ne doit pas être trop fort ni dépasser le fond de la casserole pour ne pas brûler le sucre pendant la cuisson. Nettoyez éventuellement les parois qui bruniraient avec un pinceau mouillé d'eau chaude et, quand la coloration commence, remuez la casserole pour que la couleur se répartisse, toujours sans utiliser la spatule.
Pendant la cuisson du sucre, huilez une plaque métallique ou un marbre ; huilez également l'intérieur des cercles à tarte et posez-les sur la plaque.
Dès que la couleur caramel blond est atteinte, versez une fine couche de sucre cuit dans les deux cercles pour former les deux socles de la pièce montée (un pour la base et l'autre pour le sommet du décor). Versez ensuite le caramel restant directement sur la plaque huilée, laissez-le refroidir et réservez-le pour le glaçage et le montage.

Conservation : dans un endroit sec à température ambiante.

Conseil : si vous caramélisez les choux immédiatement, versez 1/3 du caramel sur la plaque et glacez avec celui qui reste dans la casserole.

FABRICATION DU CÔNE

PRÉPARATION : 10 MN

MATÉRIEL :

1 FEUILLE DE PAPIER CANSON
PAPIER SILICONÉ
OU 1 FEUILLE DE PLASTIQUE TRANSPARENT
CRAYON
DOUBLE-DÉCIMÈTRE
CISEAUX
COLLE

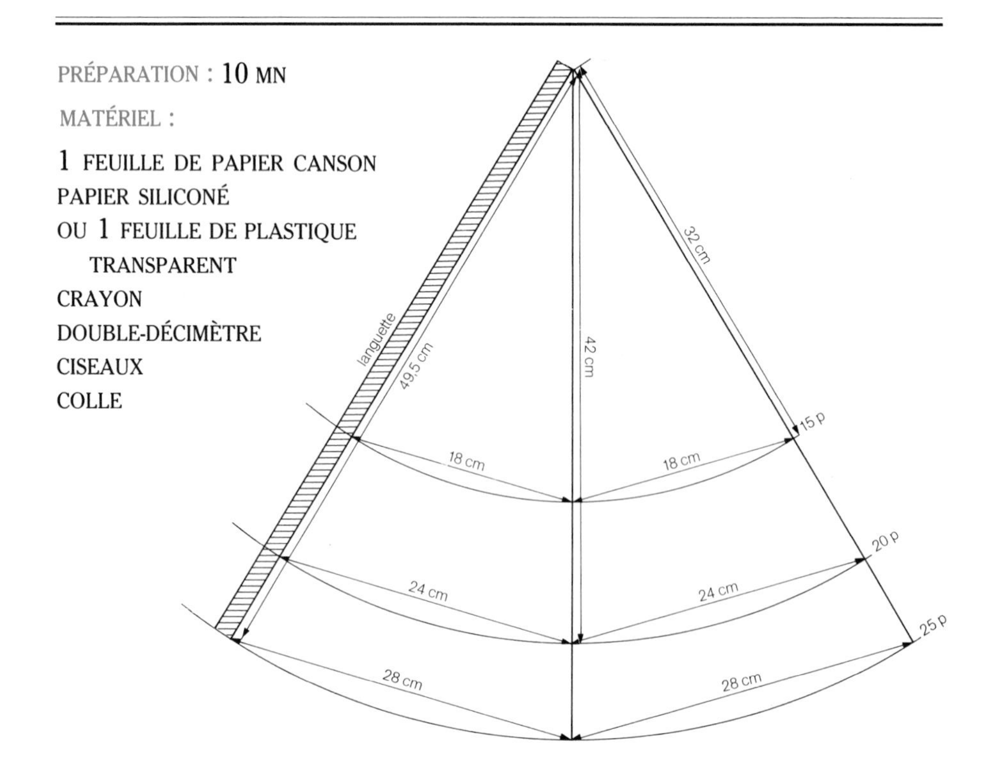

En respectant exactement la forme et les mesures du dessin, tracez le cône sur le papier Canson. N'oubliez pas de tenir compte de la partie hachurée du dessin : elle va servir de languette pour coller le cône.
Pour 15 personnes, le cône doit mesurer 32 cm ; pour 20 personnes : 42 cm et pour 25 personnes : 49,5 cm. Le croquembouche sera un peu moins haut que le cône car les choux ne sont pas montés jusqu'en haut.
Découpez le cône (avec sa languette). Utilisez-le comme patron pour couper un cône identique en papier siliconé ou dans une feuille de plastique transparent.
Ce deuxième cône va recouvrir le premier ; il lui servira de protection et empêchera le caramel d'adhérer au papier au moment du montage du croquembouche.
Collez chaque cône séparément sur le côté grâce à la languette.
Emboîtez le second sur le premier.

GARNITURE DES CHOUX À LA CRÈME PÂTISSIÈRE

PRÉPARATION : 20 MN

INGRÉDIENTS POUR 80 CHOUX :

900 G DE CRÈME PÂTISSIÈRE

MATÉRIEL :

POCHE À DOUILLE DE ∅ 0,3 OU 0,4 CM
AIGUILLE À TRICOTER DE MÊME DIAMÈTRE

Préparez d'abord tous les choux en perçant le fond avec l'aiguille à tricoter. Garnissez-les ensuite modérément de crème pâtissière à l'aide de la poche à douille.

Conservation : 24 h au réfrigérateur sur une planchette, recouverts de film plastique.

GLAÇAGE AU CARAMEL

PRÉPARATION : 15 MN

INGRÉDIENTS POUR 80 CHOUX :

CARAMEL BLOND
200 G DE SUCRE GROS GRAINS

MATÉRIEL :

CASSEROLE INOXYDABLE
1 GRANDE ASSIETTE OU 1 PLAT

Étalez le sucre gros grains sur l'assiette ou le plat.
Réchauffez une partie du caramel à feu très doux, très brièvement, juste le temps de le faire fondre. Gardez le reste du caramel en réserve pour le faire réchauffer au fur et à mesure de vos besoins.
Prenez tous les choux, un par un, et trempez le côté bombé dans le caramel dans la casserole. Réservez les choux caramélisés en en posant la moitié, sur leur base, sur le plan de travail et l'autre moitié côté caramélisé en dessous, dans l'assiette contenant le sucre gros grains.

Conseil : à défaut de sucre gros grains, utilisez du sucre cristal.

MONTAGE DU CROQUEMBOUCHE

PRÉPARATION : 40 MN

INGRÉDIENTS POUR 20 PERSONNES :

80 CHOUX GARNIS DE CRÈME PÂTISSIÈRE ET CARAMÉLISÉS, DONT 40 COUVERTS DE SUCRE
CARAMEL BLOND
2 SOCLES DE CARAMEL (P. 421)
40 DRAGÉES
4 « S » EN PÂTE À CHOUX (P. 420)

MATÉRIEL :

CASSEROLE INOXYDABLE
CÔNE
BOÎTE DE CONSERVE 4/4 PLEINE
PLAT DE SERVICE (PLAT À TARTE OU SOCLE, EN VERRE OU EN ARGENT)

Sur le plan de travail, posez le cône bien d'aplomb avec la boîte de conserve à l'intérieur pour le stabiliser.
Réchauffez doucement le caramel jusqu'à ce qu'il soit liquide.
Formez la rangée du bas du croquembouche avec des choux non couverts de sucre gros grains : commencez par coller 2 choux ensemble sur le côté en les trempant légèrement dans le caramel ; posez-les ensuite au pied du cône, sur le plan de travail, la base des choux reposant contre le cône et la partie bombée tournée vers l'extérieur.
Prenez un troisième chou, trempez-le légèrement dans le caramel, collez-le sur le côté du deuxième chou au pied du cône ; prenez-en un quatrième, etc., et ainsi de suite jusqu'à ce que vous ayez formé une couronne tout autour du cône (environ 13 choux pour un croquembouche de cette taille).
N'oubliez pas que les choux doivent coller les uns aux autres et qu'ils ne doivent pas adhérer au cône qu'il faudra pouvoir retirer plus tard.
Procédez de la même façon pour former la couronne suivante, composée de choux couverts de sucre gros grains, en plaçant ceux-ci en quinconce par rapport à la rangée du bas. Il vous en faudra environ 12 pour faire le tour du cône.
Continuez en faisant alterner une couronne de choux simplement caramélisés et une couronne de choux couverts de sucre gros grains.

Croquembouche (recette p. 419)

Tournez le croquembouche en cours d'opération pour être sûr qu'il monte bien droit. Il vous faudra en général 1 chou de moins par rangée.
Arrêtez-vous à environ 36 cm de haut, avant d'avoir atteint la pointe du cône.
Posez le grand socle de caramel sur le plat de service.
Inclinez le croquembouche sur le côté délicatement et soutenez-le d'une main pendant que, de l'autre main, vous enlevez le cône de papier. Placez ensuite le croquembouche sur le socle. S'il vous reste des choux, disposez-les à la base.
Décorez avec les dragées que vous collez ici et là, par groupes de 5 ou 6, pour former des fleurs (voir photo).
Avec du caramel, collez le petit socle au sommet du croquembouche puis collez dessus les 4 « S », debout sur leur base la plus large, en forme de croix. Leur sommet constitue une petite plate-forme ; vous pouvez mettre la dernière touche à la pièce montée en y déposant un objet léger symbolisant l'occasion.

Conservation : 12 h au frais, dans une atmosphère sèche mais surtout pas au réfrigérateur car le caramel deviendrait collant.

Conseil : pour 60 choux, faites une première couronne de 11 choux et arrêtez-vous à 26 cm de hauteur ; pour 100 choux, une première couronne de 14 choux, jusqu'à une hauteur de 42 cm.

CHAPITRE XVI

COMME AUTREFOIS : LE PAIN

- Généralités sur les pains
- Pain complet sans levain
- Pain de seigle au levain
- Pain de mie
- Pâte à pain brioché
- Mini-pains briochés

GÉNÉRALITÉS SUR LES PAINS

Grâce à ce chapitre supplémentaire destiné à redonner au pain la place qu'il mérite dans notre alimentation, j'espère vous donner l'envie de voir un jour sortir de votre four un pain odorant, bien levé, croustillant et doré.
Le pain blanc a longtemps été considéré comme une amélioration de notre niveau de vie en France, mais il est totalement injuste de négliger le pain complet ou les pains faits de céréales autres que le blé, le pain de seigle par exemple. Les nutritionnistes recommandent d'ailleurs de plus en plus souvent de varier la consommation et de ne plus se limiter au pain blanc.
Au début de ce siècle, la préparation du pain était encore un acte social ; on donnait du levain à celui qui l'avait laissé perdre ; on donnait son pain à cuire au four communal et c'était l'occasion de rencontres et de festivités.
Je vais vous donner ici deux méthodes de fabrication du pain : sans levain et avec levain. Les deux procédés sont valables pour tous les pains, quelle que soit la farine que vous choisissez. Plusieurs présentations sont possibles : moulé ou non, en longueur ou en boule, etc., vous les adapterez à l'une ou l'autre des recettes.

CHOIX DES FARINES

Pour toutes les pâtes à pain et les pâtes levées genre brioche, choisissez la farine de gruau type 45. Elle est riche en gluten (on dit que c'est une farine de force ou une farine corsée) ; elle développe bien sous l'action de la levure.
La mention type 45 est portée sur les paquets.
Selon la personnalité que vous désirez donner à votre pain, complétez avec de la farine complète, de la farine de seigle ou de sarrasin.
N'utilisez pas de farine fluide ; idéale pour la pâtisserie, cette farine pauvre en gluten ne convient pas à la fabrication du pain.

LEVURE

Pour bien réussir le pain, il faut avoir de la levure de boulanger très fraîche ; une levure qui a perdu sa fraîcheur n'a plus de force et ne pourra faire développer la pâte. Je préfère alors vous conseiller la levure lyophilisée en sachets qui donnera un résultat satisfaisant et plus régulier.

FABRICATION

La fabrication du pain comprend 3 stades importants : le pétrissage, la pousse et la cuisson. Ces opérations doivent se succéder à cause de l'action de la levure.

Pétrissage. Faites-le dans un bol pétrisseur électrique en vous rappelant qu'il est très important de ne jamais mettre la levure en contact direct avec le sel.
La pâte a souvent tendance à s'enrouler autour du crochet et à s'agglomérer au fond du bol. Il est important de dégager le crochet pour que le pétrissage puisse continuer à se faire et de racler régulièrement le fond du bol.

Pousse. Le temps de pousse varie selon le type de farine utilisée et selon la température : la farine blanche pousse plus vite que les autres et une pâte pousse deux fois plus vite à 25° qu'à 18°.
N'hésitez donc pas à modifier le temps indiqué car il n'est donné qu'à titre de guide et vérifiez l'augmentation de volume de la pâte.
Mais ne dépassez pas l'augmentation de volume indiquée car une pousse trop importante produirait de grosses alvéoles qui seraient visibles quand vous coupez le pain.
Pendant la pousse, il faut éviter tout courant d'air ; c'est pourquoi je vous conseille de couvrir les pâtons avec un linge ou de les placer dans un placard. Saupoudrez les pâtons de fine chapelure ou de farine pour que la pâte ne colle pas au linge.

Cuisson. L'utilisation de moules permet de cuire une plus grande quantité de pâte à la fois car le pain développe plus en hauteur.
Avant de faire cuire le pain, il faut dorer la surface au pinceau. Vous pouvez utiliser un œuf entier battu, ou un œuf entier battu dans un peu d'eau, ou un jaune d'œuf ou, tout simplement, du lait. Pour obtenir une belle coloration et un bon développement de la pâte, il est indispensable d'avoir de la vapeur d'eau. Je vous conseille donc de placer dans le four un petit moule ou un ramequin rempli d'eau quand vous mettez celui-ci à chauffer.

COUPE DU PAIN

De même que nous vous avons conseillé d'acheter votre pain à l'avance pour pouvoir le couper facilement en tranches fines et régulières, nous vous conseillons de le faire à l'avance pour la même raison. Le pain se garde bien à condition d'être enveloppé.
Mais le pain se congèle aussi très bien et revient à température ambiante en 2 h environ. Il n'est pas nécessaire de le décongeler 2 jours à l'avance : il se coupe très facilement 2 h après être sorti du congélateur.

PAIN COMPLET SANS LEVAIN

PRÉPARATION : 25 MN

TEMPS DE POUSSE : 3 H ENVIRON

CUISSON : 35 MN

INGRÉDIENTS POUR 1,6 KG DE PAIN :

500 G DE FARINE BLANCHE TYPE 45
ET 500 G DE FARINE COMPLÈTE
OU BIEN
700 G DE FARINE BLANCHE TYPE 45
ET 300 G DE FARINE DE SARRASIN

30 G DE LEVURE DE BOULANGER FRAÎCHE
OU 2 SACHETS DE LEVURE LYOPHILISÉE
1 BONNE CUILLERÉE À SOUPE DE SEL (20 G)

MATÉRIEL :

4 MOULES À CAKE DE 25 CM DE LONG
BOL PÉTRISSEUR ET CROCHET
CUL-DE-POULE DE 3 LITRES
THERMOMÈTRE
PETIT MOULE MÉTALLIQUE
PINCEAU

Préparez 6,5 dl d'eau à 22°. Prélevez-en un peu pour délayer la levure de boulanger ou bien suivez les conseils portés sur le paquet de levure lyophilisée.
Mettez la farine dans le bol pétrisseur, ajoutez la levure délayée et l'eau ; pétrissez avec le crochet ; du bout du doigt vérifiez si la pâte est assez mouillée et ajoutez éventuellement un peu d'eau. Pétrissez à vitesse minimum pendant 10 mn.
Continuez à pétrir à vitesse minimum pendant encore 5 mn en ajoutant lentement 2 à 3 pincées de farine et le sel. Mettez sur vitesse maximum pendant 10 secondes avant d'arrêter. La pâte doit s'enrouler autour du crochet (photo).
Laissez reposer dans le bol couvert pendant 30 mn puis rompez la pâte, soit en donnant 2 tours avec le crochet, soit en attrapant la pâte dans le fond du bol avec la main farinée pour la soulever et la rabattre d'un coup sec (photo). La pâte, qui avait commencé à lever, va retomber.
Prenez la pâte entre vos mains farinées et mettez-la dans un cul-de-poule de 3 litres en lui donnant la forme d'une boule. Laissez-la pousser pendant environ 1 h, de préférence dans un endroit à plus de 20°, près d'un radiateur, par exemple. Elle doit doubler de volume.
Beurrez et farinez légèrement les moules.
Coupez la pâte en 4 parties égales ; formez des boules en faisant tourner la pâte sur elle-même, comme une toupie, sur le plan de travail fariné ; allongez ces boules à la longueur des moules en les roulant sous la paume de la main (voir photos du pain de seigle).
Garnissez les moules de pâte en plaçant la soudure ou clé en dessous ; laissez pousser dans un endroit chaud pendant 1 à 2 h jusqu'à ce que les pâtons aient doublé de volume.

La pâte s'enroule autour du crochet.

Comment rompre la pâte.

Faites chauffer le four à 250° (th. 9) après y avoir placé un petit moule rempli d'eau pour faire de la buée.
Passez un pinceau mouillé sur la surface des pâtons ; faites-les cuire pendant 35 mn en baissant la température à 240° (th. 8) aux 2/3 de la cuisson. En cas de coloration trop vive, couvrez les moules de papier d'aluminium.
La cuisson terminée (un couteau enfoncé dans un pain doit ressortir sec), sortez les pains du four et passez encore le pinceau mouillé sur la surface. Démoulez et laissez refroidir sur une grille.
Personnellement, je préfère déguster ce pain le lendemain de sa cuisson : la croûte est moins sèche et il se coupe plus facilement.

Conservation : 8 jours à température ambiante, enveloppé dans un linge ou dans un sac plastique.

Congélation : elle se fait dès que les pains sont à température ambiante. La décongélation se fait à température ambiante pendant 2 h.

PAINS DE SEIGLE AU LEVAIN

Les ingrédients prévus dans cette recette permettent de faire un pain de seigle long de 26 cm, un pain de seigle moulé dans un moule à cake et un pain boule cuit dans un moule à manqué.

PRÉPARATION : 30 MN

TEMPS DE POUSSE : 2 À 3 H

CUISSON : 25 À 35 MN

INGRÉDIENTS POUR 1,5 KG DE PAIN :

400 G DE FARINE DE SEIGLE
300 G DE FARINE DE GRUAU (TYPE 45)
15 G DE LEVURE DE BOULANGER FRAÎCHE
OU 1 SACHET DE LEVURE LYOPHILISÉE
1 BONNE CUILLERÉE À SOUPE DE SEL

LEVAIN :

250 G DE FARINE DE GRUAU (TYPE 45)
15 G DE LEVURE DE BOULANGER FRAÎCHE
OU 1 SACHET DE LEVURE LYOPHILISÉE

FINITION :

1 ŒUF

MATÉRIEL :

1 MOULE À CAKE
1 MOULE À MANQUÉ
PLAQUE DU FOUR
BOL PÉTRISSEUR ET CROCHET
THERMOMÈTRE
CORNE PLASTIQUE
CISEAUX
LINGE BLANC

Pour bien réussir cette recette, la levure doit être très fraîche, et les temps de pousse doivent être respectés. Si vous utilisez de la levure lyophilisée, suivez les conseils indiqués sur le sachet.
Mettez 4,5 dl d'eau au réfrigérateur pour qu'elle soit bien glacée.

Préparation du levain
Dans le bol pétrisseur muni du crochet, versez 1,5 dl d'eau tiède ; ajoutez la levure de boulanger et délayez-la ou bien mettez la levure lyophilisée délayée. Ajoutez la farine en une fois et travaillez au crochet pour bien mélanger les ingrédients.
Prenez la pâte entre vos mains farinées ; tapez-la et pétrissez-la jusqu'à ce qu'elle forme une boule molle.
Immergez cette boule dans un récipient rempli d'eau à environ 30°. Au bout de 10 mn, elle va remonter à la surface. Le levain est prêt.

Préparation du pain
Dans le bol pétrisseur nettoyé, mettez le sel, versez 3 dl d'eau glacée, ajoutez les 2 farines puis 15 g de levure émiettée ; pétrissez pendant quelques secondes pour bien mélanger. Ajoutez le levain.
Pétrissez pendant 8 à 9 mn à vitesse moyenne en ajoutant progressivement

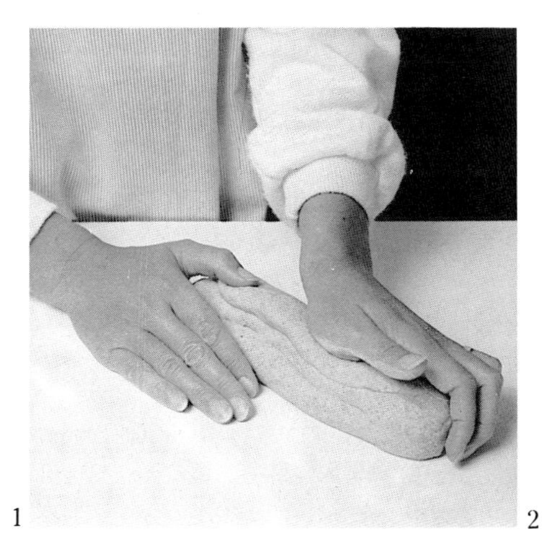

1

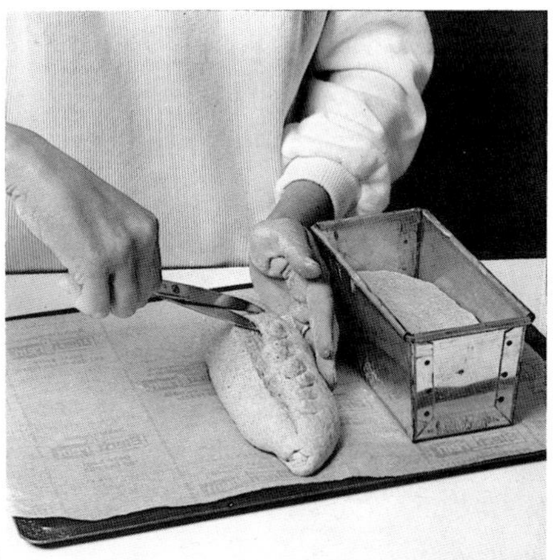

2

1. Les bords d'un des pâtons sont rabattus vers le centre, formant une clé.

2. Avec des ciseaux on coupe des becs sur un pâton long.

3. On fait tourner un autre pâton entre les mains farinées pour lui donner une forme de boule.

3

l'eau glacée restante ; arrêtez 2 ou 3 fois la machine et raclez les bords du bol. La pâte doit finir par s'enrouler autour du crochet.
Faites-en une boule, déposez-la dans un récipient légèrement fariné et mettez à pousser à 25°, près d'un radiateur par exemple, pendant 1 h. Farinez légèrement la surface de la pâte et couvrez le récipient d'un linge blanc. La pâte doit doubler de volume ; prolongez au besoin le temps de pousse.
Sur le plan de travail fariné, détaillez la pâte en 3 pâtons, 2 pâtons de 350 g et 1 pâton de 800 g.
Entre vos mains farinées, prenez successivement chacun des petits pâtons et rassemblez-les en rabattant les bords vers le centre. Le dessus tout plissé (la clé) sera placé au fond du moule ou formera le dessous du pain (photo).
Placez 1 de ces petits pâtons dans le moule à cake beurré et fariné ; avec les phalanges, tapez sur la pâte pour en faire sortir l'air et égaliser la surface.
Allongez la forme du deuxième petit pâton en le roulant sur le plan de travail jusqu'à ce qu'il mesure 26 cm de long. Posez-le sur un papier siliconé sur la plaque du four. Dorez-le au pinceau avec l'œuf battu. Avec des ciseaux, coupez des becs sur le dessus à intervalles réguliers (photo).
Roulez le pâton de 800 g sur le plan de travail entre vos mains farinées pour qu'il tourne sur lui-même comme une toupie (photo). Disposez-le dans le moule à manqué beurré et fariné en lui laissant sa forme de boule.
Laissez pousser encore 1 h à température ambiante.
Faites chauffer le four à 220° (th. 7). Environ 5 mn avant d'enfourner le pain, placez dans le four un petit moule rempli d'eau qui fournira de la vapeur d'eau.
Faites cuire à 220° pendant 7 mn puis baissez la température à 200° (th. 6) et laissez encore cuire pendant 25 mn pour le pain long, 30 mn pour le pain dans le moule à cake et 35 mn pour le pain boule. Vérifiez la cuisson avec une broche de métal qui doit ressortir sèche.
Sortez les pains au fur et à mesure. Démoulez s'il y a lieu et laissez refroidir sur une grille.
Vous pouvez évidemment détailler votre pâte différemment. Nous avons choisi ces formes pour vous donner des exemples de pain moulé, de pain non moulé et de pain boule. Avec la même quantité de pâte, vous pouvez faire soit 4 pains longs, soit 4 pains moulés dans des moules à cake, soit 2 gros pains boules ou 4 petits.

Conservation : 5 jours au frais, enveloppés dans un linge.

Congélation : elle se fait dès que les pains sont à température ambiante ; laissez décongeler à température ambiante pendant 2 h.

Conseil : comme toujours, les opérations doivent se succéder : on ne peut pas scinder la recette et laisser la pâte à pain attendre.

PAIN DE MIE

PRÉPARATION : 30 MN

TEMPS DE POUSSE : 2 À 3 H

CUISSON : 30 À 35 MN

INGRÉDIENTS POUR 1,350 KG DE PAIN :

800 G DE FARINE (TYPE 45)
20 G DE LEVURE DE BOULANGER FRAÎCHE
OU 1 SACHET DE LEVURE LYOPHILISÉE
2 ŒUFS
50 G DE BEURRE RAMOLLI
1 DL DE LAIT
6,5 CL D'HUILE
1 CUILLERÉE À SOUPE DE SUCRE
1 CUILLERÉE À SOUPE DE SEL

MATÉRIEL :

3 MOULES À CAKE OU À PAIN DE MIE
BOL PÉTRISSEUR ET CROCHET
GRILLE
CORNE OU SPATULE SOUPLE

Faites tiédir le lait puis émiettez la levure dedans, ou bien suivez les conseils portés sur le paquet de levure lyophilisée.
Dans le bol pétrisseur, versez 1,5 dl d'eau tiède, le sel, le sucre, 1 œuf, la farine, l'huile, le lait et la levure fondue. Commencez à pétrir à petite vitesse, ajoutez progressivement encore 1 dl d'eau tiède. Augmentez la vitesse, la pâte s'enroule autour du crochet (voir photo n° 1 du pain complet). En cours de pétrissage, dégagez le crochet 2 fois et raclez le fond du bol avec la spatule si la pâte y adhère.
Après 4 mn, prélevez un peu de pâte et, à l'aide de la spatule, incorporez-la au beurre ramolli dans un bol. Ajoutez ce mélange au reste de la pâte, raclez éventuellement le fond du bol pétrisseur et pétrissez à grande vitesse pendant encore 4 mn. Vous devez obtenir une pâte très élastique et bien lisse.
Rassemblez-la en une boule, mettez-la dans un récipient rond fariné, couvrez et laissez pousser dans un endroit chaud (25°) pendant environ 1 h. Si la pâte n'a pas doublé de volume au bout d'1 h, prolongez la pousse. Il vaux mieux que la pâte soit tiède en fin de pousse.
Avec cette quantité de pâte, vous pouvez mouler 3 pains de mie de 450 g chacun.
Coupez la pâte en 3 et, sur le plan de travail fariné, formez des boules en faisant tourner la pâte sur elle-même, comme une toupie, entre vos deux mains légèrement farinées (voir photo n° 3 du pain de seigle) ; allongez ensuite la pâte à la longeur des moules en la roulant sous la paume de la main (voir photo n° 1 du pain de seigle), ce qui va former une soudure ou clé.

Beurrez légèrement les moules. Garnissez-les de pâte en plaçant la clé en dessous ; tapez sur la pâte avec les phalanges pour bien l'étaler et égaliser la surface.
Laissez encore pousser dans les moules, à température ambiante, pendant 1 h au maximum.
Faites chauffer le four à 220° (th. 7).
Cassez le 2e œuf dans un verre gradué, ajoutez un volume égal d'eau et battez bien. Avec ce mélange, dorez le dessus des pains. Faites cuire à 220° pendant 7 mn, puis à 200° (th. 6) pendant 25 à 30 mn. Vérifiez la cuisson en enfonçant dans le pain une brochette métallique qui doit en ressortir sèche.
Démoulez chaud et laissez refroidir sur une grille.

Conservation : 5 à 6 jours au frais, enveloppé dans un linge.

Congélation : congelez dès que le pain est à température ambiante ; laissez décongeler à température ambiante pendant 2 h. Un pain qui vient d'être décongelé se coupe très bien.

Conseil : il est préférable de faire les pains de mie 1 ou 2 jours à l'avance, si on veut les couper en tranches fines.

PÂTE À PAIN BRIOCHÉ

Faites-la 24 h à l'avance.
Un bol pétrisseur vous sera d'une grande utilité mais, si vous n'en avez pas, vous pouvez réussir cette pâte à la main.

PRÉPARATION : 30 MN

TEMPS DE REPOS : 12 H

INGRÉDIENTS POUR 1 KG DE PÂTE :

500 G DE FARINE TYPE 45
15 G DE LEVURE DE BOULANGER FRAÎCHE
OU 1 SACHET DE LEVURE LYOPHILISÉE
6 ŒUFS
250 G DE BEURRE FIN
2 CUILLERÉES À SOUPE DE LAIT
2 CUILLERÉES À SOUPE DE SUCRE SEMOULE (30 G)
1 CUILLERÉE À SOUPE DE SEL (15 G)

MATÉRIEL :

BOL PÉTRISSEUR ÉLECTRIQUE (FACULTATIF)
CUL-DE-POULE DE 3 LITRES
ROULEAU À PÂTISSERIE
CORNE DE PLASTIQUE

Sortez le beurre du réfrigérateur 1 h à l'avance.
Émiettez la levure dans un bol et délayez-la avec 1 cuillerée de lait tiède.
Dans un autre bol, délayez le sel et le sucre avec 1 autre cuillerée de lait tiède. Ne mettez jamais la levure en contact avec le sel et le sucre.

Si vous avez un bol pétrisseur

Dans le bol, mettez le sel et le sucre délayés, puis la farine et enfin la levure. Pétrissez à petite vitesse et ajoutez, en une fois 4 œufs entiers. Continuez à pétrir ; la pâte devient rapidement ferme, homogène et lisse. Ajoutez les 2 autres œufs un par un.
Continuez à pétrir à vitesse moyenne pendant 15 mn, jusqu'à ce que la pâte devienne souple et s'étire facilement entre les doigts sans casser.
Pendant le pétrissage, placez le beurre entre 2 feuilles de plastique et aplatissez-le en le tapant avec le rouleau à pâtisserie ; il doit être assez mou. Détaillez-le en morceaux de la taille d'un œuf.
Quand la pâte est souple, repassez à petite vitesse et incorporez vivement les morceaux de beurre en 2 mn.

Si vous n'avez pas de bol pétrisseur

Faites une fontaine dans la farine, versez la levure délayée, mélangez bien du bout des doigts. Incorporez ensuite 3 œufs entiers, puis le sel et le sucre, puis un 4e œuf. Travaillez toute la farine petit à petit pendant 15 mn en tirant souvent sur la pâte pour l'aérer. Incorporez enfin les 2 derniers œufs, l'un après l'autre. Continuez à pétrir la pâte. Elle doit devenir très élastique et s'étirer facilement.
Placez le beurre entre 2 feuilles de plastique, tapez-le avec le rouleau à pâtisserie pour le rendre malléable. En travaillant avec la corne plastique, incorporez au beurre 1/3 de la pâte, puis incorporez le reste en deux fois.

Le pétrissage étant terminé, mettez la pâte dans un cul-de-poule de 3 litres pour la pousse ; saupoudrez la pâte d'un peu de farine et couvrez le cul-de-poule d'un linge blanc. Laissez pousser pendant 1 h 30 environ, à température ambiante. Quand la pâte a doublé de volume, la pousse est terminée. Rompez alors la pâte à la main à 2 reprises en la soulevant et en la laissant retomber d'un coup sec (voir photo n° 2 du pain complet).
Laissez pousser à nouveau au réfrigérateur ; elle doit former une boule en 2 à 3 h.
Sortez la pâte du réfrigérateur, rompez-la à nouveau puis laissez-la au frais pendant 1 nuit, dans le récipient couvert, avant de l'utiliser.

Congélation : séparez la pâte en 2 ou 3 morceaux, enveloppez-les hermétiquement et congelez-les. Laissez reprendre au réfrigérateur pendant 24 h avant utilisation.

Conseil : autrefois, on se servait d'un levain fait avec 1/4 de la farine et la levure mouillée, ce qui permettait à la pâte de lever en hiver quand le chauffage était insuffisant. Vous pouvez essayer cette méthode s'il fait très froid chez vous !

MINI-PAINS BRIOCHÉS

PRÉPARATION : 15 MN

TEMPS DE POUSSE : 1 H À 1 H 15

CUISSON : 8 À 10 MN

INGRÉDIENTS POUR 28 À 30 MINI-PAINS :

500 G DE PÂTE À PAIN BRIOCHÉ
1 ŒUF
SEL

MATÉRIEL :

PLAQUE DU FOUR
ROULEAU À PÂTISSERIE
EMPORTE-PIÈCE OVALE
OU COUTEAU CHEF
PINCEAU
PAPIER SILICONÉ

Sur le plan de travail légèrement fariné, abaissez la pâte en un rectangle de 20 × 30 cm et de 8 mm d'épaisseur.
Taillez 24 pièces à l'emporte-pièce ovale ou découpez 24 rectangles de 3 × 7 cm environ. Il reste des chutes que vous roulez en boule et mettez au congélateur pendant 10 mn avant de les abaisser pour tailler encore 5 ou 6 pièces, ovales ou rectangulaires.
Posez la feuille de papier siliconé sur la plaque du four, mouillez-la légèrement, rangez dessus les mini-pains. Avec le pinceau, dorez une première fois à l'œuf battu avec un soupçon de sel.
Laissez pousser à l'abri des courants d'air pendant 1 h à 1 h 15 à 22/23°.
Faites chauffer le four à 230° (th. 7/8) 15 mn à l'avance.
Dorez une deuxième fois à l'œuf battu. Faites cuire pendant 8 à 10 mn.
Laissez refroidir sur la plaque du four.

Conservation : 48 h, dans un sac plastique.

Congélation : elle doit se faire dès que les mini-pains sont à température ambiante. Mettez-les au congélateur sur la feuille de papier siliconé. Quand ils ont durci, enveloppez-les dans un sac plastique. Pour décongeler, laissez reprendre à température ambiante pendant environ 2 h.

EXPLICATION DES PRINCIPAUX TERMES EMPLOYÉS

ABAISSE : pâte aplatie et allongée au rouleau à pâtisserie.

« AL DENTE » : légèrement croquant sous la dent. Ce degré de cuisson est utilisé pour les légumes et les pâtes.

APPAREIL : préparation servant de base à la confection d'un plat plus élaboré.

BAIN FROID : récipient rempli d'eau froide et de glaçons et permettant d'accélérer le refroidissement d'une préparation.

BAIN-MARIE : récipient rempli d'eau chaude ou bouillante et permettant de réchauffer ou de faire cuire une préparation placée dans un récipient plus petit sans contact direct avec la flamme ou la plaque chauffante.

BEURRER : enduire de beurre fondu les parois et le fond d'un moule à l'aide d'un pinceau.

BLANCHIR : mettre des légumes pendant quelques minutes dans de l'eau bouillante salée ; le blanchiment accentue les couleurs (haricots verts, carottes, etc.) ;
ou :
plonger une volaille ou des os dans de l'eau froide salée et amener à ébullition ; dans ce cas, le blanchiment raffermit la viande ou élimine les impuretés.

BRUNOISE : petits dés (de légumes).

CHEMISER : garnir les parois d'un moule d'une gelée ou d'une feuille de papier.

CISELER : tailler en lamelles ou lanières fines (salades en chiffonnade).

CONCASSER : écraser grossièrement.

CRÈME FLEURETTE : crème fraîche liquide spécialement recommandée pour monter en crème fouettée ou alléger certaines sauces.

DÉGLACER : ajouter un liquide dans la plaque ayant servi à la cuisson pour dissoudre les sucs caramélisés et obtenir de la sauce.

DESSÉCHER : faire cuire à feu très vif pour éliminer l'excédent de liquide.

DORER : enduire une pâte, à l'aide d'un pinceau, d'œuf battu, de jaune d'œuf ou de lait pour qu'elle colore à la cuisson.

DRESSER : disposer sur un plat pour le service.

DRESSER UNE PÂTE : avant cuisson, donner à une pâte molle la forme requise à l'aide d'une poche à douille ou d'une cuiller.

ÉMINCER : couper en tranches très fines.

ÉMONDER : enlever la peau fine d'un légume ou d'un fruit après l'avoir plongé pendant quelques secondes dans l'eau bouillante.

FONCER : garnir un moule d'une abaisse de pâte.

FRÉMISSEMENT, FRISSON : léger mouvement qui agite un liquide juste avant l'ébullition.

JULIENNE : fins bâtonnets (de légumes).

MACÉRER ou MARINER (faire) : laisser des ingrédients dans un liquide aromatisé pendant une durée variable.

MASSE : mélange homogène de plusieurs ingrédients servant de base à une autre préparation plus élaborée.

MIGNONNETTE (POIVRE) : poivre concassé grossièrement (ceci peut se faire dans un torchon avec le dos d'une cuiller ou un rouleau à pâtisserie).

MIMOSA (ŒUFS) : œufs durs grossièrement hachés, jaune et blanc mélangés.

MIREPOIX : gros dés (de légumes).

NAPPER : recouvrir un mets de crème, de sauce ou de gelée à l'aide d'un pinceau ou d'une cuiller.

PARER : ôter les parties impropres à la consommation (nageoires de poisson, gras de jambon, etc.) ou égaliser l'extérieur pour donner un aspect soigné et net.

PÂTON : quantité de pâte suffisante pour faire un pain.

POCHER : faire cuire un ingrédient ou une préparation dans un liquide frissonnant (œuf, poisson, etc.).

POUSSE : gonflement d'une pâte à pain sous l'action d'une levure.

RÉDUIRE : laisser cuire une sauce ou un bouillon pour les épaissir et les concentrer.

VANNER : remuer un liquide avec une spatule pour accélérer son refroidissement, préserver son homogénéité ou empêcher la formation d'une peau à la surface.

INDEX
DES MATIÈRES PREMIÈRES
ET DES BASES

TABLE DES MATIÈRES PAR ORDRE ALPHABÉTIQUE

D

M

N

O

P

Q

R

S

T

V

W

TABLE DES PHOTOGRAPHIES EN COULEURS

TABLE DES MATIÈRES

Imp. Hérissey, Evreux, 3-1984 - N° d'éd. : 11768 - N° d'imp. : 34019 - Dépôt légal : mai 1983